D1203062

Collana «Faretra»
Riflessioni su temi fondamentali

n. 83

I più recenti titoli della stessa collana:

Alberto Leoni, *L'Europa prima delle crociate*
Maurizio De Bortoli, *Antonio Rosmini. Amore & libertà*
Armando Fumagalli - Luisa Cotta Ramosino, *Scegliere un film 2010*
Franco Zangrilli, *La favola dei fatti*
Josefa Slànskà, *Slanskij, 1952*
Ferruccio Parazzoli, *Il posto delle cornacchie*
Robert Spaemann, *Rousseau cittadino senza patria*
Alberto Leoni, *La croce e la mezzaluna*
Armando Fumagalli - Luisa Cotta Ramosino, *Scegliere un film 2009*
Gianni Baget Bozzo - Pier Paolo Saleri, *Giuseppe Dossetti*
Paolo De Marchi, *Da Tiziano a Pollock*
Manlio Paganella, *La dottrina sociale della Chiesa & il diritto naturale*
Sandro Fontana, *Le grandi menzogne della storia contemporanea*
Nicola Guiso, *La storia nei giornali*
Ugo Finetti, *Togliatti & Amendola - La lotta politica nel Pci*
Armando Fumagalli - Luisa Cotta Ramosino, *Scegliere un film 2008*
Tito S. Centi O. P., *Nel segno del Sole. San Tommaso d'Aquino*
Luciano Garibaldi, *Operazione Walkiria*
Cesare Cavalleri, *Persone & Parole / 4*

Massimo Viglione

1861. LE DUE ITALIE

Identità nazionale, unificazione, guerra civile

Via A. Stradivari, 7 - 20131 Milano

ISBN 978-88-8155-522-2

Il catalogo completo delle Edizioni Ares
è consultabile sul sito www.ares.mi.it

La nostra e-mail è:
info@ares.mi.it

INTRODUZIONE

La preparazione della commemorazione del 150° anniversario della costituzione del Regno d'Italia (17 marzo 1861) non è stata concepita né vissuta serenamente dalla nostra classe politica e dai ceti intellettuali e culturali. In teoria, ciò dovrebbe essere strano, in quanto non solo si tratta di un elemento positivo, anzi, basilare, nella storia di un popolo (l'unificazione nazionale), che in ogni altra nazione sarebbe vissuto come momento di grande festa popolare, ma, specificamente per il popolo italiano, a causa delle sua stessa storia e dell'attuale congerie politica e culturale di profonda divisione, sarebbe dovuto essere realmente «la grande occasione», atta a ricreare una realtà aggregante – una medicina ricostituiva – per uno Stato sempre meno amato e sentito amico dalla popolazione, come largamente riconosciuto da ognuno.

Ma in realtà non è affatto strano. È anzi la normale e inevitabile conseguenza della storia stessa d'Italia negli ultimi duecento e passa anni, della storia stessa della nostra unificazione politica e delle sue drammatiche conseguenze nel corso del XX secolo. Tale affermazione è quanto si vuole dimostrare e spiegare in questo studio.

Molti forse ricorderanno che il problema sorse a livello di dibattito nazionale nell'estate del 2009, suscitato da un articolo di Ernesto Galli della Loggia sul *Corriere della Sera* del 20 luglio, intitolato «Noi, italiani senza memoria», dove l'autore, proprio in riferimento a quelli che sarebbero dovuti essere i preparativi per i solenni festeggiamenti nazionali, denunciava in termini amari il fallimento di una vera e viva coscienza nazionale nella nostra classe politica e culturale e, quindi, in gran parte degli italiani. Credo sia utile, per entrare nel vivo del problema, riproporre direttamente le parole stesse di Galli della Loggia, che svelano pienamente il cuore del problema[1]: «Il modo in cui il Paese si appresta a celebrare nel 2011 il 150° anniversario della sua Unità indica alla perfezione quale sia l'immagine che la classe politica – tutta, di destra e di sinistra, senza eccezioni (nonché, temo, anche la maggioranza dell'opinione pubblica) – ha ormai dell'Italia in quanto Stato nazionale e della sua storia. Un'immagine a brandelli e di fatto inesistente: dal momento che ormai *inesistente sembra essere qualsiasi idea dell'Italia stessa*».

L'autore rivela poi che tanto il governo Prodi quanto quello Berlusconi hanno utilizzato tutti i soldi stanziati in vista del centocinquatenario per costruire infrastrutture pubbliche un po' ovunque in Italia.

E continua: «Il punto drammatico sta nella premessa di tutto ciò. Nel fatto evidente che la classe politica sia di destra sia di sinistra, messa di fronte a uno snodo decisivo della storia d'Italia e della sua identità, messa di fronte alla necessità di immaginare un modo per ricordarne il senso e il valore – e dunque dovendosi fare un'idea dell'uno e dell'altro, nonché di assumersi la responsabilità di proporre tale idea al mondo, e quindi ancora di riconoscersi in essa – non sa letteralmente che cosa dire, che partito prendere, che idea pensare.

«E non sa farlo, per una ragione altrettanto evidente: perché in realtà essa per prima non sa che cosa significhi, che cosa possa significare, oggi l'Italia, e l'essere italiani. Quella classe politica fa di conseguenza la sola cosa che sa fare e che la società italiana in fondo le chiede: distribuire dei soldi. A pioggia, senza alcun criterio ideale o pratico, in modo da soddisfare le esigenze effettive, i sogni, le ubbie, dei mille localismi, dei mille luoghi e interessi particolari in cui ormai sempre più consiste il Paese. Cioè consistiamo noi. "A te un campus, a te una circonvallazione, a te un palazzo per qualche cosa": l'unico scopo che ci tiene insieme sembra essere oramai quello di spartirci il bilancio dello Stato, di dividerci una spoglia.

«M'immagino come se la deve ridere tra sé e sé il vecchio principe di Metternich, osservando lo spettacolo: non l'aveva sempre detto, lui, che l'Italia non è altro che un'espressione geografica?».

L'amara e spietata denuncia di Galli della Loggia ha, come naturale, suscitato un dibattito generale nei giorni successivi. Troppo forte è l'«urlo di dolore» provocato dal coltello messo nella piaga per non essere avvertito, per non meritare seria risposta: Metternich aveva dunque ragione? Se fosse ancora vivo, sarebbe lui, lo sconfitto di allora – e a Metternich si potrebbero aggiungere tanti altri sconfitti, tutte le vittime non tanto dell'unità italiana, quanto dei metodi utilizzati per ottenerla e dell'ideologia che ha spinto tali metodi, a partire dal Papa vittima sacrificale di tali metodi e ideologia – a ridere per ultimo? Siamo ancora italiani (non naturalmente nel senso genetico, ma politico e culturale)? E lo siamo mai stati? Che cosa ha significato allora nella realtà tutto quanto avvenuto durante il Risorgimento? Che cosa dovremmo festeggiare realmente nel 2011?

Le questioni poste sono tutt'altro che esagerate (ben altre

ne porremo in seguito): lo dimostrano proprio le risposte di altri intellettuali e giornalisti a Galli della Loggia, tutte condividenti, sebbene con differenti sfumature, la sua denuncia. Vediamone alcune sinteticamente.

Gennaro Malgieri (*Il Tempo*, 23 luglio 2009) dà tutta la colpa al fatto che «l'Italia è stata e continua ad essere affetta dalla prevalenza delle ragioni clientelari sul bene comune; dai particolarismi localistici che non ci fanno intendere pienamente quale può essere il nostro ruolo nel mondo; dagli egoismi personalistici sovrapposti al principio di solidarietà che pure fa parte della nostra cultura e del nostro carattere». A tale affermazione, vera nella sostanza, si potrebbe però obiettare una domanda di fondo: «E come mai avviene questo? Visto poi che la solidarietà è parte integrante "della nostra cultura e del nostro carattere"?». Malgieri ha denunciato una conseguenza del male. Ma la causa profonda?

Ben più duro il giudizio (su *Libero*, 21 luglio 2009) di Vittorio Feltri: «La nostra è una nazione soltanto formalmente, e il sentimento nazionale di conseguenza è un valore retorico, cioè detto e ripetuto ma per nulla sentito dai cittadini e dai loro rappresentanti eletti per spirito di parte più che per amministrare il bene comune.

Se del 150° anniversario dell'Unità neppure si parla, e se per celebrarlo non esistono progetti all'altezza, il motivo è tristemente semplice: la maggioranza degli italiani lo considera una iattura da non festeggiare». Inoltre, Feltri accenna anche al ruolo disgregatore delle forze politiche localistiche: «La Lega Nord punta al federalismo non potendo dichiarare di ambire alla secessione. Il Mezzogiorno, terrorizzato sia dal federalismo sia dalla secessione, si organizza: sta dando corpo a una Lega Sud il cui mandato è arraffare milioni per contrastare i piani di Bossi e garantirsi contributi europei e sovvenzioni romane [...]. La politica si barcamena; è una specie di pendolo che oscilla tra due esigenze: dare al Sud per non perderne i voti e non togliere troppo al Nord per non accelerarne il processo centrifugo. Il Triveneto, dove la Lega bossiana si accinge a diventare, se non lo è già, il primo partito, ha un piede nella Mitteleuropa e cerca con rabbia di metterci anche l'altro con tanti saluti all'odiata Patria». E al contempo anche Alessandro Campi su *Il riformista* (22 luglio 2009) denunciava la vittoria del particolarismo leghista, prova provata del fallimento del sentimento unitario in Italia.

Senza voler avventurarsi nelle vicende politiche attuali, anche in questo caso occorre dire che la denuncia di Feltri è lucida, anche più schietta delle altre, ma manca l'approfondimento delle cause del male. Perché «la nostra è una nazione soltanto formalmente»? e gli italiani sentono l'anniversario «come una iattura»? Perché l'azione antiunitaria della Lega Nord ha successo, per di più proprio in quei territori che furono gli artefici del Risorgimento (perché, non dimentichiamolo, il Sud – a parte sparuti gruppi di intellettuali – l'unificazione l'ha subita, non voluta)? Perché di contro sta nascendo una sorta di «Lega Sud» e dove condurrà negli anni futuri tale deriva decentralista? Perché – e qui Feltri denuncia la più evidente e innegabile di tutte le verità su queste problematiche – «il sentimento nazionale di conseguenza è un valore retorico, cioè detto e ripetuto ma per nulla sentito dai cittadini»?[2] Perché Campi può concludere con questa drammatica affermazione: «L'Italia sta scomparendo, senza che nessuno lo voglia ammettere apertamente»? Quale Italia sta scomparendo? L'Italia degli italiani, ovvero l'italianità intesa come senso profondo di un'identità comune secolare, anzi, millenaria, o l'Italia nata 150 anni or sono? E perché sta scomparendo? E in che senso?

Il problema è serio, se tali denuncie sono vere. Ne va del senso stesso del nostro essere uno Stato, monarchico prima, repubblicano ora. E che dire del nostro essere «nazione»? Siamo e siamo mai stati una «nazione»?

In realtà, uno Stato lo siamo, nel senso che l'Italia è stata unificata tra il 1859 e il 1918 ed è entità politica unitaria dal 1861. Insomma, c'è. E, di certo, la grande maggioranza degli italiani – al di là delle estremizzazioni di Feltri – ancora attualmente preferisce che, nonostante tutti i mali odierni e trascorsi, lo Stato unitario rimanga, se non altro per il timore del vuoto politico e del disastro economico che ne verrebbe dalla sua scomparsa. Ma, detto questo, tale Stato, che esiste politicamente, esiste anche – e in che misura – nei cuori dei suoi cittadini? Quanti italiani oggi si riconoscono in questo Stato? Quanti italiani oggi si sentono italiani prima che lombardi, veneti, trentini, toscani, siciliani, napoletani, sardi ecc.? Quanti lombardi vedono nel napoletano un «fratello d'Italia»? E quanti calabresi lo vedono nel piemontese?

Ci si può accusare – nel fare tali ragionamenti – quanto si vuole di qualunquismo e banalità; chiunque potrebbe affermare: «ciò non vale per me» o «conosco tanta gente di Bergamo che vede nel napoletano o nel cosentino un "fratello d'Italia"»... Ma, al di là delle istanze buoniste e/o ideologizzate (o anche di meritevoli casi che non mancano mai), chi può negare in piena onestà intellettuale la profonda realtà di tali qualunquistiche e banali domande per un numero non secondario di italiani? Ben sapendo che la lista delle banalità potrebbe continuare molto a lungo. Nonostante la televisione, il cinema e i mass media in generale, che promuovono ogni giorno la lingua nazionale, come si può negare che milioni di italiani ancora parlino in dialetto e sovente non si comprendano tra loro? Come negare le profonde differenze di mentalità «operativa» e comportamentale ancor prima che intellettuale e morale tra un qualsiasi italiano del Nord e uno del Sud? Come negare la presenza della faziosità localistica in quasi ogni provincia dello Stato italiano? Il pregiudizio antimeridionale e, soprattutto, antiromano?

Chi può negare che la drastica affermazione di Galli della Loggia sull'immagine che gli italiani (sia la classe dirigente e culturale sia le popolazioni) hanno del proprio Stato (che pur esiste e continuerà a esistere anche proprio per paura e convenienza) sia vera nella sua essenza? «Un'immagine a brandelli e di fatto inesistente: dal momento che ormai inesistente sembra essere qualsiasi idea dell'Italia stessa». Lo Stato continuerà probabilmente a esistere a lungo e gli italiani lo vedono come una sorta di scoglio cui aggrapparsi per provare almeno a trovare lavoro, per sperare un giorno di poter ricevere la pensione, per usufruire (dove e quando possibile) degli aiuti sociali, ma con sempre maggiore e crescente scetticismo. Uno «Stato-scoglio» appunto, per di più sempre più pericolante e viscido, al quale ci si attacca per paura e per la sopravvivenza, non certo per amor di patria e tanto meno per orgoglio del proprio retaggio storico e culturale[3].

Vedere il proprio Stato come uno scoglio cui aggrapparsi significa avere una concezione utilitaristica di esso (come denunciava Malgieri), scettica, in certi casi «furbesca». Significa non averlo nel cuore, non sentirlo cosa propria, ideale da amare e difendere, anche a costo della propria vita, non vederlo come «Patria», non riconoscervi in esso la presenza di altri cinquantacinque milioni di «fratelli d'Italia». Esso è un contenitore di cui usufruire – finché e per quanto possibile – per sopravvivere nella drammatica e prosastica lotta quotidiana del cosiddetto «italiano medio», il quale, unica concessione all'«amor di patria», gli riconosce dignità sventolando il tricolore nelle vittorie sportive. Dimentichi completamente, o quasi, di quanto le generazioni passate hanno fatto per quel tricolore in terra d'Africa, sul Carso o sulle Dolomiti, nel Mediterraneo, nei Balcani, ovunque in patria.

Ancora banalità, si dirà. Sì, sono banalità proprio ed esattamente perché vere, reali. Come già rilevato, di queste banalità se ne potrebbero elencare a iosa. Non lo farò, il concetto appare evidente, e quindi inizio a trarre qualche conclusione introduttiva a questo lavoro.

Uno Stato sentito come «strumento d'aiuto» e per di più quasi sempre inefficace, assente e perfino nemico, può considerarsi come base sostanziale di un popolo che si senta – e costituisca – una nazione? Eccoci alla questione-chiave già fugacemente accennata in precedenza: noi italiani, dopo 150 anni dalla costituzione dell'unità nazionale, siamo una «nazione»? O siamo solo e ancora cittadini di uno Stato? Uno Stato che prima del 1861 poteva chiamarsi «Granducato di Toscana», o «Regno delle Due Sicilie», o «Stato Pontificio», e che dopo, in seguito a una guerra di conquista da parte di uno di quegli Stati preunitari, prese il nome di «Regno d'Italia»? E, ancor peggio e più provocatoriamente, arrivo a chiedermi: siamo sicuri che gli italiani della metà del XIX secolo vedessero lo Stato Pontificio, il Regno delle Due Sicilie, il Granducato di Toscana e gli altri Stati preunitari solo come «Stati» (scogli cui aggrapparsi) e non anche come la propria «nazione»? Siamo sicuri che tutti nel cuore e nella mente cantassero «perché non siam popolo perché siam divisi»? O invece si sentissero «popolo», quindi nazione, nel loro essere toscani, sabaudi, «duo-siciliani»? E se anche si fosse sentita a livello popolare la lecita e nobile esigenza di una sorta di processo unificante degli Stati italiani del tempo, siamo certi che ciò che volevano era che la monarchia sabauda spodestasse gli altri legittimi sovrani per creare uno Stato unitario alternativo?

Queste non sono domande retoriche o legate a improponibili sentimenti «nostalgici», sono al contrario proprio il nocciolo della questione, della «questione italiana», la questione irrisolta per eccellenza della nostra storia: l'italiano di oggi è più legato allo Stato di quanto lo fosse l'italiano preunitario al proprio Stato? Se non è così (e ci sono buone ragioni per pensarlo, le esamineremo in seguito), dove si è sbagliato? Quale «nazione» si è creata in questi 150 anni? E, di conseguenza, che cosa ci sarebbe mai da festeggiare nel 2011, visto che gli italiani di oggi sarebbero meno «nazione» degli italiani preunitari?

In fondo, il governo Prodi ha fatto le scelte più coerenti con la propria realtà contemporanea. E ciò non solo perché – la cosa è evidente di per sé – essendo un governo con forte presenza di partiti di matrice marxista e pacifista, poco poteva gradire – almeno in vasti settori al proprio interno – qualsiasi riferimento di ordine patriottico, qualsiasi celebrazione delle «glorie della Nazione», e via continuando; ma soprattutto perché, trattandosi di uno Stato-scoglio, la cosa migliore era quella di gestire i finanziamenti ricevuti non in pompose commemorazioni nazionalistiche del passato, ma costruendo concrete infrastrutture nel presente, che aiutassero gli italiani ad aggrapparsi meglio a quel viscido, ma ancora necessario scoglio che è appunto lo Stato italiano.

Né il governo Berlusconi, sebbene ideologicamente più vicino a posizioni di carattere patriottico e celebrativo, ha concepito la cosa granché diversamente, come appunto Galli della Loggia giustamente ricordava. Il che dimostra ancora una volta la veridicità della sua drammatica costatazione: «Perché in realtà essa [la classe dirigente italiana] per prima non sa che cosa significhi, che cosa possa significare, oggi l'Italia, e l'essere italiani». E se non lo sa la classe dirigente, ancor meno può saperlo «l'italiano medio», il cui problema di fondo, specie nei giorni di crisi economica, è quasi sempre quello di trovare il modo di sorreggersi allo scoglio: «l'unico scopo che ci tiene insieme sembra essere oramai quello di spartirci il bilancio dello Stato, di dividerci una spoglia».

Insomma, la denuncia di Galli della Loggia e degli altri intervenuti nel dibattito è giusta e sacrosanta. Ma la realtà è che occorre iniziare a trarre le conseguenze da tale situazione individuandone correttamente le cause.

Tutto ciò non può non far venire alla mente l'assunto per eccellenza dell'unificazione, che può paradigmaticamente essere espresso nella più celebre affermazione della storia italiana: «Fatta l'Italia, restano a fare gli italiani»[4], come notò non senza ironia l'acuta mente di Massimo d'Azeglio, protagonista alquanto disilluso degli anni risorgimentali.

Sono stati fatti gli italiani in questi 150 anni? E, soprattutto, gli italiani, «si fanno»? O ci sono? E i 22 milioni di individui in quei giorni abitanti la Penisola e le isole oggi componenti l'Italia, che cosa erano se non erano italiani? O forse erano loro i veri italiani? In questo caso, di quale «italiano» parla d'Azeglio? Evidentemente di un diverso italiano, di un italiano da cambiare, da modificare nella sua secolare italianità, di un «nuovo italiano» con una nuova identità per una «nuova Italia».

Questa fu la grande sfida del Risorgimento, che noi dovremmo festeggiare nel 2011: l'italiano nuovo, figlio appunto del Risorgimento laicista e nazionalista prima, dell'Italia fascista poi (perché, inutile nascondercelo, 23 anni su 150 complessivi non sono pochi, tanto più se hanno comportato, oltre a varie riforme sociali, una dittatura, la conquista di un «impero», l'entrata nella Seconda guerra mondiale, la guerra civile e la disfatta militare e politica dello Stato) e della repubblica partitocratrica poi; nuovo in quanto antitetico a quello precedente, all'italiano figlio dei secoli cristiani e della Chiesa.

Ci sono riusciti i nostri governanti in questi 150 anni, ognuno al proprio turno, a fare l'«italiano nuovo»? E, se sì, anche parzialmente, ci è convenuto? Dobbiamo festeggiare?

Non potrebbe risiedere forse proprio nella risposta a tali quesiti la chiave di interpretazione dei mali denunciati nel dibattito prima riportato?

Per dare risposta seria e adeguata a tali fondamentali questioni, occorre ripensare, anche brevemente, ma con onestà e serenità intellettuale, l'intera parabola ideologica e storica del Risorgimento e capirne a fondo le conseguenze subite dagli italiani nel XX secolo, fino a oggi. E tale giudizio deve essere espresso, a mia opinione, su un triplice piano concettuale:

1) Sul piano di quella che possiamo definire l'«ideologia italiana», retroterra ideologico, politico e culturale del movimento unitarista, mirante alla «costruzione» – come già accennato – di una «nuova Italia» con una nuova identità nazionale, radicalmente differente da quella cattolica e tradizionale dei secoli precedenti; a tal fine, occorre dirlo subito per poi dimostrarlo, l'unificazione politica aveva valore strumentale e non finale.

2) Sul piano degli eventi storici e dell'azione, delle scelte e degli scopi dei grandi protagonisti del Risorgimento: vale a dire, sul piano concreto dei fatti, di come andarono le cose.

3) Sul piano delle conseguenze di tali fatti e di tali scelte, conseguenze che hanno segnato il grande dramma della storia italiana del XX secolo e sono alla base, come si tenterà di dimostrare, della perenne e ancora oggi viva divisione del popolo italiano. E del suo disinteresse per la patria deprecato o comunque denunciato dagli intellettuali odierni.

Solo valutando l'insieme storico e ideale di questi tre piani concettuali si potrà arrivare a rispondere alla questione se l'assunto dazegliano sia stato compiuto o meno. E se andasse compiuto o no.

Parte prima

LE PREMESSE: L'IDEOLOGIA ITALIANA

«La storia italiana si muove fra questi due poli,
universalismo e particolarismo:
universalismo sul piano delle idee,
particolarismo sul piano della concreta realtà politica».

Franco Valsecchi

Capitolo I
LA «NUOVA ITALIA» CONTRO LA «VECCHIA ITALIA»

> «L'Italia una è stata creata [...] attraverso i ricorsi
> ad una ideologia non italiana [...]
> prescindendo volutamente
> dalle caratteristiche proprie alla nazione italiana».
>
> *Arturo Carlo Jemolo*

È evidente come nella ricostruzione della storia di un popolo e del suo Stato il problema dell'identità nazionale svolga un ruolo centrale, essenziale.

Se questo Stato poi è il risultato dell'unificazione «fulminea» (meno di due anni) di Stati preunitari di plurisecolare tradizione, se questo Stato ha messo in comunicazione forzata, di natura politica, sociale, amministrativa, culturale, linguistica ecc., popolazioni che mai unite erano state prima, allora è chiaro come la questione identitaria sia una delle chiavi di volta per la comprensione dei mali irrisolti che attanagliano tale Stato. E proprio questo può essere il punto di partenza per sviluppare un ragionamento sulla storia del processo unitario italiano e sulle sue conseguenze.

Non per niente, negli anni scorsi il dibattito sull'identità nazionale italiana è stato molto vivo[5]. Puntualizziamone gli assunti principali per poter poi passare alla disamina degli eventi e delle loro conseguenze.

1. Il peso dell'identità italiana

Esiste un'identità italiana? A ciò si può rispondere con oggettiva sicurezza. Sì, esiste. Se è vero, come è vero, che esistono delle identità nazionali, quella italiana, al di là del peculiare esito politico-istituzionale che ha caratterizzato la storia della Penisola, è sicuramente la più antica e meglio definita della civiltà occidentale. Quali ne sono gli elementi essenzialmente costitutivi?

Vari, ma è chiaro che essa poggia inesorabilmente sull'eredità di due epoche ultramillenarie, il cui valore non è affatto nazionale bensì del tutto universale: l'eredità romano-pagana (con la sua idea imperiale) e l'eredità romano-cristiana (con la sede del Vicario di Cristo presente da venti secoli nella Penisola).

In entrambi i casi, una città ne è l'elemento costitutivo, e questa città è la culla stessa della civiltà occidentale. Roma, idea universale per eccellenza, eredità universale per antonomasia, città universale appartenente a ogni uomo che si richiami ai suoi valori religiosi e civili; Roma, dal 1870, capitale di uno Stato nazionale di mediocri dimensioni.

Impero pagano, Impero cristiano, Stato ecclesiastico: è sempre Roma, è sempre Italia, terra dell'Impero e della Chiesa, terra dell'idea universale e di ogni principio con validità universale e sovranazionale.

Può sembrare paradossale il fatto che gli elementi storico-istituzionali costitutivi della civiltà per eccellenza universale e sovranazionale siano proprio il municipalismo e il senso della famiglia[6], ma non lo è affatto, anzi, ne è logica conseguenza: Italia, terra delle città, del campanile e del focolare.

Ciò è più che mai logico. La storia «italiana» (ci si passi la forzata semplificazione) data ormai da più di ventisette secoli, e solo da 150 anni gli abitanti della Penisola sono stati unificati politicamente con un processo di cui non sono stati attori. Nei precedenti secoli essi sono vissuti divisi in popolazioni e unità statuali (dalle *poleis* comunali agli ultimi Stati preunitari), ma uniti in spirito, leggi, religione, cultura e usanze[7].

Quel che caratterizza decine e decine di generazioni di italiani è la coscienza dell'universalità dei valori costitutivi della propria civiltà e della propria terra. È la consapevolezza dell'universalità della propria identità e missione nella storia dei popoli, sia che si tratti dell'ideale imperiale, della religione cattolica[8], dell'eredità culturale pagana, sia che si tratti di quella medievale cristiana, o anche di quella dei secoli successivi. È la coscienza della propria identità.

Roma incarna l'idea dell'Impero universale, Roma è la sede della Chiesa universale. Gli italiani hanno creato l'Impero e l'idea di universalità, l'Italia ospita l'istituzione universale per essenza costitutiva, e gli italiani hanno dato a tale istituzione la più gran parte di tutti i suoi più illustri uomini, Pontefici e santi[9]. Afferma Franco Valsecchi: «Svanita la sua consistenza come mito politico, l'eredità di Roma vive pur sempre come mito culturale e letterario, come coscienza di una tradizione spirituale, di cui l'Italia è la più immediata erede e custode. L'idea dell'italianità si identifica con quella della latinità, con il patrimonio spirituale che Roma ha lasciato all'Italia come il suo più prezioso legato [...]. La storia italiana si muove fra questi due poli, universalismo e particolarismo: universalismo sul piano delle idee, particolarismo sul piano della concreta realtà politica»[10].

Questa è storia, innegabile, eppure se c'è un concetto del tutto estraneo a questa millenaria storia è quello di Italia come nazione unitaria; è appunto quello di «unitarismo». Mai l'Italia fu amministrativamente e politicamente unita[11] dalla preistoria al 1861 (anche nei secoli romani non si può parlare di «unità» nel senso moderno del concetto[12]), ma sempre fu unita nella sua universalità: ecco spiegato perché, al popolo universale per eccellenza, ben si confacevano municipalismo e campanilismo; anzi, tali elementi sono strutturali all'identità italiana proprio perché essa non è mai stata «nazionale», ma sempre universale. E locale al contempo.

Ancor oggi Roma si presenta come l'unico caso al mondo in cui nella stessa città vivono due Stati, ed entrambi hanno come capitale Roma. Uno però ha carattere nazionale, l'altro universale. Queste considerazioni, che a noi possono sembrare fuorvianti o comunque ormai superate, hanno costituito il perno di tutte le preoccupazioni degli uomini del Risorgimento (e anche di vari autori stranieri) impegnati a impostare e a risolvere la «questione romana»[13].

In generale, si può quindi affermare che, ancora alla metà del XIX secolo, quello che oggi è il nostro territorio nazionale era da sempre stato abitato non da un popolo etnicamente unitario, ma da un insieme di popolazioni, unite fra loro esclusivamente dall'elemento religioso[14] e dalla memoria – più o meno pregnante – dell'eredità di Roma imperiale e della sua civiltà[15].

È il destino dell'Italia antica, medievale e moderna: divisa geo-politicamente, in guerra per secoli, ma unita moralmente e spiritualmente nell'idea di Roma, classica o cristiana.

Galli della Loggia, agli elementi precedenti, aggiunge un altro fondamentale fattore di coesione generale, un fattore di cui solo gli italiani hanno usufruito e usufruiscono ancora: l'azione concreta della Chiesa cattolica nel corso degli ultimi quindici secoli.

Nota al riguardo è la solita accusa machiavelliana – ripresa poi dal Risorgimentismo laicista – fatta alla Chiesa romana di essere stata la causa fondamentale della mancata unificazione politica dell'Italia (lo Stato Pontificio, situato al centro della Penisola, era troppo forte per essere abbattuto e troppo debole per unificare il resto dell'Italia)[16]. Galli della Loggia rovescia il quadro della situazione, presentando di contro i meriti di civilizzazione, i meriti certo religiosi, ma anche sociali e politici dell'azione della Chiesa e dei suoi uomini dalla caduta dell'Impero Romano per tutti i secoli successivi, specie nelle epoche più difficili e tormentate, quando non v'era nella Penisola altro potere costituito capace di garantire agli uomini del tempo un minimo di ordine e di sicurezza sociale, oltre che il mantenimento della cultura e il reperimento del cibo quotidiano.

Benché ovviamente il discorso sia troppo lungo e complesso per essere qui affrontato, è di per sé cosa evidente come la Chiesa abbia svolto un ruolo centrale e insostituibile nella storia e nella civiltà italiane[17]; oggi anche autori di chiara matrice laicista ne convengono apertamente, seppur con evidente rammarico[18].

È chiaro a tutti, insomma, come l'identità nazionale degli italiani sia debitrice all'azione svolta per secoli dalla Chiesa romana[19], ubicata sempre nel cuore stesso della Penisola, in quella città che già nei dieci secoli precedenti aveva donato alle popolazioni italiche civiltà, ordine, diritto, lingua, cultura, mentalità e potere. E, soprattutto, un'accezione universalistica della vita e della società stesse[20].

Scrive un autore laico come Aliberti sul ruolo svolto dalla Chiesa nel forgiare l'identità italiana: «Un ruolo beninteso sociale, civile, culturale – così intrinseco alla religiosità degli italiani da renderne impossibile, o soltanto improbabile, la distinzione – che ha sempre animato o sostenuto il potere politico-istituzionale, surrogandone perfino i compiti materiali quando, in tristi occorrenze, esso ne era impedito o incapace. Madre Chiesa, dunque: il termine ha in Italia un radicamento storico che lo rende indenne dal logoramento semantico del suo uso corrente. Vi si riflette infatti una complessa, ma coerente identità antropologica derivata dalla cultura ecclesiale e tuttora determinante dei modi di pensare e di agire degli italiani tanto nella vita pubblica quanto nella sfera privata»[21].

Galli della Loggia conclude il suo discorso con queste illuminanti parole: «Se l'eredità di Roma ha fatto sentire il suo influsso profondo in tutti gli àmbiti richiamati fin qui, non c'è dubbio, però, che quell'eredità ha trovato soprattutto nella religione cristiana e nella Chiesa – che viene detta appunto "di Roma" e che fino a ieri ne ha adoperato come sua la lingua – i massimi strumenti di sopravvivenza sia pratica che simbolica [...]. Entrata sulla scena della grande storia con questo viatico, la fede cristiana nella sua confessione cattolica ha rappresentato, per un lungo numero di secoli, l'unico tratto effettivamente comune all'intera umanità italiana e quindi, si può ben dire, l'unico aspetto unificante della Penisola, l'unico elemento davvero "italiano" [...]. Esso ha avuto modo d'influire tanto sull'atteggiarsi dei costumi popolari, sulla più minuta quotidianità delle vaste masse, che sui modelli di pensiero e i comportamenti dei gruppi dirigenti. In un àmbito come nell'altro, il cattolicesimo ha determinato tratti decisivi della visione del mondo, del sentimento della vita, della sensibilità morale, del gusto»[22].

Come si può evincere dai pochi esempi riportati, è convinzione diffusa, anche fra autori non cattolici, come l'identità della società italiana preunitaria fosse stata forgiata dalla Chiesa cattolica e impregnata «fino al midollo» della sua religione, morale, visione della vita: insomma, siamo al «non possiamo non dirci cristiani» di Benedetto Croce[23].

Ciò significa, in breve, che l'Italia preunitaria era composta da un insieme di popolazioni e di Stati prettamente cattolici (la famosa società tradizionale del «Trono e dell'Altare»), le monarchie avevano carattere sacrale, il clero forte potere non solo sulle anime degli italiani, ma anche sovente nelle corti dei sovrani, la Chiesa presente direttamente sul territorio e anima stessa dell'italianità[24].

A questo punto, si impone d'obbligo una considerazione: visto che la religione e la Chiesa cattoliche erano di fatto non solo l'anima dell'italianità, ma anche l'unico concreto elemento unificatore delle popolazioni preunitarie, sarebbe stato logico ritenere che proprio su tale elemento si sarebbe dovuto far leva per costruire un processo di unificazione nazionale e statuale di tali popolazioni. La religione, insieme alla lingua, all'etnia, alla memoria comune, al territorio, è uno dei fattori essenziali dell'identità nazionale di un popolo; e se rimane di fatto l'unico a causa di secolari divisioni e differenze geopolitiche e culturali, allora a maggior ragione ne dovrebbe divenire il punto di forza per un progetto unitario: in fondo, questo era quello che Vincenzo Gioberti proponeva di fatto – indipendentemente dalla sua sincerità (ne riparleremo in seguito) – nel suo *Primato* con il piano neoguelfo.

Ma, le cose non andarono secondo la logica suddetta. In tutta la storia del Risorgimento, fin dalle origini ideali, la Chiesa cattolica – e per molti protagonisti, come vedremo, la stessa religione cristiana – fu vista come il nemico numero uno della futura Italia «redenta» (dalla barbarie cristiana, appunto), laica e liberale (già socialista per alcuni). Il nemico da abbattere, il veleno da depurare nell'animo degli italiani. Non stiamo usando parole eccessive, ne avremo amplissima conferma in seguito. Per ora, occorre riflettere su questo punto essenziale: il Risorgimento fu un movimento nella sua essenza anticattolico e nemico della Chiesa di Roma. Ma, allora, ancora una volta: come va intesa la sentenza dazegliana?

2. Gli italiani erano «da fare»?

«L'Italia è fatta, restano a fare gli italiani»: è forse la frase più celebre della storia d'Italia, pronunciata nel 1861, a «miracolo compiuto». Non è facile però immaginare quanta profonda verità vi fosse in questa affermazione che ancora oggi costituisce una fonte di riflessioni e dibattiti fra storici e politologi[25]. In questa audace e provocatoria frase si racchiude *in nuce* tutta la problematica della Rivoluzione Italiana[26]: l'unificazione non era stata attuata proprio in quanto gli italiani già c'erano e soffrivano perché senza patria? I moti, i complotti, le congiure, gli attentati, le guerre, non erano stati fatti per liberare gli italiani da intollerabile e brutale oppressione straniera e indigena?

Inoltre, ulteriore non secondaria questione: gli italiani «si fanno»? Un popolo lo si crea con le guerre e i plebisciti, o un popolo esiste già di per sé? E se si arriva a sentire un'esigenza come quella espressa dal d'Azeglio (quali ne possano essere le motivazioni, e al di là dell'aspetto provocatorio), non se ne deve concludere forse che l'unificazione non è stata voluta e sentita dalle popolazioni italiane ma è stata loro imposta da una ristretta *élite* politica e sociale?

Come si può notare, in tali questioni, poste da una semplice considerazione espressa appena unificata l'Italia da uno dei più intelligenti protagonisti di quei giorni, si ritrovano le principali cause di disfunzione che da 150 anni lacerano la società e la storia nazionale; e in particolare se ne può riscontrare una su tutte, forse la più grave, la più irrisolta, la più misconosciuta: la divisione del nostro popolo.

Proprio il principio stesso di «dover fare gli italiani» dimostra che si volle rinnegare la millenaria identità italiana in nome di una strada nuova, evidentemente antitetica alla tradizionale civiltà italica. Si scelse insomma di rinnegare e distruggere quella che allora (volenti o no) era la vera Italia (che infatti i protagonisti del Risorgimento – e con loro nei decenni seguenti tutti i risorgimentisti – chiamavano la «vecchia Italia») in nome della «nuova Italia».

Vale a dire, un'Italia non più universale, non più cattolica, di lì a ottant'anni neanche più monarchica; insomma, non più «romana» e, quindi, non più «italiana» nel senso identitario preunitario.

Occorreva in definitiva – secondo i dettami dello spirito utopista comune a molti protagonisti del movimento unitarista – Mazzini su tutti – «fare gli italiani», prescindendo da quelli che esistevano da sempre, ovvero diversi da come essi da sempre erano. Era la «nuova Italia», appunto: coloro che la capivano e la condividevano, erano i «veri italiani»; tutti gli altri (nella concretezza storica, la stragrande maggioranza), non erano più «italiani», o comunque erano «vecchi». Occorreva insomma creare una «seconda Italia», al fine di cancellare la prima.

Quanto affermato è dimostrabile da tante affermazioni, sia dei protagonisti di quei giorni sia dei celebri storici ufficiali del Risorgimento. A seguire faremo riferimento al Mazzini fra i primi; per quanto riguarda i secondi, riportiamo subito una significativissima frase di uno fra i più celebri esponenti di costoro. Del resto, uno dei problemi capitali di tutta la storia del Risorgimento, ineludibile, fu proprio l'assenza di una qualsiasi forma concreta di reale consenso e appoggio popolare alla Rivoluzione unitarista (ne avremo ampia riprova in seguito). Lo storico crociano Adolfo Omodeo[27], più di altri vero «sacerdote» della nuova religione della patria[28], trovò un astuto *escamotage*, proprio di natura religiosa, per giustificare l'imposizione del processo risorgimentale alle estraniate e riottose popolazioni italiane: «Gli uomini del nostro Risorgimento operarono essi per il popolo. Si adattarono ad essere loro la nazione, come i settemila Israeliti, che ai tempi di Elia non avevano piegato il ginocchio a Baal, costituivano il vero Israele»[29].

Evidente appare in questa affermazione l'impostazione utopistica e totalitaria dell'autore. Se la stragrande maggioranza di un popolo non capisce i desideri e i sogni delle sue *élites* culturali e politiche, la colpa naturalmente è sempre illuministicamente («tutto per il popolo, niente per mezzo del popolo») del popolo retrivo[30]. Le *élites* non possono attendere e devono procedere comunque, erigendosi esse stesse a «popolo», minoranza che esprime di fatto l'intera nazione, e ciò in nome del fatto che esse si ritengono e si autoproclamano dalla parte del «progresso» (stabilendo così di fatto sempre loro che cosa sia il «progresso») di tale popolo ignorante e indegno di autodeterminazione democratica[31]. In poche parole, Omodeo esprime l'idea base delle *élites* risorgimentali che operarono senza e sovente contro gli italiani: «Voi non siete italiani, perché non capite e non partecipate a quanto noi abbiamo deciso essere il vostro bene. Pertanto, siamo noi i soli e veri italiani».

In concreto, l'italianità, per i protagonisti del movimento unitarista, non consisteva più nei tradizionali elementi identitari (anzi, questi erano degli ostacoli da superare, come la religione, i dialetti, le differenze culturali ed etniche), ma nella consapevolezza dell'adesione a un progetto politico determinato da pochi esponenti di alcune *élites* politiche e culturali.

E ciò inizia a spiegare palesemente il senso profondo di voler «fare gli italiani». Una volta unificata l'Italia, occorreva ora adattarne i riottosi italiani, altrimenti... che senso poteva avere un'Italia senza italiani? Lo stesso Galasso, nel suo citato lavoro, ammette che la frase è «impertinente» verso il Risorgimento, perché l'assunto dello stesso era proprio che gli italiani già esistevano (per geografia, cultura, religione, lingua, storia) e occorreva dare loro una nazione unita e libera; eppure, ammette l'autore, in realtà essa era vera: il Risorgimento fu frutto di minoranze colte e attive, dei loro interessi sociali borghesi, di *élites* liberaldemocratiche, e questo era chiaro anche agli stessi protagonisti[32].

A tal proposito, egli continua ammettendo come l'intenzione di d'Azeglio fosse quella di evidenziare il problema che la nazione era presente solo nelle coscienze delle *élites*, ma non in quella del popolo, il quale non fu appunto mai protagonista dell'unificazione, subendola senza partecipazione attiva.

Per cui, conclude Galasso, l'invito di d'Azeglio aveva un significato chiaro: quello di educare il popolo a «divenire nazione». Commenta Ernesto Galli della Loggia: «È questo un fattore della massima importanza. In Italia, infatti, la nazione – come si sa – lungi dal preesistere allo Stato ne è stata, invece, piuttosto una creatura, quasi un effetto derivato. Nella nostra storia l'esistenza della nazione è indissolubilmente legata all'esistenza dello Stato (nazionale), sicché, da un punto di vista storico il concetto e il sentimento di patria costituiscono precisamente il riflesso ideologico-emotivo di questo intreccio»[33].

In pratica, Galli della Loggia evidenzia l'assunto della dazegliana sentenza: in Italia, con il Risorgimento, si è fatta storia alla rovescia: prima si è costituito uno Stato, poi si è dovuto pensare a creare una «nazione»[34]. Ma, dimenticandosi in tal modo che uno Stato vero per essere tale ed essere sentito tale, come proprio, dai suoi cittadini, deve fondarsi sulla «nazione», vale a dire sulla società e sulla civiltà dei suoi cittadini, sull'identità profonda e granitica della loro storia. L'aver voluto azzerare quella identità ha comportato, per i protagonisti dell'unitarismo italiano, il dover ripartire da zero, il dover creare una nuova identità nazionale fondata non più sulla storia reale degli italiani, ma su ideali prestabiliti a tavolino nei centri del «libero pensiero» europeo. Ecco il senso di dover «fare gli italiani» per la «nuova Italia».

Insomma, un problema ideale evidente da risolvere si pose agli esponenti del processo unitarista: quello della giustificazione ideale da fornire ai loro atti eversivi e alla loro volontà di abbattimento dei legittimi secolari, e in generale amati dalle popolazioni, Stati preunitari.

Tale giustificazione richiedeva un'azione svolta su un duplice piano ideale: quello della presentazione calunniosa degli Stati preunitari come entità moribonde, ingiuste e odiate dalle popolazioni (eccetto naturalmente l'unico Stato che si assunse l'incarico di abbattere tutti gli altri); e quello della presentazione delle popolazioni italiane come un unico popolo idealmente e ideologicamente unito in attesa di essere «redento» e divenire «nazione»[35].

In entrambi i casi, il «nemico» era sempre lo stesso: nel primo, gli Stati preunitari, e, una volta escluso il Regno di Sardegna che al contrario divenne l'arma della Rivoluzione unitarista e tolti per ovvie ragioni gli Stati minori regionali, era chiaro che il «blocco nemico» da abbattere e annettere erano i due grandi secolari Stati del Centro-Sud, «reazionari e retrivi» per antonomasia, lo Stato Pontificio e il Regno borbonico delle Due Sicilie: Trono e Altare, insomma; nel secondo, il nemico continuava però a essere sempre la Chiesa cattolica.

Infatti, essa era, come prima accennato, il vero unico collante di venti e oltre milioni di italiani che da ormai quindici secoli non erano politicamente uniti, che parlavano dialetti fra loro incomprensibili, con monete e sistemi economico-sociali differenti, usi e costumi simili, ma non uguali.

Erano la Chiesa e la sua religione, infatti, per molti di costoro, a partire dal Buonarroti e dal Mazzini per arrivare, passando per Garibaldi e Cavour, agli uomini protagonisti dell'unificazione e della vita politica e culturale dei decenni successivi, il vero ostacolo alla creazione non solo di un'Italia unitaria, ma di una «nuova Italia», liberaldemocratica, laicista, scristianizzata (per alcuni già socialista). Molti dei più noti e meno noti dei protagonisti di quei giorni, come vedremo, proposero diverse alternative – più o meno drastiche – sul «che cosa fare» della Chiesa e del Papa, sul come risolvere il «problema» per eccellenza della Rivoluzione Italiana, la celebre «questione romana». Ma nessuno aveva dubbi su un punto: che la Chiesa di Roma fosse il problema per eccellenza del Risorgimento nazionale, il nemico da vincere in qualche modo. Infatti, gli italiani, che da sempre erano divisi eccetto che nella comune visione religiosa e morale, non avrebbero potuto mai trovare un vero saldo collante politico e ideale (non avrebbero cioè mai potuto «essere fatti») finché tale visione non fosse stata sovvertita e sostituita da un altro genere di fede capace di coinvolgere le popolazioni.

Tale genere di fede l'ha indicata meglio di ogni altro Giuseppe Mazzini: la fede nella «Nazione» italiana, la fede nella sua nuova religione dell'Umanità, di cui il popolo italiano sarebbe dovuto essere – sono parole del Mazzini – il nuovo «Cristo redentore». Proprio la realizzazione di questa nuova «missione» universale avrebbe poi definitivamente unito gli italiani nella «coscienza» del proprio ruolo storico e quindi nella «coscienza» di essere divenuti «nazione».

Vale a dire: gli italiani in tal maniera «sarebbero stati fatti»; ma per «essere fatti», dovevano smettere prima di essere ciò che erano da quindici secoli: cristiani. Era la «nuova Italia», che doveva sostituire la «vecchia Italia».

3. La Nazione contro la religione

Celebri sono gli studi di Federico Chabod[36] riguardo alla problematica dell'affermazione dell'idea di nazione legata all'idea di libertà in Europa e in Italia, che lo storico valdostano – e con lui buona parte della nostra storiografia – fa risalire alla fine del Settecento, e in particolare con la diffusione da un lato delle idee rivoluzionarie giacobino-rousseauiane (accezione rivoluzionaria dell'idea di libertà e nazione) e, dall'altro, con l'affermazione del romanticismo nazionalistico tedesco (accezione reazionaria).

In pratica, l'idea di nazione ebbe alle sue origini una valenza reazionaria (per esempio in Svizzera, ove si esaltavano i tempi delle libertà e delle glorie medievali) e una rivoluzionaria, soprattutto in Italia, da Alfieri in poi, ove il movimento nazionale si radicò al contrario come alternativo – quando non apertamente nemico – alle secolari tradizioni religiose e politiche, specie con l'arrivo della Rivoluzione francese in Italia per opera di Napoleone, e la nazione stessa divenne idea propedeutica a quella della conquista della libertà politica[37]. È questo uno schema storico ben noto e pressoché universalmente accetto.

In realtà, l'idea di nazione non nasce certo nel Settecento; essa è sempre stata viva nella cultura occidentale, anche se con diverse accezioni a seconda dei tempi, fin dai secoli romani[38]. Ciò che è peculiare del Settecento – secolo cosmopolitico per eccellenza – è il termine di passaggio tra popolo e nazione, causato dalla Rivoluzione francese[39]. A questo primo passaggio ne seguirà infallibilmente un secondo, e già negli stessi anni rivoluzionari: il passaggio da nazione a nazionalismo. Infatti, nelle società cristiane prerivoluzionarie nazione e Stato non si identificavano, tutt'al più i popoli si identificavano nella figura del monarca; con l'affermazione del giusnaturalismo laicista cambia la dimensione del concetto di Stato, e con la Rivoluzione francese si afferma la concezione democratica di nazione, concezione astratta, anticamera appunto prima del sentimento nazionale, poi dei nazionalismi contemporanei[40].

Già da queste brevissime considerazioni occorre trarre qualche conclusione: l'idea di Stato nazionale è il presupposto ideale del Risorgimento italiano; e l'idea di nazione, se da un lato trascende l'astratto razionalistico cosmopolitismo illuminista e giusnaturalista, dall'altro però costituisce nella sua essenza un'opposizione netta all'idea di Stato universale, cristianamente attuatasi nel Sacro Romano Impero, sintesi dell'universalismo politico dell'Impero pagano con quello religioso della Chiesa cattolica. Scrive Emilio Gentile: «Come tutti i movimenti nazionali dell'epoca romantica, la rivoluzione italiana circonfuse di un'aura sacrale l'idea di nazione, elevandola a suprema entità collettiva, alla quale il cittadino doveva dedizione e obbedienza fino al sacrificio della vita»[41].

Infatti, specifica l'autore, proprio l'affermazione del concetto rivoluzionario giacobino-rousseauiano di «nazione» «pose in una nuova prospettiva i rapporti fra politica e religione, conferendo carattere religioso alla politica e una missione educatrice allo Stato.

«Iniziava, in tal modo, un'epoca nuova di rivalità e conflitti fra "religione civile" e religione tradizionale. Questa rivalità coinvolse particolarmente il movimento nazionale in Italia, dove la presenza della Chiesa cattolica rese più ardua e contrastata la ricerca di una "religione della patria" su cui fondare l'unità morale della Terza Italia.

«Il problema della religione civile assillò drammaticamente il pensiero dei patrioti italiani fin dall'inizio del Risorgimento, e rimase uno dei problemi centrali dello Stato nazionale anche dopo l'unificazione, influenzando sempre, e in qualche momento anche decisivamente, la storia italiana fino alla Seconda guerra mondiale»[42].

Come si può quindi notare, l'idea di nazione fatta propria dal movimento unitarista italiano si opponeva a quella antica tipica della *Christianitas* medievale e incarnata nel particolarismo che viveva e cresceva nell'àmbito dell'universalismo imperiale. La concezione rivoluzionaria di nazione, fatta propria dai nostri pensatori e politici risorgimentali, prevedeva al contrario la fine di ogni forma di universalismo cristiano in nome di un nazionalismo già perfettamente evidente nel pensiero di Mazzini, per molti versi ispiratore di quel nazionalismo di fine Ottocento, che sfocerà poi nel fascismo.

A riprova di quanto detto, sempre valida rimane la celebre differenziazione, magistralmente spiegata da Federico Chabod[43], fra l'esperienza unitarista italiana e quella germanica, vale a dire le due entità europee che nel XIX secolo hanno ottenuto l'unificazione politica.

Come è ben noto, lo storico valdostano parla di due fattori essenziali, quello naturalistico e quello volontaristico.

Pur essendo vero che sono sempre presenti entrambi in ogni esperienza nazionale, nella realtà dei fatti è sempre uno dei due quello che predomina: in Germania ha prevalso quello naturalistico (che è sfociato poi nel XX secolo nel razzismo), basato sul «sangue», sulla purezza del ceppo etnico e quindi delle tradizioni e della lingua (Herder, Möser, Schlegel, Schiller, Fichte): tutti costoro (Chabod dimentica che anche Hegel non fu estraneo a tali idee) erano d'accordo nell'affidare ai tedeschi un «primato» nel futuro dell'umanità proprio per la loro purezza di sangue e tradizioni.

Il pensiero risorgimentale italiano invece riconosce soprattutto l'elemento «volontaristico», in particolare con Mazzini[44] e Pasquale Stanislao Mancini. Scrive Mazzini: «Una nazionalità comprende un pensiero comune, un diritto comune, un fine comune: questi ne sono gli elementi essenziali [...]. Dove gli uomini non riconoscono un principio comune, accettandolo in tutte le sue conseguenze, dove non è identità di intento per tutti, non esiste Nazione, ma folla ed aggregazione fortuita, che una prima crisi basta a risolvere»[45]; poi: «La Patria è prima di ogni altra cosa la coscienza della Patria [...]; se l'anima della Patria non palpita in quel santuario della vostra vita che ha nome Coscienza, quella forma rimane simile a cadavere senza moto ed alito di creazione, e voi siete turba senza nome, non Nazione; gente, non popolo [...]. Quando ciascuno di voi avrà quella fede e sarà pronto a suggellarla col proprio sangue, allora solamente voi avrete la Patria, non prima»[46]; poi, nel '71: «La Nazione è, non un territorio da farsi più forte aumentandone la vastità, non un agglomerato di uomini parlanti lo stesso idioma [...], ma un tutto organico per unità di fine e facoltà... lingua, territorio, razza, non sono che gli indizi della Nazionalità...». A tal fine Mazzini afferma che fondamentale è l'attuazione di una «educazione nazionale» senza la quale non esiste Nazione[47]: che è come dire: gli italiani devono essere educati a farsi nazione, anche se non lo sono.

Occorre appunto «fare gli italiani», e chi li deve fare è proprio la nazione mediante l'educazione; in pratica è il cane che si morde la coda. E non basta. Scrive il Genovese: «Concedere ad ogni cittadino il diritto di comunicare agli altri il proprio programma e contendere alla nazione il dovere di trasmettere il suo è contraddizione inintellegibile in chi vuole l'unità nazionale»[48]. Come si può inquadrare tale assunto se non come totalitarismo nazionalista?

Questa visione risorgimentale della nazionalità deve indurci a serie riflessioni. Rileggendo con calma i concetti di colui che è considerato il padre spirituale della rivoluzione nazionale italiana, se ne deve dedurre logicamente che fattori come lingua, religione, sangue, tradizioni non costituiscono «nazionalità» in sé, ma sono solo segni esteriori di essa; un popolo determinato invece costituisce «nazione» solo quando ha coscienza della propria nazionalità e lotta per essa (libertà e indipendenza); e, se non ce l'ha, bisogna creargliela con l'«educazione nazionale» (gli italiani, insomma, «vanno fatti», con le buone o con le cattive).

È appunto il fattore «volontaristico», come lo ha chiamato Chabod. Ma allora, se così è in generale, proviamo proprio a seguire il ragionamento del Mazzini e, scendendo al particolare della realtà italiana dell'età del Risorgimento, vediamo se realmente, dati questi presupposti, gli italiani costituissero «nazione». Se togliamo valore ai fattori come lingua, religione, tradizioni, sangue ecc., e ci soffermiamo invece sulla «volontà» e «coscienza» della nazionalità, che ne rimane del diritto degli italiani a divenire «nazione» unita libera e indipendente? In breve: su 22 milioni di italiani del XIX secolo, quanti avevano *coscienza* reale e *volontà* effettiva di unificare politicamente la Penisola in nome della comune nazionalità italiana abbattendo per sempre i secolari legittimi governi in cui vivevano? Risposta: «pochi eletti» (quelli di «Elia», omodeianamente parlando)[49]. Sembra che paradossalmente proprio l'insegnamento del padre spirituale del Risorgimento implichi la conclusione che gli italiani di allora non erano «nazione», e infatti non aderirono – come popolo – alla rivoluzione unitarista.

In concreto, infatti, quanti, fra sette milioni di abitanti del Regno delle Due Sicilie (eccetto i fratelli Spaventa, Poerio, Settembrini, Ricciardi, e qualche altra decina di carbonari, anticlericali e preti spretati) si sentivano prima «italiani» (nel senso eminentemente politico del concetto) che napoletani (o siciliani, calabresi, pugliesi ecc.)? Al di là della retorica, chi nel Sud Italia, o nel Centro Italia, o anche nel Nord Italia[50], a parte un nucleo ben ridotto di patrioti e liberali, «voleva essere italiano», nel senso che prima spiegavamo della «nuova Italia», per dirla alla Mazzini?

Ecco quindi che si evidenzia una seria risposta all'interrogativo iniziale: sembra evidente come i grandi attori del Risorgimento italiano volessero non «fare l'Italia» (cioè un'Italia in piena sintonia con la sua secolare identità, storia, civiltà e con l'appoggio concreto della grande maggioranza degli italiani), bensì la «nuova Italia», a costo di farla in poche centinaia di persone in tutto con l'aiuto dello straniero, e anche massacrando (come avvenne negli anni Sessanta nel Meridione[51]) decine di migliaia di italiani che non si sentivano appunto «nuovi italiani», ma semplicemente«italiani».

Il frutto di tale utopismo elitario violento fu appunto quanto in precedenza descritto da Galli della Loggia: la radicalizzazione definitiva della frattura fra identità nazionale e statualità, quindi fra italiani e italiani[52].

Se accettiamo la concezione volontaristica della nazionalità (Mazzini e risorgimentalisti in genere), allora non è possibile parlare di «nazione italiana» nel XIX secolo (con tutte le conseguenze che questo comporta); se di contro accettiamo la concezione naturalistica (tedeschi), allora non si capisce per quale ragione ancora nel 1861 bisognasse «fare gli italiani», bisognasse cioè conquistare il loro consenso alla Rivoluzione unitarista risorgimentale. Proprio se si accetta questa seconda accezione, occorre concludere che una nazionalità italiana esisteva, ed esisteva da secoli, e trovava la sua ragion d'essere negli elementi costitutivi della sua identità. Il fatto che il territorio della Penisola fosse geopoliticamente diviso in Stati secolari, non inficiava minimamente la nazionalità italiana, anzi era il frutto della secolare identità storica degli italiani, esattamente come per i tedeschi l'essere geopoliticamente divisi non inficiava il loro essere «nazione».

Certo, tanto le *élites* tedesche quanto quelle italiane hanno sentito il bisogno dell'unificazione geopolitica: nulla di male in ciò; ma il problema del Risorgimento è appunto questo, la maniera, la «via» seguita per ottenere lo scopo, e, quindi, i reali e profondi intenti di queste *élites*, che non corrispondevano certo alla difesa dell'identità nazionale degli italiani così come essa si presentava allora.

Appare insomma sensato, in base a tali considerazioni, affermare che si è voluto utopisticamente «fare gli italiani» perché non si è accettato l'italiano come egli veramente era da sempre, al fine di costruire non la «vera Italia», ma una «nuova Italia». Altrimenti, non vi sarebbe stato bisogno di «fare gli italiani», di fare guerra alla Chiesa, di distruggere gli Stati legittimi, di mettere in stato d'assedio il Meridione inviando fino a 120.000 soldati che uccisero decine di migliaia di italiani, di far emigrare milioni di persone.

Come si può facilmente arguire, il principale ostacolo alla realizzazione concreta della «nuova Italia», della nazione unitarista e «volontarista», non poteva non essere quella struttura sia spirituale sia politica e statuale che da più di un millennio, al contrario, incarnava in sé la vera e profonda identità degli italiani[53].

Tanto tagliente quanto vera appare allora la sentenza di Galli della Loggia: «L'Italia è l'unico Paese d'Europa la cui unità nazionale e la cui liberazione dal dominio straniero siano avvenute in aperto, feroce contrasto con la propria Chiesa nazionale»[54].

Il peso enorme di tale guerra alla religione del proprio popolo fu senz'altro avvertito dai protagonisti del movimento unitario, anche per quanto riguarda lo specifico del possesso della città di Roma. Apparve loro subito chiaro che «fare l'Italia» senza Roma non aveva nessun significato: si potrebbe dire che appariva loro evidente come Roma potrebbe esistere senza l'Italia (proprio per la sua universalità morale e religiosa), ma non l'Italia senza Roma. Roma andava presa, in qualche modo. L'idea di Roma li assillava. La «questione romana» fu la questione per eccellenza del Risorgimento. Perché Roma non era una città come le altre, e non era neanche solo la presunta capitale d'Italia (punto questo, peraltro, su cui neanche tutti poi erano consenzienti, e meno che mai i lombardi e i fiorentini[55]): era molto di più: era il problema per eccellenza di tutto il Risorgimento italiano, in quanto essa era appunto l'«universale» da sostituire con il limitato (Regno d'Italia), era idea infinita da rimpiazzare con il «finito», con ciò che era statale, nazionale, come notava Gregorovius; era quanto di più arduo a far digerire si potesse immaginare.

Ecco allora porsi inequivocabile il problema politico del Risorgimento: fu rispettata la nostra vera identità dai protagonisti della Rivoluzione unitarista? Galli della Loggia sottolinea come l'Italia unita non sia nata intorno a un centro naturale, in quanto Roma (cioè il centro per antonomasia) non lo è mai stato per il Risorgimento; anzi, proprio appena fatta l'Italia, si crea la spaccatura fra Nord e Sud. «Si delinea in tal modo un fatto decisivo: la tendenziale cesura tra l'identità nazionale e l'identità italiana, cioè tra il modo di nascita e di essere dello Stato nazionale e il passato storico del Paese, divenuto la sua natura [...]. Per entrare nella modernità l'Italia ha dovuto in un certo senso negare un aspetto importante della sua propria realtà storica. Nel caso italiano, insomma – e perlomeno avuto riguardo alle forme organizzative degli spazi e dei poteri – tra il passato e la modernità non ha potuto esservi alcun trascorrere lento ed appena appena armonico, nessun passaggio connotato di un minimo di coerenza, non ha potuto stabilirsi alcuno svolgimento organico di premesse indigene. È per questo, anche per questo, probabilmente, se la nostra modernità ha avuto un carattere inevitabilmente e drammaticamente parziale, se essa è destinata in qualche modo ad apparire sempre come qualcosa di provvisorio e insieme di "non finito"»[56].

La Rivoluzione italiana ha quindi provocato – nel suo svolgersi contro la Chiesa cattolica – la frattura fra Stato e Chiesa (questione romana), ovvero fra gli italiani; e siccome ogni questione italiana assume contorni universali, tale frattura può considerarsi universale: è quella moderna tra laicismo e cristianesimo.

A questa frattura occorre poi aggiungere la ferita – del tutto antitetica all'identità universalista italiana – del centralismo imposto dopo l'unità: anche di questo deve rispondere il Risorgimento (e i suoi protagonisti, a partire dai Savoia): dell'imposizione agli italiani di una società e di una concezione ideologica centralistica e statalistica, senza la quale non si può spiegare non solo la diffusione delle idee comuniste, ma anche, si badi bene, il ventennio fascista. A tal riguardo, lo stesso Carlo Cattaneo[57] sottolineava come l'Italia centro-settentrionale fosse la terra delle città, anzi, della Città, quindi del municipio per eccellenza. Non esiste nazione al mondo che ha un rapporto popolazione-città superiore a quella italiana, e questo già a partire dai tempi dei romani.

Inoltre, proprio l'estraneità del cattolicesimo al Risorgimento ha fatto sì che le masse non specificamente cattoliche ritrovassero il loro senso di religiosità in forze popolari con ideologie che facevano capo a elementi di religiosità immanente, come il fascismo o il comunismo di tipo salvifico. Il laicismo risorgimentale ha fatto sì insomma che la religiosità rifluisse sul piano politico e le grandi masse aderissero appunto ai regimi o agli ideali totalitari[58].

Stiamo ora toccando una delle problematiche centrali della storia contemporanea italiana, e di questo lavoro; non è solo questione ideologica, ma anche morale e civile: l'identità italiana, come si presenta per secoli, è statalista e centralista o municipalista e localista? Galli della Loggia non ha dubbi: «La straordinaria capacità di combinazione e di adattamento dimostrata per secoli in Italia da queste tre strutture – la famiglia, l'oligarchia, la corporazione – illustra aspetti decisivi dell'identità della Penisola, radicate predisposizioni storiche della società italiana». Sono fonti normative autonome, che non hanno nulla a che fare con quella fonte normativa astratta che è la legge moderna, traente la propria legittimità dall'autorità sovrana dello Stato.

Questo concetto è fondamentale: piaccia o meno, la realtà italiana non si fonda su alcuna concezione statuale, tanto meno di genere centralistico[59], bensì su secolari (per certi versi millenarie) istituzioni particolariste, come la famiglia (Italia romano-pagana e romano-cristiana), l'oligarchia (Italia delle città e delle fazioni) e la corporazione (Italia dei Comuni)[60].

Quindi, per raccogliere le idee: elementi costitutivi per eccellenza dell'identità italiana sono senz'altro l'eredità romana imperiale e l'eredità universale cattolica. Nella realtà storica, per secoli la società italiana, proprio in quanto universalista, imperiale e cattolica, si è strutturata in realtà particolari e localistiche, e in special modo sulla famiglia, sull'oligarchia cittadina e sulla corporazione.

Come è stato attuato il processo unitario risorgimentale? Rispettando tale realtà storica di fatto (universalismo, cattolicesimo, particolarismo)? Al contrario, esattamente attenendosi a criteri opposti come il centralismo e lo statalismo unitarista, e concretizzando di fatto uno Stato sì unitario ma fortemente laicista e tendente al totalitarismo ideologico e politico, come l'affermazione del fascismo prima e la vasta diffusione del comunismo poi stanno a confermare senza tema di smentita.

Vale a dire: il Risorgimento e l'unificazione nazionale sono stati attuati contro la vera e concreta identità italiana. Tale assunto è la logica conclusione di quanto finora esposto e sarà abbondantemente comprovato nella disamina degli eventi e delle conseguenze della storia del Risorgimento. Insomma, è oggi ormai concetto sempre più diffuso che lo sbocco del processo storico che condusse all'unificazione nazionale fu in realtà proprio il tradimento dell'identità italiana. Come ha detto A. Carlo Jemolo[61]: «L'Italia una è stata creata [...] attraverso i ricorsi ad una ideologia non italiana [...] prescindendo volutamente dalle caratteristiche proprie alla nazione italiana».

Se tutto ciò è vero, appare evidente come questa non possa non essere considerata come la causa essenziale e remota dei mali denunciati dagli intellettuali e dagli storici elencati in apertura.

Capitolo II
MASSONERIA, UTOPISMO & RIVOLUZIONE

«Il Risorgimento si è fatto contro il Papato
e non poteva farsi diversamente».

Luigi Salvatorelli

1. «Risorgimento» o «Rivoluzione italiana»?

Se precedentemente abbiamo utilizzato anche l'espressione «Rivoluzione italiana» per definire il «Risorgimento», v'è una ragione ben precisa, ideologica molto più che formale. Per chiarire questo concetto, premettiamo anzitutto che pressoché tutti gli esponenti del Risorgimento (conservatori, cattolico-liberali, moderati, democratici, rivoluzionari) definivano il movimento unitario «Rivoluzione italiana»[62].

Del resto, che il processo unitarista fu una «rivoluzione» nel senso pieno del concetto, e una rivoluzione secolarizzatrice non possono esservi dubbi. Spiega per esempio Salvatore Lener che, poiché la vita umana si svolge negli Stati, «per rivoluzione, nella più generica accezione politica del termine, deve intendersi qualsiasi mutamento dell'ordinamento politico [della società e dello Stato] attuato mediante violazione dei princìpi di diritto costituzionale in cui si concreta l'ordinamento stesso, ovvero senza rispettare i procedimenti che disciplinano i legittimi suoi mutamenti parziali...». Quindi, affinché vi possa essere «rivoluzione», non è essenziale tanto la violenza (un governo può essere debole e cadere senza il ricorso a essa), ma: «Nella dottrina generale del diritto e dello Stato, rivoluzione (in senso formale) e costituzione (in senso formale) si rivelano concetti e realtà giuridiche antitetiche: non già nel senso che ogni atto incostituzionale sia per ciò stesso rivoluzionario; ma in quello che ogni mutamento politico attuato con violazione del diritto costituzionale è certamente rivoluzionario».

Stando a questo principio, siccome lo Stato unitario proclamato nel 1861 costituisce uno Stato nuovo non solo in quanto formazione politica senza precedenti nella storia degli italiani, ma pure e più precisamente in quanto ente o ordinamento giuridico sovrano, si deve per ciò stesso ammettere che il lungo e complesso movimento storico-politico che portò alla sua instaurazione nella Penisola ebbe carattere rivoluzionario.

La verità è che la formazione del Regno d'Italia non è derivata da nessuno degli ordinamenti statuali prima esistenti, compreso il Regno di Sardegna. L'unificazione territoriale, anzi, si effettuò contro il diritto positivo di tali Stati (compreso quello piemontese) e con violazione della legittima loro sovranità e dell'ordinamento internazionale, di cui essi erano membri. Insomma, è chiaro che l'unificazione avvenne non solo non rispettando, ma andando contro il diritto vigente dei vari legittimi Stati preunitari, che furono infatti conquistati con la violenza e l'inganno.

Certo, furono fatti i plebisciti. Ma, come sostiene giustamente anche Lener, essendo quello italiano uno Stato nuovo (e non semplicemente un allargamento territoriale del Regno di Sardegna, in quanto ora si trattava appunto del «Regno d'Italia», anche se retto dalla dinastia sabauda), per di più attuato come detto tramite conquista illegittima a danno dei legittimi secolari Stati e dinastie preesistenti, esso doveva trovare legittimazione popolare al suo essere, ma questa poteva provenire solo da una Costituente. Ora, i plebisciti, al di là di essere stati solo una patetica e umiliante farsa (questo sarà ampiamente dimostrato in seguito) alla quale non partecipò neanche il 2% della popolazione italiana, e al di là del fatto che furono attuati con mezzi a dir poco «bulgari», nella realtà delle cose non furono mai una Costituente, tipo quella del 1948, sia perché non furono fatti ovunque, sia perché non furono mai intesi da nessuno aventi valore di Costituente, sia perché ridicoli formalmente[63].

Del resto, scrive Benedetto Croce: «Nei due anni, fra il 1859 e il 1861, le varie parti del nuovo Stato furono saldate fra loro con una vera rivoluzione»[64]. Croce stesso, quindi, non indulge sulla «finzione plebiscitaria», e risolve la questione dividendo in periodi il discorso unitario: fino al '70 fu il «periodo eroico della concordia», poi «il periodo dell'ordinaria amministrazione», dove le discordie non riguardavano più la formazione dello Stato, ma la sua amministrazione. Ma ciò non dimostra affatto che il nuovo Stato rivoluzionario ebbe uno *iuris consensus* generale. E tutto questo contribuì non poco alla celebre spaccatura fra Paese reale e Paese legale.

Si trattò quindi di una rivoluzione a tutti gli effetti, a partire da quello giuridico formale e ideale, per arrivare – aspetto fondamentale per quanto concerne il presupposto che stiamo ora sviluppando – a quello più specificamente religioso.

Anche Augusto Del Noce, ne *Il suicidio della Rivoluzione*[65], descrivendo l'itinerario intellettuale della «Rivoluzione italiana», ha mostrato l'esistenza di una linea culturale egemone in epoche storiche e forme politiche diverse quali il Risorgimento, il fascismo, l'antifascismo repubblicano. Pur nelle concrete differenze, tali epoche trovano il loro elemento comune nella tendenza verso l'immanenza e la secolarizzazione, in ogni caso verso la definitiva eliminazione del soprannaturale e del trascendente dalla storia. Dall'hegelismo di De Sanctis al neomarxismo gramsciano, questo filone ha influenzato tutto il pensiero storico-politico e filosofico nazionale, sfociando in quello che lo stesso Del Noce definisce «crocio-gramscismo» accademico, condizionato fin dal suo inizio dal problema delle origini del Risorgimento legate alla Rivoluzione francese[66].

Tutto il pensiero e tutta la prassi risorgimentali (dagli esponenti appunto più conservatori fino a quelli più radicalmente rivoluzionari) sono dunque sempre stati totalmente di matrice «rivoluzionaria»[67], e mai «controrivoluzionaria» (da questa parte della barricata si situavano invece i pensatori antiunitaristi e gli esponenti dell'intransigentismo cattolico). Del resto, che il Risorgimento dipenda, idealmente, politicamente e militarmente, dalla Rivoluzione francese (e dal protestantesimo) e che abbia trovato nelle istanze anticattoliche e liberal-massoniche le sue più profonde motivazioni, è oggi fatto non più smentibile in maniera seria da alcuno; una citazione fra innumerevoli, scrive Salvatorelli: «Il Risorgimento si è fatto contro il Papato e non poteva farsi diversamente: e in questo senso hanno concorso anche quegli elementi credenti cattolici [neoguelfi e cattolici-liberali, *nda*] che vi hanno partecipato effettivamente. La contraddizione non era di un uomo né poteva cancellarsi per opera di un uomo: era nell'istituto, nell'idea»[68]. Quindi, per capire lo spirito profondo del Risorgimento[69], vale a dire della Rivoluzione italiana, occorre che lo si inquadri e lo si intenda come momento peculiare e di importanza fondamentale del fenomeno della «Rivoluzione»[70].

Ma non si può parlare di Rivoluzione italiana prescindendo dallo «strumento» che tale rivoluzione ha ideato, perseguito e voluto: ci riferiamo naturalmente al ruolo basilare svolto dalla Massoneria internazionale e nazionale nelle varie fasi storiche del movimento unitario[71]. L'argomento, come noto, è delicato, divide aspramente gli storici (molti negano tale ruolo, altri lo ridimensionano ampiamente) ed è facilmente soggetto a esagerazioni e fraintendimenti. Nonostante ciò, daremo solo alcuni accenni in merito alla questione, quelli che ci appaiono essere gli elementi più evidenti e difficilmente smentibili. In uno studio a carattere complessivo sulla storia dell'unificazione italiana, sarebbe realmente riduttivo e non serio non accennare neanche al ruolo svolto dalla Massoneria in tali eventi, anche senza per questo voler minimamente affrontare la questione in maniera diretta, ma solo in rapporto appunto alla Rivoluzione italiana.

2. Il «braccio sinistro della Rivoluzione»

«Così si perviene al 20 settembre 1870: forse il più piccolo fatto d'armi del Risorgimento; certamente il più grande avvenimento della civiltà umana. Risorgimento: opera della Massoneria! XX settembre: gloria della Massoneria»[72].

Tutto quanto detto finora – in particolare gli aspetti ideologici più utopistici e di carattere totalitario, e, specialmente, quello di cui parleremo nel prosieguo di questo studio – sarebbe non solo fatalmente incompleto, ma del tutto fuorviante se non accennassimo al ruolo ideale e concreto svolto in tutto questo dalla Massoneria e dalle società segrete a essa affiliate o comunque a essa ispiratesi.

Uno dei nodi storici cruciali – e più scomodi – della storia del Risorgimento è infatti proprio quello dei legami della Rivoluzione Italiana con la Massoneria e le società segrete massoniche o «massonizzanti»[73].

Più di uno storico ha dedicato un intero studio al problema: alcuni tendono a sminuire il ruolo della Massoneria, fino alla negazione di esso[74], altri invece riconoscono la netta influenza della sua opera[75]. Del resto, è universalmente noto il legame fra le istanze massoniche e la diffusione dell'illuminismo[76] e quindi della affermazione Rivoluzione francese[77], a sua volta ispiratrice ideale e concreta del movimento risorgimentale italiano (come universalmente noto, anche colui che portò la Rivoluzione in Italia era massone[78]).

Gli stessi Papi non hanno mai smesso di condannare la Massoneria come ispiratrice della guerra alla Chiesa cattolica e del Risorgimento stesso[79], il quale trova le sue radici «occulte» nel settarismo[80] gnostico[81] dei primi decenni del secolo: la Carboneria[82], la Giovine Italia ecc., erano o direttamente filiazioni massoniche[83] o comunque «massonizzanti».

E massoni erano i giacobini italiani che propagavano la Rivoluzione e accolsero in festa l'invasore napolenico[84]. Come nota Carlo Morandi, è proprio negli anni 1792-1795 che avviene la nascita del primo partito politico in Italia, il partito democratico, mentre le varie logge massoniche si trasformavano appunto in circoli giacobini[85]; e massone era uno dei più noti cospiratori di quei giorni, quel Filippo Buonarroti, coinvolto nella comunistica Congiura degli Uguali di Babeuf e poi organizzatore infaticabile di società segrete negli anni della Restaurazione. Scrive infatti Walter Maturi: «L'importanza politica della Massoneria, non molto appariscente nell'epoca delle riforme, appare ben chiara quando scoppia la Rivoluzione francese. L'organizzazione massonica fu in Italia il punto d'appoggio, la base della propaganda rivoluzionaria condotta dagli agenti francesi presso i vari Stati della Penisola [...]. Il primo effetto di questa propaganda fu la trasformazione delle logge massoniche in circoli o clubs giacobini...»[86].

E massone o massonizzante fu la gran parte dei protagonisti della Rivoluzione italiana, a partire dagli esponenti della setta della Carboneria. Scrive Oreste Dito al riguardo[87]: «Né d'altra parte fra le due Associazioni era diversità di intenti, pur essendovi nei mezzi. È falso ch'esse rappresentassero due forze rivali, anche se talvolta non corresse buon sangue tra massoni e carbonari [...]. Del resto, se un'apparente rivalità sembrò esistere tra le due sètte, ai tempi murattiani, non pochi tra i più eminenti personaggi del tempo rivestivano la doppia qualità di massone e di carbonaro. Ogni fratello massone veniva ammesso nella Società Carbonarica col solo voto, senza essere sottoposto a tutte le prove richieste pei candidati ordinari; né era possibile essere iniziato agli alti gradi carbonarici senza aver prima ottenuti alcuni indispensabili in Massoneria. Le differenze che a prima vista saltano agli occhi di ognuno sono semplicemente apparenti [...]. La Massoneria è fine; la Carboneria fu uno dei metodi per raggiungerlo [...]. Nella storia del Risorgimento Italiano la Carboneria rappresentò la prima fase di esso [...]. La Massoneria, invece, continua tuttavia ad esistere, in Italia e dappertutto». In pratica, Dito definisce la Carboneria «una Massoneria trasportata dal campo dell'idea in quello dell'azione, dall'idea astratta all'idea concreta, dall'enunciazione dottrinaria di un principio all'attuazione»[88].

Che cosa fu esattamente la Carboneria, e qual è l'importanza del suo ruolo nella storia della Rivoluzione italiana? Come nel caso degli Illuminati di Baviera, siamo informati sulle attività cospiratorie della Carboneria, e in particolare del livello più elevato di essa, l'Alta Vendita, in quanto il 20 maggio 1846, poco prima della morte, Gregorio XVI consegnò a Jacques Crétineau-Joly, lo storico della Controrivoluzione vandeana e della Compagnia di Gesù, tutti i documenti (sequestrati negli anni dalla polizia pontificia) necessari per scrivere una *Storia delle società segrete*; lo storico francese non la scrisse mai, ma pubblicò l'opera *L'Eglise romaine en face de la Révolution*. I documenti dell'Alta Vendita sono stati successivamente riprodotti da mons. Delassus nell'opera *Il problema dell'ora presente*, e in particolare le Istruzioni e la corrispondenza. L'Alta Vendita era composta da quaranta membri che si nascondevano dietro pseudonimi, ed era diretta fin dal 3 aprile 1824 da un aristocratico italiano, «Nubius»[89], che, grazie alla sua posizione, aveva accesso presso alti prelati in Vaticano e aveva posto suoi agenti nelle Cancellerie europee.

Qual era lo scopo dell'Alta Vendita? I suoi capi avevano tracciato un piano ancora più audace di quelli perpetrati per la Rivoluzione francese. Dovendo agire in Italia, vale a dire contro il cuore stesso del nemico, il Papato, essi avevano compreso che qui le ghigliottine non servivano (lo stesso Napoleone aveva fallito con tutti i suoi eserciti); così essi prepararono e perpetrarono il grande piano: «Giungere con piccoli mezzi ben graduati, benché mai definiti, al trionfo dell'idea rivoluzionaria per mezzo del Papa»[90].

Troviamo infatti scritto nell'*Istruzione* permanente data ai membri della setta nel 1817: «Il nostro scopo finale è quello di Voltaire e della Rivoluzione francese: l'annientamento per sempre del cattolicesimo ed ancora dell'idea cristiana, che se resta in piedi sulle rovine di Roma ne avrebbe perpetuazione»[91]. Ma per ottenere ciò, prosegue lo scritto, occorre non attaccare frontalmente la Chiesa, in quanto in tal maniera essa ha sempre vinto, anche contro i suoi peggiori e più forti nemici; occorre invece conquistare il Papa e la gerarchia, ma non nel senso di un Papa «settario», in quanto ciò è ridicolo, o di un Papa corrotto come Alessandro VI, in quanto anche questi «non ha mai errato in materia religiosa»; occorre invece un Papa complice, come Clemente XIV, che per paura si diede mani e piedi ai Borboni e ai *philosophes*. Si trattava insomma di corrompere ideologicamente i giovani sacerdoti, perché un giorno alcuni di loro sarebbero divenuti vescovi, e poi, un giorno, fra questi vescovi sarebbe uscito un Papa! E il Papa, nella Chiesa, può tutto. Anche provocarne la distruzione, secondo i loro piani. Troviamo infatti scritto nell'*Istruzione*: «Il lavoro al quale noi ci accingiamo non è l'opera di un giorno, né di un mese, né di un anno. Può durare molti anni, forse un secolo: ma nelle nostre file, il soldato muore, ma la guerra continua [...]. Quello che noi dobbiamo cercare ed aspettare come gli ebrei aspettano il Messia, si è un Papa secondo i nostri bisogni [...]. Con questo solo noi andremo più sicuramente all'assalto della Chiesa, che non con gli opuscoletti dei nostri fratelli di Francia e coll'oro stesso dell'Inghilterra[92]. E volete sapere il perché? Perché con questo solo, per stritolare lo scoglio sopra cui Dio ha fabbricato la sua Chiesa, noi non abbiamo più bisogno dell'aceto di Annibale, né della polvere da cannone e nemmeno delle nostre braccia. Noi abbiano il dito mignolo del successore di Pietro ingaggiato nel complotto, e questo dito mignolo val per questa crociata tutti gli Urbani II e tutti i san Bernardi della Cristianità»[93].

Da queste impressionanti parole non può non ricavarsi il legame con l'opera – fondamentale per tutta la storia del Risorgimento italiano – di Vincenzo Gioberti, *Del Primato morale e civile degli Italiani*, edito a Bruxelles nel 1843, con cui l'ambiguo prete prepara quel movimento neoguelfo destinato ad attrarre i cattolici moderati e liberali verso la Rivoluzione italiana, e volto, soprattutto, a creare le condizioni per l'elezione del Papa desiderato...[94].

Come si può notare, la Carboneria e l'Alta Vendita, hanno come scopo supremo quello di portare la Rivoluzione in Italia per distruggere il nemico per eccellenza della Massoneria e della Rivoluzione, ma non attaccandolo dall'esterno (esempi: persecuzioni pagane, eresie medievali, guerre protestanti, e, soprattutto, Rivoluzione francese e Napoleone), ma dall'interno, come un tumore che eroda la Chiesa stessa avvelenandola[95]. Da questo momento iniziò quindi la regolare e metodica penetrazione delle file massoniche nel clero cattolico. E in tal maniera, si potrebbe dire, iniziò la «questione romana», vale a dire la guerra alla Chiesa cattolica[96], fine eminente della Rivoluzione italiana.

Del resto, per concludere il nostro minimale *excursus* sul ruolo della Massoneria nel Risorgimento, sarà utile un piccolo elenco di alcuni fra i principali protagonisti di quei giorni notoriamente affiliati alla setta «madre»[97].

Garibaldi fu iniziato nella loggia irregolare *Asilo della Virtù* nel 1844 a Montevideo; poco dopo si affiliò alla loggia regolare *Gli amici della Patria*: fece quindi una grande carriera fino alla nomina di Gran Maestro onorario a vita del Grande Oriente d'Italia nel 1872[98]. Massone era Türr, suo braccio destro per tutta la campagna del Sud, Maestro venerabile della loggia *Mattia Corvino* di Budapest[99] e amico di Vittorio Emanuele II. Massone era G.B. Fauché, procuratore della Rubattino, che concesse i vapori a Garibaldi, affiliato alla loggia *Trionfo Ligure* di Genova[100]. Altro sostegno venne dalla celebre loggia *Ausonia* di Torino, fondata l'8 ottobre 1859, e che il 20 dicembre si costituì in Grand'Oriente d'Italia e aveva come programma l'unità d'Italia sotto Vittorio Emanuele II. Cavour stesso venne definito «personaggio non estraneo ai nostri misteri» ed era già stato prescelto a divenire il Gran Maestro dell'Oriente d'Italia, se la morte non lo avesse colto d'improvviso nel giugno del 1861[101]. Ma come è noto, il governo piemontese agì soprattutto tramite la *Società Nazionale*, fondata da Giuseppe La Farina, iniziato il 9 maggio 1860 nella *Ausonia*[102].

Poi vi sono i massoni tendenziali e futuri massoni. Fra questi ricordiamo Agostino Bertani, Adriano Lemmi (futuro Gran Maestro del Grande Oriente d'Italia), Agostino De Pretis, Francesco Crispi, Giosué Carducci, Antonio Mordini (il mediatore fra Garibaldi e il gruppo bancario Adami-Lemmi[103], finanziatore dell'impresa). E poi è da ricordare il sostegno ricevuto per la spedizione dei Mille dalla Massoneria americana[104] e soprattutto da quella inglese[105], che fornì a Garibaldi l'incredibile cifra di 3 milioni di franchi francesi (circa 30 milioni di dollari al 1990) a Genova per la spedizione, custoditi da Ippolito Nievo[106]. Da ricordare nell'elenco sono poi personaggi come Bixio, Mameli, Pellico, Maroncelli, Pisacane, Nigra, Mario, Lanza, Cairoli, Di Rudinì, Zanardelli, Fortis oltre a Mazzini ovviamente, e poi gli stessi Napoleone III, Palmerston e Bismarck[107].

Come si può notare, riesce alquanto difficile continuare a sostenere l'estraneità della Massoneria alla Rivoluzione italiana. Sembra alquanto più sensato affermare esattamente il contrario: fu essa a ispirare e a guidare il processo risorgimentale nazionale, dagli albori (i giacobini nostrani che appoggiano l'invasione napoleonica), alla conclusione (gli anni di maggior influenza massonica sono proprio quelli dell'anticlericalismo postunitario[108]), passando per il fondamentale periodo formativo delle sètte e della Carboneria[109].

Il Risorgimento, o Rivoluzione italiana, è a tutti gli effetti, parte integrante di quel processo storico anticristiano[110] che prende il nome di «Rivoluzione»[111]; anzi, ne costituisce, proprio per la sua guerra alla Roma cattolica[112], un momento essenziale e unico, come ripeteva enfaticamente la citazione massonica riportata all'inizio del paragrafo[113], e come troviamo ufficialmente e pubblicamente dichiarato nel *Bollettino Officiale del Grande Oriente Italiano*, organo ufficiale della Massoneria nazionale e praticamente «fratello», a quei tempi, della stessa Gazzetta Ufficiale del Regno: «Il mondo testé respirava, vedendo l'Italia preparata a schiacciare il Pontificato romano; esso pensava che, se al prete mancava l'Italia suo antico presidio, il prete era perduto per sempre. Così le nostre battaglie contro Roma erano battaglie per la civiltà e per l'umanità intera [...]. Le nazioni riconoscevano nell'Italia il diritto di esistere come nazione in quanto che le affidavano l'altissimo ufficio di liberarle dal giogo di Roma cattolica. Non si tratta di forme di governo, non si tratta di maggior larghezza di libertà; si tratta appunto del fine che la Massoneria si propone; al quale da secoli lavora, a traverso ogni genere di ostacoli e di pericoli»[114].

Lo scopo di tutto questo? Sostituire alla religione e alla Chiesa cattolica una nuova religione: la religione della patria risorgimentale, nuovo culto del popolo italiano (facente parte del culto generale dell'Umanità: l'Uomo è il nuovo dio, gli uomini si costituiscono in popoli, i quali formano l'Umanità). Significative anche le seguenti parole di uno dei più noti esponenti dell'*intellighentia* risorgimentale: «Roma, la nemica Roma, l'antica cagione di tutti i mali d'Italia, non istà sul Tevere, ma qui nelle nostre coscienze e qui dobbiamo combatterla [...]. Ogni prete val mille stranieri [...]; Italia nuova e cattolicesimo vecchio non possono stare insieme; noi abbiamo fatto il papato, noi dobbiamo trasformarlo; e se l'Italia non si spapa e non si trasforma in religione, ella non ha ragion d'essere»[115].

Viene da chiedersi: ma Roma, e specie Roma cattolica, non era la pietra angolare dell'identità italiana?

Parte seconda
I FATTI:
LA RIVOLUZIONE ITALIANA

«Quelli che vogliono rendere gli uomini felici,
non esitano a massacrarli per questo».

Karl Popper

«L'Italia è l'unico Paese d'Europa
(e non solo dell'area cattolica)
la cui unità nazionale
e la cui liberazione dal dominio straniero
siano avvenuti in aperto, feroce contrasto
con la propria Chiesa nazionale. [...]
L'incompatibilità fra patria e religione,
fra Stato e Cristianesimo,
è in un certo senso un elemento fondativo
della nostra identità collettiva come Stato nazionale».

Ernesto Galli della Loggia

Capitolo I
NAPOLEONE IN ITALIA. INIZIA LA GUERRA CIVILE ITALIANA

«Le riforme portavano alla rivoluzione».

Adolfo Omodeo

1. Anno 1796. Un popolo diviso

Un colpo d'occhio dato con serenità intellettuale e lucidità mentale sulla storia d'Italia degli ultimi duecentoquindici anni nel suo insieme, non può non coglierne come filo conduttore la violenza, frutto della divisione ideologica che mette radice in un preciso momento della nostra storia.

Basti per il momento, al fine di introdurre il discorso, ricordare un fatto evidente quanto dimenticato: noi siamo l'unico popolo al mondo – di sicuro almeno nel mondo occidentale – che negli ultimi due secoli ha subito tre guerre civili, fra le quali la più nota, quella tra fascisti e partigiani, è in realtà di gran lunga la meno cruenta delle tre.

Ben più tragica fu la guerra civile precedente, dal 1860 al 1865, che vide da un lato italiani piemontesi e «piemontesizzati» al seguito di Casa Savoia, e dall'altro italiani che non furono d'accordo a farsi piemontesizzare. Stiamo naturalmente parlando della guerra condotta dal neonato Stato italiano contro i ribelli borbonici del Meridione, noti con l'equivoco appellativo di «briganti». Tratteremo in seguito tale triste pagina della nostra storia.

Altrettanto tragica – soprattutto dal punto di vista ideologico – era stata la prima delle guerre civili, quella fra giacobini e insorgenti ai tempi dell'invasione napoleonica.

Per iniziare a fornire una prima immediata spiegazione di tale fatto, occorre tener presente che c'è un anno fatidico nella storia degli italiani, una data di cui nessuno o quasi sa nulla, che mai si ricorda, e che invece svolge un ruolo d'importanza capitale, molto più del 1848, del 1861, del 20 settembre 1870, del 1915-'18, del 1922, anche dell'8 settembre '43, e poi del '45, del 2 giugno '46, del 18 aprile '48, e così via.

È l'anno 1796. Come detto, questa data non dice nulla a nessuno, e anche il lettore forse sarà perplesso. Eppure è così. Il 1796 sta all'Italia come il 1789 sta alla Francia. La differenza si situa in questo: che i francesi esaltano (o – pochi – condannano) in tutti i modi e in ogni momento il loro 1789; noi italiani abbiamo invece perduto la memoria di quell'anno, ricordato solo dagli esperti in materia nei loro libri e nei loro disertati convegni.

Che cosa è accaduto di tanto importante nel 1796?

È l'anno dell'invasione napoleonica, l'anno dell'importazione nella Penisola della Rivoluzione francese, imposta con le baionette, i cannoni, le stragi, i furti e profanazioni di un esercito invasore. È l'anno della nascita delle repubbliche giacobine e democratiche, sorte sulle spoglie degli antichi tradizionali Stati monarchici o aristocratici, comunque cristiani, della formazione di una aperta e perseguita coscienza rivoluzionaria, laica e repubblicana, nelle *elités* del nostro Paese.

Ma è anche l'anno, d'altro canto, dell'inizio dell'Insorgenza controrivoluzionaria, vale a dire del più grande, drammatico ed eroico (e ancor oggi poco conosciuto) evento della storia degli italiani. Talmente drammatico ed eroico che lo si è cancellato dalla memoria collettiva, in quanto sgradito alla ideologia del Risorgimento; ed è per questo che nessuno coglie veramente fino in fondo l'importanza del 1796.

Il 1796 non è però solo tutto questo; è qualcosa in più. È l'inizio della «nuova storia» degli italiani[116], è l'«anno del prima e del poi» (come François Furet, nella sua celebre *Critica della Rivoluzione Francese*, ha definito il 1789 per i francesi e per tutti gli occidentali) per noi italiani, lo spartiacque della nostra civiltà. È l'inizio della modernità in Italia.

Prima di questa data l'Italia era una società cattolica (da due secoli di impronta controriformistica), i cui governi (monarchici o repubblicani che fossero) erano concepiti secondo un'idea sacrale e trifunzionale del potere; una società aristocratica e contadina, caratterizzata da un'organica armonia gerarchica (accettata serenamente anche dai ceti meno abbienti proprio per la sua connaturata struttura cristiana), che aveva prodotto una più che secolare concordia sociale[117]; né il riformismo illuminato e le idee anticristiane teorizzate nelle sempre più numerose e attive logge massoniche del XVIII secolo avevano influenzato minimamente le popolazioni, che, al contrario, furono sempre ostili ai tentativi di sovversione dell'ordine cristiano[118].

Ma con il 1796 ebbe inizio qualcosa di fondamentale importanza, un evento che ha mutato per sempre la storia e il modo di pensare degli italiani. Iniziò la «Rivoluzione italiana». Nel 1796 un uragano storico-politico-militare, nonché anche specificamente religioso, si abbatté sulla Penisola dopo secoli di pace, portando con sé una grave eredità: la divisione e l'odio ideologico. Il peso della modernità, come sempre.

È molto importante sottolineare questo aspetto: gli italiani erano in pace effettiva (tranne alcune zone settentrionali coinvolte loro malgrado nelle guerre delle grandi Potenze straniere ed eccetto rari momenti nel Meridione durante la guerre di successione) dai tempi delle guerre d'Italia, cioè da quasi tre secoli, e, soprattutto, erano idealmente uniti dal Medioevo; e, in ogni caso – a parte la divisione «guelfo-ghibellina», che comunque era viva anche al di fuori della Penisola e inoltre non implicava una reale spaccatura ideologica nel senso moderno e rivoluzionario del concetto, in quanto né i guelfi né i ghibellini volevano sovvertire l'ordine costituito – essi erano uniti da sempre, nel senso che mai prima del 1796 avevano conosciuto l'odio della divisione ideologica, seppur divisi geopoliticamente: erano uniti nello spirito delle identità di vedute, credenze e tradizioni.

Nemmeno la rivoluzione religiosa del XVI secolo li aveva divisi, considerato che la Penisola rimase sostanzialmente estranea al protestantesimo (a differenza, per esempio, della Francia, che, pur essendo ormai da tempo uno Stato unitario, conobbe le guerre civili di religione).

In quell'anno però giunse non richiesta la Rivoluzione francese, e con essa la guerra di un invasore ladro, prepotente e stragista. Soprattutto vi fu l'affermarsi della guerra fra gli italiani, la nascita dell'odio ideologico, vale a dire proprio ciò che gli italiani non avevano mai conosciuto prima. Dal 1796 non si è più «italiani» e null'altro: si è anche giacobini o insorgenti, massoni o cattolici, repubblicani o monarchici, «novatori» o «reazionari», democratici o conservatori, di «sinistra» o di «destra», «rivoluzionari» o «controrivoluzionari» ecc. È l'inizio della Rivoluzione italiana, e dunque l'inizio della divisione degli italiani: l'inizio della «guerra civile italiana».

Credo non si sia mai riflettuto abbastanza su quanto appena detto, che non si sia mai voluto realmente prendere coscienza del fatto che l'invasione napoleonica della Penisola abbia effettivamente cambiato (o meglio, iniziato a cambiare) per sempre l'identità stessa degli italiani, il loro Dna religioso, politico, sociale, anche istituzionale. Credo non si sia mai finora realmente compreso – almeno pubblicamente – quanto dagli eventi di fine Settecento e inizio Ottocento dipendano le drammatiche vicende della storia nazionale non solo del XIX secolo ovviamente (Risorgimento *in primis*), ma anche del XX secolo: solo per fare alcuni accenni evidentissimi, come negare che il giacobinismo abbia introdotto nella Penisola non solo lo spirito repubblicano, ma anche l'impronta laicista e anticattolica nonché la tendenza al totalitarismo? E, d'altra parte, suscitando la reazione degli insorgenti e del clero fedele a Roma, lo spirito antimoderno e tradizionalista di estesi ambienti del mondo cattolico? Come non vedere allora in tutto ciò le radici delle divisioni degli italiani negli ultimi due secoli?

Pochi italiani confluirono nelle file dei rivoluzionari, aderendo al giacobinismo e divenendo di fatto collaborazionisti dell'invasore. Erano pochi, ma «erano». Ed erano italiani, che scelsero di servire la Rivoluzione. Simultaneamente, di fronte a questa novità tanto inaspettata quanto grave e coinvolgente (monarchie abbattute, sovrani in fuga, Papi arrestati, chiese profanate e palazzi e musei svuotati, monti di pietà saccheggiati, repubbliche rivoluzionarie asservite all'invasore, fiscalismo depauperante, e via continuando), centinaia di migliaia di italiani si trovarono costretti – volenti o no – a compiere anch'essi la prima scelta fondamentale, e decisero di rimanere fedeli all'antica civiltà tradizionale, alla società cattolica e sacrale, ai loro legittimi governi, e presero le armi contro l'invasore e i democratici a esso asserviti.

Questa fase durerà fino al 1799, e comunque sporadicamente fino alla caduta di Napoleone. Ma non finisce certo così. È proprio negli anni della Restaurazione che, sulla base dell'esperienza napoleonica in Italia, si passa alla realizzazione del processo risorgimentale: da un lato vi era chi lo rifiutò, e fra costoro ci poteva essere diversità di vedute strategiche, di impostazione ideologica su punti dottrinali non chiariti, ma unica era la scelta di campo[119]; dall'altro, fra coloro che vi aderirono seppur nelle più differenti maniere, dominava invece la divisione ideologica e strategica: dai settari carbonari o buonarrotiani ai mazziniani, dai monarchici ai repubblicani, senza considerare la divisione tra federalisti monarchici e repubblicani, tra unitaristi repubblicani e monarchici. I contrasti continuarono poi nei decenni a venire, dopo l'unificazione, e soprattutto si acuirono nel XX secolo, fino alla tragedia della guerra civile fra fascismo e antifascismo, da cui ancora non siamo del tutto guariti. La nostra attuale Repubblica è l'unica al mondo che si fonda su un antivalore[120]; su un principio di odio e divisione – indipendentemente da come si voglia poi giudicare tale principio – fra i suoi stessi cittadini. È questo uno dei risultati della Rivoluzione italiana: la divisione istituzionalizzata, direi costituzionalizzata, fra gli italiani. È la guerra civile italiana[121].

La storia repubblicana è ancora una storia di odio, al di là della ricostruzione postbellica e del relativo sviluppo economico: oltre all'incancrenirsi della divisione fra Nord e Sud, che ha condotto allo sviluppo delle tematiche secessioniste da un lato e allo strapotere della criminalità organizzata dall'altro, l'odio è sempre e anzitutto di natura ideologica: il terrorismo degli ultimi decenni è manifesto segnale di un mai terminato stato di guerra civile latente. Latente anche ai nostri giorni: non intendo entrare nell'attualità politica, ma non può non apparire evidente a tutti come le differenze ideologiche ancora oggi dividano gli italiani in maniera drammatica, comunque differente dalla normale dialettica democratica degli altri grandi Paesi dell'Occidente.

Insomma, tutto ciò dovrebbe essere sufficiente senz'altro per porre seriamente la questione della comprensione di che cos'è che non va nella storia degli italiani. La Rivoluzione francese, quella inglese, le guerre civili americana e spagnola, nonché le rivoluzioni russa e cinese, e altre ancora, sono stati eventi tremendi, forse presi in sé anche più gravi dei singoli fattori di odio e morte che gli italiani hanno conosciuto dal 1796 in poi; e tuttavia sono sempre stati eventi circoscritti nel tempo, finiti. Si tratta questo di un punto fondamentale: tutti i popoli coinvolti nelle vicende ricordate (e vari altri) hanno regolato anch'essi i propri conti tramite guerre civili e rivoluzioni, talvolta di violenza inaudita (è l'inevitabile prezzo dell'ideologismo rivoluzionario della modernità): ma in ultimo li hanno pur chiusi; o almeno momentaneamente «soffocati».

Noi non abbiamo mai finito di regolarli, anzitutto proprio a livello ideologico. Certo, siamo in pace dal 1945: ma è una pace «esterna», non interna[122].

Conclusa la guerra civile, Francisco Franco costruì subito il più grande cimitero della Spagna (forse del mondo) per raccoglervi tutti i caduti. In Italia sarebbe mai immaginabile una cosa del genere, nel 1946 o oggi dopo sessant'anni? Chi può negare che ancora oggi viviamo in un clima politico avvelenato, segnato dalla continua delegittimazione dell'avversario? È ovvio che di esempi al riguardo se ne potrebbero enumerare migliaia, e non è nostra intenzione, come detto, scendere nell'attualità politica. Ciò che interessa dire è che ancora oggi, e forse più di ieri, la situazione politica italiana vive in perpetua fibrillazione, in un rovente clima di rischio latente.

La realtà è che ciò è sempre avvenuto in Italia dal 1796, e ancora oggi si ripropone. Ha scritto in merito Paolo Mieli[123]: «Alle origini del Risorgimento, solo ed esclusivamente per come sono andate le cose, senza colpe particolari, c'è dunque una sorgente di acqua inquinata che ha infettato il corso del fiume della storia italiana impedendo al nostro Paese di diventare una democrazia come tutte le altre. Una democrazia in cui non si debba ricordare ad ogni ora che si è tutti su una stessa barca come se si dovesse costantemente fare i conti con qualcosa di oscuro, di irrisolto che è alle origini di tutto. Cosicché ci si possa sanamente dividere e contrapporre senza avvertire il pericolo che vada a monte l'intera dialettica democratica».

Dopo due secoli appare sempre più evidente il riemergere negli italiani di quella frattura ideologica mai superata. Perché? E perché c'è stata, ed esiste ancora oggi? Perché questo dramma profondo nella storia degli italiani negli ultimi due secoli? Una seria risposta a tali quesiti richiede a mia opinione l'approfondimento della guerra condotta all'identità italiana in nome dell'unificazione nazionale. Ci si potrà accorgere, forse, che il giudizio di Mieli, vero nella sostanza, è forse troppo benevolo nell'affermazione «solo ed esclusivamente per come sono andate le cose, senza colpe particolari». Ci si potrà accorgere, forse, che le colpe ci sono, e che le cose sarebbero potute andare in maniera differente.

2. Prima del 1796: il riformismo illuminato

In realtà, se il 1796 segna l'inizio cruento della Rivoluzione in Italia, già nei decenni precedenti il campo aveva cominciato a essere parzialmente seminato dai «novatori» e dalle istanze di cambiamento (proprio come, *mutatis mutandis*, avveniva per la Francia prerivoluzionaria). Alcune di queste ebbero realmente una portata ideologica rivoluzionaria e sovversiva, soprattutto dal punto di vista religioso. Per la prima volta dai tempi della cristianizzazione d'Italia, dei principi legittimi iniziavano un'azione di limitazione non solo dei poteri della Chiesa (anticurialismo), ma anche dello stesso *sensus religiosus* delle popolazioni non sporadica e motivata da contrasti momentanei, bensì pedissequamente ricercata e voluta per ragioni ideologiche.

L'Italia del Settecento fu per eccellenza il Paese dell'esperimento del «riformismo illuminato» e vari fattori favorivano tale situazione: l'«arretratezza» – dal punto di vista illuministico, naturalmente – delle condizioni socio-economiche (peraltro solo in alcune ben specifiche zone della Penisola), il fatto che essa era «il Paese della Chiesa» (quindi quello ove maggiormente necessitava l'azione riformistica, ma allo stesso tempo il più difficile da sovvertire), il fatto che in effetti v'era la presenza di monarchie di stampo assolutistico, che permettevano l'attuazione concreta dei dettami del dispotismo illuminato.

Come è noto, provvedimenti sociali di stampo liberistico dal punto di vista socio-economico e antiecclesiastico (a volte eretizzante dal punto di vista religioso) furono presi soprattutto in Lombardia e nel Granducato di Toscana (i due Stati sotto gli Asburgo) nonché nel Meridione borbonico (ma anche nei Ducati emiliani e a Venezia).

Forse è utile riportare per intero il seguente giudizio di Franco Valsecchi sull'operato laicizzatore dell'Imperatore Giuseppe II d'Asburgo-Lorena, figlio di Maria Teresa d'Austria; anche se un po' lungo, si presenta però senz'altro utile al fine di testimoniare al lettore che non si esagera affatto se anche in Italia si definisce l'illuminismo, almeno un certo illuminismo, come «guerra alla religione e alla Chiesa cattolica», tenuto conto peraltro che in questo caso il protagonista è niente di meno che l'imperatore del Sacro Romano Impero, vale a dire, almeno in linea di principio, il «numero due» della Cattolicità (il «numero uno» dal punto di vista specificamente politico): «La sua concezione di uno Stato assoluto non sopportava l'esistenza di una situazione che faceva del clero un recinto chiuso quasi del tutto all'intervento statale, dipendente da un'autorità, come quella di Roma, estranea e concorrente dell'autorità dello Stato. L'imperatore si preoccupa di tagliare i legami che avvincono il clero a Roma, di livellare il clero in piena sottomissione allo Stato. Quindi sottopone le bolle e i brevi papali all'approvazione regia, avoca a sé la nomina dei vescovi, considera gli uffici ecclesiastici come uffici statali.

«Quanto al Clero regolare, esso costituisce agli occhi dell'imperatore l'occulta armata di Roma che bisogna debellare, la piovra che dissangua la potenza demografica del Paese, condannando alla sterilità una parte dei cittadini, che ne minaccia la potenza economica, sottraendo alle circolazioni i beni della manomorta, le immense ricchezze giacenti inutilizzate nei conventi. Gli Ordini dedicati alla vita attiva, che adempiono a funzioni di pubblica utilità come la beneficienza, possono trovare grazia, almeno in attesa che lo Stato avochi a sé queste attribuzioni; ma gli Ordini contemplativi, con brutale semplicismo condannati come raccolte di oziosi, vengono soppressi.

«Non è più ormai soltanto una fase dell'eterna lotta fra Stato e Chiesa: è anche l'illuminismo che muove guerra al cattolicesimo. L'imperatore leva le bandiere della nuova filosofia, e la conduce all'assalto della roccaforte cattolica. Non basta aver inquadrato il clero nelle file dello Stato: lo Stato ne assume l'educazione in seminari indirizzati secondo le nuove correnti di pensiero. L'esercizio del ministero ecclesiastico si deve conformare alle direttive statali. L'imperatore viola senza riguardi l'*hortus conclusus* della religione: si volge a riformare il servizio divino, il cerimoniale del culto, limita l'orario delle preghiere. Le prescrizioni si susseguivano con una minuziosità che giungeva al ridicolo: non si arrivò a deteminare il numero dei ceri sugli altari?

«Il fanatismo della ragione combatte il nemico con avversione quasi convulsa. Osteggiate le frequenti comunioni e la confessione, proibiti i pellegrinaggi, il Governo arrivò a prescrivere un catechismo secondo le idee del secolo: furono soppresse le cerimonie funebri. E il matrimonio venne spogliato del suo carattere di sacramento, per venir considerato come un puro contratto civile, risolubile col divorzio.

«Giuseppe II bandisce il principio della tolleranza religiosa, solo riservando al cattolicesimo una certa preminenza formale per ragioni politiche. In realtà, egli toglie al cattolicesimo il suo primato, per innalzare a religione di Stato l'illuminismo»[124].

Non è più ormai soltanto una fase dell'eterna lotta fra Stato e Chiesa: è anche l'illuminismo che muove guerra al cattolicesimo», commenta Valsecchi, e ha pienamente ragione. È l'inizio della guerra alla Chiesa e alla stessa religione in Italia. Se vogliamo, l'inizio della guerra alla propria identità nazionale. In seguito, esaminando la legislazione religiosa che Cavour prima e la Destra storica dopo hanno attuato, si potrà «toccare con mano» la perfetta e completa adesione degli uomini del Risorgimento (di destra come di sinistra) alla teoria e alla prassi giuseppina e illuministica.

Infatti, una delle più inveterate questioni della storiografia risorgimentale è quella dell'influenza reale che il riformismo settecentesco ebbe sulla futura Rivoluzione italiana. La questione si può schematizzare nella seguente maniera: una corrente – quella di simpatie più filosabaude e nazionaliste – tende a sminuire il ruolo del riformismo illuminato (o almeno a presentarlo sotto la veste di «risveglio autoctono» del popolo italiano) per valorizzare di contro il ruolo egemonico svolto da Casa Savoia (che seppe mettersi a capo di tale risveglio e unificare l'Italia con una guerra di conquista); un'altra corrente, quella di impostazione più liberal-democratica o di aperte simpatie giacobine o marxiste, tende al contrario a inquadrare il Risorgimento nel generale movimento rivoluzionario culturale europeo, e quindi lega indissolubilmente la

Rivoluzione italiana tanto al riformismo illuminato (inteso però come espressione dell'illuminismo europeo) quanto soprattutto al contributo apportato dalla Rivoluzione francese e da Napoleone in particolare, senza il quale l'*élite* piemontese mai avrebbe potuto, nel XIX secolo, attuare la Rivoluzione (per costoro, Casa Savoia ha meriti molto limitati, solo nella misura in cui fu strumento delle forze rivoluzionarie).

Poi vi sono le eccezioni. Fra i moderati e i conservatori di quegli anni, vi sono coloro (Cuoco, Botta, Gioberti, Balbo, Cantù e soprattutto Manzoni) che esaltano il riformismo illuminato come movimento autoctono verso il vero Risorgimento, che fu interrotto e non aiutato dall'irrompere della Rivoluzione francese e dall'invasione napoleonica, da essi esecrata (specie da Manzoni per i suoi eccessi e da Gioberti – quello prima maniera – esaltatore del «Primato» italiano); fra i rivoluzionari, è soprattutto Mazzini che condanna inesorabilmente la Rivoluzione francese per esaltare di contro il ruolo storico-provvidenziale che il suo personale dio, l'Umanità, avrebbe stabilito per il popolo italiano[125].

In realtà, non pare affatto accettabile la tesi che la Rivoluzione italiana possa essere intesa come una manovra della dinastia sabauda interprete della rinascita italica. Al contrario, appare evidente come non sia stata Casa Savoia a servirsi della Rivoluzione per i propri scopi espansionistici, ma esattamente il contrario: fu la Rivoluzione a servirsi di Casa Savoia per attuare il processo sovversivo in Italia.

È evidente come il Risorgimento tragga la propria linfa vitale da due eventi fondamentali, uno «autoctono», l'altro europeo: il primo è il riformismo illuminato, che prepara concretamente – almeno fra le *élites* intellettuali e politiche – il campo agli ideali laicisti e anticattolici del Risorgimento; il secondo, è la Rivoluzione francese e l'esperienza napoleonica in Italia, che afferma gli ideali liberal-democratici, lo spirito nazionalista e la mentalità «golpista» e sovversiva[126].

Tanto il riformismo illuminista quanto il giacobinismo rivoluzionario in Italia furono fenomeni del tutto elitari, avulsi dal consenso popolare, anzi, furono, specie il secondo, drammaticamente contrastati dalle popolazioni; ma è altrettanto vero che il loro peso fu determinante per gli eventi del XIX secolo, vale a dire per l'attuarsi storico della Rivoluzione italiana, per quanto concerne la *forma mentis* rivoluzionaria dei protagonisti del Risorgimento. Non per niente Giorgio Spini parla di rivoluzione ideologica nel Settecento italiano[127].

Scrive in proposito interessanti parole proprio l'insospettabile Omodeo[128], che descrive i principi assoluti come dei «suicidi», in quanto con il loro riformismo «vanno corrodendo le basi e il diritto della propria sovranità pel conseguimento d'un vantaggio immediato. Trascurano la legittimità tradizionale ed aspirano ad una felice tirannide [...]. Si suscitava il desiderio di novità senza soddisfarlo appieno, o soddisfacendo solo i bisogni che erano più prossimi all'interesse del principe. Sicché alle riforme mancò assai spesso [in realtà mancò completamente, *nda*] l'ausilio popolare [...]. Il sovrano rimaneva assai spesso isolato nelle sue iniziative [...]. Si offendevano profondamente passioni religiose e tradizioni popolari dal cui risveglio nel secolo successivo trarranno alimento le coscienze nazionali dei popoli [...]. Da questo irrequieto arbitrio del dispotismo illuminato, traeva origine, nel popolo e soprattutto nella classe colta, una critica sempre più acuta ed erosiva d'istituti e di ordinamenti politici e sociali. Nel vedere come, con un atto di autorità, si abbattevano istituzioni di veneranda antichità, si sopprimevano conventi, tribunali privilegiati, ordini religiosi famosi, i desideri e le fantasie vie più si accendevano [...]. Le riforme portavano alla rivoluzione».

«Le riforme portavano alla rivoluzione»: è proprio su questo elemento di continuità che si fonda il nesso (e la prova concreta del nesso) fra il Risorgimento e il Settecento riformista italiano, è in questo legame che si possono ritrovare le vere origini della Rivoluzione italiana. Non per niente, scrive Gramsci, che sono proprio il regalismo e il giuseppismo gli elementi che rendono possibile l'inizio del Risorgimento[129].

Importanti sono queste parole di Salvatorelli: «Il giurisdizionalismo o regalismo dei principi italiani del secolo XVIII, nonostante impostazioni legalistiche ed esagerazioni innegabili, ebbe moventi e risultati che gli danno diritto a figurare nella fase settecentesca del Risorgimento [...]. Sul piano giuridico-politico esso non fu semplicemente la lotta vittoriosa di un assolutismo contro l'altro. Entrarono in gioco princìpi etico-politici e politico-religiosi sui limiti del potere ecclesiastico e più specificamente papale, sulla distinzione fra temporale e spirituale, sulla necessità di una riforma della Chiesa che la riavvicinasse al suo carattere originario e genuino. Se un problema religioso nazionale si pose nel corso del secolo XVIII, ciò avvenne nel quadro delle lotte giurisdizionalistiche, le quali da una parte si riannodano alla tradizione medievale del riformismo religioso italiano, e dall'altra preparano il terreno e le armi per le battaglie politico-ecclesiastiche del secolo XIX [...]. Due massime furono fondamentali per principi e ministri, in queste lotte: gli ecclesiastici sono anch'essi sudditi del sovrano; questi ha l'obbligo anche lui di tutelare i veri interessi della Chiesa e della religione»[130].

Sorvoliamo sulla questione del «carattere originario e genuino» della Chiesa cattolica, e soffermiamoci di contro su tre aspetti essenziali. Il primo: è evidente che è proprio con il riformismo illuminato settecentesco (per i suoi aspetti anticattolici: anticurialismo, giurisdizionalismo, e filogiansenismo) che possiamo far cominciare il Risorgimento italiano, per la guerra condotta alla Chiesa e alla società cattolica prerivoluzionaria[131]. È questo l'elemento – Salvatorelli non ha dubbi – che permette di parlare di «Risorgimento».

Quindi, occorre dedurne che fin da questi albori l'essenza ultima del Risorgimento è appunto il suo aspetto religioso, cioè la guerra alla Chiesa cattolica[132], naturalmente mascherata da riformismo.

Il secondo, è costituito dalla manifesta volontà di intendere la Rivoluzione italiana anche (e nel XVIII secolo principalmente, in quanto non ancora sviluppato era il movimento unitarista) come «rivoluzione religiosa», mirante a riformare – in maniera estrema e, come vedremo, praticamente eretizzante – la Chiesa cattolica; del resto, proprio in tale volontà trova spiegazione la diffusione del giansenismo[133].

Il terzo, è la conseguenza dei primi due: il clero italiano doveva accettare l'idea di essere totalmente sottomesso allo Stato, anzi, che era lo Stato ad avere il diritto-dovere di tutelare (e quindi di stabilire quali fossero) i reali interessi della Chiesa cattolica.

Quando affronteremo la legislazione anticattolica del Risorgimento e i provvedimenti di ogni genere attuati contro la Chiesa, tutto ciò apparirà perfettamente chiaro. La Rivoluzione italiana fu l'attuazione pervicace e continuata di tale programma, già delineato appunto dagli uomini del riformismo settecentesco.

Per il momento però è importante vedere come i «padri» intellettuali del Risorgimento abbiano preparato «il terreno e le armi per le battaglie politico-ecclesiastiche del secolo XIX». Esaminiamo in maniera estremamente sintetica schematizzando le idee-guida dei maggiori esponenti di questo movimento riformatore anticattolico e le concrete riforme attuate in tal senso, seguendo proprio gli studi più classici della storiografia filorisorgimentale sull'argomento[134].

Già Muratori nei suoi *Annali* presenta varie tematiche che

saranno poi espressione precipua del pensiero illuminista (la tipica contraddizione illuministica dell'ammirazione per il dispotismo illuminato e nello stesso tempo per la «libertà» dei popoli, l'antieroicismo, la fiducia nel progresso, l'anticurialismo e l'ostilità al potere temporale e alla teocrazia medievale, l'asserzione di contro di una visione religiosa spiritualistica e moralistica).

Ma è Giannone il primo a utilizzare toni apertamente anticlericali nella sua celebre *Storia civile del Regno di Napoli*, opera di carattere tipicamente giurisdizionalista: la Chiesa deve avere dignità solo spirituale, mentre l'àmbito politico è di esclusiva pertinenza dello Stato; accusa inoltre la Chiesa di aver usurpato il potere del popolo romano, che questi aveva affidato all'imperatore. Poi entra più nel merito, arrivando a indicare chiaramente quelli che saranno i princìpi dell'anticurialismo laicista in Italia: i vescovi e i Papi devono sottomettersi al potere civile e occorre abolire tutti i privilegi e le immunità della Chiesa; in un'altra sua opera, il *Triregno*, passa a occuparsi, senza alcuna competenza e titolarità in materia, di riforme teologico-religiose, arrivando oggettivamente all'eresia pubblica. Infatti respinge il dogma eucaristico, il sacramento della penitenza, condanna il culto delle immagini e di Maria, nega l'esistenza del purgatorio, presenta la religione come fenomeno meramente naturale, e si fa fautore dell'evoluzionismo dei dogmi[135].

Secondo Bernardo Tanucci: «Il Papa non dovrebbe essere se non il procuratore della Chiesa universale, "tra Concilio e Concilio"» (si noti la precisazione, implicante la superiorità del Concilio sul Papa). Egli giunge a dire che il Papato, in quanto successore di san Pietro, è vacante «da gran tempo», e mentre Gesù ha fondato la religione non promulgando leggi, ma sull'amore, i Papi hanno fatto l'esatto contrario[136].

Pietro Verri[137], nell'auspicare il ritorno alla Chiesa originaria propone l'abolizione dei frati, in quanto inutili alla società (tema questo che, come avremo modo di vedere, sarà costantemente ripreso negli anni risorgimentali, anzitutto da Cavour, per ottenere la soppressione legale degli ordini mendicanti). Da ricordare poi è Carlo A. Pilati, che nelle sue opere condanna il potere temporale dei Papi e la stessa razionalità umana, alla quale contrappone l'istinto sociale[138].

Con Beccaria si arriva al totale disprezzo e abbandono del diritto romano e di quello ecclesiastico, considerati «lo scolo de' secoli più barbari», le cui leggi, a sua opinione, erano strumento di pochi senza ritegno per la vera natura umana. Stesse idee esprime Gaetano Filangieri, con il quale inizia ad affermarsi il principio rivoluzionario di nazione, ripreso dal Verri, che comincia a impostare il discorso che sarà poi definito neoguelfo, anche se attribuisce alla Chiesa la decadenza dell'educazione e propone una nuova educazione nazionale.

Più radicale è la posizione di Melchiorre Gioia, nel noto scritto *Quale dei governi liberi meglio convenga alla felicità dell'Italia*, ove si ispira apertamente alla filosofia illuministica, criticando la monarchia come ingiusta e tirannica in quanto contraria all'egualitarismo, ma soprattutto scagliandosi contro la Chiesa, arrivando a definire il Papa un impostore.

Per finire, oltre al sensismo utilitaristico di un Romagnosi e all'impostazione laicista di un Cuoco, occorre naturalmente non dimenticare il contributo precipuamente rivoluzionario fornito dalle opere di Alfieri e Parini; lo stesso Salvatorelli vede in costoro i veri iniziatori del pensiero rivoluzionario italiano[139].

Insomma, è *communis opinio* fra gli storici risorgimentisti che nel XVIII secolo la Rivoluzione, come processo storico, inizia ad affermarsi e a diffondersi, anche e soprattutto tramite l'azione massonica, nel mondo culturale, politico, economico e perfino religioso italiano; le basi per quanto doveva avvenire nel secolo successivo erano gettate: e si fondavano sull'avversione alla Chiesa cattolica e sulla volontà laicizzatrice delle società italiana.

Ma poi nel 1796 arriva il ciclone napoleonico, che tutto travolge nella guerra e nella sovversione dell'ordine costituito, dando inizio reale alla rivoluzione in Italia.

3. La prima divisione: giacobini & insorgenti

Napoleone non fu un «semplice» invasore. Egli portò con sé, sulla punta delle baionette dei suoi soldati, le idee, le utopie e i modi di comportamento della Rivoluzione francese. Esportò insomma in Italia la Rivoluzione, e lo fece con la violenza, l'occupazione, il sopruso.

Gli italiani, da un giorno all'altro, si ritrovarono in casa il giacobinismo, il repubblicanesimo rivoluzionario, la guerra, i loro governi sovvertiti, le loro legittime secolari dinastie spodestate, la Chiesa e la fede offese e conculcate, il furto dei monti di pietà, degli ospedali, delle banche, delle casse dello Stato e quello sistematico dei musei, e poi la morte, le stragi ecc. Violenze e tragedie che gli italiani non avevano più vissuto da secoli.

E infatti gli italiani insorsero in centinaia di migliaia, armi in pugno, contro gli invasori e, soprattutto, contro i loro adepti nostrani[140], i giacobini locali (un gruppo di intellettuali asservito allo straniero), dando vita all'*Insorgenza* controrivoluzionaria.

Siccome tutta questa grande storia non è ancora divenuta parte integrante della coscienza storica nazionale, riepilogo in pochi punti essenziali il *quid* della materia, rinviando agli studi specifici il lettore che volesse entrare a conoscenza di tutto questo[141].

Si tratta della più grande rivolta popolare della storia italiana, e certamente di una delle più grandi di tutti i tempi. Negli anni della progressiva conquista dell'Italia da parte degli eserciti francesi (1796-1799), avvenne in ogni luogo della Penisola, ininterrottamente, un'insurrezione armata delle popolazioni italiane contro l'invasore, i suoi alleati indigeni (i giacobini italiani) e i suoi ideali rivoluzionari in difesa della secolare civiltà cattolica e monarchica italiana. Tale insurrezione, detta *Insorgenza* in quanto composta da una miriade di insorgenze popolari locali, fu «nazionale» nel senso geografico del termine, in quanto si estese dalla Val d'Aosta alla Puglia, dalla Calabria al Tirolo, risparmiando solo la Sicilia, ove i francesi non arrivarono mai.

Le insorgenze avvenivano a mano a mano che i napoleonici occupavano i territori italiani e stabilivano le repubbliche giacobine[142] al posto dei governi tradizionali. Fra le insorgenze più celebri e tragiche, avvenute dal 1796 in poi, ricordiamo quelle di Milano, Binasco e Pavia, Lugo di Romagna, poi quelle liguri, quelle alpine e venete con le «Pasque Veronesi», quelle romagnole e marchigiane; poi quelle avvenute nello Stato Pontificio ovunque e ininterrottamente, e infine quelle avvenute nel Regno di Napoli a partire dalla fine del 1798, quando giunsero gli eserciti napoleonici.

Ma fu soprattutto il 1799 l'anno della grande Insorgenza nazionale: la Repubblica Napoletana[143] fu abbattuta sotto i colpi dell'Armata della Santa Fede del cardinale Ruffo (composta da decine di migliaia di volontari giunti da tutto l'ex Regno per combattere sotto la bandiera dei Borbone), le truppe aretine, i «Viva Maria» (un esercito che arrivò a contare fino a 34.000 volontari) riconquistarono il Granducato di Toscana restituendolo ai Lorena, le popolazioni del Nord combatterono a fianco degli eserciti austro-russi per cacciare i francesi e abbattere la Repubblica Cisalpina, quelle piemontesi fecero altrettanto per i Savoia, e infine quelle dello Stato

Pontificio restaurarono il Papato rovesciando la Repubblica Romana.

All'inizio del 1799 tutta la Penisola era sotto i francesi, eccetto il Triveneto; al mese di ottobre l'Italia è completamente liberata dal giacobinismo.

Ma poi Napoleone dal 1800 ricomincia la graduale conquista della Penisola, e così ancora nel successivo quindicennio le insorgenze continuarono in maniera sporadica, ma costante, specie nel Regno di Napoli (guerriglia contro Giuseppe Bonaparte prima e Murat poi) e nel Nord Italia, in particolare nel 1809, l'anno che segnò anche la tragica quanto eroica resistenza tirolese di Andreas Hofer contro i napoleonici franco-italo-bavaresi.

Si tratta della più grande guerra insurrezionale di liberazione mai combattuta dalle popolazioni italiane. Mentre qualche migliaio (nella più ottimistica delle ipotesi) di italiani si schierò dalla parte dei rivoluzionari, più di 300.000 presero le armi pronti a combattere e a morire dalla parte della Chiesa cattolica e dei governi monarchici e tradizionali. E questo spiega anche il motivo della rimozione di tutto ciò dalla coscienza del popolo italiano.

Ricapitolando il tutto schematicamente:

- anzitutto le insorgenze cominciano ancor prima della calata di Napoleone nel 1796; infatti tra il 1787 e il 1790 abbiamo rivolte in Toscana contro la politica illuministica e filogiansenista dei Lorena. Si può dire che queste siano le prime manifestazioni controrivoluzionarie in Italia; inoltre, rivolte si ebbero anche nel Regno di Sardegna nel 1792-'93, durante la guerra contro la prima coalizione, antifrancese e a Roma (Vincenzo Monti lo ricorda nella *Bassvilliana*);

- l'Insorgenza vera e propria si svolse in un arco di tempo di un quindicennio, dal 1796 al 1810 (sebbene sporadiche insorgenze si avessero fino al 1814), e durante il Triennio giacobino (1796-1799), e in particolar modo nell'anno 1799; essa assunse i caratteri di una grande insurrezione generale del popolo italiano contro l'invasore napoleonico e il giacobinismo;

- l'Insorgenza controrivoluzionaria coinvolse gradualmente tutta la Penisola italiana, compresa la Sardegna, fino ai territori della Savoia e del Tirolo, senza che alcuna provincia ne rimanesse esclusa; pertanto, si contano realmente decine e decine di insurrezioni in tutta la Penisola, e, per il 1799, vere e proprie guerre di popolo;

- stando ai più recenti calcoli (seppur generici non per questo smentibili, in quanto basati sulle poche cifre fornite dalle fonti), insorsero in armi più di 300.000 italiani; ne morirono non meno di 100.000;

- ovunque i napoleonici giunsero, svuotarono le casse degli Stati, le case dei ricchi e dei non ricchi, le chiese, arrivando perfino a impossessarsi dei beni degli ospedali e dei monti di pietà; imposero, tramite gli asserviti giacobini italiani, regimi repubblicani di stampo rivoluzionario; a tutto ciò poi si aggiunse l'opprimente giogo fiscale, aggravato dai contributi che dovevano essere versati per il mantenimento dell'esercito invasore; e anche durante l'Impero, se terminarono le violenze, non terminò certo il giogo fiscale, che anzi si aggravò (oltre alle continue leve militari per le campagne napoleoniche);

- la religione fu sistematicamente conculcata, gli usi e le tradizioni mortificati, le cose sacre bestemmiate e profanate (Ostie consacrate riverse per terra, reliquie gettate al vento ecc.), si sono avuti anche massacri di religiosi, come nel caso dell'Abbazia di Casamari; e non dimentichiamo che un Papa fu costretto a morire in esilio e un altro fu arrestato (Pio VI e Pio VII);

- fu perpetrato costantemente, specie nei primi anni dell'invasione, da parte dei napoleonici, un sistematico saccheggio delle più grandi (e anche delle meno note) opere d'arte presenti nella Penisola (presero perfino l'effigie della Vergine lauretana e i cavalli di San Marco a Venezia), il tutto finalizzato anche alla formazione del Museo del Louvre a Parigi;

- tutte le classi sociali aderirono all'Insorgenza, anche se in maniera specifica quelle più popolari e contadine; più diversificato e problematico (occorre distinguere da zona a zona, da caso a caso) fu l'atteggiamento del clero e della nobiltà;
- numerosissimi e tragici furono gli episodi di crudeltà efferate, di stragi, di eccidi di massa (compresi donne, vecchi e bambini passati a fil di spada) compiuti dai napoleonici contro gli insorgenti (non dimentichiamo che molti dei militari in Italia tre o quattro anni prima erano in Vandea...); né mancarono, di contro, vari episodi di truce violenza da parte degli insorgenti contro i francesi e i giacobini, come nei casi ben conosciuti di Napoli e della Calabria;
- peculiarità dell'Insorgenza italiana fu il carattere per lo più spontaneo delle insurrezioni popolari.

Non è ormai più possibile pretendere di conoscere e giudicare la storia risorgimentale senza avere esatta cognizione di quello che fu il fenomeno dell'Insorgenza controrivoluzionaria (e di quale fu il comportamento dei napoleonici e dei giacobini italiani). Qualsiasi lettore onesto e sereno, presa coscienza dell'intera vicenda, sia nel suo aspetto spazio-temporale sia nell'importanza dei suoi risvolti ideali e ideologici, comprenderà bene la gravità della lacuna storica che la storiografia nazionale ha imposto agli italiani, facendo praticamente scomparire dai libri di storia, e in particolare dai libri di testo, tutta questa epocale vicenda, e sostituendola pedissequamente con continui e ripetitivi studi sui pochi giacobini indigeni che andarono a ballare intorno agli «alberi della libertà» imposti dall'invasore, coadiuvandolo nei suoi furti, nelle sue profanazioni e nelle sue stragi.

Occorre ribadire che si tratta di una pagina di storia italiana di importanza capitale; e questo è vero non solo per la durata, per il coinvolgimento popolare, per l'epoca specifica in cui avvenne (gli anni della Rivoluzione francese e dell'affermazione napoleonica, che costituiscono le radici del Risorgimento), per le efferate stragi, per la guerra insurrezionale, per le profanazioni e per i furti dell'invasore, perché non vi fu provincia o remota zona della Penisola che non venisse coinvolta, per gli sconvolgimenti religiosi, politici e sociali verificatisi (crollo delle secolari monarchie, nascita delle repubbliche giacobine, affermazione delle idee illuministe e del concetto moderno di democrazia politica, Papi fuggiaschi o arrestati, e quindi crollo delle suddette repubbliche, nascita del Regno d'Italia napoleonico, la Restaurazione ecc.); l'importanza sta soprattutto in un aspetto fondamentale, che forse rimane tuttora il meno compreso di tutti: vale a dire che ci troviamo di fronte alla prima (e finora unica) grande insurrezione popolare di carattere nazionale del popolo italiano che la storia ricordi. E quindi dinanzi all'inizio della guerra civile italiana.

a) L'attacco alla religione

Abbiamo usato il termine «guerra civile». Questo uso è corretto, ma occorre specificare che ancora più che da un punto di vista quantitativo, lo è da quello qualitativo (cioè ideologico). Infatti, l'adesione numerica degli italiani al giacobinismo fu talmente esigua[144] da porre in dubbio il fatto che si possa realmente parlare di «guerra civile»... Eppure, fu una guerra civile[145].

Anzitutto in ogni caso scontri militari fra italiani, sebbene limitati, vi furono. Al di là di questo, però, ciò che permette di parlare di guerra civile è come detto proprio l'aspetto di guerra ideologica fra le due parti. Sia i giacobini sia gli insorgenti combattevano al servizio di ideali, ideologie e strutture istituzionali e politiche nemiche e in guerra fra loro. Fu insomma quello che oggi siamo soliti definire uno «scontro di civiltà», fondato sul piano istituzionale (repubblica giacobina contro monarchia sacrale o repubblica aristocratica), politico (società e strutture rivoluzionarie contro quelle tradizionali della società del «Trono e dell'Altare»), sociale (liberismo e protosocialismo contro una società ancora patriarcale, corporativa e in parte feudale), e, soprattutto, religioso (la guerra cruenta alla Chiesa e alla stessa fede degli italiani).

Soprattutto quest'ultimo aspetto è di capitale importanza. Coerentemente al processo di scristianizzazione attuato in Francia negli anni rivoluzionari e in parte ancora in corso negli anni della conquista napoleonica della Penisola, e coerentemente con i dettami dell'ideologia illuminista e giacobina, i francesi, coadiuvati dai democratici italiani, attuarono il primo vero e proprio tentativo di scristianizzazione nella Penisola. Si potrebbero riportare decine di esempi, sia a livello di legislazione (per esempio, forte peso ebbero in tal senso i vescovi e i sacerdoti giansenisti, specie a Genova, in Toscana e in Basilicata, che favorirono la politica anticattolica e antiromana dei giacobini)[146] e di provvedimenti di confisca e chiusura di conventi, chiese ecc., sia a livello di violenze e blasfemie. La gran parte delle insorgenze iniziano perché i napoleonici deportano la statua del santo patrono o chiudono i conventi (quando, come sovente accadeva, non violentavano le religiose). Specie nel Meridione, avvenne quasi ovunque la profanazione delle reliquie dei santi e delle ostie consacrate, come pure avvennero atti di mero vandalismo e si ebbero varie stragi di religiosi.

Pertanto, molto spesso sacerdoti, religiosi, a volte vescovi (si pensi a mons. Avogadro a Verona) si mettevano a capo, direttamente o indirettamente, delle insorgenze, e mai rimasero abbandonati dai loro contadini, i quali, ovunque, in tutta Italia, indossavano simboli religiosi sulle loro camicie o berretti, ponevano l'effigie della Madonna sulle loro bandiere[147], urlavano «Viva Gesù», «Viva Maria», «Viva san Pietro», «Viva il Papa» (o il santo locale) nei loro attacchi ai rivoluzionari, chiedevano, nelle loro trattative con i napoleonici, che la religione e le chiese venissero rispettate.

Insomma, potremmo continuare a lungo, ma è evidente che il lettore interessato, per avere riprova inconfutabile di quanto stiamo affermando, altro non dovrebbe fare che leggere un corretto resoconto della storia delle insorgenze (nel suo complesso o anche nei singoli casi), e immediatamente potrebbe verificare come il movente primo, quando non unico, delle rivolte, di tutte le insorgenze, fu sempre e dovunque quello religioso, quello della difesa della propria eredità e identità spirituale dagli attacchi ideologici e blasfemi dei rivoluzionari.

Per questo abbiamo definito il 1796 lo spartiacque della storia italiana: in quell'anno, infatti, iniziò il sistematico tentativo di scristianizzare gli italiani, quindi di sovvertire la loro identità spirituale e morale, ancor prima che politica. Ha inizio, insomma, il Risorgimento «attivo», operativo: la Rivoluzione italiana, per la costruzione della «nuova Italia» e del nuovo italiano.

E tutto questo spiega naturalmente le ragioni del silenzio della nostra storiografia sull'Insorgenza controrivoluzionaria e cattolica.

b) Il lungo silenzio della storiografia

È solo con gli anni Novanta del secolo scorso che si è avuta una vera e propria rinascita di interesse (con conseguente fioritura di saggi e studi) per la problematica dell'Insorgenza. In particolare, negli anni dal 1996 al 1999 – che costituiscono il bicentenario della parte più significativa della Controrivoluzione italiana – si sono avuti numerosi convegni (si può parlare di decine) in tutta Italia per ricordare e riconsiderare in sede storica gli eventi e i protagonisti di quei giorni; in maniera del tutto speciale proprio il 1999, bicentenario della Controrivoluzione generale di tutte le popolazioni italiane, ha visto succedersi una numerosa serie di convegni, una parte dei quali organizzata da studiosi di matrice filorivoluzionaria al fine di commemorare le vittime della reazione popolare antigiacobina, a partire dai repubblicani partenopei; la maggior parte – e questa è la vera indubitabile novità – a opera di studiosi di matrice opposta, o comunque non allineati supinamente alle correnti storiografiche dominanti, che hanno voluto commemorare e ripresentare, in maniera nuova e più approfondita, l'intera questione, ponendo l'accento stavolta su tutti gli altri italiani che in quei giorni – in numero di gran lunga superiore a quello dei repubblicani – presero le armi e morirono in difesa della Chiesa e dei governi legittimi assaliti dalle rivoluzioni giacobine.

A tutto ciò ha fatto seguito un numero elevato di pubblicazioni sul tema[148], soprattutto da parte della storiografia di simpatie «filoinsorgenti». Proprio in risposta a tale fioritura di studi, massicciamente presente in tutta la Penisola, la storiografia filorivoluzionaria ha deciso di prendere posizione ufficiale, cercando in tal maniera di porre rimedio all'assordante silenzio che negli ultimi cinquant'anni era stato imposto su una tematica di importanza a dir poco fondamentale per tutta la storia italiana di questi due secoli; così, nell'estate del 1998, l'Istituto Gramsci ha pubblicato un volume della rivista *Studi Storici* interamente dedicato al tema in questione[149]. Ben poca cosa in realtà a confronto di quanto ha prodotto la storiografia filoinsorgente negli ultimi tempi.

Non è questa la sede per affrontare a fondo questo pur delicatissimo problema (quello appunto delle vere motivazioni del silenzio della patria storiografia sul tema delle insorgenze controrivoluzionarie); in generale, si può dire che, a ben vedere, fra le varie tematiche di contrasto – spesso portato avanti con toni di bassa polemica non priva di astio politicizzato[150] – quella che più evidenzia il solco esistente fra le due interpretazioni del fenomeno è sicuramente il ruolo che la questione religiosa ha giocato nello spingere le popolazioni italiane alla rivolta di massa contro i napoleonici e i giacobini locali.

Questo è un po' il nocciolo della questione. Infatti, la storiografia filorivoluzionaria tende – e ha sempre teso – a sminuire, in maniera a volte anche grossolana, il movente religioso nell'Insorgenza controrivoluzionaria, adducendo al contrario motivazioni di natura sempre socio-economica o al massimo «municipalistica» (invidie e rancori tra famiglie). Proprio per tener fede a tale preconcetta impostazione, costoro – dagli anni Cinquanta fino al sopra citato contributo di *Studi Storici* e fino a oggi – tendono, per quanto possibile, a nascondere o mistificare il fenomeno, e, quando ciò non è più possibile (come sta avvenendo negli ultimi anni), a negare a esso unitarietà concettuale e fattuale, presentandolo spezzettato in tante piccole rivolte insignificanti di carattere localistico e sociale. Lo scopo di tale operazione è evidente: occorre negare il carattere religioso e ideologico della guerra degli italiani contro la Rivoluzione.

Occorre negare che gli italiani di quei giorni riscontravano la loro identità spirituale e civile nella società tradizionale cattolica e monarchica, e vedevano di contro il nemico nell'ideologismo repubblicano e laicista imposto con le baionette di un esercito invasore.

Mi limito, fra gli esempi che si potrebbero indicare, a riportare le citazioni di tre fra i più noti storici di questo dopoguerra. Chiunque conosca, anche per linee generali, quanto avvenne in Italia in quei giorni, può rendersi conto da solo del modo di «disfare la storia» dei maestri di questa storiografia.

Scrive Jacques Godechot nella sua celebrata opera *La Controrivoluzione*[151]: «Così, dal 1796 al 1798, scoppiarono rivolte sporadiche contro i Francesi, in Italia e nel bacino mediterraneo, ma esse, a quanto pare, non vennero preparate a tavolino. Furono rivolte spontanee, causate sia dalla comparsa delle truppe francesi, sia da certi provvedimenti presi dalla amministrazione francese. Queste rivolte furono facilmente represse e non ebbero serie conseguenze».

E scrive riguardo alla Repubblica Partenopea (p. 320): «È indubbio, tuttavia, che, nonostante l'assenza di provvedimenti favorevoli alle masse contadine, l'adesione delle stesse alla repubblica, al momento della proclamazione del nuovo regime, sia stata generale. All'inizio ci fu solo un piccolissimo numero di oppositori, rimasti fedeli ai Borboni. Ma l'adesione delle masse era profonda».

Gli fa eco un altro celebre storico come Giorgio Candeloro: «[...] I fenomeni di insorgenza, prima del 1799, furono limitati e locali (non paragonabili per gravità all'insurrezione della Vandea o alla guerriglia degli *chouans* in Bretagna) facilmente spiegabili con circostanze locali». Infine un altro celebre storico, ancora nella sua fase giovanile di adesione al marxismo, Renzo De Felice, scrive[152]: «Le masse popolari, nonostante l'odio fanatico contro di esse di cui si era cercate di impregnarle, accolsero favorevolmente quasi ovunque le truppe francesi», parole che vanno a completare la su citata affermazione del Godechot sulla Repubblica Partenopea: «Ma l'adesione delle masse era profonda».

Sarebbe ottima cosa sapere dove e quando l'adesione delle masse fu profonda e dove e quando queste accolsero favorevolmente le truppe francesi. È esattamente l'opposto della verità dei fatti, come si può facilmente notare, detto con la più spudorata semplicità.

Non solo. È interessante notare che un altro dei celebri storici della corrente marxista italiana, Carlo Zaghi, dissente dal coro dominante dell'ideologia, affermando testualmente[153]: «Le insurrezioni del Triennio hanno un carattere religioso-politico e si collocano tutte [...] nello schema del contrasto ideologico rivoluzione-reazione [...]. Alla base di esse non c'è nessuna precisa rivendicazione di ordine sociale, politico ed economico; solo oscurantismo, superstizione, fanatismo», Chi ha ragione, Candeloro o Zaghi? Viene da ritenere che questi autori, fra i nomi più celebri e osannati della storiografia italiana del XX secolo, non sapessero neanche loro di che cosa stessero parlando. Il giudizio può apparire duro, ma è ben supportato dalla evidenza.

Del resto, gli esempi di tal genere possono essere solo pochi, per il semplice fatto – e questo appare essere realmente la responsabilità più inaccettabile che pesa su tale storiografia – che in più di cinquant'anni solo pochissimi lavori di pochissimi storici hanno affrontato il problema, e sovente nella maniera meno seria possibile, come visto. Ciò è confermato, ovviamente, come si diceva all'inizio, dalla quasi completa ignoranza che il popolo italiano ha di questa importantissima pagina della propria storia[154].

E in effetti, questo è il vero fine ultimo dell'atteggiamento di tali correnti storiografiche: come potrebbe la storiografia di ispirazione crociana e gramsciana accettare l'idea che la stragrande maggioranza del popolo italiano insorse in armi contro gli ideali di democrazia giacobina e il repubblicanesimo laicista della Rivoluzione francese pronti a morire di contro in difesa della tradizionale civiltà cattolica, sacrale e legittimista? Raccontare le insorgenze per quello che veramente furono, quantitativamente e qualitativamente, significa rendere pubblico alla coscienza comune degli italiani che i loro antenati fecero al servizio della Chiesa cattolica e delle monarchie sacrali proprio ciò che non furono mai pronti a fare per il Risorgimento liberale. E lo fecero in centinaia di migliaia per quasi vent'anni in ogni dove della Penisola, distribuiti in tutte le classi sociali.

Significherebbe costatare che i cosiddetti «protomartiri del Risorgimento», i «patrioti» napoletani del 1799, furono impiccati proprio perché odiati da tutto il popolo, e, soprattutto, che erano solo qualche centinaio in tutto, mentre, dall'altra parte della barricata, vi furono pronti a morire per la propria patria, quella vera, non quella ideologica, non meno di 60.000 persone[155], che nessuno ha mai ricordato o che si sono sempre qualificate come «briganti», sulla scia terminologica vandeana.

Tutto questo, e molto altro ancora, spiega gli atteggiamenti – non del tutto aderenti a un ineccepibile stile accademico – dei maestri della nostra storiografia nei confronti dell'Insorgenza controrivoluzionaria italiana.

Ciò del resto è naturale, in quanto, come dicevo prima, è in gioco una fondamentale questione di principio: con tale interpretazione storica, infatti, è facile concludere che in Italia non avvenne mai una Controrivoluzione di carattere ideologico del popolo italiano in difesa della civiltà cattolica, ma solo sporadiche rivolte per abiette motivazioni di interesse materiale. Ecco spiegati il silenzio e la mistificazione.

Si tratta in sostanza della negazione della guerra civile italiana (non troppo diversamente da quanto è avvenuto con il silenzio sulla rivolta meridionale antiunitaria dal 1860 al 1865 e oltre e con i fatti tragici susseguiti all'8 settembre 1943).

Gli italiani non devono sapere che non solo si sono divisi nei confronti degli ideali (e dei risultati concreti) del Risorgimento (agli inizi e alla fine), ma che si sono combattuti e, soprattutto, specie nel caso degli eventi dal 1796 in poi, che la stragrande maggioranza di essi era dalla parte sbagliata, contro il progresso liberale e laico della «nuova Italia».

Al di là delle posizioni ideologiche di ciascuno, ciò che rimane è il principio ispiratore di gran parte della nostra storiografia: il passato deve essere modellato sulle esigenze ideologiche della Rivoluzione italiana nelle sue varie fasi.

Si tratta della gramsciana storiografia combattente organica.

Altro motivo di costante divisione fra gli italiani.

Capitolo II
LE RADICI DEL TOTALITARISMO IN ITALIA

«Una nuova epoca sorge,
la quale non ammette il cristianesimo,
né riconosce l'antica autorità».

Giuseppe Mazzini

Il fallimento del tentativo giacobino prima e la caduta di Napoleone con la Restaurazione poi non potevano cancellare le idee e gli ideali di sovversione politico-istituzionale connessi a quelle esperienze. L'Europa della Restaurazione non fu mai realmente completamente «restaurata», né politicamente (basti pensare alla scomparsa delle repubbliche di Genova e di Venezia, o alla nascita del Regno del Belgio), né tanto meno ideologicamente (può un Congresso di potenti impedire che le persone pensino e agiscano, magari con l'appoggio di quelle sètte cospiratrici che non si era voluto seriamente neutralizzare?).

Gli anni seguenti al Congresso di Vienna furono gli anni dell'organizzazione e dello sviluppo – specie in Italia – delle società segrete (quelle buonarrotiane e la Carboneria, le une e l'altra legate ancora a una visione illuministico-scettica e materialista) e dei conseguenti fallimentari tentativi di *golpe* militare (i celebri moti del '20-'21 e del '30-'31). Tentativi sovversivi a carattere militare propugnati – in perfetto stile illuministico e massonico – da *élites* del tutto avulse dalle popolazioni che speravano vanamente nell'appoggio degli stessi principi (magari di figure cadette, come Carlo Alberto di Carignano, o di principi di piccoli Stati, come Francesco IV d'Este) e che naturalmente non condussero a nulla se non alla morte di giovani o alla guerra, come nel caso di Napoli.

Il loro fallimento segnò una svolta nel movimento rivoluzionario italiano. Il giovane Giuseppe Mazzini, più legato al *pathos* romantico-spiritualistico, condannò la metodologia del Buonarroti e della Carboneria, per fondare egli stesso nel 1831 un'altra società segreta, la Giovine Italia, per organizzare la Rivoluzione che avrebbe abbattuto tutti gli Stati preunitari (contro quindi la fiducia nei principi) instaurando la repubblica democratica e unitaria (contro il moderatismo settario).

In realtà, tutta la vita e l'opera del Mazzini furono un ben più tragico fallimento nell'ordine dei fatti. Ma non delle idee. Su questo piano, il Genovese lasciò il suo segno nella storia degli italiani. Occorre però valutare se veramente questa eredità abbia contribuito a unire gli italiani, o a cambiarli e in che maniera.

1. Giuseppe Mazzini. «Padre spirituale della Patria»?

Delle varie problematiche trattate, una di particolare e vivo interesse è quella del riscontro nel processo risorgimentale delle radici dei fenomeni di totalitarismo di massa, che hanno caratterizzato la storia italiana del XX secolo. Sia del totalitarismo di stampo nazionalista e sociale che condurrà alla dittatura fascista[156], sia di quello rivoluzionario, radical-laicista, che condurrà prima alla guerra civile del 1943-'45 e poi alla vasta diffusione delle istanze comuniste e alla lacerazione ideologica dell'Italia repubblicana (fino al terrorismo).

Il tema del legame fascismo-Risorgimento è, per evidenti

ragioni, quanto mai scottante; così come minato è quello del legame delle istanze comuniste (parlamentari ed extraparlamentari) con il settarismo utopistico e sovversivo preunitario (aspetto, questo, trattato anche dalla stessa storiografia risorgimentista; basti pensare, solo per citare alcuni fra i più noti autori, agli studi di Saitta, Galante Garrone, Della Peruta).

Ciò che però colpisce, e per un duplice motivo come ora si spiegherà, è che, a ben guardare, entrambi i filoni totalitari riconducono, seppur per vie differenti, a una medesima origine, vale a dire al mondo settario massonico italiano della Restaurazione[157] (in realtà, il filone rosso si può far risalire senza tema di smentita anche al giacobinismo di fine '700).

E, naturalmente, il protagonista assoluto e indiscusso del mondo settario nazionale dagli anni Trenta agli anni Sessanta del secolo XIX, l'età del Risorgimento, non può non essere universalmente indicato che nel primo dei «padri della patria», Giuseppe Mazzini.

In pratica, stiamo asserendo che, quanto più si approfondisce con serenità intellettuale e corretta metodologia la storia nazionale degli ultimi due secoli, tanto più si sgretola certa mitologia risorgimentale, lasciando apparire la più scontata e allo stesso tempo negata[158] delle costatazioni: cioè che Giuseppe Mazzini è il grande ispiratore del totalitarismo italiano, sia di quello rosso sia, e qui è la presunta (in realtà del tutto apparente) sorpresa, di quello nero[159]. Infatti, è proprio dagli studi degli autori prima citati (oltre che da quelli degli storici cattolici del XIX secolo, che in realtà avevano sempre denunciato gli aspetti utopistici e totalitari del suo pensiero: basti pensare a Giacinto de' Sivo, Paolo Mencacci, Patrick K. O' Clery, mons. Balan[160], Giuseppe Spada[161], i padri de *La Civiltà Cattolica* ecc.), e in particolare dagli scritti di Emilio Gentile, che si evince la sudditanza delle ideologie totalitarie al «pensiero» e all'«azione» del Mazzini.

Ecco, appena accennata, la duplice «sorpresa»: Mazzini padre ispiratore del totalitarismo rosso e Mazzini padre ispiratore del totalitarismo fascista. E se ce ne fosse anche una terza, di sorpresa? Mazzini, magari, ispiratore del terrorismo?

2. «Pensiero»...

Come tutti sanno, tra gli epici e non molto originali motti del Genovese figurava appunto «Pensiero e azione»; nel concreto, ciò si potrebbe tradurre: «Utopismo e morte». Vediamo anzitutto perché «utopismo».

Uno dei più celebri studiosi e pressoché acritico esaltatore del settario genovese è stato senz'altro Luigi Salvatorelli, grande corifeo della *vulgata* risorgimentale[162]. Seguirò pertanto proprio le sue indicazioni per esporre in poche righe l'essenza del pensiero del primo dei «padri della patria» italiana; pensiero che si dà sempre per scontato di conoscere, e forse ciò spesso non è proprio così vero.

Da giovane fu carbonaro non per mera simpatia, ma per profonda convinzione (condivideva della Carboneria soprattutto gli ideali di umanitarismo individualistico e cosmopolitico); sognava l'unificazione delle nazioni europee e ammirava la Rivoluzione francese come il grande inizio della Nuova Era, quella appunto dell'individualismo universale. Ma poi rovesciò completamente la sua posizione, specie dopo i fallimenti dei moti carbonari (accusò la Carboneria di essersi proprio impantanata nell'individualismo e nel materialismo): occorre superare – sosteneva – l'individualismo cristiano e borghese, di cui la Rivoluzione francese era stata l'ultimo grande esempio[163], e dare inizio all'epoca dell'Associazione: era questo il grande compito storico dell'Italia.

Mazzini accettava serenamente il principio che l'unica

forma legittima e positiva di monarchia è quella di diritto divino, da lui in qualche modo ammirata; ma poiché l'epoca delle monarchie sacrali a suo dire era morta per sempre, ora era il tempo delle repubbliche (disapprovava esplicitamente dunque il costituzionalismo monarchico dei moderati, in quanto monarchico e in quanto costituzionale). La Rivoluzione doveva esser fatta per il popolo e dal popolo, e la si realizza con l'Associazione e con il pieno e incondizionato unitarismo[164] popolare. Mazzini infatti condannava ogni forma di divisione interna al mondo rivoluzionario, sull'esempio di Robespierre, ed era di conseguenza contro il federalismo e il parlamentarismo, in quanto cause di divisione e debolezza interna. Fonte dell'autorità doveva essere il consenso universale, che si esprime tramite plebisciti.

Fin qui il discorso rimaneva sul piano politico. Ma ora iniziava a innalzarsi anche su quello, potremmo dire, metapolitico. Un altro dei celeberrimi motti del Genovese era «Dio e popolo», riportato in tutti i manuali scolastici, che riproducono l'immagine del tricolore con la frase stampata sopra. Il dio di Mazzini, però, non aveva nulla a che vedere con il Dio cristiano, come nemmeno con una qualche concezione di divinità trascendente. Il dio di Mazzini era assolutamente immanente: era l'Umanità, rigorosamente con la lettera iniziale maiuscola. E, una volta accettato questo suo assunto, il ragionamento in realtà poi funzionava.

Infatti, secondo il Genovese, la repubblica è la più perfetta forma di governo proprio in quanto, tramite il suffragio universale, essa esprime quella che egli stesso chiamava «provvidenza divina». Se infatti Dio è l'Umanità, è naturale che mediante il suffragio universale si venga a conoscenza della volontà divina. E siccome il dio di Mazzini è un'entità immanente e concreta, essa esercita anche una sua provvidenziale guida negli eventi della storia, che è fatta dagli uomini: l'Umanità infatti si «esprime» tramite le nazioni – a ciascuna è affidata una «missione» storica da realizzare – e, nelle diverse epoche della storia, essa sceglie un «popolo-guida», che assume su di sé il grave compito di condurre gli altri popoli verso destini di progressivo associazionismo. Nell'antichità toccò ai greci e ai romani; nel Medioevo ai tedeschi; in età moderna ai francesi; ora, dopo il fallimento del cristianesimo e della Rivoluzione francese (a motivo appunto del loro «individualismo» antitetico all'Associazione), sarebbe spettato al popolo italiano la «missione»[165] (altra parola chiave del Mazzini, anch'essa di origine idealmente cristiana) di guidare gli altri popoli (da qui la Giovine Italia e poi la Giovine Europa).

a) La «religione» del Mazzini

Come si può costatare, il dio di Mazzini non ha nulla a che vedere con il Dio cristiano; la sua era una religione panteistica, e, a chi è un po' addentro in tali questioni, non può sfuggire l'aspetto evidentemente gnostico dell'intera impostazione. Del resto, lo gnosticismo[166] è l'anima concettuale del settarismo massonico, e Mazzini fu appunto l'anima del settarismo del XIX secolo. Egli in realtà si considerava ben più che un cospiratore politico, in quanto voleva molto più che una semplice rivoluzione istituzionale. Mazzini si riteneva un vero e proprio «sacerdote dell'Umanità», il fondatore di una nuova religione (infatti condannò sempre ogni forma di razionalismo settecentesco, il volterrianesimo scettico e il materialismo ateo e marxiano). Talché, in questo senso, il suo nemico acerrimo non poteva che essere uno solo: il cattolicesimo, e quindi, nel concreto, la Chiesa di Roma e il vicario di Cristo.

Compito primario per l'Italia doveva perciò essere quello

di liberarsi dal cristianesimo e soprattutto dal Papato; solo in tal caso essa potrà prendere l'iniziativa storica e realizzare la propria «missione», quella dell'Associazione. Dopo l'abbattimento del Papato, occorrerà fondare la «terza Roma» (altro celebre slogan del Genovese), che dovrà sostituire quella cattolica. Insomma, l'italiano era... il nuovo «popolo-Cristo»!

Scrive Salvatorelli[167]: «Egli parla esplicitamente di una nuova fede, che superi così le vecchie confessioni cristiane, ormai impotenti, come l'incredulità scettica e materialistica del bistrattato secolo XVIII. Cattolicesimo e protestantesimo se ne andranno: non possono più dare che assolutismo o individualismo. Passato è anche il volterrianesimo: si cammina verso la fede. Vani sono gli sforzi dei neocattolici [...] perché non riusciranno a ravvivare un cadavere [...]. Il cristianesimo è esaurito perché è dualistico, mentre oggi domina il concetto di unità». E siccome una fede ultraterrena è sempre necessaria, Mazzini allora si fa banditore di una nuova religione: «Con linguaggio ricordante certe predicazioni di profetismo medievale come quella di Gioacchino da Fiore, il Mazzini esclama: "La nostra è l'epoca del Paracleto: disceso allora sui pochi congregati ad apostolizzare, discenderà sulle moltitudini e nessun uomo sarà privo del dono della parola"».

Proprio per questa ragione Mazzini non accettava la formula cavouriana «libera Chiesa in libero Stato», dal momento che criticava ogni forma di dualismo a favore del monismo: la futura società dovrà essere politica e religiosa insieme, ispirata da una fede totale e unitaria; lo Stato sarà la Chiesa e la Chiesa sarà lo Stato. Non per niente, si parla di «teocrazia mazziniana»; e la differenza con quella cattolica, dice Salvatorelli, sta nel fatto che mentre quest'ultima mantiene entrambe le istituzioni, sottomettendo lo Stato alla Chiesa, la teocrazia del Genovese identifica la politica con la religione: è lo Stato che si spiritualizza diventando la vera Chiesa[168].

Siamo nell'utopismo puro, come si può facilmente notare. E infatti Mazzini fa suo il concetto rousseauiano dell'intrinseca bontà dell'uomo, che viene corrotto dalla società, anche se non irrimediabilmente, come diceva il Ginevrino: spetta all'educazione nazionale rimediare alla corruzione. Conclude Salvatorelli: «E il Mazzini finisce per assurgere a una visione metafisica grandiosa, che ricorda l'"apocatastasi dell'universo" di cui parlano taluni padri della Chiesa antica. "Verrà l'epoca sociale – quella che avrà per carattere l'associazione di tutti in una sola credenza, e nella coscienza di una sola legge, e d'un solo scopo" [*Epist.*, III, 328] [...]. A chi domanda se sorgerà, se stia per sorgere una nuova religione, chi non è profeta, né figlio di profeta, non può che tacere. Ma se sorgerà, il Leopardi ne avrà additate le solide basi, il Mazzini ne avrà disegnato il coronamento ideale; poiché una nuova religione non potrà essere che la religione dell'Umanità»[169].

Colpisce costatare come le visioni estatiche e apocatastatiche del Mazzini abbiano potuto contagiare perfino un laicista come Salvatorelli, che si mette ad aspettare nuove religioni, così come contagiarono decine di poveri giovani che andarono a farsi trucidare per seguire le suicide direttive dell'utopista genovese[170].

Riassumiamo i punti essenziali – al di là delle improponibili teorie sul cristianesimo e sulla Rivoluzione francese – del pensiero del primo «padre della patria» italiana: nuova èra anticristiana; deismo panteista e gnostico, di cui egli sarebbe stato il gran sacerdote; totalitarismo teocratico e fideistico[171]; utopismo universale; misticismo feticistico. Andiamo alla verifica concreta.

Riguardo alla nuova èra, fondata sulla nuova religione e sulla morte dell'odiato cristianesimo[172], troviamo scritto in alcune sue lettere[173]: «Una nuova epoca sorge, la quale non ammette il cristianesimo, né riconosce l'antica autorità»[174]; «l'epoca cristiana è conclusa»[175]; il «cattolicesimo è una materializzazione della religione e una setta»[176]. Scrive Rosario Esposito[177]: «In un momento di particolare esaltazione si proclamò addirittura mediatore tra Dio e l'umanità, quando, scrivendo ad un mazziniano che aveva perduto l'unica figlia, diceva nel 1834: "Abbiamo rapito una scintilla all'Eterno, ci siamo posti fra lui e il popolo; abbiamo assunto la parte dell'emancipatore, e Dio ci ha accettato: ora nei pochi anni che ci rimangono noi non siamo che vittime di espiazione, soffriremo per tutti"»[178]. Come si può rilevare, costante in Mazzini è la folle volontà di equipararsi a Cristo, perfino nel valore salvifico del dolore personale![179].

Nello specifico, poi, del suo odio verso il cristianesimo e il Papato[180], scrive Giovanni Spadolini[181]: «L'Antipapa, Giuseppe Mazzini, non mancò di rispondere al suo grande antagonista, Pio IX, con un'enciclica in volgare. In data 15 febbraio 1865, il profeta della Repubblica tuonava sull'*Unità italiana*: "A Voi non resta che guaire indecorosamente, mendicare per vivere, e maledire impotente [...]. Scendete dunque da un trono sul quale Voi non siete più papa": esclamava Mazzini, convinto di incarnare lui, nella sua dottrina, il principio sacrosanto di Gregorio VII che la potestà spirituale detiene lo scettro e quella temporale ne attua i comandamenti. "Morite – tristissima fra le morti – maledicendo", gridava al Papa [...]. "Gli uomini che vi si assiepano intorno [...] io li vidi maledirvi insensato sedici anni addietro quando noi abitammo in Roma le vostre stanze [...]. La virtù del sacrificio è fuggita da Voi. La Vostra chiesa ha perduto la potenza di soffrire, di morire, occorrendo, per la salute di tutti"»[182].

Del resto, narra Giuseppe Lisio[183] che il cospiratore mazziniano Gustavo Modena regalò alla fidanzata, in occasione della promessa matrimoniale, un gioiello che aveva nel giro interno una piccola teca con dentro una ciocca di capelli della madre di Mazzini offerta dalla stessa al Modena per il lieto evento...[184].

b) L'ideologia mazziniana

Tuttavia, al di là dell'àmbito religioso, un ruolo ben più determinante ebbe il pensiero utopistico di Mazzini sul processo risorgimentale, in particolare per i due aspetti del repubblicanesimo (già accennato) e dell'unitarismo accentratore. Quest'ultimo lo abbiamo già esaminato in precedenza (si veda il paragrafo «La Nazione contro la religione») nelle pagine dedicate al discorso sull'identità italiana.

Ricordiamo ora solo che Mazzini ritiene che gli elementi forgianti un'identità nazionale non siano quelli usuali (lingua, razza, religione, usanze, storia e cultura comune), ma la volontà di un popolo (o anche di una piccola parte di esso) di essere nazione. E se questa parte è molto piccola, allora essa è il vero popolo e deve «educare» il resto del popolo riottoso a divenire nazione anch'esso, volente o nolente.

In realtà, sembra che paradossalmente proprio l'insegnamento del padre spirituale del Risorgimento implichi la conclusione che gli italiani di allora non fossero «nazione», e infatti non aderirono – come popolo – alla rivoluzione unitarista. Dov'è allora la «nazione» italiana mazzinianamente intesa? Dove il diritto alla Rivoluzione unitarista? Su quale consenso popolare si è basato il diritto/dovere di cancellare i secolari Stati preesistenti?

Evidenti appaiono dunque gli elementi utopici e totalitari dell'ideologia mazziniana, sia nell'accezione religiosa (con il rinnegamento della millenaria fede dei padri si sfocia addirittura in un monismo gnostico-teocratico) sia in quella politica: il «padre della patria» ripudiava la vera Italia per «costruire» un'altra Italia, la celeberrima «nuova Italia», un'Italia non reale e condivisa, ma «voluta» (da pochi), non popolare, ma élitaria, «volontaristica» appunto, che necessitava a sua volta di «nuovi italiani» che la «volevano», che avrebbero dovuto «costruirla», antitetica alla vera e millenaria Italia, e che quindi richiedeva un «nuovo italiano», l'«uomo nuovo», massonicamente da educare alla «nuova èra».

La vera Italia si fondava sulla religione cattolica, era anzi la sede stessa del Papato e della Chiesa universale? Mazzini vuole una nuova religione per gli italiani. La vera Italia era composta da secolari e legittimi Stati monarchici o comunque con una concezione sacrale e aristocratica dello Stato? Mazzini vuole un'Italia repubblicana e laicista. La vera Italia era da sempre geopoliticamente divisa e decentrata? Mazzini la vuole unitaria e accentrata. La vera Italia, figlia dell'Impero romano e della Chiesa cattolica, è permeata di una concezione universalistica del mondo e della politica? Mazzini la vuole nazionalista. Ventidue milioni di italiani non sono d'accordo? Allora bisognerà «educarli», ne bastano pochi, i «nuovi italiani»...[185].

Sembra proprio di non cadere nell'esagerazione affermando che l'Italia del «padre della Patria» è essenzialmente «anti-italiana», alternativa alla millenaria e reale identità nazionale degli italiani.

3. ... e «azione»

Dopo il pensiero, viene l'azione, come Mazzini insegna. Al pensiero utopico di un dottrinario estremista, non può che far seguito una scia di sangue e di tragedie: decine di giovani mandati allo sbaraglio senza un minimo criterio di aderenza alla realtà; manipoli di esaltati che presumevano di rovesciare da soli regni e sovrani, per finire immancabilmente trucidati o comunque arrestati. Vediamo alcuni esempi:

1833: Mazzini tenta di prendere Genova: 12 fucilati, un suicida (Jacopo Ruffini) e vari esiliati, fra cui Vincenzo Gioberti.

1834: decide di invadere militarmente la Savoia con poche decine di uomini, mentre a Genova un giovane nizzardo, Giuseppe Garibaldi, doveva far insorgere la città e occuparla. Risultato: gli uomini stanziati in Svizzera se la svignarono, mentre Garibaldi si ritrovò praticamente solo contro un'intera città e dovette darsi alla fuga condannato a morte in contumacia.

1840: a Ravenna una banda di mazziniani assale un distaccamento di guardie papali fucilando senza ragione un ufficiale; nel frattempo l'affiliato Ribotti con 200 uomini marcia su Bologna, ma poi fugge miseramente. Altri morti.

1843: un gruppo di mazziniani occupa Imola con l'intento di far prigioniero il vescovo (Giovanni Mastai Ferretti, il futuro Pio IX); tutto fallisce in poche ore.

1844: Attilio ed Emilio Bandiera, figli di un ammiraglio triestino al servizio dell'Impero asburgico, si mettono in testa di conquistare il Regno delle Due Sicilie. Peccato che vogliano realizzare l'impresa con 18 compagni. Tutti fucilati, rifiutando peraltro i conforti religiosi[186].

1845: Pietro Renzi occupa Rimini, mentre Pietro Beltrami cerca di far insorgere i paesi lungo la Via Emilia; nessuno però si unisce loro, anzi i contadini danno man forte ai pontifici contro i mazziniani[187].

1853: i martiri di Belfiore, tutti legati al Mazzini.

1854: moti falliti in Lunigiana e in Svizzera.

1854: assassinio del Duca di Parma e Piacenza Carlo III di Borbone.

1855: ancora un moto fallito in Lunigiana.

1856: medesimo fallimento a Massa e Carrara.

1857: spedizione a Sapri di Carlo Pisacane, la cui dinamica presenta impressionanti analogie con quella dei fratelli

Bandiera. Risultato: quasi tutti fucilati, i superstiti arrestati, Pisacane morto suicida.

1867: la strage attuata dai «patrioti» mazziniani Monti e Tognetti alla caserma Serristori di Roma; saltarono in aria nottetempo 22 zuavi francesi e 4 civili romani. Forse può essere definito il primo attentato terroristico stragista della storia d'Italia.

Chi metteva in testa a questi individui, per più di trent'anni, che pochi uomini avrebbero potuto sovvertire l'ordine secolare dell'Italia, abbattere monarchie e sovrani e, soprattutto, avere dalla propria parte le popolazioni italiane? Chi li ingannava in tal maniera? O meglio, chi li plagiava spingendoli fino al suicidio collettivo? La stessa persona che faceva regalare reliquie della madre ai suoi amici? E che si considerava il nuovo «Cristo redentore»?

Un Cristo redentore che predicava però non il sacrificio, bensì l'omicidio (guardandosi peraltro bene dal parteciparvi mai in prima persona... L'unica volta che ci provò, durante la spedizione in Savoia, svenne cadendo in convulsioni al primo colpo di pistola). Solo per esemplificare: mazziniano era Felice Orsini, che attentò alla vita di Napoleone III, e mazziniano Oberdan, che parimenti cercò di assassinare Francesco Giuseppe[188].

Del resto, perfino il rivoluzionario Daniele Manin accusò Mazzini di predicare la teoria dell'assassinio politico[189], mentre narra O' Clery che durante un dibattito alla Camera dei Comuni in cui si processava un deputato amico di Mazzini per favoreggiamento in atti terroristici, Pope Hennessy mostrò lettere di Mazzini in cui si esaltava la «Teoria del pugnale», si elogiavano gli assassini di Marinovich a Venezia e Pellegrino Rossi a Roma e si dimostrava che era lui che aveva dato il pugnale al terrorista Gallenga per tentare di uccidere Carlo Alberto[190]. Né diversamente lo giudicava Cavour stesso, che lo ebbe sempre a definire un «teorico del pugnale» (specie dopo l'attentato di Felice Orsini)[191], dichiarando sovente in pubblico che qualora l'avesse avuto per le mani lo avrebbe fatto senz'altro impiccare all'istante.

D'altronde, anche nella sua prima e unica esperienza da statista il Genovese seppe dare chiara prova di sé. Come è noto, subito dopo che nel 1848 Pio IX fu costretto a lasciare Roma, egli divenne triumviro della neonata Repubblica Romana, ma in pratica ne era il vero dittatore.

Fra i primi provvedimenti decretati dal governo rivoluzionario occorre ricordare[192]: la secolarizzazione di tutte le proprietà ecclesiastiche, con i palazzi apostolici e le dipendenze posti sotto il ministero dei Lavori Pubblici; la fusione delle campane per costruire cannoni; l'abolizione della giurisdizione dei vescovi sulle università e sulle scuole dello Stato; la dichiarazione d'incapacità per le associazioni religiose «di acquistare a qualsivoglia titolo», tranne per quelle di beneficenza; lo scioglimento dai voti perpetui di tutti i religiosi, e l'invito ai sacerdoti di arruolarsi nell'esercito; l'imposizione per la Pasqua di un «triduo solenne alla Divinità in Roma e nello Stato ad inaugurare, colle benedizioni del Cielo, la Guerra italiana»: i sacerdoti che si rifiutarono vennero arrestati; l'esproprio dei beni delle famiglie nobili e benestanti; l'emissione di un'enorme quantità di cartamoneta che provocò, come ovvio, una tremenda svalutazione al punto che divenne impossibile ottenere prestiti; e, nondimeno, le casse erano sempre vuote: fatto inspiegabile, se non ammettendo il furto pubblico.

L'assassinio poi dominava ovunque impunito: a Senigallia fu ucciso il vescovo. Durante l'assedio posto a Roma dai francesi, i conventi vennero assaltati e frati e suore cacciati; poi arrivò Callimaco Zambianchi, liberato dal carcere ove era stato condannato perché reo di nove omicidi, il quale, dopo aver commesso delitti e soprusi a Terracina dove comandava il reparto dei Finanzieri in nome della Repubblica, prese quartiere nel convento di San Callisto in Trastevere, iniziando a torturare e fucilare preti e monaci senza processo.

Solo in questo convento i francesi, entrati in Roma, ritrovarono quattordici cadaveri; ma gli assassinati furono almeno cinquanta; omicidi si perpetrarono anche nel convento di Santa Sabina. Negli ospedali, per la cura dei feriti, le suore della Carità vennero sostituite da prostitute organizzate dalla contessa di Belgioioso.

Lo storico valdese Giorgio Spini[193] riporta il seguente aneddoto. Durante la Repubblica Romana avvenne un interessante battibecco fra il protestante ginevrino Théodore Paul e Mazzini: Paul, mentre faceva dono al capo rivoluzionario della solita copia biblica, l'invitava al pacifismo; Mazzini, dal canto suo, gli rispose che la violenza è necessaria per difendersi da un nemico più forte, giustificando in tal senso il terrorismo: «Non possiamo chiamare tre eserciti in campo», Paul narrerà poi di avergli sentito dire, «come fanno i nostri nemici: ci hanno disarmati, e noi pertanto ci difendiamo come possiamo. Se un gigante venisse contro voi, nano, per nuocervi, non vi fareste lecito di dargli addosso quando lo vedeste volgere le spalle o abbandonarsi al sonno?». Il ginevrino, cui la guerra «cioè l'arte di massacrar gli uomini con ordine sapiente» appare del tutto anticristiana, ribatte «che le nostre armi vogliono essere spirituali e che non si vince bene se non col proprio martirio». Però si sente rispondere: «Così non la pensavate voi protestanti, ai tempi della Riforma»[194]. E come se non bastasse, si sente dire dal Mazzini, «con molta gravità questa strana parola, che non mi uscì di memoria: "Da Noè fino a me, sempre vi furono uomini giusti sulla terra"».

Giuseppe Mazzini: un esaltato, un utopista misticizzante, un uomo nemico della Chiesa cattolica e odiatore del Papato, un visionario che si credeva un nuovo Cristo fondatore di una nuova religione panteista e gnostica[195], un plagiatore di giovani, un fomentatore di atti terroristici e omicidi, un «pontefice del pugnale», come lo chiamava lo stesso capo della Carboneria, Nubius.

Così scriveva di lui il deputato Boggio a Garibaldi: «Il vostro apostolo, il vostro corifeo, la vostra pietra angolare, Giuseppe Mazzini, non sono trent'anni ormai che giura di fare l'Italia? Che cosa ha egli seminato? – Utopie, rancori, diffidenze e sangue. Che cosa ha raccolto? – Torture e morte per gli illusi che in lui credettero; riprovazione e disprezzo per sé medesimo, incorreggibile sacrificatore di vittime inconsapevoli»[196]. Del resto, è noto che nella sua vita litigò con tutti, perfino con chi certo moderato non era, a cominciare da Garibaldi, che lo mandò al diavolo a Roma nel 1849 e lo cacciò in malo modo da Napoli nel 1860[197].

Ecco alcune opinioni di celebri rivoluzionari italiani che lo conobbero.

Giuseppe Ferrari ne *La Federazione repubblicana*[198] lo descrive a fosche tinte, come un opportunista voltagabbana, pronto a tradire anche le sue stesse idee e accecato solo dall'ideale unitario, senza alcuna vera prospettiva ideale.

E conclude: «Nella Rivoluzione italiana Mazzini non fu che un episodio eccentrico, un vero controsenso. Tale è ancora oggidì»; Carlo Cattaneo nella *Lettera all'operaio di Lugano*: «No, non rappresenta l'immensa maggioranza del popolo italiano chi dall'oro e dal sangue del Prestito Nazionale non trasse altro frutto che quello di ricondurre gli italiani al coltello, e di dare alla reazione il pretesto di chiamarli assassini. Vi sono modi leciti di distruggere un nemico e vi sono modi illeciti, che la consuetudine e la coscienza delle nazioni incivilite condannano e che nessun coraggio riabilita»; Giuseppe Montanelli, nella *Lettera a Girolamo Ulloa*: «Quando penso alle ultime vittime di Mantova e alla cecità nostra di mettersi in mano alle polizie dando retta agli accoltellatori di rivoluzionari che stanno a Londra, ti assicuro che il sangue mi va sottosopra».

Così commenta Sergio Romano: «Quanto all'uso dei mezzi, Mazzini, che pur aveva lungamente meditato sul fallimento dei primi moti liberali nel 1821, trascorse la vita suscitando spedizioni e insurrezioni mal preparate e mal realizzate [...]. L'assassinio politico, l'atto terroristico, il sacrificio d'un complotto mal congegnato erano episodi d'un moto necessario, tappe obbligate d'un percorso che la meta avrebbe riscattato e purificato. Di questo cinismo messianico troveremo altre tracce nella storia d'Italia fino ai giorni nostri»[199].

Fondamentali queste ultime parole di Sergio Romano, autore sicuramente di idee filorisorgimentali: è un'aperta ammissione del fatto che l'opera del Mazzini ha la paternità morale e ideologica del terrorismo italiano. Del resto, sul terrorismo del Mazzini si trattò in una sede prestigiosa e da uomini di sicura simpatia per il Genovese e i suoi metodi.

Forse qualcuno ricorderà che la questione venne posta addirittura in Parlamento nel novembre 1985 dall'allora presidente del Consiglio Bettino Craxi, il quale, allo scopo di difendere dalla condanna internazionale il suo amico Yasser Arafat (e tutti i militanti dell'Olp), affermò serenamente che in fondo non vi era alcuna differenza ideale fra le metodologie utilizzate dal capo palestinese per ottenere l'indipendenza del suo Paese e quelle utilizzate dal «padre della patria» italiana per conseguire l'indipendenza e l'unità della nostra Penisola.

Fu il finimondo. Troviamo scritto su *Reporter* del 7 novembre 1985: «Dieci minuti di fuoco in Parlamento. Craxi difende le ragioni dell'Olp, sostiene che il terrorismo produrrà solo delle vittime innocenti e non risolverà il problema palestinese, ma nello stesso tempo ne dichiara legittimo il ricorso alla lotta armata e paragona Arafat a Mazzini, che "si lacerava nell'ideale dell'unità" e "dall'esilio progettava l'assassinio politico". Ovazioni dalla sinistra, silenzio attonito dei democristiani, urla dei missini e sgomento dei repubblicani».

In effetti, al di là del giudizio (che non interessa il nostro discorso) che si voglia dare della questione palestinese, occorre – se logica e onestà intellettuale hanno ancora un senso – ammettere che, a parità di metodi e finalità generali, non si può essere considerati «terroristi» perché si è palestinesi e «padri della patria» perché si è italiani.

Mazzini voleva indipendenza, unità e regime repubblicano per la sua patria, esattamente gli stessi identici ideali di Arafat; quali metodi utilizzò? L'assassinio politico, gli atti terroristici, le stragi premeditate, gli assalti a Stati pacifici e legittimi...

Se i palestinesi che ricorrono a tali mezzi sono terroristi, Mazzini allora fu un terrorista. Se Mazzini non fu un terrorista, allora nemmeno i palestinesi possono essere accusati di terrorismo. E questo per ogni sua forma.

E infatti, nel dibattito che seguì alla provocazione craxiana, intervenne anche Adriano Sofri.

In un articolo edito sullo stesso numero della citata rivista, egli ricorda che i terroristi assassini Cabrinovic e Princip (l'uccisore dell'arciduca Francesco Ferdinando d'Asburgo a Sarajevo) dichiararono che il loro «maestro» era stato Mazzini, e con essi anche altri terroristi e giustificatori del terrorismo del XX secolo affermarono sempre la propria sudditanza psicologica e ideale alla metodologia del Genovese (e Sofri elenca vari esempi di questi galantuomini); ricorda inoltre come la moglie di Carlyle, amica del buon «Pippo» che affettuosamente chiamava – guarda caso – «l'assassino», l'avesse più volte sentito avanzare l'ipotesi di voler utilizzare mongolfiere per bombardare dal cielo regge e caserme, o di voler assaltare bastimenti a vapore per ricattare i sovrani (poco tempo prima terroristi palestinesi avevano assaltato l'*Achille Lauro*...).

Quale conclusione si intende trarre da tutto questo? Una sola, di per sé evidente. Se si riconosce che i terroristi odierni – italiani, palestinesi o di qualsiasi altra nazionalità e colore politico – furono e sono dei sovversivi assassini degni di condanna morale e materiale, allora non si riesce a capire per quale ragione i mazziniani e i sovversivi del XIX secolo che assassinavano sovrani e uomini dell'ordine, che preparavano stragi di massa e aggredivano Paesi pacifici e amici con governi riconosciuti legittimi da tutti gli Stati del mondo, sarebbero stati degli «eroi». Al contrario, se si riconosce che costoro furono degli eroi, allora una banale coerenza intellettuale esige che vadano considerati tali anche i terroristi di ogni risma.

Per contribuire a far ulteriore luce sui mali che affliggono la società italiana contemporanea, per meglio sviluppare il grande dibattito di rivisitazione storica di cui si diceva all'inizio, l'approfondimento dei risvolti utopistici e terroristici del primo dei «padri della patria» non è forse operazione di polemica spicciola e ideologica: è probabilmente la via ottimale che porta alla spiegazione delle tragedie e delle guerre civili che hanno caratterizzato la storia del popolo italiano negli ultimi due secoli.

Quale unità fra gli italiani, quale senso di nazione condivisa, quale aspirazione di pace possono provenirci dal «padre della patria» Giuseppe Mazzini?

Capitolo III
LA PROPOSTA CATTOLICA & LA SVOLTA RIVOLUZIONARIA DEL 1848

«L'arte della riforma cattolica
è di riformare la Chiesa colla Chiesa,
operando in essa dal di dentro,
non dal di fuori [...].
Questo è il machiavellismo santo».

Vincenzo Gioberti

Gli aspetti panteistici, gnostici e utopistici del pensiero del Mazzini, ma, ancor più, gli esiti tragici e i risvolti terroristici della sua azione, non potevano certo accattivargli le simpatie non dico del popolo italiano, ma nemmeno degli stessi ambienti filorisorgimentali (del resto, come abbiamo visto, perfino i più democratici e rivoluzionari, perfino Garibaldi, lo avevano in disprezzo). Pertanto, negli anni Quaranta del XIX secolo fu chiaro che era necessario giungere a una svolta «moderata», e perfino filocattolica, del movimento unitario, se si voleva da un lato arginare il pericolo settario e, dall'altro, ottenere finalmente il tanto agognato appoggio popolare alla rivoluzione unitarista.

Vincenzo Gioberti è sempre stato presentato dalla patria storiografia come l'uomo nuovo dei «moderati», colui che aveva compreso che non potevano essere i metodi fallimentari del Mazzini a fare l'Italia, ma che al contrario occorreva coinvolgere la gran parte degli italiani intorno a un'idea forte e condivisa: e, in quanto tale, l'idea non poteva prescindere quindi dall'elemento unificatore per eccellenza delle popolazioni italiane: la religione cattolica. Gli anni Quaranta furono insomma il momento della «svolta conservatrice», sebbene sempre finalizzata all'unificazione politica della Penisola.

1. Gioberti: uomo dell'inganno?

Vincenzo Gioberti era un prete, ex-mazziniano, il quale, esaltando il genio italico, proponeva come soluzione della questione italiana una confederazione degli Stati preunitari con *leadership* arbitrale del Pontefice romano (neoguelfismo): in tal maniera, si evitavano le azioni violente, si salvavano i sovrani e si garantivano la religione e la Chiesa. Anzi, ancora di più: nella sua celebre opera *Del Primato morale e civile degli Italiani*, Gioberti ravvisa proprio nel cattolicesimo l'anima profonda dell'identità italiana e attribuisce alla Chiesa di Roma il merito eminente di aver determinato la superiorità civile e morale del nostro popolo nella storia umana.

In effetti, l'idea neoguelfa, in quanto tale, costituiva la via cattolica all'unità degli italiani. Vale a dire, rappresentava l'ideale unitario (espresso mediante una libera confederazione dei legittimi sovrani preunitari) attuato nella salvaguardia della reale identità storica e civile italiana. Era la soluzione: Italia unita senza Rivoluzione. E infatti, perfino il Romano Pontefice la condivise e la perseguì, lui più di altri[200].

Ma poi qualcosa non andò per il verso giusto, e quel Pontefice che più di altri aveva voluto un'Italia unitaria, ma cattolica, divenne suo malgrado di lì a poco il nemico più odiato dal Risorgimento italiano. Che cosa accadde? Quale fu l'equivoco che rovesciò le sorti del processo unitario, trasformandolo inesorabilmente in «Rivoluzione» proprio quando si era creata la concreta possibilità di un'unità vera degli italiani sotto l'ègida della Chiesa? Per spiegare tutto questo è necessario capire il particolare ruolo svolto appunto dal prete Gioberti: l'uomo destinato ad avere il più delicato e complesso dei ruoli: quello di «addolcire» i cattolici, di «ingraziarsi» perfino un Papa.

Se non si intuisce il reale significato del ruolo svolto da Gioberti e non lo si inquadra nel concreto contesto della Rivoluzione italiana, non si comprende il senso profondo di quest'ultima. Cavour fu l'uomo della sua realizzazione, ma Gioberti fu l'uomo che permise l'opera di Cavour.

La vita riflette ciò che l'uomo era. Da giovane ebbe simpatie per la democrazia repubblicana e il panteismo spinoziano, ed entrò al servizio della Giovine Italia, finché fu condannato all'esilio nel 1834 dopo il fallimentare moto di Genova. Viaggiò molto all'estero, entrando in contatto con vari ambienti rivoluzionari e protestanti. Poi ce lo ritroviamo convinto papista, con il suo progetto neoguelfo e confederale; ma già negli anni Quaranta riemersero gli antichi umori, quando scrisse pagine di velenosissima critica contro l'odiata Compagnia di Gesù[201], dando inizio – già nella prefazione alla seconda edizione del *Primato* nel 1845 e poi nel *Gesuita moderno* – a quella che sarà una delle più profonde piaghe della storia della Rivoluzione italiana, l'anticlericalismo intollerante e persecutorio, in particolare contro i Gesuiti.

Poi gettò la maschera, passando senz'altro dalla parte dei democratici, specie durante il periodo del suo ministero sabaudo nel corso della guerra contro l'Austria; infine, dopo il 1849, scrisse il *Del Rinnovamento civile d'Italia*, opera di chiara matrice rivoluzionaria e sovversiva, che apertamente rinnegava tutto il precedente pensiero neoguelfo[202]. Scrive al riguardo Gianfranco Morra, ricordando come in quest'ultima opera egli da confederalista papalino era divenuto unitarista sabaudo: da guelfo era divenuto «a tal punto "ghibellino", da auspicare la fine dello Stato Pontificio [...]. Confederalista soprattutto per calcolo politico, Gioberti non poteva esserlo per temperamento e per filosofia. La sua "protologia" era a tal punto unitarista, da confinare e anche da sconfinare nel panteismo»[203].

Qual è dunque il vero Gioberti? L'uomo dei moderati, conservatori cattolici, o un uomo della «Rivoluzione» utilizzato ad arte come esca? I dubbi in realtà possono essere pochi: la fase neoguelfa fu solo una parentesi breve e fugace di questo rivoluzionario della prima e anche dell'ultima ora. Che cosa pensare dunque di questa breve parentesi «papista», come giudicarla? Perché l'ebbe? Ed era sincero? Lascio la parola agli storici e a chi lo conobbe di persona in quei giorni.

Leggiamo un brano autografo di una sua lettera, scritta – si badi – il 13 agosto 1843, proprio l'anno dell'edizione del *Primato*, l'anno che diede inizio agli entusiasmi neoguelfi e confederalisti in Italia: «Per incarnare poi i miei pensieri e collocarli, per così dire, in un quadro, esposi l'utopia dell'arbitrato pontificale e della confederazione italiana [...]: la morale, il governo, la paternità, il cristianesimo sono utopie; perché certo le magnifiche idee che vi si contengono, non verranno mai attuate a compimento sulla terra. L'arbitrato del Papa e l'unione federativa della nostra Penisola sono due utopie della stessa data, di cui non si videro e non si vedranno che saggi molto lontani della loro perfezione ideale»[204].

«Utopia dell'arbitrato pontificale e della confederazione italiana». Parole agghiaccianti, per chi conosce l'entusiasmo generale che la sua opera aveva suscitato in tutta Italia, specie fra i moderati e i cattolici che sinceramente volevano un riscatto del popolo italiano senza per questo cedere alle tentazioni rivoluzionarie; e non considerando che vi fu un Romano Pontefice che credette alla sincerità di quella proposta politica e istituzionale e che quelle parole furono scritte non dopo il fallimento del progetto, bensì proprio ai suoi inizi.

Altra sua dichiarazione: «Il supporre che l'Italia, divisa com'è da tanti secoli, possa pacificamente ridursi sotto il potere d'uno solo, è demenza; il desiderare che ciò si faccia per vie violente, è delitto». Commenta Arturo C. Jemolo: «Sappiamo che il libro fu scritto dal Gioberti quando egli era ben scarsamente attaccato nel suo intimo al Papato, ed ormai agli stessi valori tradizionali del cattolicesimo»[205].

Del resto, Omodeo lo dice chiaramente: la religiosità di Gioberti consisteva in una superficiale adesione della volontà al cattolicesimo, ma non raggiungeva il piano della fede.

Aspra fu la sua polemica con il tradizionalismo e soprattutto con Gesuiti e tridentinismo: in fondo sfruttava machiavellicamente la Chiesa cattolica per i suoi scopi politici.

E fu talmente abile in questo, da riuscire a ingannare anche lo stesso Papa: il suo libro ebbe una vastissima diffusione, inaugurando il movimento d'opinione pubblica, suo massimo successo.

Inoltre, additando nella decadenza culturale una delle cause fondamentali dei mali italiani, egli indirettamente accusava la Chiesa stessa, vera detentrice in Italia da secoli della cultura pubblica. Conclude Omodeo: «Il giobertismo quindi, nella sua latitudine, rappresentò una prima ed efficace unificazione della cultura italiana ai fini del Risorgimento»[206].

Scrive a conferma di ciò Antonio Gramsci: «Che il movimento liberale sia riuscito a suscitare la forza cattolico-liberale e a ottenere che lo stesso Pio IX si ponesse, sia pure per poco, nel terreno del liberalismo (quanto fu sufficiente per disgregare l'apparato politico ideologico del cattolicesimo e togliergli la fiducia in sé stesso) fu il capolavoro politico del Risorgimento»[207]. Il capolavoro di Vincenzo Gioberti, il Mazzini dei moderati[208].

Anche lo storico liberale Rosario Romeo[209] sostiene esattamente la medesima tesi, quando riconosce che in un Paese cattolico e regionalista come l'Italia il ruolo del neoguelfismo è stato fondamentale per attrarre alla causa nazionale i moderati cattolici e renderla così vincente: da soli i liberali non vi sarebbero mai riusciti.

Il *Primato*, il libro degli inganni. Scrive in proposito il democratico Giuseppe Montanelli, che ebbe modo di conoscere e frequentare Gioberti: «V'erano due Italie: l'Italia dei letterati, dei dotti, degli avvocati, dei medici, degli artisti, degli studenti; e l'Italia dei contadini, degli operai, dei preti e dei frati. Dalla prima, imbevuta più o meno dello spirito moderno, uscivano le congiure liberali, la seconda vedea passare le rivoluzioni, apparire e scomparire la bandiera tricolore, senza commuoversene punto. Cotesta indifferenza politica del popolo traeva le sue origini soprattutto dal disaccordo che regnava tra la Chiesa Romana e lo spirito nuovo». Dopo aver spiegato che il popolo era succubo del clero e dei confessori, Montanelli aggiunge: «Per far penetrare l'idea nuova nella coscienza popolare, non c'erano che due vie: o togliere questa alla direzione del clero, mutando la forma religiosa insieme con la forma politica, o persuadere il clero di mettersi egli stesso alla testa del progresso liberale. I Carbonari e la Giovine Italia avevano invano tentato il primo mezzo; Gioberti volle sperimentare il secondo. Pellegrino avventuriero della libertà, egli si pose in cammino per piantare la bandiera tricolore sul duomo di San Pietro»[210].

Piero Gobetti, dal canto suo, precisa: «Il neoguelfismo è lo stratagemma per cui le masse avverse al programma nazionale borghese sono indotte a seguire le minoranze. Il liberalismo laico e moderato, per evitare l'isolamento e per non trovarsi nemiche nello stesso tempo le plebi e la reazione, mette avanti idee banali e programmi di compromesso»[211].

Torniamo al paragrafo di questo libro «Il braccio sinistro della Rivoluzione» e rileggiamo i programmi e i fini dell'Alta Vendita della Carboneria. Nell'*Istruzione permanente* data ai membri della setta nel 1817 troviamo scritto: «Il nostro scopo finale è quello di Voltaire e della Rivoluzione francese: l'annientamento per sempre del cattolicesimo ed ancora dell'idea cristiana, che se resta in piedi sulle rovine di Roma ne avrebbe perpetuazione [...]. Il lavoro al quale noi ci accingiamo non è l'opera di un giorno, né di un mese, né di un anno. Può durare molti anni, forse un secolo: ma nelle nostre file il soldato muore, ma la guerra continua [...]. Quello che noi dobbiamo cercare ed aspettare come gli ebrei aspettano il Messia, si è un Papa secondo i nostri bisogni [...]. Con questo solo noi andremo più sicuramente all'assalto della Chiesa, che non con gli opuscoletti dei nostri fratelli di Francia e coll'oro stesso dell'Inghilterra. E volete sapere il perché? Perché con questo solo, per stritolare lo scoglio sopra cui Dio ha fabbricato la sua Chiesa, noi non abbiamo più bisogno dell'aceto di Annibale, né della polvere da cannone e nemmeno delle nostre braccia. Noi abbiano il dito mignolo del successore di Pietro ingaggiato nel complotto, e questo dito mignolo val per questa crociata tutti gli Urbani II e tutti i san Bernardi della Cristianità».

Ma Gioberti condivideva questo progetto? Lasciamo che sia Gioberti stesso a togliere ogni dubbio in proposito: «L'arte della riforma cattolica è di riformare la Chiesa colla Chiesa, operando in essa dal di dentro, non dal di fuori [...]. Finora si volle riformare Roma senza Roma, anzi, contro Roma. Bisogna riformare Roma con Roma; fare che la riforma passi per le mani di chi deve essere riformato. Questo è il machiavellismo santo»[212].

Gioberti, l'uomo dell'inganno. Un'altra pietra miliare nel cammino del fraintendimento fra la Rivoluzione italiana e le popolazioni italiane – come Gramsci e Gobetti hanno ben spiegato – quindi della frattura fra il Risorgimento e l'identità degli italiani. Questa frattura avrebbe potuto ancora essere risanata durante gli eventi del 1848, l'unico momento della Rivoluzione italiana che vede le popolazioni appoggiare il movimento unitario, proprio perché questo a sua volta appoggiato dal Papa e dai sovrani preunitari. E, invece, proprio il 1848 segnerà la fine di ogni possibile vera unità degli italiani e il distacco definitivo del mondo cattolico – e quindi delle popolazioni – dal movimento unitario, che da questo momento dovrà inventare – volente o no – per sopravvivere e vincere, una nuova identità nazionale, un «nuovo italiano».

2. Il 1848: la svolta rivoluzionaria

Ma quale fu in concreto il momento di rottura definitiva con il nostro passato e la nostra millenaria civiltà?

L'unico evento della Rivoluzione italiana che in realtà ha visto una certa partecipazione popolare è senz'altro la Prima guerra di indipendenza, sia a Milano nelle Cinque Giornate, sia in generale nel volontarismo contro l'Austria. Ma non si può dimenticare che tale limitata e unica partecipazione popolare è dovuta a due fattori fondamentali: il successo della diffusione del mito neoguelfo anche nei ceti conservatori, e l'effettivo consenso del Papa e dei sovrani alla Guerra di indipendenza. Tolti questi due elementi unificatori, il pur limitato consenso popolare degli italiani alla Rivoluzione sparisce del tutto, come la storia precedente e susseguente stanno a dimostrare.

L'equivoco era evidente: per quale ragione anche un italiano sinceramente cattolico, o comunque conservatore, non avrebbe dovuto guardare con simpatia a una guerra finalizzata alla formazione di una Confederazione degli Stati legittimi nazionali con a capo il Romano Pontefice? Soprattutto tenendo conto del fatto che il Re di Sardegna, il Re delle Due Sicilie, il Granduca di Toscana e lo stesso Pontefice vi partecipano materialmente. La sudditanza del Lombardo-Veneto all'Impero asburgico e la divisione geopolitica dell'Italia non sono di per sé dogmi della fede cattolica, né la soluzione neoguelfa in sé aveva nulla di specificamente sovversivo, tranne la rivolta del Lombardo-Veneto agli Asburgo: ma questi erano gli unici territori della Penisola sotto effettivo dominio straniero[213]; in linea di principio, quindi, era possibile, anche per lo stesso Pio IX, immaginare di non condannare una guerra di indipendenza nazionale italiana, peraltro condotta militarmente da un re cattolico.

Nel 1848, durante la fase iniziale della Prima guerra d'indipendenza, quindi, si realizzò il momento migliore dell'intera storia nazionale degli ultimi due secoli: un'unione ideale vera fra una buona parte degli italiani.

Al di là delle questioni storiche specifiche, le ragioni della rottura dell'incantesimo furono essenzialmente due. Da un lato, l'atteggiamento di Carlo Alberto: appariva evidente a tutti che il suo unico interesse non era certo l'unità confederativa d'Italia sotto il Papa, bensì più modestamente, ma per lui ben più vantaggiosamente, la realizzazione della secolare «politica del carciofo» sabauda[214], con la conquista della Lombardia; dall'altro, l'intervento deciso delle sètte rivoluzionarie, soprattutto a Napoli, Firenze e in particolare a Roma, che provocarono il ritiro delle truppe da parte dei rispettivi sovrani con le conseguenti rivoluzioni di Roma e Firenze, che condussero alla fuga di Pio IX[215] e del granduca e alla nascita delle repubbliche mazziniane.

Tutto insomma andò a monte, mentre Carlo Alberto, isolato internamente ed esternamente, perdeva la sua guerra contro l'Austria.

È lecito pensare che la ragione per cui si volle mandare a monte il progetto neoguelfo, facendo fallire miseramente l'unico vero momento unificante della storia degli italiani, fosse il fatto che in quella primavera del 1848 si decise «la scelta di campo»: se avesse vinto il progetto neoguelfo, sarebbe nata un'Italia confederativa cattolica e monarchica, decentrata e tradizionalista, che avrebbe senz'altro riscosso il consenso massiccio delle popolazioni italiane (proprio ciò che mancava a Mazzini e ai vari settari), legate ai loro legittimi sovrani: insomma, la «vera Italia», «universale» in quanto cattolica, decentrata in quanto confederativa, monarchica e sacrale, opposta alla «nuova Italia», voluta dalle *élites* rivoluzionarie. Occorreva assolutamente mandare a monte il progetto neoguelfo, a costo di far vincere l'Austria. E così fu fatto.

Da questo momento, la storia italiana subisce la svolta più radicale e importante mai avvenuta (di rado storici e studiosi hanno realmente approfondito e forse intuito pienamente la profonda importanza di quanto avvenne in Italia nel 1848): la vittoria definitiva delle forze rivoluzionarie su quelle moderate e conservatrici, la vittoria della Rivoluzione sulla tradizione italiana (sebbene mediante il compromesso momentaneo con Casa Savoia), vittoria che trasformò il «Risorgimento» in «Rivoluzione»: la Rivoluzione italiana, appunto, figlia ideale di quella francese.

Era il compimento – sebbene momentaneamente edulcorato dalla presenza di Casa Savoia – di quanto era cominciato nel 1796 con l'invasione napoleonica.

A Firenze i repubblicani Guerrazzi e Montanelli cacciarono il granduca[216]; a Roma i settari Sterbini, Ciceruacchio, Luciano Bonaparte e altri costringono alla fuga Pio IX dopo l'assassinio (da parte del figlio ragazzino di Ciceruacchio) del primo ministro Pellegrino Rossi e quindi di mons. Palma (colpito da un colpo di pistola proprio dinanzi agli occhi di Pio IX); a Torino l'iniziativa politica sfugge dalle mani di Carlo Alberto per finire in quelle democratiche, ora guidate da un nuovo Gioberti, giacobino per l'occasione; solo Ferdinando II, a Napoli, recuperava con l'appoggio dell'esercito il controllo della situazione. Questi i frutti di due anni di cedimenti da parte dei sovrani (specie di Pio IX, come è noto) alle richieste sovversive.

La vittoria dell'Austria portò alla cosiddetta «seconda Restaurazione». Ma tutto era cambiato ormai, e, come noto, non vi fu più alcun Gioberti a proporre vie cattoliche e tradizionali all'unificazione, né del resto Pio IX era più disposto a dare fiducia ai liberali italiani, dopo quello che era accaduto.

Così, nonostante la sconfitta (causata dalle intemperanze dei democratici), l'iniziativa risorgimentale rimase nelle mani democratiche e rivoluzionarie: ma occorreva una copertura «dall'alto», che garantisse i moderati e i conservatori, escludendo però assolutamente i cattolici. Vi fu un re che si prestò a tale ruolo, il figlio di Carlo Alberto, e vi fu un suo Primo ministro che, come dire, fu «l'uomo giusto al momento giusto», divenendo, in nome di un re cattolico e legittimo, il vero rivoluzionario del Risorgimento italiano.

Con Cavour un'altra storia stava cominciando. La storia che avrebbe condotto all'unificazione nazionale, ma a spese di una guerra più che quarantennale con la Chiesa cattolica e quindi con la religione stessa degli italiani. A spese, quindi, di una ferita mai più realmente e pienamente rimarginata: la ferita all'identità nazionale degli italiani.

Capitolo IV

GLI STATI PREUNITARI, «LEGGENDA NERA» NAZIONALE

«La calunnia sembrava accompagnare
costantemente la vita e l'operato
di Ferdinando II; ciò nonostante [...]
aveva dalla sua l'intero popolo napoletano
che era quasi "immedesimato"
nei pensieri del suo re».

Angelo A. Spagnoletti

Prima di proseguire nella disamina degli eventi del processo unitarista, è opportuno soffermarsi a spendere qualche parola nella descrizione onesta delle entità statuali che il Risorgimento ha annientato, gli Stati preunitari, appunto. Il nemico.

L'unificazione nazionale avvenne tramite una guerra d'aggressione all'Impero asburgico; tramite la sobillazione interna degli Stati minori e dei territori del Centro Italia e dell'Emilia-Romagna; tramite l'aggressione garibaldina prima e sabauda dopo al pacifico e alleato Regno delle Due Sicilie; tramite la violazione del territorio dello Stato Pontificio, che sarà poi conquistato sempre *manu militari*. Insomma, fu una inequivocabile operazione politico-militare di aggressione a legittimi e secolari Stati amici e pacifici da parte del Re di Sardegna.

Naturalmente, per giustificare tutto questo dinanzi ai contemporanei e alla storia, occorreva creare le condizioni morali che rendessero apprezzabili tali operazioni. Occorreva far credere agli italiani, e soprattutto alle Potenze straniere e al giudizio dei posteri, che quegli Stati erano infami e corrotti, oppressivi e incivili, e pertanto l'azione cavouriano-garibaldino-piemontese era non solo giustificabile, ma costituiva un'azione di civiltà e generosità.

Insomma, occorreva presentare la guerra rivoluzionaria di Casa Savoia e di tutto il movimento unitario come un inevitabile processo di «civilizzazione» e di soccorso a popolazioni che languivano in stato di miseria e schiavitù e non attendevano altro che l'aiuto del re sabaudo.

In poche parole, occorreva presentare i rivoluzionari italiani come dei salvatori e redentori in guerra contro la barbarie. Vediamo se tutto ciò corrisponde alla realtà storica.

1. La «negazione di Dio»

Per capire meglio come stavano in realtà le cose, raccolgo alcuni accenni generali; chi volesse approfondire per aprire gli occhi alla verità storica, potrà utilizzare gli strumenti indicati nelle note bibliografiche.

«L'abominio della desolazione»: richiamando la nota espressione biblica si potrebbe perfettamente configurare la nozione che i protagonisti del Risorgimento e, più ancora, i loro seguaci autori della *vulgata* risorgimentale, hanno da sempre fornito delle condizioni della Penisola prima dell'unificazione, creando di fatto la *communis opinio* degli italiani al riguardo.

E non stiamo affatto esagerando. Celeberrima è l'espressione utilizzata in una lettera, dopo un suo *tour* nel Golfo di Napoli, da Lord Gladstone, ministro del governo Palmerston (il «grande fratello» del Risorgimento italiano), per definire il governo borbonico nel Regno del Sud (peccato che si sia degnato di visitarlo solo per due o tre giorni limitandosi al Golfo partenopeo): «la negazione di Dio»[217]. Frase che ha fatto il giro del mondo, di tutte le Cancellerie europee, «preoccupatissime» per le condizioni di vita dei cittadini italiani del Meridione (se ne preoccupò perfino lo Zar... mentre i suoi cosacchi massacravano i polacchi).

Da allora si è fatto a gara per descrivere gli Stati italiani preunitari come delle mostruosità intollerabili, specie naturalmente lo Stato Pontificio[218] e il Regno delle Due Sicilie, ai quali invece si è sempre opposto l'altissimo grado di civiltà e progresso raggiunto dal Piemonte di Cavour. E, in fondo, gli stessi domini asburgici (Lombardo-Veneto), se non potevano essere descritti come una specie di Terzo Mondo nel cuore dell'Europa, furono comunque sempre presentati come intollerabilmente oppressi (e tartassati) dalla brutalità dell'invasore austriaco[219].

Piuttosto facile, invero, risulta essere il compito dello storico[220] che vuole confutare i falsi su cui da ormai troppo tempo si fonda tale *vulgata* e far luce sul grado di effettiva civiltà, concreto progresso e reale benessere raggiunto dalle popolazioni italiane negli Stati preunitari. È facile sia perché si tratta di dire semplicemente la verità, sia perché ormai non pochi fra gli storici risorgimentisti più seri da tempo non hanno più «l'animo» di continuare a far finta di credere ai peana della *vulgata*, e hanno iniziato una seria revisione e ripresentazione generale dell'intera situazione[221], specie per quel che riguarda proprio il governo borbonico (pur con tutte le dovute distinzioni fra i vari autori).

Le accuse partono sempre dagli scrittori piemontesi o comunque filorisorgimentali (specie dall'esiguo numero di fuoriusciti napoletani dopo il 1848[222]), o anche dalla pubblicistica inglese. E già questo spiega tutto. Infatti, dovendo abbattere lo Stato Pontificio, e dovendo conquistare il Regno delle Due Sicilie per ottenere il duplice obiettivo della Rivoluzione italiana, non era forse necessario trovare una giustificazione morale e ideale, dinanzi al mondo e alla storia, per il proprio operato d'aggressione inusitata e violenta a pacifici Stati ufficialmente amici e alleati?

Non c'era altra soluzione, come il lettore può ben capire: il Piemonte, e con esso l'Inghilterra, dovevano agire «per il bene dell'umanità». Infatti, le popolazioni schiave di Pio IX languivano sotto la barbarie papista, mentre quelle meridionali giacevano in condizioni peggiori dei popoli primitivi. Era quindi necessario l'intervento del grande e progredito fratello piemontese, a sua volta aiutato dalla grande e benevola madre britannica, a portare la luce della civiltà a quelle sventurate popolazioni (anche se in realtà esse non avevano mai chiesto nessun aiuto e intervento esterno; anzi, già ai tempi di Napoleone, avevano perfettamente dimostrato, armi alla mano, la propria fedeltà ai governi papale e borbonico).

Naturalmente, non sarà possibile delineare un vero quadro storico complessivo per ogni singolo Stato, e in fondo non è necessario ai fini del nostro discorso. Le vittime designate del pensiero e della prassi risorgimentali, come detto, furono il Regno delle Due Sicilie e lo Stato Pontificio. Ci limiteremo, quindi, a citare solo questi due esempi.

Già gli studi di Giuseppe Galasso e della sua scuola hanno iniziato a rendere giustizia alla realtà civile del Meridione sotto il Vicereame spagnolo, specie per quel che riguarda il XVII secolo: oggi è noto che Napoli era a quel tempo senz'altro la città più progredita culturalmente, e il Viceregno, sebbene con antichi problemi da risolvere, versava in condizioni tutt'altro che negative. Solo con la morte di Filippo IV di Spagna inizia il declino anche per il Sud italiano[223].

Universale consenso vi è poi sul fatto che con l'arrivo di

Carlo di Borbone sui troni di Napoli e Palermo nel 1734, una nuova èra comincia per il Meridione: non si trattò infatti solo di un cambio di dinastia, ma di qualcosa di più: si trattò dell'inizio dell'indipendenza della monarchia napoletana[224]. Il Viceregno di Napoli divenne Regno, «nazione» a tutti gli effetti, anche specificamente politici.

E consenso universale vi è anche sul fatto che il governo borbonico del XVIII secolo fu contrassegnato dalla pratica del riformismo illuminato: i nomi di Giannone, Genovesi, Filangieri, Pagano riempiono le pagine di qualsiasi libro di storia dell'epoca; il loro regalismo, anticurialismo, liberismo economico, sono alla base del riformismo borbonico, che trova nella figura del Tanucci – e del Caracciolo in Sicilia – la sua più concreta espressione. Chiunque legga gli studi dedicati a questi decenni (quelli del regno di Ferdinando IV), rimane sicuramente colpito per la profondità del processo riformatore, per la radicalità di certe idee (ma anche di attuazioni pratiche, come il complesso utopistico-socialisteggiante di San Leucio), specie negli anni antecedenti alla Repubblica giacobina (lo stesso giacobinismo poté attecchire – anche se in maniera del tutto elitaria – proprio grazie all'avanzato stato del processo illuministico-massonico nel Regno).

Questo il giudizio di Valsecchi sul Regno prima della Rivoluzione francese: «Nei trent'anni che separano la partenza di Carlo dallo scoppio della rivoluzione, la Corona aveva mantenuto il contatto con il Paese. Una profonda evoluzione s'era verificata nei ceti dirigenti, nel corso di quegli anni. La nobiltà aveva ormai abbandonato le sue vecchie posizioni di opposizione e di difesa del particolarismo feudale. Era, da un lato, il ciclo dell'assimilazione e dell'assorbimento da parte dell'assolutismo regio, che si veniva compiendo; ma era anche, dall'altro, il nuovo spirito riformatore, che schierava le avanguardie dell'aristocrazia illuminata accanto al trono. Le classi dirigenti sono le più preparate ad accogliere la parola della nuova cultura. Sorge, nel seno della vecchia aristocrazia, una nuova aristocrazia dell'ingegno, che si dà alla carriera degli studi e delle cariche, e si allea ai ceti intellettuali nell'opera di rinnovamento. Da questo *humus* si sviluppa la "bella scuola" che porta, nella seconda metà del secolo, l'illuminismo napoletano alla testa del movimento intellettuale della Penisola»[225].

Ebbene, nonostante questo grande movimento riformista politico-culturale, e nonostante peraltro il decennio del governo Bonaparte-Murat (celebrato da tutti gli storici per le illuminate riforme), la *vulgata* è inesorabile: negli anni Cinquanta del XIX secolo il Regno delle Due Sicilie è «la negazione di Dio», di ogni morale, l'abominio della desolazione, senza strade, senza cultura, senza commercio...

Come può essere? La colpa è tutta di Ferdinando II, naturalmente, il «re Bomba». Ma, anche volendo far finta di crederci, come è possibile che questo mostruoso individuo abbia potuto non solo distruggere tutta l'opera riformatrice, illuministica e rivoluzionaria, ma far precipitare il Regno negli abissi della vergogna dell'umanità? E in pochi anni? Che cosa faceva? Si divertiva a distruggere le strade, i ponti, i porti, le strutture civili e sociali già costruiti dai suoi predecessori?

Il problema, in realtà, è lo stesso che per gli Asburgo in Lombardia. Vi è la tendenza, da parte degli storici della *vulgata* a usare – è il meno che si possa dire – due pesi e due misure nelle loro valutazioni critiche. Quando i sovrani attaccano la Chiesa e realizzano istanze anticlericali, allora si può parlare di riformismo positivo; quando invece la storia cambia, allora quella medesima dinastia diviene abietta, retriva, in quanto si è schierata dalla parte avversa. E allora ci si dimentica, con estrema disinvoltura, di tutte le riforme precedenti già esaltate nei propri studi.

Eppure, a volte, perfino la *vulgata* ci aiuta a intravedere la realtà delle cose. Per esempio, proprio riguardo all'abominevole condizione del Regno borbonico, appare interessante la seguente affermazione di Salvatorelli concernente la situazione del Piemonte: «Fu promossa la modernizzazione dello Stato, la cui legislazione era riconosciuta da Cavour medesimo ancora inferiore a quella di Napoli»[226].

Come si può notare, è Cavour in persona che giudica la legislazione piemontese più arretrata di quella borbonica. E questo, dal suo punto di vista, è ovvio, visto che i Borbone avevano seguito da decenni, al contrario dei Savoia, le tracce ideali del riformismo illuminato.

In realtà Ferdinando II di Borbone (1830-1858) fu sovrano decisamente superiore – per capacità personale, intelligenza e anche per riformismo – al padre Francesco I e al nonno Ferdinando IV[227]; insieme a Carlo, restauratore del Regno, è sicuramente il sovrano più importante e illuminato (nel senso positivo del termine) dell'Italia preunitaria. È proprio sotto il suo regno che il Meridione d'Italia raggiunse il massimo livello di ammodernamento e civiltà[228]. Inoltre Ferdinando dovette fronteggiare di continuo lo sparuto numero di rivoluzionari italiani che riuscirono in ultimo a sottrargli il Regno regalandolo ai Savoia. E per di più ebbe anche il coraggio di intralciare gli interessi inglesi nel Mediterraneo in nome di quelli napoletani[229]. Ecco l'imperdonabile sua colpa: faceva il re.

Riassumo per maggiore chiarezza la reale situazione del Regno borbonico.

Di Carlo di Borbone (1734-1759), restauratore dei Regni di Napoli e Sicilia, occorre anzitutto ricordare la sua intensissima e splendida attività edilizia, un po' in tutti i campi: basti ricordare lo sfarzo e la bellezza delle costruzioni reali (la Reggia di Caserta, secondo palazzo reale al mondo per grandezza e bellezza; il Palazzo di Portici; quello di Capodimonte; il Teatro San Carlo, la Casina di Persano e il Casino del Fusaro; il restauro del Palazzo Reale); fece poi erigere il magnifico obelisco di San Domenico a Napoli, costruire innumerevoli chiese, ricoveri per poveri, malati e orfanelle[230], strade, ponti, porti, forti militari, oltre a creare quasi *ex novo* l'esercito nazionale e la flotta, la più importante in Italia e la prima fra quelle di second'ordine in Europa, nonché edificare fabbriche di armi e di attrezzature militari che emanciparono il Regno dal monopolio straniero.

Avviò numerose attività industriali, come la scuola per gli arazzi e naturalmente la produzione delle porcellane di Capodimonte, che Valsecchi definisce «una splendida creazione, che tradusse, con squisito senso d'arte e con felice genialità, l'immagine della vita napoletana»[231], sia di quella signorile come di quella popolare.

Per l'edilizia culturale, ricordiamo la nuova sede dell'università, gli scavi di Ercolano e Pompei, l'Accademia Ercolanense, la Fabbrica de' Musaici, l'istituzione di nuove accademie e cattedre nel Regno, la Biblioteca Reale, divenuta poi la grande Biblioteca Nazionale e il Museo Nazionale.

Chiamò poi Giambattista Vico a corte come storiografo del Regno e istituì la Cattedra di Economia a Napoli, la prima in Italia.

Fra le iniziative commerciali, per fronteggiare la difficilissima situazione economica del Regno, Carlo istituì la Giunta di Commercio, intavolò trattative con turchi, svedesi, francesi e olandesi, fondò una compagnia di assicurazioni e prese provvedimenti per la difesa del patrimonio forestale; cercò inoltre di sfruttare le risorse minerarie, anche se dovette poi interrompere l'iniziativa per mancanza di fondi, né iniziative analoghe sortirono comunque gli effetti sperati, almeno non subito. Istituì anche consolati e monti frumentari, varò leggi per l'incremento dell'agricoltura e della pastorizia. Nel 1741 strinse un Concordato con Roma, in forza del quale iniziò a tassare alcune proprietà del clero; aggiornò poi il sistema tributario e migliorò il disordine legislativo promulgando un nuovo Codice nel 1752, anche se esso non venne pedissequamente applicato, e si interessò anche del sistema giudiziario, senza tuttavia sconvolgere il secolare assetto sociale dello Stato. Ma è ovvio che il più grande merito di Carlo fu quello di aver creato e poi mantenuto l'indipendenza del suo Stato, prima tenendo duro nei confronti di suo padre Filippo V di Spagna, poi, nel 1759, quando, dovendo succedergli sul trono di Madrid, abdicò da quelli di Napoli e Palermo in favore di suo figlio Ferdinando. In tal maniera, fu pronto a rinunciare personalmente a ben due troni pur di serbare l'indipendenza dello Stato, che egli stesso aveva fondato.

Dopo la partenza di Carlo per assurgere al trono di Madrid nel 1759, il riformismo fu continuato da Ferdinando IV (1759-1825) con l'ausilio dei suoi due ministri, il Tanucci prima e l'Acton dopo. Egli può essere senz'altro considerato il sovrano che per eccellenza incarnò in Italia i criteri del riformismo illuminato, proseguendo e compiendo ciò che il padre aveva cominciato.

Non è qui possibile approfondire, neanche per sommi capi, un discorso molto dibattuto dalla storiografia degli ultimi decenni (basti pensare agli studi di Franco Valsecchi). Ci limitiamo quindi a elencare alcune delle più importanti riforme e opere attuate per volontà o ispirazione di Ferdinando.

Nell'edilizia civile: il 4 settembre 1762 iniziò a Napoli la costruzione del primo cimitero in Italia; ne costruì poi un altro a Palermo; fece aprire o ampliare strade a Napoli, come via Foria; costruì tre teatri, edificò l'Orto botanico a Palermo, la Villa inglese di Caserta, il Cantiere di Castellammare, il porto piccolo di Napoli; intraprese i lavori dell'Emissario di Claudio; edificò il Palazzo reale di Cardito, costruì più di mille miglia di strade per congiungere Napoli con le province, restaurò ponti, ne costruì di nuovi, prosciugò maremme, arginò fiumi; nel 1790 bonificò la baia di Napoli; terminò le costruzioni iniziate dal padre (Regge di Caserta, Capodimonte e Portici) e ne iniziò di nuove: Favorita di Palermo, Chiesa di S. Francesco di Paola in Napoli, e altre ancora.

Istituzioni e iniziative culturali: nel 1768 stabilì una scuola gratuita per ogni Comune del Regno e per ambo i sessi, ordinando che nelle Case religiose si facesse altrettanto; istituì inoltre un Collegio per educare la gioventù in ogni provincia, il tutto senza tasse supplementari; nel 1779 trasformò la Casa dei Gesuiti di Napoli in un Collegio per nobili giovinetti, detto Ferdinandeo, e donò un Conservatorio per l'istruzione delle orfane povere; ancora nel 1779 fu creata l'Università di Palermo con teatro anatomico, laboratorio chimico e gabinetto fisico; istituì una sezione astronomica nel Palazzo Reale di Palermo, dove lavorò il Piazzi; un altro osservatorio innalzò sulla Torre di San Gaudioso in Napoli; solo in Sicilia fondò 4 licei, 18 collegi e molte scuole normali; fondò in Palermo un seminario nautico per l'istruzione di marinai; istituì una deputazione per sorvegliare tutti i Collegi del Regno; nel 1778 eresse l'Accademia delle Scienze e delle Belle Arti a Napoli; aprì una biblioteca a Palermo; riordinò le tre Università del Regno, creando nuove cattedre: si vide per la prima volta negli ospedali quella di ostetricia e di osservazioni chirurgiche; scelse come docenti i migliori ingegni, senza badare alle loro opinioni politiche, come Genovesi, Palmieri, Galanti, Troya e altri ancora; onorò i geni dell'arte musicale, come Cimarosa e Paisiello, che designò a maestro del Principe ereditario.

Somministrò inoltre i mezzi a molti giovani artisti per perfezionarsi a Roma; arricchì il Museo di Napoli e la Biblioteca; continuò gli scavi di Ercolano e Pompei.

Provvedimenti militari: fondò parecchi collegi militari, riordinò l'esercito e la marina ed emanò il Codice Penale militare. Naturalmente da ricordare è il celeberrimo Real Collegio della Nunziatella.

Misure economiche: fondò la Borsa di Cambio e avviò molti nuovi commerci, come la pesca del corallo; cedette a canone e provvide di ottime leggi il Tavoliere della Puglia, facendo sorgere numerose colonie ed esentando per quarant'anni da molte tasse gli agricoltori che avessero popolato, coltivato e incrementato quelle zone fino allora abbandonate; fondò a tal proposito monti frumentari; diminuì notevolmente le tasse ai cittadini (specie quelle da versare ai baroni), dirette e indirette, come quelle di grascina, degli allogati, del tabacco, dei pedaggi, e in alcune province quella della seta.

Provvedimenti civili, sociali e di carità: popolò le isole di Ustica e Lampedusa, cacciando i barbareschi e costruendovi fortezze; fondò la Cassa per gli orfani militari provvedendola di una rendita di 30.000 ducati annui, per educare i figli dei militari defunti e per la dote delle figlie; gli albanesi e i greci del Regno furono riuniti in colonie, e fondò seminari e scuole per loro dando ad essi anche un luogo per il commercio in Brindisi; inoltre istituì un vescovado di rito greco-cattolico; eresse, come accennato, la colonia di San Leucio per la lavorazione della seta secondo i criteri egualitari di Rousseau; prima della Rivoluzione francese fu fermo nella difesa delle prerogative statali contro la Chiesa[232]; dopo il 1815 fu più generoso, anche se con il Concordato del 1818 si riservò sempre la scelta dei vescovi; ancora nel 1818 salpò da Napoli la prima nave a vapore italiana, che attraversò il Mediterraneo; introdusse per i magistrati l'obbligo di motivare le sentenze.

Inoltre, dopo il 1815, con la Restaurazione, volle mantenere in servizio (e ne pagò subito le conseguenze) molti ministri e ufficiali che lo avevano tradito collaborando con i francesi e riconobbe loro titoli e gradi elargiti dal Murat, il tutto ai fini della pacificazione nazionale.

Francesco I, che peraltro regnò solo cinque anni (1825-1830), appena asceso al trono concesse amnistia ai soldati disertori e felloni. Poi commutò la pena dell'ergastolo in quella dei ferri, ridusse le condanne detentive eccetto ai condannati per furto. Volle subito andare a Milano con la regina al fine di ottenere che le forze austriache, presenti dal 1820, lasciassero finalmente il Regno, il che avvenne nel 1827, con grande vantaggio economico per governo e sudditi. Alla nascita del figlio, il conte di Trapani, nel 1827, concesse amnistia completa per tutti coloro che erano sotto giudizio (compresi i condannati politici: commutò le pene di morte inflitte ad alcuni carbonari e congiurati), elargendo perdono anche ai disertori e renitenti alla leva.

Accrebbe la flotta, istituì compagnie di assicurazioni per facilitare il commercio marittimo, protesse e migliorò l'industria (istituì premi ed esposizioni biennali) promuovendo la nascita di una fabbrica di panni che diede lavoro a migliaia di persone nel Regno; vi impegnò anche carcerati, che con il lavoro onesto poterono riscattare la pena. Sottoscrisse anche un trattato commerciale con la Turchia, al fine di ottenere per le imbarcazioni napoletane il passaggio attraverso i Dardanelli.

Nonostante la difficile situazione economica, favorì l'agricoltura, prosciugò laghi, eresse il Ponte de' Gigli vicino a quello della Maddalena, costruì il Palazzo del Municipio, con 800 stanze e 40 corridoi, costruì strade, riprese con alacrità gli scavi di Pompei, emanò direttive in favore degli studi dei papiri ercolanesi, delle scuole di disegno e di ballo, aprì ospedali, fondò a Palermo un orfanotrofio.

Prima della morte, risanò l'economia siciliana; e infatti così scrive Giuseppe Coniglio: «Era un utile provvedimento perché stabiliva l'imposizione fiscale e dava ai sudditi la certezza che non sarebbe stata accresciuta almeno per un decennio»[233].

Cercò anche di assicurare al secondogenito il trono di Atene, a patto che i greci gli avessero consentito di serbare la fede cattolica, o altrimenti con una dispensa speciale del Papa. Ma poi non se ne fece nulla.

Venne a mancare proprio mentre in Europa ricominciavano le rivoluzioni, nel 1830 (anno in cui il ramo francese dei Borboni perse il trono); lasciò al giovane figlio, appena ventenne, una difficile eredità. E tuttavia il figlio seppe ben essere all'altezza; anzi, fu sicuramente il più grande e amato dei sovrani borbonici napoletani, dunque il più odiato dalla Rivoluzione italiana.

Su Ferdinando II (1830-1859) lasciamo anzitutto la parola ad alcuni fra i più noti storici del Risorgimento antichi e recenti. Angelantonio Spagnoletti[234] descrive la fama che circondava Ferdinando II fra i suoi sudditi. Sicuramente fu il più amato fra i re Borbone di Napoli; sempre egli si preoccupò di alleviare le sofferenze delle sue popolazioni quando venivano colpite da terremoti, epidemie, andando di persona sul luogo delle calamità, e spesso era presente in Sicilia per risolvere direttamente gli immancabili problemi con le difficili popolazioni locali (perfino Luigi Blanch riconosce l'attaccamento delle popolazioni al sovrano e Niccolò Tommaseo lo descrive come il migliore dei principi italiani).

Nei suoi viaggi viveva con i sudditi, faceva da testimone ai loro matrimoni e battesimi, lasciava loro denaro, e altri doni. Insomma, amava presentarsi come il Padre del suo popolo, che per lui era la propria famiglia. Commenta Spagnoletti[235]: «La calunnia sembrava accompagnare costantemente la vita e l'operato di Ferdinando II; ciò nonostante quella che gli ambienti filoborbonici costruivano era l'immagine di un sovrano virtuoso e leale, che aveva mantenuto in sé il valore, la clemenza e la religione dei suoi avi, aveva evitato il coinvolgimento del Regno nei moti del 1830-'31 e, con quello, pericolose interferenze straniere, aveva difeso l'onore nazionale nella questione degli zolfi e, per questo, aveva dalla sua l'intero popolo napoletano che era quasi "immedesimato" nei pensieri del suo re».

Scrive Carlo Alianello[236] riguardo alle riforme e alle innovazioni di Ferdinando II: «Volle strade, volle porti, volle bonifiche, ospizi e banche; poco sopportava una borghesia saccente e rapace, la cosiddetta borghesia dotta, i "galantuomini". Cercò piuttosto di creare una borghesia che mirasse al sodo. Non fu fortunato per la ragione che nel Napoletano altra borghesia non esisteva che quella delle professioni e degli studi, "pennaruli e pagliette", quelli che avevano cacciato suo nonno da Napoli, legati a fil doppio allo straniero per sole ragioni ideologiche che il Re, come re, non capiva; e l'avida schiera dei proprietari terrieri».

Dice F. Durelli[237] che: «In quattro anni soltanto, dal 1850 al 1854, furono reintegrati nei demani comunali più di 108.950 moggia di terreni usurpati e divisi in sorte ai bisognosi agricoltori»; continua Alianello: «Riporto dall'Almanacco reale del Regno delle Due Sicilie del 1854, dopo una lunga e particolareggiata lista d'istituti di credito e beneficenza, la seguente nota: "Si ha, oltre i luoghi pii ecc., pei domini continentali un totale di 761 di stabilimenti diversi di beneficenza, oltre 1.131 monti frumentarii, ed oltre de' monti pecuniari, delle casse agrarie e di prestanza e degli asili infantili» [...]. Per sua volontà si badò a costruire strade, che dalle 1.505, quante se ne assommavano nel 1828, erano divenute nel 1855 la bellezza di 4.587 miglia. E non stradużze da poco..."». Erano l'Amalfitana, la Sorrentina, la Frentana, che fu interrotta per l'arrivo dei «liberatori» (l'hanno finita solo cento anni dopo). Poi la costiera adriatica, la Sora-Roma, l'Appulo-Sannitica, che collegava Abruzzi e Capitanata, l'Aquilonia, che univa Tirreno e Adriatico, la Sannita, da Campobasso a Termoli. Continua Durelli: «In breve dal '52 al '56, che sono solo quattro anni, furono costruite 76 strade nuove, di conto regio, provinciale e comunale. Moltissimi i ponti, e fra tutti il ponte sul Garigliano, sospeso a catene di ferro, che fu il primo di questa foggia in Italia, e tra i primissimi in Europa. Eppoi le bonifiche, l'inalveazione del fiume Pelino, la colmata dei pantani del lago di Salpi, la bonifica delle paludi campane [...]. In 30 anni, la marina a vela raddoppiata, la marina a vapore creata dal nulla, che nel 1855 contava 472 navi, per 108.543 tonnellate, più 6 piroscafi a ruota, 6.913 tonnellate di barchi diversi. E le scuole, i collegi nautici, le industrie».

A sua volta Marta Petrusewicz, fornendo un quadro del regno di Ferdinando II, ne rileva «la popolazione in crescita, la tassazione ed il sistema doganale meglio regolati, e il governo impegnato in un intervento intelligente di costruzione delle ferrovie e strade, manifatture reali e prigioni moderne»[238].

Per capire ancora meglio il personaggio, leggiamo quanto scrive O'Clery, nella sua opera sul Risorgimento[239].

Appena salito al trono, Ferdinando II concesse l'amnistia generale e così si regolava nelle sue azioni: «Per introdurre criteri di economia nelle finanze, Ferdinando ridusse di molto il proprio appannaggio, abolì diversi uffici inutili e alcune delle prerogative reali. Semplificò le procedure nelle Corti di giustizia, sostituì l'impopolare viceré di Sicilia, nominando suo fratello a tale carica e, allorquando viaggiava per il Regno, proibiva alle municipalità di farvi preparativi costosi per la sua venuta, accettando l'ospitalità di qualche residente, o prendendo dimora nella locanda di un villaggio o in un convento francescano. Non c'è da stupirsi che fosse un sovrano popolare». Da ricordare è anche che egli aderì nel 1838 agli accordi franco-britannici contro la tratta degli africani e sempre nello stesso anno stabilì pene severissime contro i duelli (sia la detenzione sia la decadenza dagli ordini cavallereschi), anche per i padrini. Concesse l'amnistia ai detenuti per ragioni politiche in Sicilia e grande autonomia giuridica e amministrativa all'isola; seguì inoltre personalmente la lotta alla feudalità. L'economia fu in continua crescita[240], e grande sviluppo ebbe la marina mercantile[241].

Tutto ciò è confermato anche da Giuseppe Paladino nella voce dedicata a Ferdinando II nell'*Enciclopedia Italiana*, ove scrive: «Diede impulso a costruzioni di pubblica utilità. La prima ferrovia inaugurata in Italia fu la Napoli-Portici (1839). Ad essa seguì nel regno l'altro tronco Napoli-Capua. Sotto Ferdinando II fu ampliata la rete telegrafica a sistema elettrico [...]. La marineria mercantile a vapore ricevette grande incremento; nel 1848 aveva il terzo posto per numero e armamento di navi. Una serie di trattati di commercio con l'Inghilterra, con la Francia, con la Sardegna inaugurarono un sistema illuminato di moderato protezionismo (1841-1845). Le finanze erano amministrate in modo mirabile: il contribuente napoletano pagava meno degli altri italiani...».

Per quanto riguarda l'amministrazione della giustizia, occorre ricordare che dopo la rivoluzione del '48 nel Regno di Napoli non ci furono esecuzioni capitali (tranne quella nel 1856 di Agesilao Milano, che aveva attentato alla vita del sovrano).

Delle 42 condanne a morte comminate dai tribunali, Ferdinando II ne commuta 19 in ergastolo, 11 in trent'anni ai ferri, 12 in pene minori[242]. Negli stessi anni il re grazia 2.713 condannati per reati politici e 7.181 per reati comuni, mentre dal '48 la statistica criminale nel Napoletano è in costante diminuzione (quando si celebrò il processo a Settembrini e Spaventa per aver fondato la società segreta «Unità italiana», gli osservatori stranieri, seppur nemici dei Borbone, dovettero ammettere che il processo fu condotto con magistrale correttezza)[243].

In generale, ai già più che eloquenti giudizi storici finora riportati, si può aggiungere che Ferdinando viaggiò molto per il Regno a visitare ospedali, carceri, campi di lavoro, al fine di sovvenire sempre di persona ai reali bisogni dei sudditi; per risparmiare e poter diminuire le tasse, oltre a ridurre le spese di Corte e quelle personali, ridusse lo stipendio dei ministri e stabilì contro la disoccupazione che la stessa persona non potesse ricoprire due cariche pubbliche; molti parchi di caccia reale furono restituiti all'agricoltura; sviluppò l'industria, specie quella tessile, fece costruire, oltre alle strade e alle ferrovie prime elencate, porti, cantieri mercantili, ponti su fiumi, cimiteri fuori dell'abitato, ospedali, conservatori, orfanotrofi, asili infantili per fanciulli poveri, anche case di ricovero per malati di mente (abolì di fatto l'accattonaggio), case per fanciulle, carceri moderne e istituti per sordomuti; curò la cultura fondando cattedre, aprì biblioteche, convitti, educandati, orti agrari e scuole gratuite; bonificò le terre delle paludi sipontine e l'isola di Santo Stefano di fronte a Gaeta e introdusse nuove coltivazioni nel Regno; fondò istituti per incoraggiare l'intrapresa economica premiando con medaglie i migliori; a ogni occasione (matrimoni reali, feste particolari ecc.) elargiva donazioni per poveri e doti di matrimonio per fanciulle bisognose; quando vi erano epidemie di colera andava di persona negli ospedali, e così faceva anche quando vi erano terremoti e altri disastri naturali, soccorrendo materialmente i derelitti; d'altro canto rafforzò anche l'esercito e la marina militare, che divenne una delle prime in Europa.

Molto altro vi sarebbe da dire. Ma appare chiaro come Ferdinando II fu la massima e più completa espressione di quel riformismo politico e sociale, inaugurato dal suo bisnonno Carlo, e che caratterizzò sempre la Real Casa di Borbone delle Due Sicilie.

Anche Francesco II (1859-1861), che regnò nemmeno due

anni, diede prova in quel brevissimo tempo di essere all'altezza del padre: fin dalla salita al trono, concesse amnistie, nominò commissioni apposite per visitare i luoghi di pena e apportare le migliorie necessarie; volle concedere maggiore autonomia ai municipi e diminuì il peso dei legami burocratici; a Palermo e Messina accordò franchigie daziarie, a Catania istituì un Tribunale di Commercio e le Casse di conto e sconto; condonò in Sicilia gli avanzi del dazio e dimezzò l'imposta sul macinato, abolì il dazio sulle case terrene ove abitava la povera gente e ridusse le tasse doganali, specie quella sui libri esteri; diminuì anche le tasse sulle mercanzie dai Paesi stranieri concesse Borse di Cambio a Chieti e Reggio Calabria; ordinò che si aprissero monti frumentari e monti di pegni, nonché Casse di Prestito e di Risparmio nei paesi che ne erano privi; essendovi stata una carestia di grano, mentre già si accusava il re di voler far gravare il peso sui poveri, egli dava ordine di distribuire a prezzo ridottissimo intere partite di grano estero alle popolazioni, peraltro con perdita economica da parte del governo.

Creò inoltre cattedre, licei e collegi, e istituì una commissione per il miglioramento urbano di Napoli (aveva in mente al riguardo di costruire mulini a vapore governativi per offrire la macinazione gratuita dei grani, ma l'idea non poté essere attuata per l'arrivo dei garibaldini); ampliò la rete ferroviaria e chiese stretto conto dei ritardi dei privati nelle costruzioni già accordate, e con decreto del 28 aprile 1860 prescrisse l'ampliamento della rete ferroviaria con la linea Napoli-Foggia e Foggia-Capo d'Otranto; poi ordinò le linee Basilicata-Reggio Calabria e un'altra per gli Abruzzi, mentre già pensava anche alla Palermo-Messina-Catania.

Il 1° marzo 1860 impose a tutti i fondi la servitù degli acquedotti, ed evitando così gli impaludamenti favorì l'irrigazione dei campi e quindi la salute pubblica; dispose poi il disseccamento del Lago del Fucino, fece continuare il raddrizzamento del fiume Sarno scavando un canale navigabile, ordinò che si continuassero i lavori nelle paludi napoletane e lo sgombero delle foci del Sebeto. Tutto ciò in poco più di un anno di regno. Ancora nel 1862, ormai esule a Roma, inviò una grossa somma ai napoletani vittime di una forte eruzione del Vesuvio.

Questa in breve la barbarie del Regno delle Due Sicilie, il regno «negazione di Dio»: e ciò spiega perché durante le invasioni rivoluzionarie del regno il popolo fu sempre massicciamente dalla parte dei legittimi sovrani.

Rileggiamo le parole del Trinchera, che tanta vasta eco internazionale ebbero in quei giorni: «Il viaggiatore che capita in quel regno non vi scorge nulla che accenni alla vita di un popolo civile, niuna istituzione utile e fecondatrice di bene, niun insegnamento pubblico o privato, non strade, non comunicazioni tra provincia e provincia, tra la capitale e le provincie, non traffichi, non commercio, non arti, non industrie, non manifatture...». Anche col Trinchera è stata fatta l'Italia... ma non gli italiani.

2. Barbarie papista

Passiamo ora, sebbene più velocemente, all'altra grande vittima designata della Rivoluzione italiana, il nemico per eccellenza.

Con lo Stato Pontificio non v'era neanche bisogno di inventarsi lettere e visite sul luogo. Bastava dire che era una «teocrazia» e il discorso era chiuso. Le popolazioni soggette ai Papi vennero sempre descritte come le più infelici della terra dai governi del Piemonte, dell'Inghilterra, della Prussia e della Russia (in questo caso mancavano i fuoriusciti, a causa di una clemenza giuridica perfino superiore a quella ferdinandea, vale a dire quella di Pio IX); come si può intuire tutti Stati che – chi per un motivo, chi per un altro – non erano certo amici della religione e della Chiesa cattolica.

In realtà, lo Stato Pontificio, dal punto di vista del consenso morale e operativo al Risorgimento, è sicuramente fra gli Stati preunitari quello che ha sempre dato le maggiori delusioni ai nostri patrioti. Invano per decenni hanno sognato il consenso delle popolazioni oppresse dalla teocrazia papista.

Niente. È rimasto sempre un sogno. Dai tempi dell'invasione napoleonica, quando decine di migliaia di persone presero spontaneamente le armi, pronte a morire nelle città, nei paesi, nelle valli e sui monti per difendere il Papa, la Chiesa e i luoghi di culto dall'assalto franco-giacobino, fino ad arrivare al 20 settembre 1870, le popolazioni pontificie sono state sempre schierate dalla parte del loro legittimo sovrano, contro la Rivoluzione, francese o italiana che fosse. Durante il tentativo insurrezionale di Ciro Menotti, la popolazione romana mostrò tutto il proprio attaccamento per il Papa e la propria ostilità verso i carbonari; a Roma, il popolo attorniò la carrozza del Pontefice facendo festa e mostrando grande devozione. La Repubblica Romana del '49 non ebbe assolutamente alcun consenso popolare interno (a parte qualche aristocratico e borghese settario), mentre Pio IX, durante il suo viaggio di rientro a Roma, fu accolto in trionfo ovunque, dai confini meridionali fino alla capitale. Altrettanto accadde durante il viaggio che, nel 1857, compì nei suoi Stati.

Stessa cosa dicasi per tutto quanto avvenne nel 1860-'61: anche i fatti di Perugia (ribellione della città e resistenza contro il governo pontificio), come oggi è ormai noto, furono provocati da fuoriusciti fiorentini mandati da Ricasoli per prendere possesso della città. Per non parlare poi di Garibaldi. Quando nel 1867 questi decise di assalire Roma, era convinto (e con lui Rattazzi e il governo di Firenze) che sarebbe bastata un'ombra di patriota a far insorgere Roma; ne fecero le spese i fratelli Cairoli e i terroristi della caserma Serristori, convinti di mestare nel torbido con la loro strage: ma rimasero ben delusi (né i garibaldini a Mentana e Monterotondo ebbero il minimo aiuto popolare[244]).

Per finire al 20 settembre del 1870, quando non un romano andò a salutare i liberatori, mentre finestre e case della città erano serrate o chiuse a lutto[245].

Ottanta anni di tentativi non sono mai serviti a nulla: il popolo romano e pontificio era con il Papa; d'altronde, se così non fosse stato, innumerevoli litri di inchiostro sarebbero stati consumati per gridare al mondo intero la felicità delle popolazioni emancipate dalla brutale barbarie papista... E, invece, niente di tutto questo; è un aspetto su cui si sorvola nelle opere della *vulgata*... e non solo in quelle.

Scrive Roberto de Mattei: «Negli anni che vanno tra il 1850 e il 1870 vennero risanate le paludi di Ostia e dell'Agro pontino; intrapresi lavori portuali e costruiti fari moderni nei principali porti dello Stato, migliorate ed aumentate le linee ferroviarie e le strade nazionali con la costruzione o il rifacimento di una ventina di importanti viadotti, come quello monumentale fra Albano e Ariccia; ampliate le linee dei trasporti urbani e del servizio telegrafico, tanto che nel 1860 tutti i principali centri del territorio pontificio furono collegati tra di loro. Rilevanti progressi vennero fatti anche nel settore industriale, nel campo meccanico, tessile, chimico e cementifero, offrendo lavoro a migliaia di lavoratori, senza che mai sorgesse, come negli altri Paesi industriali, una "questione operaia". Quanto basta per smentire la leggenda di un pontificato stagnante e nemico del progresso»[246].

Al di là di tutto questo (si potrebbero riportare tante testimonianze al riguardo e fornire concrete prove), può aiutare molto a capire più approfonditamente la questione istituire un paragone con il progredito Regno di Sardegna, magari considerandolo proprio durante gli anni del governo Cavour (quindi, al suo «massimo splendore»)[247]. L'accusa fondamentale che da decenni era rivolta al governo della Chiesa, proprio a partire dagli Stati sopra segnalati, era quella di essere una teocrazia, vale a dire che ai laici era di principio preclusa ogni partecipazione attiva al reggimento dello Stato e all'amministrazione pubblica. Occorreva quindi riformare l'intero Stato dalle fondamenta, in quanto non era ammissibile nel XIX secolo una situazione del genere, anche a costo di eliminare lo Stato della Chiesa.

Atteniamoci alla realtà dei fatti. Dice il Rayneval (che, in quanto diplomatico di Napoleone III, aveva tutto l'interesse a non favorire il clericalismo) che nel 1856, su 5.167 funzionari nello Stato, i laici sono 5.059, gli ecclesiastici 98: un prete ogni 52 laici. Di questi 98, ben 62 si occupavano solo di religione, per cui solo 36 avevano incarichi di governo effettivi; inoltre di questi 36, non tutti erano chierici, ma alcuni solo terziari (e, in quanto tali, potevano anche sposarsi).

Questa era la insopportabile teocrazia da abbattere per il bene della civiltà. Oltre a ciò, il Rayneval sostiene che mai il governo, specie sotto Pio IX, aveva smesso l'azione riformatrice, e dopo il rientro del Papa a Roma nel 1850, erano stati esemplarmente riformati il Codice civile e quello militare, dando la più ampia autonomia al potere giudiziario; i conti pubblici erano realmente tali e quindi sottoposti al controllo della nazione, le autonomie locali rafforzate. Rayneval nega inoltre che fosse diffusa l'ignoranza, e del resto il deputato Maguire ebbe a dire in un suo intervento al Parlamento inglese del 18 luglio 1860 che: «Per ciò che concerne l'educazione, nella sola Roma vi erano 23.000 allievi che ricevevano una istruzione liberale; 3.000 allievi frequentavano le scuole della sera; nulla può sorpassare lo zelo del Papa per gli interessi della educazione». Maguire ricorda che a Roma le scuole erano come le fontane della città: a servizio di tutti, dei poveri come dei ricchi; e ricorda che nello Stato vi erano già 300 km di linee telegrafiche, a differenza per esempio dell'Irlanda, che pur faceva parte del Regno Unito, e ottime erano le condizioni degli istituti di carità pubblica, ospedali, orfanotrofi, e altri ancora.

Vediamo ora che cosa accadeva nel progredito Regno di Sardegna. Circa l'aspetto finanziario, nota Angela Pellicciari che «nei 34 anni che vanno dalla caduta di Napoleone al 1848 [vale a dire, gli anni del Piemonte prerivoluzionario, *nda*] (con tutti i danni provocati dalle rapine napoleoniche) il Regno di Sardegna accumula 135 milioni di debiti, mentre in soli 12 anni, dal 1848 al 1860 [vale a dire, gli anni rivoluzionari di Cavour, *nda*], ne totalizza oltre un miliardo. Per l'esattezza 1.024.970.595 lire»[248].

La cifra, come si può osservare, è astronomica, e non risente ancora delle spese per l'unificazione.

Tali abnormi indebitamenti sono una delle spiegazioni essenziali di due fattori determinanti della politica italiana del Risorgimento (e non solo): il sequestro dei beni della Chiesa e il fiscalismo opprimente mai esaustivo, ma sempre necessitante di maggior soddisfazione (in quanto aggravato da continue contrazioni di debito estero).

Negli stessi anni, il bilancio dello Stato Pontificio raggiunge il pareggio effettivo (1858), mentre quello del Regno delle Due Sicilie è in attivo.

Ma è soprattutto a riguardo della giustizia[249] che le Potenze straniere, aizzate da Cavour e soci, tendono a far cadere come mannaie le lame della calunnia sulle teste di Pio IX e di Ferdinando II.

Come andavano le cose con Pio IX? Scrive Rayneval circa l'atteggiamento tenuto dal Pontefice dopo la Rivoluzione romana del 1848-'49, la quale, non dimentichiamo, lo aveva costretto a fuggire da Roma dopo l'assassinio del suo Primo ministro Pellegrino Rossi e del suo aiutante mons. Palma, dichiarandolo decaduto: «Mai una restaurazione è stata realizzata con maggiore clemenza [...]; il Papa si è limitato ad impedire [che i rivoluzionari] facciano ancora del male bandendoli dal Paese. Nessun imprigionamento, nessun processo, se non eccezionalmente per l'ostinazione di taluni ad essere giudicati»; e per quanto riguarda l'amministrazione della giustizia: «Sono scrupolosamente osservate tutte le precauzioni per la verifica dei fatti, tutte le garanzie per la libera difesa dell'accusato, compresa la pubblicazione dei dibattiti»; inoltre il Papa interviene spesso per mitigare le pene. Condanne a morte? Nessuna.

Ben diversa è la situazione in Piemonte, e chi denuncia ciò è proprio un deputato della sinistra piemontese, il Brofferio, il 26 marzo del 1856 in Parlamento. Mettendo a confronto le esecuzioni capitali avvenute nel 1853 nella Francia di Napoleone III e nel Piemonte di Cavour e Vittorio Emanuele II, il rapporto risulta essere il seguente (nel solo 1853!): 45 a 28; ma, nota giustamente Brofferio: «La popolazione di Francia è quasi otto volte superiore a quella del Piemonte» e, fatte le debite proporzioni, è come se in Piemonte le esecuzioni fossero state 224! Dal 1851 al 1855, conclude Brofferio, le esecuzioni nel Regno di Sardegna sono state 113: «I progressi della morte sono immensi».

Inoltre, se si paragona il quinquennio liberale 1851-'56 con il quinquennio «assolutista» 1840-'44, il rapporto è di 39 a 113.

Molto altro ancora si potrebbe dire[250], e andrà fatto, ma con studi ordinati e specificamente dedicati a tali questioni. Vogliamo concludere questo velocissimo quadro chiarificatore con un poco noto quanto significativo episodio.

Racconta O' Clery[251] che quando nel 1879 l'Italia fu colpita da diverse calamità naturali che arrecarono danni pesantissimi alle popolazioni, qualcuno propose in Parlamento di portare aiuto materiale ai bisognosi. Secca fu la risposta del ministro Cairoli (di garibaldina memoria) a nome del governo della Sinistra storica: ciò non era mai avvenuto prima, e in tal caso si sarebbe creato un precedente.

Gli fu obiettato dal deputato della sinistra radicale Felice Cavallotti che quanto Cairoli affermava era falso; era infatti prassi comune che i governi venissero in soccorso delle popolazioni colpite da calamità: solo che queste cose avvenivano ai tempi oscuri dello Stato Pontificio e dei Borbone.

Capitolo V
LA «NUOVA ITALIA» & LA «VECCHIA INGHILTERRA»

«Il popolo inglese ci ha assistito
nella nostra guerra nel Sud dell'Italia [...]
Se tale non fosse stato il loro contegno, noi saremmo
ancora sotto il giogo dei Borboni di Napoli.
Se non fosse stato per l'ammiraglio Mundy,
non mi sarebbe mai stato permesso
di passare lo stretto di Messina».

Giuseppe Garibaldi

Non si può comprendere la Rivoluzione italiana, e in particolare la politica del suo demiurgo, Cavour, prescindendo da quella che fu l'azione protettrice e soprattutto di ispirazione e guida svolta dalla Gran Bretagna (e solo in seconda istanza dalla Francia di Napoleone III), l'artefice occulta – ma neanche poi tanto – dell'unificazione italiana[252].

Che siano stati gli inglesi a permettere e ad aiutare la spedizione dei Mille, e quindi l'intera unificazione italiana, è un dato ormai assodato da tempo, e nessuno osa più metterlo in discussione[253]. Del resto, lo ammise pubblicamente una volta per tutte proprio lui, il conquistatore, in un moto di sincera gratitudine, a Londra, nel 1864, al Crystal Place: «Il popolo inglese ci ha assistito nella nostra guerra nel Sud dell'Italia [...]. Parlo di ciò che so, perché la Regina e il governo inglese, rappresentato da Lord Palmerston, Lord Russell e Mr. Gladstone, si sono stupendamente comportati verso la nostra natia Italia. Se tale non fosse stato il loro contegno, noi saremmo ancora sotto il giogo dei Borboni di Napoli. Se non fosse stato per l'ammiraglio Mundy, non mi sarebbe mai stato permesso di passare lo stretto di Messina»[254].

Il governo inglese favorì la Rivoluzione italiana mediante una duplice azione, in quanto gli interessi britannici nella Penisola attenevano a due àmbiti: quello ideale-religioso (propagazione del protestantesimo contro il papismo romano) e quello politico-economico (abbattimento del dominio asburgico nella Penisola senza favorire quello francese, determinando al tempo stesso la formazione di un nuovo Stato amico nel centro del Mediterraneo).

Al contrario di quanto molti storici affermano, è probabile che nei cuori e nei cervelli degli inglesi la prima aspettativa fosse più importante della seconda. E questo per varie ragioni, sia di ordine «materiale» (ormai il Mediterraneo non era più da tempo il centro del commercio mondiale, e la Gran Bretagna poteva tranquillamente sopravvivere anche senza l'Italia per amica; inoltre il dominio asburgico nella Penisola di fatto non esisteva più, se non nelle terre direttamente soggette alla Corona viennese), sia di ordine «ideale» (in quegli anni il mondo protestante viveva un risveglio religioso, e specie in Inghilterra, ove l'odio antipapista si era rinvigorito quasi come ai tempi aurei delle persecuzioni della regina Elisabetta I, anche perché Pio IX era riuscito a ottenere il permesso per la restaurazione della gerarchia cattolica in Gran Bretagna, fra lo scandalo e l'ira delle gerarchie anglicane), sia infine di ordine «preternaturale»: come è universalmente noto, Londra era il cuore della massoneria mondiale[255], e lo stesso Palmerston ne era il grande capo.

Ben concreta era insomma la speranza, negli inglesi del

tempo, che aiutare la Rivoluzione Italiana significava porre una pietra miliare nel cammino che avrebbe condotto al crollo della superstizione papista e di Roma-Babilonia[256]. Del resto, un documento conservato a Londra testimonia che per la spedizione dei Mille i «fratelli» britannici versarono ben tre milioni di franchi-oro[257].

Scrive al riguardo lo storico inglese Derek Beales[258]: «Significativo nel suscitare l'interesse inglese al problema italiano, e di gran lunga determinante nel dare agli inglesi un atteggiamento particolare verso di esso, fu il protestantesimo. L'inglese medio che pensava all'Italia ricordava per prima cosa il Papa di Roma [...]; il cattolicesimo romano era odiato dalla massa degli inglesi come l'arcinemico della libertà, ogni oppositore del Papato era un alleato dell'Inghilterra [...]. Gli inglesi presto simpatizzarono con gli italiani che vedevano il potere temporale sbarrare la strada alla loro libertà».

Scrive J.R.H. Moorman che in Inghilterra «l'opinione prevalente delle persone religiose [...] era che il culto cattolico romano è idolatria e che era meglio essere un ateo che un papista»[259]. In più occorre tener presente, ricorda de Leonardis, che Lord Shaftesbury era il leader dell'ala evangelica della Chiesa anglicana e mirava dichiaratamente alla protestantizzazione dell'Italia: immediatamente gli agenti delle società bibliche invasero la Penisola; e dopo la restaurazione della gerarchia cattolica in Gran Bretagna nel 1848, furono approvate leggi che proibivano ai vescovi cattolici di assumere i loro titoli, di tenere processioni e di indossare l'abito talare fuori dalle chiese. Del resto, quando i piemontesi nel 1860 invasero lo Stato Pontificio, l'unico Paese che lasciò il proprio ambasciatore a Torino fu la Gran Bretagna, e non solo: John Russell paragonò (significativamente) in pubblico Vittorio Emanuele II a Guglielmo d'Orange[260].

Indubbiamente, durante l'invasione napoleonica della Penisola e per tutto il periodo fino al 1815, la Gran Bretagna, sempre in guerra con il Corso, assunse il ruolo di difensore ufficiale del Regno di Napoli dalle mire francesi (difensore tutt'altro che disinteressato, naturalmente, specie in Sicilia...). Ma dopo la caduta del Bonaparte, le cose cominciarono a cambiare, specie da quando a Londra iniziò a splendere la «stella» Palmerston. Significativa al riguardo è la già accennata vicenda degli zolfi di Sicilia, primo grande scontro fra Londra e Napoli, durante il quale lo statista inglese non esitò, ritenendo in pericolo gli interessi britannici, a mandare una flotta da guerra davanti al Golfo partenopeo, e quindi a imporre a Ferdinando II non solo l'umiliazione della sconfitta diplomatica, ma anche il duplice rimborso dei presunti danni ricevuti dalla Gran Bretagna e dalla Francia.

Ma è negli anni Quaranta, specie durante il periodo frenetico che condusse alle rivolte del 1848, che l'Inghilterra iniziò a interferire nelle cose d'Italia, a tutto vantaggio naturalmente delle forze rivoluzionarie e anticattoliche. Già vi erano agenti segreti inglesi a Torino e anche a Napoli, ma Palmerston si spinse oltre, e inviò nell'autunno del 1847 Lord Minto a Roma per prendere aperti contatti (costui non si sforzava minimamente di dissimulare le sue vere intenzioni dinanzi a Pio IX) con i rivoluzionari romani come Ciceruacchio, Sterbini e il principe di Canino, i quali si misero in pratica ai suoi ordini, spingendo fino alle estreme conseguenze la Rivoluzione romana...[261].

Sono proprio questi gli anni, inoltre, in cui schiere di protestanti calano nella Penisola portando con sé migliaia di copie di Bibbie riformate e fondando un po' ovunque società evangeliche.

È soprattutto però appoggiando la politica di Cavour, che il governo di Londra aiutò concretamente – prima ancora che militarmente con i Mille – la Rivoluzione italiana. In una lettera a Rattazzi del 9 aprile 1856 (dopo il Congresso di Parigi), raccontandogli del suo incontro con Lord Clarendon, ministro degli Esteri britannico, Cavour riporta le esatte parole scambiatesi fra i due: «Milord, Ella vede che non vi è nulla da sperare dalla diplomazia, sarebbe tempo di adoperare altri mezzi, almeno per ciò che riflette il re di Napoli. Mi rispose: *"Il faut s'occuper de Naples et bientôt"*. Lo lasciai dicendogli: *"J'irai en causer avec vous"*. Credo poter parlargli di gettare in aria il Bomba [...]. L'Italia non può rimanere nelle condizioni attuali. Napoleone ne è convinto e se la diplomazia fu impotente, ricorriamo a mezzi extralegali. Moderato d'opinioni, sono piuttosto favorevole ai mezzi estremi e audaci». L'11 aprile Cavour incontrò di nuovo il Clarendon e ne riferì a Rattazzi in un'altra lettera del 12: egli ribadì al ministro inglese la propria volontà di guerra all'Austria, e quegli rispose: «Oh certo! Se vi trovate in difficoltà potete contare su di noi e vedere con quanta energia verremmo in vostro aiuto»[262].

Gli inglesi furono di parola. Ne è testimonianza la vicenda dei Mille.

Capitolo VI
COME NON ANDAVA FATTA L'ITALIA

«Come la nostra lotta coi clericali
tiene oggi sospeso tutto il mondo civile;
così la nostra vittoria su Dio sarà
l'acclamata rivendicazione della libertà di coscienza
ed il trionfo della ragione sul pregiudizio».

Giuseppe Garibaldi

Come è noto, la rivoluzione del Quarantotto si concluse nel fallimento completo, divenendo in più pretesto per ulteriori invasioni di eserciti stranieri nella Penisola: gli austriaci avevano trionfato nel Lombardo-Veneto e, tramite una moderatissima politica di restaurazione, acquisirono la simpatia delle popolazioni; lo Stato Pontificio dovette vedere le truppe francesi assediare e presidiare la capitale. Il Regno di Sardegna, inoltre, non era solo sconfitto, ma altresì amaramente umiliato a motivo delle intemperanze dei democratici e di Gioberti, che avevano voluto a tutti i costi continuare la guerra dopo la sconfitta di Custoza (e dopo il successivo disastro di Novara vi era ancora chi non voleva arrendersi, sperando forse che la totale distruzione del Regno aprisse le porte alla rivoluzione repubblicana).

«Prima guerra di indipendenza» o «Rivoluzione del Quarantotto»? La prima interpretazione può essere recepita solo nel caso in cui la guerra sia intesa nel senso neoguelfo e confederale, come venne considerata da tutti i sovrani italiani – tranne Carlo Alberto – ai suoi inizi, nel marzo del '48; ma questa accezione ebbe breve vita.

Ciò che accadde dopo è storia notissima a tutti. Vittorio Emanuele II, il nuovo Re di Sardegna, mantenne lo Statuto, e così Torino, ove convennero quasi tutti gli sconfitti del Quarantotto, divenne il cuore pulsante della Rivoluzione italiana. Gli anni Cinquanta sono conosciuti come il «decennio di preparazione», e la storia d'Italia in quel torno di tempo fa tutt'uno con un solo uomo, guida di tanti altri che riuscì a manovrare a perfezione, divenendo il vero demiurgo dell'unificazione nazionale.

1. Unificazione & non unità

Che cosa voleva Cavour? Anzitutto ciò che volevano in sostanza tutti i fautori del Risorgimento: l'unificazione politica dell'Italia o, perlomeno, un ingrandimento del Regno di Sardegna. Al progetto confederale cattolico e monarchico era succeduto quello federale repubblicano e rivoluzionario di Cattaneo e Ferrari (rovesciare le monarchie legittime e fondare tante rispettive repubbliche da unirsi federalmente – tramite l'istituzione di una Costituente nazionale repubblicana – sull'esempio degli Stati Uniti d'America e della Svizzera, come peraltro era avvenuto per qualche tempo a Roma, Venezia e Firenze); ma in ultimo anche questo progetto fallisce e, con esso, svaniscono le speranze federaliste in generale.

Ha inizio così la fase dell'unitarismo: o quello rivoluzionario e repubblicano di Mazzini o quello monarchico di Casa Savoia.

Mazzini era ormai isolato e definitivamente screditato; in

più a Torino il nuovo re Vittorio Emanuele II aveva conservato lo Statuto, quindi un'occasione formidabile di attivismo sovversivo. Non rimaneva che una via per la Rivoluzione italiana, specie dopo il voluto fallimento del neoguelfismo: la «via sabauda», la via della conquista degli altri regni della Penisola tramite la guerra all'Austria e l'appoggio benevolo della Francia e della Gran Bretagna[263].

Insomma, occorreva creare le condizioni politiche e militari per conquistare la Penisola e annetterla al Regno di Sardegna: bisognava dunque, anche con il pretesto di prevenire le follie mazziniane, abbattere i secolari Stati legittimi, a partire da quello borbonico per arrivare a quello pontificio. Ecco il grande programma, ed ecco il geniale demiurgo di questo programma. Dalla Confederazione paritaria tra Stati legittimi e fratelli, in nome della millenaria religione e civiltà dei padri, alla guerra di conquista effettuata con tradimenti, calunnie, corruzione e stragi, da parte di uno solo dei sovrani italiani: il più scaltro e privo di scrupoli, indifferente alla stessa scomunica, sebbene cattolico praticante.

Ma per attuare il più ardito programma nella storia d'Italia, bisognava creare, ancor prima delle pur indispensabili condizioni politiche e militari, le ancor più necessarie condizioni «morali».

Per poter impunemente invadere e conquistare cinque Stati sovrani pacifici e amici, di cui uno era lo Stato della Chiesa cattolica, per poter strappare il Lombardo-Veneto all'Impero asburgico, era necessario vantare molto più che un alibi o una giustificazione da presentare dinanzi alle grandi Potenze e all'opinione pubblica del tempo, come pure dinanzi alla storia futura: occorreva presentare la conquista come una inevitabile azione di civiltà contro un'intollerabile barbarie non più accettabile in tempi di progresso e democrazia. Insomma, occorreva fare la parte dei civilizzatori (magari anche delle «vittime» che si sacrificano portando guerra al male) contro il regresso istituzionalizzato, l'oppressione dei popoli, l'ignoranza del fanatismo; occorreva fare la parte dei «liberatori», e occorreva anche crederci sul serio, convincersene.

La politica unitarista di Cavour ebbe due direttive di fondo: in primo luogo lo screditamento internazionale del Regno borbonico e dello Stato Pontificio (si veda il capitolo V), ottenuto tramite le menzogne propalate dai fuoriusciti, al fine sia di giustificare storicamente la futura conquista militare di Stati pacifici e amici, sia di garantirsi l'appoggio dell'opinione pubblica inglese e francese; in secondo luogo, la guerra alla religione e alla Chiesa cattolica, guerra che Cavour cominciò e poi fu portata avanti dai suoi emuli e successori.

Una volta attuata negli anni Cinquanta questa grande operazione preparatoria, occorreva aspettare solo il momento opportuno e agire con temerarietà. Si dice che la fortuna aiuti gli audaci, e Cavour fu fortunato e audace. Egli riuscì a fugare definitivamente il pericolo mazziniano portando dalla propria parte Garibaldi e soci tramite la Società Nazionale; riuscì a realizzare la prima parte del suo programma elargendo cattedre e sovvenzioni finanziarie a tutti i fuoriusciti utili alla campagna di calunnie contro Pio IX e Ferdinando II; riuscì ad acquistarsi le simpatie dell'opinione pubblica inglese mediante la guerra contro la Chiesa cattolica (in realtà, non dovette faticare molto per questo); poi, il capolavoro: dapprima attirò a sé Napoleone III con i Patti di Plombières, promettendogli in pratica due terzi dell'Italia[264]; successivamente, dopo la vittoria sull'Austria e la presa della Lombardia, lo giocò annettendo al Regno sabaudo i Ducati centrali e la Toscana tramite le rivoluzioni mazziniane scoppiate in quelle terre (fece fuori così anche Mazzini): il tutto mediante la grande «invenzione» dei plebisciti, la più colossale farsa politica della storia d'Italia; infine, il trionfo: l'appoggio nascosto, ma efficace alla spedizione dei Mille, e la conquista del Regno delle Due Sicilie, fatta digerire ai governi europei con la scusa del pericolo mazziniano-garibaldino e a Garibaldi con la concreta minaccia dell'esercito sabaudo inviato a Napoli; tutto questo usufruendo dell'aiuto propagandistico, militare e soprattutto finanziario delle logge massoniche internazionali.

Unico prezzo a tanta gloria: la cessione di Nizza e della Savoia, doveroso tributo all'irritazione di un potente giocato.

È l'azione di un uomo geniale, fortunato e privo di scrupoli[265], ma senza alcun vero seguito popolare: unificazione e non unità. E gli italiani? I ventidue milioni di italiani allora abitanti la Penisola furono accontentati?

Cavour volle far ratificare le varie conquiste con i plebisciti. Ogni commento al riguardo è superfluo: rinviamo il lettore al paragrafo 4 di questo capitolo. Ci limitiamo qui solo ad anticiparne i risultati: furono tutti all'incirca per il 98,99% a favore. Un trionfo per la «nuova Italia». E per la «vera Italia»?

2. Un «nuovo italiano»...

Riguardo alla famosa lettera di Gladstone a Lord Aberdeen del 17 luglio 1851, nella quale, fra tutte le altre assurdità, il Regno delle Due Sicilie veniva definito «la negazione di Dio», è forse utile portare il lettore a conoscenza anche del seguente significativo episodio[266]: «Gladstone, tornato a Napoli nell'anno 1888-1889, fu ossequiato e festeggiato dai maggiorenti del cosiddetto Partito liberale, i quali non mancarono di glorificarlo per le sue famose lettere con la negazione di Dio, che tanto aiutarono la nostra rivoluzione; ma a questo punto il Gladstone versò una vera secchia d'acqua gelata sui suoi glorificatori. Confessò che aveva scritto per incarico di Lord Palmerston, con la buona occasione che egli tornava da

Napoli, che egli non era stato in nessun carcere, in nessun ergastolo, che aveva dato per veduto da lui quello che gli avevano detto i nostri rivoluzionari».

Come dire: abbiamo scherzato. Il problema è che certa storiografia, dopo centocinquant'anni, continua a scherzare...

Del resto, lo stesso Petruccelli della Gattina, noto deputato della Sinistra, feroce anticlericale, scrive, riguardo al celebre Poerio, uno dei fuoriusciti più attivi nella redditizia attività della calunnia antiborbonica, che «Poerio è un'invenzione convenzionale (e chi fu con lui) della stampa anglo-francese. Quando noi agitavamo l'Europa e la incitavamo contro i Borboni di Napoli, avevamo bisogno di personificare la negazione di questa orrida dinastia, avevamo bisogno di presentare ogni mattina ai credenti leggitori d'una Europa libera una vittima vivente, palpitante, visibile, che quell'orco di Ferdinando divorava ad ogni pasto. Inventammo allora il Poerio [...]; fu creato da cima a fondo. Il Poerio reale ha preso sul serio il Poerio fabbricato da noi, in dodici anni, in articoli a 15 centesimi la linea. Lo hanno preso sul serio coloro che lessero di lui, senza conoscerlo da presso. L'ha preso sul serio quella parte della stampa che si era fatta complice nostra, credendoci sulla parola. Ma capperi! Che l'abbia preso sul serio anche Cavour!»[267].

A furia di calunniare, se ne convincevano davvero perfino loro stessi. E queste sono testimonianze al di sopra di ogni sospetto, visto che la prima è di Gladstone in persona, e la seconda di un esponente della più accanita schiera anticlericale e antiborbonica.

La motivazione fondamentale di queste calunnie era naturalmente quella politica. Perfino Omodeo ce lo conferma, tra le righe: «Bisognava rompere il nodo per cui si voleva che Roma prima che all'Italia appartenesse al mondo cattolico, e rompere i cosiddetti interessi cattolici che avevano nel '49 chiamato quattro eserciti sotto Roma repubblicana. Una campagna d'opinione doveva precedere ogni azione italiana su Roma»[268].

Peraltro, invano Ferdinando II e i suoi ministri invitarono ripetutamente diplomatici, giornalisti e governanti di tutta Europa a Napoli per verificare di persona le condizioni dei prigionieri e la correttezza delle procedure penali: nessuno si degnò mai di mettere piede nel Regno. È noto inoltre che Settembrini, durante il soggiorno nelle orribili carceri napoletane, poteva tranquillamente tradurre le opere di Luciano e dividere i dolciumi che gli venivano regalati con il direttore del carcere per tenerselo buono, mentre Spaventa traduceva Hegel e Spinoza[269].

Certo, Ferdinando condannò a morte il suo attentatore Agesilao Milano e fu l'unica eccezione dopo il 1848; ma ciò che rimane inaccettabile è il fatto che questo assassino sia stato proclamato poi dai Savoia «eroe nazionale» e la famiglia beneficiata (non fecero però altrettanto, i Savoia, con Gaetano Bresci...). Ma c'è dell'altro, e ovviamente non può non riguardare Roma.

Del resto, contro Pio IX nessuno superò mai Cavour. Fu il conte, al ritorno dal Congresso di Parigi nel 1856, a indirizzare alla Camera una nota verbale in cui si accusava lo Stato Pontificio di essere un'oscura teocrazia, incapace e oppressiva, dove il laicato non aveva alcuna partecipazione, e chiedeva ufficialmente che la Romagna venisse separata dallo Stato Pontificio; più spregiudicato ancora fu Cavour nei celebri fatti di Perugia del 1860, in forza dei quali lo statista si inventò di sana pianta il pretesto per invadere lo Stato Pontificio. Ricasoli, da Firenze, inviò nella città umbra uomini prezzolati per creare disordini durante i plebisciti per l'annessione, costringendo naturalmente la guardia pontificia all'intervento per difendere la pubblica quiete. Appena risaputo ciò, Cavour non ebbe problemi a scrivere al cardinale Antonelli che, siccome le popolazioni umbre e marchigiane non potevano celebrare i plebisciti per l'annessione al Piemonte in quanto soggette al rischio di violenze, allora il Regno di Sardegna, confinante ormai con lo Stato Pontificio, doveva intervenire per prevenire i rischi, anche perché dei «mercenari» erano stati assunti dal Pontefice contro i ribelli di Perugia (peccato che i «mercenari» di cui parla Cavour erano gli zuavi, i volontari da tutta Europa arruolatisi nell'esercito regolare pontificio). Antonelli rispose senza paura e con fermezza, dicendo a Cavour che egli in realtà sapeva bene come i fatti di Perugia fossero stati provocati da lui stesso, e come non esista nessuna legge al mondo che impedisca a uno Stato sovrano di servirsi di stranieri. Ma ormai l'esercito piemontese era già in marcia verso le Marche...[270].

È Cavour, d'altronde, che organizza ogni forma di provocazione possibile per indurre nel 1859 l'Austria alla guerra, e questa del resto decide di attaccare per prima solo in quanto perfettamente consapevole che il conflitto ci sarebbe comunque stato a causa delle intemperanze piemontesi, e quindi preferisce riservarsi il vantaggio della prima mossa (peraltro, come dimostra bene O' Clery nel suo libro in varie pagine dedicate alla descrizione degli eventi bellici, la guerra fu vinta in sostanza dalla Francia, e solo per l'inettitudine del comandante austriaco).

All'invito di Napoleone III a entrare in guerra, il Primo ministro inglese Lord Malmesbury, avversario del Palmerston, risponde che era stato il Piemonte a volere e a provocare in tutti i modi la guerra, ripagando così la generosità che l'Austria aveva avuto dopo la disfatta di Novara con il nuovo re sabaudo: «Col violare i trattati di estradizione con l'Austria; col proteggere i disertori del suo esercito; col raccogliere in Piemonte tutti i sovversivi d'Italia; con i minacciosi discorsi contro il governo austriaco e le ostentate dichiarazioni di esser pronta a ingaggiare battaglia contro la potenza e l'influenza dell'Austria, la Sardegna ha provocato la tempesta e ne è profondamente responsabile al cospetto delle nazioni europee»[271].

Cavour, spesso presentato come l'anima moderata del Risorgimento, subì il processo inverso a quello che solitamente accompagna la vita degli uomini politici (specie nel XIX secolo), la cui maturazione li induce ad abbandonare gli estremismi giovanili per rivedere le proprie posizioni sotto una luce sempre più conservatrice.

Cavour, al contrario, da giovane è un liberale fortemente aristocratico; in economia è per il giusto mezzo e simpatizza per un cattolicesimo liberale molto blando. Con il passare degli anni, si avvicina sempre più al protestantesimo (in realtà allo scetticismo totale), quindi aderisce alla Rivoluzione italiana; una volta al potere, attua il «connubio» con la sinistra di Rattazzi e inizia la sua personale guerra al clero cattolico, venendogli meno anche gli scrupoli giovanili nell'avere a che fare con rivoluzionari d'ogni sorta (tranne Mazzini[272]); inoltre, negli ultimi anni di vita, divenne sempre più marcato in lui l'animo accentratore e totalitario, fino a riunire nella propria persona le cariche di Capo del Governo, ministro degli Interni, degli Esteri e anche della Guerra! Perfino Omodeo riporta il seguente giudizio: «Un antico oppositore del Cavour dovette riconoscere che nel Parlamento subalpino il ministro del re parlava come qualche anno prima non avrebbe osato neppure un deputato d'estrema sinistra»[273].

Non è vera naturalmente la tesi della *vulgata*, secondo cui il conte dovette subire la sceneggiata dei Mille; fu lui a volerla o, comunque, una volta venutone a conoscenza, si impegnò a guidarla e assisterla, anche contro il suo stesso governo, nel quale non pochi esponenti erano piuttosto perplessi e spaventati di ciò che stava accadendo. Fu lui a dare ordine a Persano di proteggere e sostenere costantemente la spedizione garibaldina con le navi piemontesi; a organizzare il complotto contro Francesco II delle Due Sicilie, il giovane re abbandonato e tradito dai suoi più vicini collaboratori, e pure da qualche parente di sangue, complotto messo poi in pratica dal marchese di Villamarina, ambasciatore sardo a Napoli, e coinvolgente il Primo ministro napoletano Liborio Romano, il conte di Siracusa, zio del re, Nicola Nisco, vari generali, e altri ancora; e tutto ciò mentre il Regno delle Due Sicilie era in pace con il Regno di Sardegna. Non solo. Come afferma Scirocco[274], Cavour nel giugno del '59 aveva proposto al nuovo re delle Due Sicilie, Francesco II, un'alleanza militare contro l'Austria.

In realtà il conte, nel corso dei precedenti anni del suo governo, aveva già tentato di organizzare l'invasione del Regno delle Due Sicilie, Stato amico del Regno di Sardegna, senza motivazione di alcun genere; aveva di fatto permesso e controllato il folle tentativo di Pisacane; stava sicuramente già meditando – almeno nelle linee generali – la futura spedizione garibaldina; e chiese, come appena detto, al novello re – giovane e senza esperienza – un'alleanza militare contro gli Asburgo.

Né era tipo da farsi scrupoli per i legami di sangue o per la tenera età delle fanciulle. Inviò a Parigi come spia personale la diciottenne cugina – così giovane e già amante di Vittorio Emanuele – per sedurre anche l'Imperatore dei francesi. Scrisse in proposito Cavour a Luigi Cibrario, ministro degli Esteri, il 22 febbraio 1856: «Vi avverto che ho arruolato nelle file della diplomazia la bellissima contessa di Castiglione invitandola a *coqueter* e a sedurre, ove d'uopo, l'imperatore; le ho promesso che ove riesca avrei richiesto pel suo padre il posto di Segretario a San Pietroburgo. Ella ha cominciato discretamente la sua parte al concerto delle Tuileries di ieri»[275].

Si potrebbe continuare a lungo, e altre cose diremo in seguito[276]. Per il momento chiudiamo questo paragrafo con le seguenti parole di Montalembert, davvero efficaci nello svelare il meccanismo intrinseco della macchina ordita da Cavour per realizzare il Risorgimento italiano[277]: «Il dramma si svolge in tre atti: la diffamazione, l'invasione, il voto. Ogni atto ha i suoi attori: gli scrittori, i soldati, i votanti.

«I dettagli del procedimento sono noti a tutti. Un sovrano viene accusato; si dice che il suo governo è manchevole, intollerabile; che i sudditi sono scontenti, oppressi, esasperati.

«Egli si regge soltanto sulle armi straniere, è privo di forza morale e materiale, è perduto. In tal modo il sovrano è diffamato e, se l'accusa viene da un governo, ogni mattina duemila giornalisti la riecheggiano presso due milioni di lettori. Improvvisamente si dice che questo debole sovrano comincia a diventare minaccioso, che sta preparando un attacco, che sta arruolando soldati; da oggetto di pietà divien causa di timore... Si prendono le dovute precauzioni, si valicano le sue frontiere. Ecco il secondo atto: l'invasione del suo territorio. Divenuti padroni del suo territorio, se ne consultano i sudditi. Siete contenti? No. Volete esserlo? Sì. Causa delle vostre disgrazie è Pio IX; Vittorio Emanuele sarà la causa della vostra felicità: lunga vita a Vittorio Emanule! Il dramma è finito, e cala il sipario. I sudditi vanno a dormire romani e si svegliano piemontesi, soggetti, come questi, alle tasse e alla coscrizione obbligatoria»[278].

3. Un altro «nuovo italiano»

Affermò Giuseppe Garibaldi in un discorso elettorale il 22 febbraio 1867 a Firenze: «Come la nostra lotta coi clericali tiene oggi sospeso tutto il mondo civile; così la nostra vittoria su Dio sarà l'acclamata rivendicazione della libertà di co-

scienza e il trionfo della ragione sul pregiudizio»[279].
Vediamo chi è costui, che era convinto di vincere Dio.

Da giovane, dopo aver partecipato al tentativo mazziniano di invasione del Regno di Sardegna, Garibaldi si mise dapprima a fare il pirata al seguito del bey di Tunisi[280] e poi fu costretto a fuggire in Sudamerica per non finire impiccato. Quindi si coinvolse prima nel furto di cavalli in Perù (dove, una volta arrestato, gli vennero tagliati i padiglioni delle orecchie, come si usava allora per i ladri), e poi praticò la pirateria per il commercio degli schiavi asiatici[281].

Nel 1844 venne ufficialmente iniziato alla loggia massonica di Montevideo: diverrà Gran Maestro onorario del Grande Oriente d'Italia e anche *Gran Jerofante* della Massoneria di rito egiziano. Non molto altro si sa sugli anni della sua vita prima del 1848, quando arrivò il suo grande momento.

Partecipò alla guerra contro l'Austria, e come è noto alla difesa della Repubblica romana, finita con la fuga verso il Nord con Anita, sulla morte della quale può essere di singolare interesse venire a conoscenza del seguente episodio a dir poco inquietante: «L'autopsia del cadavere parlerà del rinvenimento di un corpo femminile che presenta la trachea rotta e una lividura circolare intorno al collo, segni "non equivoci" di morte per strangolamento»[282]. Se veramente così fosse, chi e perché poteva avere interesse a strangolare Anita?

Finita miseramente la rivoluzione del '48, ritornò alle sue precedenti attività, riprendendo a navigare tra il Perù e la Cina. Che cosa commerciava? «All'andata trasportava guano, al ritorno trasportava cinesi per lavorare il guano [...]. Insomma, un lavoretto un po' da negriero»[283].

Nel 1857 fonda con La Farina la Società Nazionale, che si riconosceva nel motto «Italia e Vittorio Emanuele»; di fatto, quindi, Garibaldi tradiva il suo passato di repubblicano rivoluzionario per aderire al partito piemontese come uno dei massimi esponenti (cosa, questa, che lo allontanò definitivamente dal Mazzini).

Finalmente la spedizione dei Mille. Scrisse nell'ottobre 1882 il massone Pietro Borrelli, sotto lo pseudonimo di «Flaminio», sulla *Deutsche Rundschau*: «Non si deve lasciar credere all'Europa che l'unità italiana, per realizzarsi, aveva bisogno d'una nullità intellettuale come Garibaldi. Gli iniziati sanno che tutta la rivoluzione di Sicilia fu fatta da Cavour, i cui emissari militari, vestiti da merciaiuoli girovaghi, percorrevano l'isola e compravano a prezzo d'oro le persone più influenti»[284]. E il deputato della Sinistra Boggio, criticando il generale per il suo odio a Cavour e riferendosi alla spedizione dei Mille, si chiedeva: da chi ebbe «i cannoni e le munizioni da guerra? E le somme ingenti di denaro? [...] Perché, Generale, entraste in Napoli senza colpo ferire?». Chi ha fatto in modo che «i capi delle truppe» disperdessero «le loro truppe?»[285].

Da alcuni stralci di lettere di La Farina a Cavour e ad altri massoni si evince la disperazione di costoro per quello che Garibaldi stava combinando in Sicilia. Un esempio per tutti. Troviamo scritto nella lettera ad Ausonio Franchi del 17 luglio 1860[286]: «Garibaldi dichiara pubblicamente che non vuole tribunali civili, perché i giudici e gli avvocati sono imbroglioni; che non vuole assemblea, perché i deputati sono gente di penna e non di spada; che non vuole niuna forza di sicurezza pubblica, perché i cittadini debbono tutti armarsi e difendersi da loro»[287].

Seguirono gli anni della gloria e dell'inattività, a parte i fatti dell'Aspromonte (dove in verità fu più vittima che carnefice), le brutte figure nella guerra del 1866 e quella ancora peggiore sempre a causa di Rattazzi nel 1867. Gli era stato fatto credere dai fratelli Cairoli che i romani stessero già con le armi in pugno ad aspettare lui, l'eroe, e da Rattazzi che stavolta il governo non lo avrebbe abbandonato[288]. A Roma non v'era un solo romano che lo attendesse; anzi, accolsero ostilmente i Cairoli, mentre nel Lazio la popolazione prese sì le armi, ma per unirsi ai francesi (inviati nel frattempo da Napoleone III: era la seconda volta che il Nizzardo dava credito a Rattazzi e di nuovo faceva fallimento) contro i garibaldini. Lo stesso Garibaldi, nel suo scritto *Il governo del monaco*, ammise amaramente che tutto il popolo romano si schierò «con i preti».

Inoltre, quando il generale pontificio Kanzler entrò in Monterotondo, dopo la battaglia di Mentana, trovò le chiese saccheggiate e profanate dagli uomini di Menotti Garibaldi[289]. Scrisse il corrispondente di un giornale londinese: «Gli abitanti salutarono l'arrivo del generale Kanzler come quello di un liberatore. Erano stati derubati di tutto dai garibaldini, e le offese fatte alle loro donne li avevano particolarmente esasperati»[290].

Quando si diede poi l'occasione di occupare davvero Roma, il 20 settembre 1870, il governo italiano naturalmente nemmeno lo convocò, approfittando del fatto che il generale se ne era andato in Francia a combattere contro i tedeschi di Bismarck nella speranza di ottenere Nizza come compenso, fra le invettive di Mazzini e soprattutto di Crispi e del governo italiano, che al contrario avevano ovviamente riposto proprio in Bismarck la speranza di strappare Nizza alla Francia sconfitta.

Per il resto va ricordata, fra le sue iniziative parlamentari, la proposta di deviare il Tevere da Roma: i tecnici che analizzarono il suo piano lo invitarono gentilmente a tornare a Caprera[291].

Dopo gli eventi del 1860, Garibaldi passò molto del proprio tempo a girare, a parlare e a scrivere (nonché a praticare lo spiritismo, da *Gran Jerofante* qual era[292]). Girava un po' ovunque, sia in Italia sia all'estero, o per pronunciare discorsi o per tenere a battesimo nuove logge massoniche. Infatti, nel frattempo, era diventato il massone più famoso del mondo, e anche il Gran Maestro *honoris causa* del Grande Oriente d'Italia. A parte i pochi, sgrammaticati nonché furiosi discorsi parlamentari, tutta la sua arte oratoria si risolse sempre, negli ultimi vent'anni di vita, a trattare un solo unico tema in ogni occasione e luogo: la guerra ai preti!

Tutto qui è Garibaldi dopo il 1860, null'altro.

Anzi no, v'è un'altra cosa da ricordare. La famigerata proposta del «milione di italiani in armi!». In pratica, si era messo in testa che la nuova Italia dovesse avere permanentemente, oltre all'esercito ufficiale, un altro milione di uomini in armi pronti di continuo alla guerra. Inventò il mito della *Nazione in armi*. A coloro che – anche della sua parte politica – gli chiedevano perché ci fosse bisogno di una «Nazione in armi», cioè contro chi occorresse stare in armi; o anche a coloro che – sempre a sinistra – gli rammentavano insistentemente l'esigenza del pacifismo propugnato dall'Internazionale socialista, egli rispondeva: «Si faccia guerra alla guerra quando l'Italia sarà costruita; ma oggi il grido d'ogni italiano, dalle fascie alla vecchiezza dev'essere: "Guerra al prete"»[293].

Del resto l'anarchico Proudhon, in una lettera a Herzen nel 1861, così lo definiva: «*Grand cœur, mais de cervelle point*»[294]; e Costantino Nigra in una lettera a Cavour: «*Ce Garibaldi n'est bon qu'à détruire*»[295]; mentre Crispi, scrivendo da Palermo nel luglio 1860, osservava: «La piccolezza della sua mente è una sventura. Grande, omerico sul campo di battaglia, si eclissa nei giorni di pace»[296].

Ma veniamo a quello che divenne il vero scopo della sua vita dopo il 1860: la guerra al clero, col grido di battaglia: «I preti alla vanga!».

In un opuscolo – di chiaro stampo massonico – intitolato appunto *Garibaldi e i preti*[297], dopo aver il redattore ricordato varie associazioni anticlericali da lui tenute a battesimo (di cui una denominata «Fra' Dolcino»), troviamo scritto: «Si può affermare che un solo odio, vivissimo e intrattabile, aveva nutrito nel suo gran cuore, l'odio contro i preti. Si potrebbe compilare, in prova, tutto un grosso volume, tanto abbondano i documenti». Ebbene, senza compilare un grosso volume, ci limitiamo a riportare solo qualche esempio fra i centinaia possibili.

Una volta, in un discorso all'Associazione dei diritti dell'uomo in via Due Macelli a Roma, propose di sopprimere la Legge sulle Guarentigie e «il guarentito», il culto cattolico, e di devolvere completamente tutti i beni del clero italiano: «il grido d'ogni italiano, dalle fascie alla vecchiezza, dev'essere: guerra al prete. Il prete è la personificazione della menzogna. Il mentitore è ladro. Il ladro è assassino; e potrei trovare al prete una serie d'infami corollari»[298].

Ci conferma poi il laico Gorresio[299] che, nei suoi discorsi e nelle sue lettere, il generale ripeteva sempre il medesimo concetto di fondo: lo scopo della nuova società italiana doveva essere la soppressione del Papato e dei preti. Scriveva ad Alberto Mario: «Nessuna libertà vi deve essere per gli assassini, i ladri, i lupi e i compagni; ebbene i preti non sono forse più dei lupi e degli assassini nocivi al nostro Paese?». Una volta, discorrendo di un'eventuale guerra contro la Francia, avvertiva che lo sterminio dei preti avrebbe dovuto precedere il conflitto, pena la sconfitta sicura dell'Italia.

Ebbe a dire a Ginevra nel 1867 in occasione del Congresso per la pace universale: «Qui i vostri antenati ebbero animo di assalire tra i primi cotesta pestilenziale istituzione che si chiama: il Papato. A voi, cittadini di Ginevra, che vibraste i primi colpi alla Roma papale, non è più l'iniziativa che io domando: ma vi domando di compir l'opera dei vostri padri, quando noi recheremo gli ultimi colpi al mostro. Vi ha nella missione degli Italiani, che lo custodirono così a lungo nel loro seno, una parte espiatoria: noi faremo il debito nostro». Quindi presentava ai voti la seguente mozione: «Il Papato, essendo la più nociva delle sètte, è dichiarato decaduto»[300].

E ancora, parlando agli studenti di Pavia: «Nel centro di questa [l'Italia] si trova canchero chiamato Papato!... l'impostura chiamata Papato!... un nemico terribile esiste ancora... il più temibile... e strisciante come il serpe... è il Prete!»[301].

Abbiamo sopra segnalato che, oltre a girare e a tenere discorsi, l'ultimo suo ventennio di vita l'eroe dei Due mondi lo impiegò anche a scrivere, dedicandosi alla letteratura. Si mise a comporre patetiche opere anticattoliche, tutte a sfondo sessuale con Gesuiti depravati e assassini che si innamoravano di belle donne, le violentavano e poi venivano puniti dai patrioti. Anche lo stile, come universalmente riconosciuto, era semplicemente patetico. In una sua opera, ovviamente intitolata *I Mille,* dopo essersi inventato una storia di violenze sessuali perpetrate da sacerdoti durante la spedizione, sbotta con questo sfogo: «Maledizione! Quando sparirà dalla faccia della terra questa tetra, scellerata, abominevole setta che prostituisce, deturpa, imbestialisce l'essere umano? E i popoli vanno a Messa, a vespro, a confessarsi, a comunicarsi, a baciar la mano a questa emanazione pestifera dell'inferno! E ciò costituisce il potere della tirannide. Io mi nascondo, colle mani, il volto dalla vergogna di appartenere a questa schiatta di imbecilli! Che si chiamano, spudoratamente, popoli civili! E disgraziatamente il maggior sostegno del prete è la donna! La donna, la più perfetta delle creature, quando buona, ma un vero demonio quando dominata dai tentatori e traditori delle genti: i chercuti... Lo ripeto, la donna, angelo quando buona, diventa un demonio quando padroneggiata dal Lucifero dell'Italia e del mondo, il prete!».

E in *Clelia. Il governo del monaco* troviamo scritto: «Volendo costoro mantenere tutti gli uomini nell'ignoranza –

quando emergeva qualcuno che avesse ricevuto da Dio tanta intelligenza da capire le loro menzogne, quell'intelligente era da questi demoni torturato – acciò confessasse che la luce era tenebra – che l'eterno – l'infinito – l'onnipotente – era un vecchio dalla barba bianca seduto sulle nubi – che una donna, madre d'un bellissimo maschio – era una vergine – e che un pezzetto di pasta che voi inghiottivate – era il creatore dei mondi che vi passava per le vie digestive – e poi – e poi!»[302].

Volle anche redigere un testamento nel quale diceva che, ben sapendo che in fin di vita i preti ti fanno dire ciò che vogliono (chiaro è lo sprezzante riferimento al fatto che di continuo giungevano notizie di tanti fratelli massoni che, dopo una vita di acceso anticlericalismo, sul letto di morte smaniavano per avere il prete e riconciliarsi con Colui che avevano sempre combattuto), egli in piena coscienza dichiarava che voleva morire maledicendo i preti e senza sacramenti[303]: «In conseguenza io dichiaro che, trovandomi in piena ragione oggi, non voglio accettare, in nessun tempo, il ministero odioso, disprezzevole e scellerato di un prete, che considero atroce nemico del genere umano e dell'Italia in particolare». Poi dispose di farsi bruciare su una catasta di legna[304].

L'altro volto del nostro «padre della patria».

4. Tanti «nuovi italiani»...

Torniamo alla disamina degli eventi. Naturalmente, in una situazione di sovversione e anarchia come quella venutasi a creare nella Penisola, in particolare nel Meridione con i garibaldini, i nuovi signori non si attennero al letterale rispetto del settimo comandamento, tutt'altro. Quello che conosciamo è sicuramente una minima parte di ciò che avvenne in generale, ma è già sufficiente per renderne l'idea, seppur vaga[305].

In riferimento alla pratica di governo tipica della dittatura di Garibaldi a Napoli, scrive Martucci: «La facilità con cui si attingeva alle casse pubbliche per gratificare sostenitori e amici, ci porta a riflettere sulla gestione finanziaria della Dittatura [...]. Si tengano presenti due dati: innanzi tutto, quelle ingenti somme di denaro, gestite in totale autonomia, non furono mai rendicontate in modo soddisfacente. In secondo luogo [...] una parte significativa dell'emissione argentea borbonica era custodita nelle casse del Banco di Napoli: di quella massa monetaria espressa da milioni di ducati, drenata dalle autorità garibaldine di governo, si persero le tracce. Quei milioni di ducati – tra Napoli e Sicilia ci si avvicinava a una somma prossima al futuro debito pubblico dell'Italia unita – presero la strada dell'Italia settentrionale e, in parte, di Francia e Inghilterra: attraverso i noli e gli acquisti marittimi, le somme spese per armare improbabili navi battenti bandiera statunitense, gli acquisti di armi, le somme dilapidate per il vestiario. Basti solo pensare ai 60.000 cappotti comprati a peso d'oro per equipaggiare un esercito di 21/25.000 volontari e poi rivenduti immediatamente al mercato nero dagli stessi soldati». Martucci ricorda al riguardo come testimonianze del tempo affermino che molti garibaldini partirono miserabili e tornarono con le tasche piene di soldi[306].

Ma non erano solo gli avventurieri al seguito dell'eroe dei due mondi a distinguersi per il malcostume; era tutta la squadra al soldo di Cavour che non perdeva occasione per togliere alla gente del Sud ciò che era il suo pane quotidiano.

Agostino Bertani, uomo della sinistra e segretario generale della Dittatura di Garibaldi, prelevò somme ingenti di denaro pubblico per rimpinguare le casse della sinistra repubblicana, e con quel denaro non solo saldò i debiti contratti, ma poté in futuro anche fondare varie testate giornalistiche di sinistra[307].

Martucci arriva addirittura a quantificare il furto, sostenendo che a conti fatti i fondi prelevati dovevano aggirarsi intorno al mezzo miliardo di lire piemontesi del tempo, più altre varie decine di milioni di ducati: nove volte il prestito di Crimea avuto da Cavour, una cifra da capogiro, di cui parte erano anche somme private della famiglia reale lasciate da Francesco II al momento di abbandonare Napoli per Gaeta (circa 150 milioni). «Quei fondi si volatilizzarono senza lasciare tracce»[308].

Costa Cardol scrive: «La fondazione de *Il Popolo d'Italia* [giornale napoletano fondato da Mazzini dopo la conquista garibaldina nel settembre del 1860, *nda*] era avvenuta in un contesto di operazioni finanziarie non proprio cristalline. Il banchiere Adriano Lemmi [il massone più importante di allora, futuro Gran Maestro del Grande Oriente d'Italia, *nda*], giunto a Napoli un po' prima di Mazzini, si era presentato con una lettera in cui Mazzini lo raccomandava all'attenzione del dittatore, di Sirtori e di Crispi qualificandolo uomo disinteressato e "attento solo a fondare la cassa del partito", cioè a promuovere iniziative per finanziare il partito d'azione. Non esistendo allora i complessi petrolchimici o siderurgici odierni, il modo migliore per finanziare il partito era costituito dalle ferrovie in concessione, per cui lo Stato garantiva i profitti, ma assicurava contro il rischio delle perdite assicurando sovvenzioni. Ci fu un periodo in cui ogni governo provvisorio, dell'Emilia, della Toscana o del Mezzogiorno, firmò concessioni per migliaia di chilometri, dei quali poi una buona parte non fu mai costruita. Ma ogni governo provvisorio dimostrava così di favorire il progresso, creando, come si dice in linguaggio moderno, le necessarie infrastrutture. Per la causa del partito, il titolare della concessione faceva in cambio qualche sacrificio pecuniario. Oggi si chiama il "sistema della tangente"»[309].

Peraltro, Garibaldi non esitò ad appaltare al Lemmi e a suo

cognato Adami (il banchiere che fu il finanziatore ufficiale della spedizione dei Mille insieme all'armatore genovese Rubattino) la costruzione del sistema ferroviario dell'intero Mezzogiorno. Unico inconveniente fu il fatto che Cavour non la prese affatto bene, in quanto reputò la concessione garibaldino-massonico-repubblicana «spudoratamente onerosa per l'erario e il contribuente italiano». Ma il Lemmi negli anni futuri venne ben consolato mediante il possesso del monopolio dei tabacchi (e con il titolo di Gran Maestro)[310].

Occorre, del resto, ricordare anche la tragica fine che toccò a Ippolito Nievo, «provvidenzialmente» naufragato con l'*Ercole* nel marzo del 1861 con tutta la documentazione finanziaria della Dittatura.

Il malgoverno non conobbe limiti nel Meridione garibaldino, ove si verificò una vera e propria inflazione di cariche ufficiali date a uomini ben noti per la loro corruzione; si rubava ogni cosa a tutti, a partire dagli ospedali, e i soldi pubblici venivano dilapidati per comprare di tutto, perfino bastimenti, come fece Fauché; infine, un'enorme somma venne dispensata per corrompere funzionari borbonici e per fomentare tra il popolo manifestazioni antiborboniche. Né bisogna pensare che queste cose accadessero solo nel Sud in mano a Garibaldi. Fra tutte le malefatte di Farini in Emilia (tra cui omicidi), vi fu anche quella di impossessarsi dei beni del castello del Duca di Modena, facendo fondere l'argenteria ivi custodita per farne lingotti, e quella di «regalare» alla moglie gli abiti della Duchessa[311].

Ma la corruzione, malattia endemica della nuova Italia, doveva trovare radici feconde proprio nei decenni postunitari. Primi casi di corruzione grave li abbiamo già negli anni Sessanta, come quelli delle ferrovie meridionali del 1864 e 1868, il cui appalto a banchieri massoni (Bastogi, già tesoriere della Giovine Italia) fu oggetto di inchieste parlamentari, con morti misteriose e falsi testimoni, fra i quali Crispi. Con il governo Depretis la malversazione dilagò al punto da coinvolgere ogni azione finanziaria statale, perfino il concorso pubblico per il monumento a Vittorio Emanuele II. Fu poi il turno delle banche: lo scandalo della Banca Romana, della Banca Tiberina, del Banco di Napoli e di quello di Sicilia; la magistratura si rivelò complice dei corrotti assolvendo tutti, compresi Crispi e Giolitti, dall'accusa di emissione di moneta oltre il limite legale (v'è chi, fra i sospetti complici, vide anche la figura del re)[312]. Scrive Agnoli che, a partire dal governo Depretis, «corruzione e concussione, compagne pressoché inseparabili del trasformismo politico, estendendosi dal centro alla periferia, dilagarono al punto che divenne difficile trovare attività accompagnate da qualche riflesso economico a gestione o a patrocinio pubblico [...] che si sottraessero quanto meno al sospetto di non gratuite interferenze parlamentari o ministeriali, di consorterie, di manipolazioni finanziarie». E tutto ciò doveva peggiorare con Crispi e Giolitti[313].

Nella tipica saggezza popolare italica, gli insorgenti del 1799 avevano già perfettamente inquadrato su che cosa si sarebbe fondata l'*égalité* giacobina e repubblicana: ecco un passo della celebre *Carmagnola*, l'inno dei sanfedisti controrivoluzionari: «*So' venute li francise, aute tasse n' ci hanno mise, / "iberté, egalité": tu arruobbe a mmé ie arruobbe a tté!*».

Forse tutto questo (e molto altro che neanche sapremo mai) ha contribuito in qualche modo a forgiare l'identità nazionale dell'italiano figlio del Risorgimento?

5. Una Rivoluzione italiana... senza italiani

Di tutta la storia della Rivoluzione italiana, probabilmente l'aspetto che più suscita ironica indignazione sono i plebisciti sui quali si è voluto fondare l'adesione ufficiale degli italiani al nuovo Stato unitario e alla Rivoluzione che l'aveva creato. Già in precedenza abbiamo accennato al problema, affrontato in altri studi[314], ai quali come sempre rinviamo per l'approfondimento; ci limitiamo qui solo a elencare i dati numerici ufficiali, perché, come sempre, la verità fattuale parla da sé medesima.

Come già detto, la conquista e l'occupazione militare di secolari Stati legittimi e amici potevano aver luogo solo se basate su motivazioni morali e ideali imprescindibili; e tuttavia non bastava ancora. Quand'anche si fosse riusciti (e di fatto ci si riuscì) a convincere l'opinione pubblica mondiale a far finta di credere veramente e pubblicamente che gli Stati italiani – tranne il progredito e liberale Regno di Sardegna – fossero immeritevoli di sopravvivere (e in particolar modo, naturalmente, lo Stato Pontificio e il Regno delle Due Sicilie), occorreva ancora, dopo questo primo grande risultato, ottenerne un secondo, per poter sperare veramente che il nuovo Regno d'Italia potesse essere accolto nel concerto delle Potenze internazionali: occorreva dimostrare al mondo intero e alla storia che non solo era necessario liberare le popolazioni italiane oppresse da intollerabile barbarie, ma che tali popolazioni fossero contente – anzi, entusiaste – di essere liberate dai fratelli piemontesi.

Occorreva, insomma, svolgere dei plebisciti che dimostrassero uno schiacciante consenso delle popolazioni alla Rivoluzione italiana. In pratica, si trattava di affrontare, con gli usuali mezzi cavouriani e risorgimentali, la questione nodale dei problemi della Rivoluzione italiana: l'assoluta mancanza di consenso popolare.

I plebisciti di annessione al Regno di Sardegna venivano svolti a mano a mano che i territori italiani cadevano preda dei piemontesi, tra il marzo e il novembre del 1860. Su una popolazione di quasi 22 milioni di persone, votarono 2.990.307. In realtà, si tratta di una cifra considerevole, se si tiene conto che era la prima volta nella storia che accadeva qualcosa del genere.

Ciò che lascia sbalorditi, oltre al grande flusso elettorale, è il risultato finale della consultazione plebiscitaria per l'annessione al Regno di Sardegna: il 98% dei votanti scelse il «sì», scelse Vittorio Emanuele come nuovo sovrano.

Interessante è però ricordare anche che un suffragio-farsa – in senso inverso – fu imposto pure alle popolazioni di Nizza e della Savoia, perché esprimessero il loro consenso ad abbandonare il Regno di Sardegna per essere annesse all'Impero francese (Cavour fu costretto a questo passo proprio per assicurarsi l'appoggio di Napoleone III alla definitiva unificazione italiana). Finora, come si è notato, tutte le popolazioni italiane volevano in maniera pressoché totale venire annesse al Regno di Sardegna; ci si sarebbe dovuto aspettare, di conseguenza, che le popolazioni che ne facevano parte da secoli fornissero un risultato contrario a un plebiscito «di abbandono». Niente di tutto questo: anche in tale circostanza, le cose andarono perfettamente secondo i piani di Cavour; anche in questo caso le popolazioni erano in totale sintonia con i desideri dello statista piemontese: non vedevano l'ora di andarsene con la Francia...

Ecco i risultati dei plebisciti[315]: nel Nizzardo 25.743 per l'annessione alla Francia, 30 voti annullati, contrari 160, di cui a Nizza solo 11. In Savoia: 130.533 favorevoli all'annessione, 235 contrari.

Interessante però, al riguardo, è quanto racconta O' Clery. Nelle settimane precedenti il voto, vi fu in Savoia una petizione spontanea contro l'annessione che arrivò a raccogliere 13.000 firme di aventi diritto al voto. Come può essere allora che poco dopo tutti costoro siano scomparsi? Garibaldi stesso era contrario e voleva reagire, ma Cavour risolse la questione spedendolo in Sicilia con i Mille. Durante la campagna elettorale furono vietate tutte le manifestazioni contrarie alla Francia e permesse solo quelle favorevoli; vennero sequestrati tutti i manifesti ostili e affissi solo quelli a favore; nel giorno del voto, agli elettori che recavano la coccarda francese venivano offerti vino e caffè; le schede elettorali con il «sì» venivano distribuite ovunque, mentre quelle con il «no» erano introvabili o quasi. A Monte Calvario, un uomo che votò «no» fu pugnalato.

Ma torniamo ai plebisciti per il Piemonte. Ciò che sconcerta è naturalmente la percentuale dei voti favorevoli, tipica dei regimi totalitari del XX secolo. Ma ciò si può spiegare in varie maniere, e numerosi storici ormai lo stanno facendo egregiamente. Vediamo solo alcuni significativi esempi della democratica campagna elettorale svoltasi in preparazione dei plebisciti, e del modo con cui gli italiani poterono esprimere la propria volontà sulla decisione più importante di tutta la loro millenaria storia.

Nelle Marche, come testimonia *La Civiltà Cattolica*, il Commissario cavouriano Lorenzo Valerio propagandava il «sì» minacciando «carcere, multa e leva forzata contro chi rifiutasse di portare il sì; e, quel che valeva forse di più, l'intimazione di essere espulsi dai poderi e dalle terre dei loro padroni». E dopo il voto, il 13 novembre 1860, *L'Annessione Picena*, giornale controllato dal Valerio, parlava del cadavere di un sacrestano (uno dei 17 uomini che avevano votato «no» al plebiscito) ritrovato sotto la neve e commentava: «Avviso agli altri di aversi cura dal freddo».

Avvenendo la votazione in maniera del tutto visibile e dinanzi ai notabili locali, era ovvio che i cittadini e soprattutto i contadini venissero, al momento del voto, pesantemente influenzati. Inoltre, spesso vi furono più voti che votanti; in Toscana si arrivò a definire «nemico della patria e reo di morte chiunque votasse per altro che per l'annessione»[316].

Del resto, il caso della Toscana, in mano al Ricasoli, è sicuramente quello più clamoroso. Sergio Romano[317] descrive le direttive emanate da Ricasoli per controllare l'esito del voto: «Gli intendenti agricoli a capo dei loro amministrati, il più influente proprietario rurale a capo degli uomini della sua parrocchia, il cittadino più autorevole a capo degli abitanti di una strada, di un quartiere ecc. [...] ordineranno e condurranno gli elettori alle urne della Nazione in gruppi o in file più o meno numerose, ma sempre disciplinate e procedenti in buon ordine. In testa sarà la bandiera italiana; ciascuno deporrà nell'urna la propria scheda, poi si ritirerà e in un punto determinato il gruppo si scioglierà con quella calma e quella dignità che proviene dalla coscienza di aver compiuto un alto dovere». Martucci[318] ricorda inoltre che Ricasoli arrivò a sciogliere i circoli d'opinione, a sostituire i gonfalonieri, perfino ad arrestare i simpatizzanti del Granduca; solo pochi giorni prima del voto Cavour in persona intervenne imponendogli di concedere la libertà di stampa, ma è ovvio che non servì a nulla, in quanto non vi fu il tempo materiale di fondare giornali e di fare vera propaganda politica.

A parte comunque il caso limite della Toscana, ovunque si votò furono seguite le regole dettate personalmente da Cavour per guidare il voto: i suffragi dovevano avvenire in pubblica piazza, con manifesti e schede elettorali solo per il «sì», con voto pubblico dinanzi a due file di guardie nazionali, con firma pubblica e pubblica derisione in caso di voto contrario.

In Emilia-Romagna il voto venne condizionato anche mediante donazioni di viveri al popolo e con arresti mirati di dissidenti; inoltre, i capi locali mandavano i loro uomini nelle campagne per convincere, in tutti i modi, i contadini ad andare a votare[319].

E veniamo al Regno delle Due Sicilie[320].

Ovunque regnò il disordine, con continui smarrimenti di certificati (eppure, in questa situazione, non si ebbe neanche una scheda nulla!); il governatore di Caltanissetta comunicò a Mordini di aver proibito la propaganda autonomista, e dappertutto era presente la Guardia Nazionale a influenzare il voto.

A Napoli lo stesso Francesco Crispi denunciò a Bertani che Pallavicino Trivulzio, con il consenso di Garibaldi, neutralizzava in ogni modo gli avversari dell'annessione, anche mediante arresti e corruzione di popolo con soldi; si utilizzavano inoltre i soliti cartelli con il «sì» messi ovunque, perfino sui vestiti delle donne. Lo storico legittimista Giacinto de' Sivo racconta che i camorristi votavano più volte; uno giunse a dodici volte[321], mentre lo storico Buttà testimonia che furono affissi alle mura delle città principali dei grandi cartelli in cui si dichiarava «nemico della patria» chiunque si fosse astenuto o avesse votato contro l'annessione[322].

Giacomo Filippo Lacaita, avvocato di Manduria naturalizzato inglese e divenuto collaboratore di Gladstone e baronetto, fu inviato da Cavour per analizzare le motivazioni del fallimento della dittatura di Farini a Napoli; egli ci ha lasciato un resoconto durissimo contro Farini, in cui, fra l'altro, ricorda schiettamente a Cavour che i partigiani dell'annessione «rappresentano una piccolissima minoranza», e lo invita a non lasciarsi trarre in inganno dai soprusi commessi durante le votazioni.

Anche l'ambasciatore inglese Minto disse che «il voto era stato la farsa più ridicola che si poteva immaginare»[323].

Del resto, ricorda Martucci, non c'è da meravigliarsi, visto che lo storico prussiano Wilhelm Rüstow, presente alla battaglia del Volturno come comandante garibaldino, testimonia che a Caserta lo Stato Maggiore della sua divisione, formato da 51 ufficiali, aveva espresso 167 voti! Sentenzia l'ammiraglio inglese Mundy: «Secondo me, un plebiscito a suffragio universale regolato da tali formalità non può essere ritenuto veridica manifestazione dei reali sentimenti di un Paese»[324].

Diciamo pure che l'ammiraglio Mundy usa eufemistici toni da compassato gentiluomo inglese nel descrivere la situazione. Un po' più chiaro è Indro Montanelli[325]: «In realtà i sistemi a cui si era dovuti ricorrere dimostravano che le masse italiane, le quali si erano sempre rifiutate di fare l'Italia, trovavano qualche difficoltà perfino ad accettarla»[326].

È sempre più evidente che quello della mancata partecipazione popolare alla Rivoluzione italiana rimane il problema per eccellenza della nostra storia unitaria.

Scrive Paolo Mieli[327]: «È però un dato incontestabile, riconosciuto all'unanimità, che già settant'anni prima che fosse fatta l'Italia la grande maggioranza del popolo italiano era schierato dall'altra parte, si opponeva alle *élites* genitrici di quelle che avrebbero poi realizzato l'unità del nostro Paese. E li contrastava, quei gruppi dirigenti, non con la resistenza passiva, bensì con veri e propri movimenti di massa. Movimenti destinati sì a essere sconfitti, ma che, in assenza di qualcosa di eguale dalla parte del Risorgimento, lasciarono depositati risentimenti e un senso diffuso di ostile alterità che minarono alle radici lo Stato unitario [...]. Tra il 1861 e il 1915, dunque, il popolo, anziché essere una riserva di consenso, costituì un problema per le *élites* liberali che fecero l'Italia. Con conseguenze drammatiche nella definizione dei modi di fare e di intendere la politica»[328].

Si comprende ora fino in fondo il senso delle parole dell'Omodeo sulla «élite eliatica» che si sostituisce agli italiani. È questo il meccanismo dell'utopismo rivoluzionario: un piccolo gruppo vuole imporre a un intero popolo la propria visione della società (preparata a tavolino, avulsa dalla realtà storica tradizionale); l'intero popolo non è d'accordo con l'imposizione rivoluzionaria e sovversiva? E allora vuol dire che l'intero popolo sbaglia, è «apostata», e che solo il piccolo gruppo incarna in sé la nazione tutta. L'intero popolo sarà convinto ad accettare con mezzi sicuri e decisi.

E perché avvenne tutto questo? Perché mai sarebbe dovuto ripetersi il rischio della primavera del 1848, vale a dire di un'Italia unita nella fede e nei suoi sovrani legittimi. Da qui, in fondo, nasce tutto il dramma finora analizzato.

Veramente Roberto Martucci ha indovinato il titolo di un suo libro: *L'invenzione dell'Italia unita*. E veramente si può ora iniziare a capire meglio il senso delle parole di d'Azeglio: «Fatta l'Italia, restano a fare gli italiani».

Capitolo VII

LA SECONDA GUERRA CIVILE ITALIANA

«Questa si chiama guerra barbarica,
guerra senza quartiere.
Se la vostra coscienza non vi dice
che state sguazzando nel sangue,
non so più come esprimermi».

Giuseppe Ferrari

Che cosa ci poteva attendere da tutto quanto descritto in precedenza? Un popolo in festa per la sua raggiunta unità? Una nuova nazione con una forte identità condivisa? Un nuovo Stato amato in cui i cittadini sentono di voler vivere e per cui sono pronti a dare la vita se necessario?

Naturalmente tutto questo è proprio ciò che non avvenne. Anzi, avvenne il contrario, specie nel Meridione. Nacque un problema, un grosso problema: i meridionali non erano d'accordo. Non erano d'accordo con Settembrini, Ricciardi, Trinchera, Crispi e soci. Non erano d'accordo a divenire piemontesi. Forse ci si accorse molto presto che le chiacchiere sulla negazione di Dio potevano convincere tutti: ma non i meridionali, che sotto i Borbone vivevano. E per i quali furono pronti a prendere le armi e a morire. A morire contro il Regno d'Italia, contro i Savoia, contro Cavour e Garibaldi.

Ebbe inizio così la Seconda guerra civile italiana, settant'anni dopo quella fra insorgenti e giacobini. Nel frattempo, però, il Regno d'Italia era ormai nato: il nemico quindi non era più come nel 1799 un invasore (i francesi): erano gli italiani stessi, italiani che venivano dal Nord.

1. L'inizio della Questione meridionale

Non si vuole svolgere naturalmente una storia della conquista del Sud; sarà sufficiente limitarsi semplicemente a mettere in risalto alcuni aspetti volutamente occultati.

Al di là del fatto che fra i fantastici Mille conquistatori del Regno delle Due Sicilie solo 56 erano meridionali[329], non è neanche necessario dilungarsi sulla mitologica conquista di un intero Regno da parte di mille eroi invitti. Mille uomini, probabilmente, non conquisterebbero realmente nemmeno la collina di Posillipo, qualora i napoletani decidessero di resistere; lo dimostrarono tra il 13 e il 23 gennaio del 1799, quando per reprimere l'insorgenza dei Lazzari occorse la concentrazione in massa di ben tre eserciti napoleonici nella città, e si vinse solo dando fuoco alle case e costringendo in tal maniera la gente a uscirne per venire immediatamente fucilata, provocando 10.000 morti in pochi giorni (più 1.000 fra i francesi). I garibaldini ebbero in sostanza un unico serio scontro militare, sul Volturno, e se vinsero fu anche in quell'occasione per la viltà degli ufficiali borbonici traditori e per l'intervento di un vero esercito, quello piemontese agli ordini del Cialdini.

Oggi è universalmente noto; tranne i manuali di storia che ancora si attardano sulle fantasiose ricostruzioni della *vulgata* per continuare a indottrinare le giovani menti, tutti riconoscono quelle che furono le reali ragioni per cui Garibaldi poté arrivare a Napoli (in treno) e conquistare un Regno con qualche morto: corruzione e viltà degli ufficiali borbonici, sostegno militare, finanziario e logistico del governo piemontese, indiretto, ma concreto appoggio della marina britannica[330], schierata in minaccioso assetto bellico prima innanzi al porto di Marsala e poi a quello di Napoli. Senza tutto questo – e altro ancora: l'appoggio fornito dalla mafia in Sicilia e dalla camorra a Napoli – i Mille, essendo uomini come tutti gli altri e non titani, non sarebbero neanche sbarcati a Marsala, o, nella più benevola delle ipotesi, una volta sbarcati di sorpresa, sarebbero stati ributtati in mare subito dopo: non dimentichiamo che l'«Armata di Mare» delle Due Sicilie era seconda in Europa solo a Francia e Gran Bretagna e l'esercito contava fino a 120.000 unità effettive.

La realtà storica, evidentemente, è un'altra[331]. Senza considerare che l'11 maggio 1860 nel porto di Marsala sono presenti due navi inglesi che impediscono alla fregata napoletana Stromboli di aprire il fuoco sui garibaldini che sbarcano, occorre ricordare che da quel momento i garibaldini non incontrarono nessuna seria resistenza fino a Napoli, in quanto gli ufficiali borbonici responsabili delle truppe si rifiutarono quasi sempre di contrastare concretamente l'invasore (furono peraltro tutti ampiamente premiati con splendide carriere nel neonato esercito italiano)[332].

Così fece l'Acton a Marsala; così il Lanza – che disponeva di 20.000 uomini – a Palermo: si arrese senza colpo ferire, e firmò l'armistizio a bordo, guarda caso, di una nave britannica; così il Ghio, comandante del campo trincerato di Soveria Mannelli, che disponeva di 10.000 uomini[333].

Commenta con il suo usuale spirito Massimo d'Azeglio in una lettera a Michelangelo Castelli il 17 settembre 1860: «Nessuno più di me stima ed apprezza il carattere e certe qualità di Garibaldi; ma quando s'è vinta un'armata di 60.000 uomini, conquistato un regno di 6 milioni, colla perdita di otto uomini, si dovrebbe pensare che c'è sotto qualche cosa di non ordinario, che non si trova dappertutto, e non credersi per questo d'esser padrone del globo»[334].

«Qualche cosa di non ordinario»: si tratta di tre milioni di franchi francesi (dati a Garibaldi in piastre d'oro turche a Genova prima dell'imbarco)[335] e di un milione di ducati, nelle mani dell'ammiraglio Persano, ai quali occorre aggiungere le 300.000 lire-oro procurate a Milano dal banchiere Garavaglia e consegnate direttamente a Garibaldi: ecco che cosa ha conquistato il Regno delle Due Sicilie.

Al di là del fatto che gli ufficiali borbonici avevano quasi tutti un'età molto avanzata, il problema del loro tradimento è ormai una pagina acquisita della storia risorgimentale. Ma la corruzione non spiega tutto, così come l'appoggio delle marine piemontese e britannica (pur determinante); come si rilevava prima, lo stesso Martucci fa notare che l'invasione garibaldina era sostenuta in Sicilia dalla mafia latifondista, e a Napoli dalla camorra controllata dal ministro Liborio Romano, il quale giunse a sostituire la polizia borbonica con delinquenti che mantenevano il controllo della città[336].

Del resto, i siciliani ebbero ben presto modo di pentirsi della fiducia che avevano riposto nei loro «galantuomini» mafiosi, che li avevano messi nelle mani dei galantuomini piemontesi con la promessa della distribuzione delle terre ai contadini. Quando il 4 agosto 1860 nel villaggio agricolo di Bronte i contadini insorsero per ricordare agli invasori le loro promesse, Nino Bixio non ebbe problemi a far strage di contadini inermi (oltre a far violentare le donne) in nome del progresso sociale che veniva a liberarli dalla barbarie borbonica.

Quello fu un giorno storico per i siciliani: ebbero modo di capire in quali mani erano caduti (si ribellarono ancora nel 1866 a Palermo, al grido di «Viva Francesco II» come anche di «Viva la Repubblica»; andò peggio: il generale Cadorna, al comando di 40.000 soldati, prese a cannonate i palermitani uccidendone a centinaia, mentre migliaia furono i deportati)[337].

Martucci e O' Clery descrivono molto bene il gioco di Cavour: probabilmente non fu proprio sua l'idea della spedizione di Garibaldi, ma una volta venutone a conoscenza seppe, al suo solito, trarne il massimo vantaggio, non solo non ostacolandola, ma (come detto) favorendola di nascosto.

Naturalmente, il governo di Torino non doveva apparire in alcuna maniera; anzi, doveva pubblicamente condannare l'azione come atto di pirateria internazionale (quale esso era a tutti gli effetti[338]: e così fece all'inizio), salvo poi vedere come sarebbero andate le cose.

Cavour fu chiarissimo con l'ammiraglio Persano: seguire da lontano l'intera vicenda, sostenere nascostamente Garibaldi facendo mostra di condannarne l'operazione; se le cose fossero poi andate male, la condanna sarebbe stata totale; in caso contrario, si sarebbe gettata la maschera...[339].

Cavour pensò a tutto: a partire dai milioni per corrompere gli ufficiali borbonici e dalle due navi procurate dalla Compagnia Rubattino di Genova – alle cui azioni in borsa partecipava anche il governo di Torino – fino a ottenere l'appoggio di Napoleone III e della Gran Bretagna[340]; provveduto al 98% dell'operazione, a Garibaldi non restava altro che compiere il rimanente 2%: marciare tranquillamente dalla Sicilia a Napoli. E ci riuscì. Come si è detto, arrivò a Napoli in treno, quasi senza colpo ferire. Certo, dopo l'arrivo a Napoli dovette affrontare l'unica battaglia vera della spedizione, quella sul Volturno, e ne uscì vincitore.

Tuttavia, la battaglia del Volturno fu in realtà vinta da Cialdini, il quale conservava anche una lettera di Garibaldi dove questi lo ringraziava per l'aiuto fondamentale fornito[341]; inoltre, fu sempre l'esercito regolare piemontese ad assediare e prendere Civitella, Messina e Gaeta, le uniche tre fortezze del Regno che opposero eroica e fedelissima resistenza agli invasori (e fu sempre Cialdini a sconfiggere e a massacrare i primi insorgenti filoborbonici nel Molise, i quali avevano già distrutto alcuni battaglioni inviati da Garibaldi).

Ma come andarono le cose sotto la dittatura di Garibaldi e dei garibaldini? Al riguardo le testimonianze sono numerosissime, e tutte concordi: valgano due per tutte. Così La Farina, braccio destro di Cavour e fondatore con Garibaldi della Società Nazionale, descriveva a Carlo Pisano la situazione il 12 gennaio 1861, quindi a conquista quasi ultimata: «Impieghi tripli e quadrupli di quanto richieda il pubblico servizio [...]; cumulo di quattro o cinque impieghi in una medesima persona [...]; ragguardevoli offici a minorenni [...]; pensioni senza titolo a mogli, sorelle, cognate e fino a fantesche di sedicenti patrioti»; e ad Ausonio Franchi il 3 febbraio: «I ladri, gli evasi dalle galere, i saccheggiatori, e gli assassini, amnistiati da Garibaldi, pensionati da Crispi e da Mordini» sono «introdotti ne' carabinieri, negli agenti di sicurezza, nelle guardie di finanza e fino nei ministeri»[342]; e lord Minto[343], ambasciatore inglese e favorevole a Garibaldi, descrive – in un dispaccio del 15 ottobre al Russell – la situazione a tinte fosche: «Le malversazioni, la corruzione e l'oppressione sono più grandi nell'attuale momento, di quanto non lo fossero nel passato regime»[344].

A questo punto bisognerebbe raccontare una delle pagine più drammatiche e commoventi della storia degli italiani: quella dell'eroica resistenza borbonica a Gaeta (oltre che nelle fortezze di Messina e Civitella del Tronto), con la dignitosa abnegazione dimostrata dal Re Francesco II delle Due Sicilie e dalla moglie Maria Sofia di Wittelsbach (sorella dell'imperatrice Elisabetta, la Sissi che tutti conosciamo), che spese ogni giorno dell'assedio tra i feriti nell'ospedale, curandoli personalmente, e conquistando la devozione di tutti i sudditi; e, per converso, descrivere l'indegno comportamento di Cialdini e dei piemontesi nei confronti dei borbonici (continuarono a bombardare gli assediati anche durante le trattative di pace, facendo saltare in aria l'ospedale con i feriti dentro), oltre che quello di Vittorio Emanuele II nei confronti del cugino, suo alleato e amico, e, come lui, legittimo re per grazia di Dio del più antico regno italiano. Ma sono costretto per brevità a rinviare il lettore interessato ai migliori studi in materia[345]. Mi limito a sottolineare l'eroica abnegazione dei due giovanissimi sovrani in quei tragici giorni a Gaeta (vi andarono soltanto per salvare l'onore, certamente senza nessuna speranza di vittoria) e il fatto che Francesco II, lasciando Napoli, non aveva portato nulla con sé, neanche i beni personali e aveva perfino lasciato i suoi soldi ai napoletani (puntualmente rubati, come abbiamo segnalato)[346].

I sovrani lasciarono il porto di Gaeta al suono della marcia reale di Paisiello con ventuno salve di cannone, mentre tutto un popolo piangeva e salutava[347].

«Il Regno delle Due Sicilie aveva così cessato di esistere, lasciando attoniti e senza patria milioni di contadini meridionali, mentre buona parte dei notabili cittadini si apprestava a chiedere un'adeguata collocazione nel nuovo organigramma politico e amministrativo dell'Italia unita»; e, si può aggiungere, già metteva da parte i pochi soldi con cui di lì a poco si sarebbe impossessata delle terre degli aristocratici fedeli e della Chiesa, per poi trarre a rovina economica milioni di contadini che più non conobbero che cosa fossero commiserazione e umanità, e per i quali unica salvezza rimase l'emigrazione.

2. La grande strage

Il cattolico liberale Alessandro Manzoni, fervido sostenitore del Risorgimento di fronte alla politica anticattolica dell'Italia unitaria, volle dedicare l'ultima opera della sua vita proprio alla difesa della Rivoluzione italiana, istituendo una sorta di paragone storico con quella francese[348]. Lo scrittore, condannando con l'usuale sagacia e preparazione la Rivoluzione francese per il suo totalitarismo ideologico e per la sua conseguente violenza (Manzoni, peraltro, nella sua acuta condanna, si limita a esaminare quanto accadde nel 1789, ritenendo superfluo il dover anche solo prendere in considerazione le follie susseguenti a quell'anno, essendo tutto una logica conseguenza e riprova degli errori dell''89), vorrebbe al contrario presentare la Rivoluzione italiana come di gran lunga superiore alla prima, sia perché essa non è mai caduta nel totalitarismo ideologico, sia perché, sempre a differenza dell'altra, ha centrato i propri obiettivi senza gravi spargimenti di sangue e stragi di popolo.

L'opera manzoniana è divisa quindi in due parti: nella prima svolge la condanna della Rivoluzione francese; nella seconda, avrebbe dovuto dimostrare la positività di quella italiana. Manzoni, però, questa seconda parte non l'ha mai scritta: secondo alcuni studiosi ciò accadde in quanto non ne ebbe il tempo; per altri, invece, avvenne perché si sarebbe trovato in grave contrasto con sé stesso (come può un'intelligenza come quella del Manzoni scindere in maniera così netta la causa dall'effetto?). In ogni caso, quel che si può dire di certo è che Manzoni – noto per la profonda conoscenza degli eventi storici della Rivoluzione francese (si dice sapesse a memoria i nomi di tutti i deputati della Convenzione) – nella realtà dei fatti non conosceva (o fingeva di non conoscere) gli eventi e gli uomini di quella italiana, che pure aveva vissuto in prima persona. Quanto avvenne nel Meridione d'Italia fra il 1860 e il 1870 ne è la riprova.

Effettivamente, fino al 1860 grandi stragi non erano avvenute, per il semplice fatto che il popolo non aveva partecipato – se non in maniera ridotta e del tutto ininfluente – al Risorgimento, né aveva fatto alcunché di simile a quanto accadde in Italia ai tempi delle insorgenze controrivoluzionarie.

Fino al 1860. Poi però qualcosa cambia, in quanto le popolazioni del Meridione, dinanzi all'avanzata garibaldina prima e alla fuga a Gaeta di Francesco II e all'arrivo dei piemontesi poi, iniziano a prendere posizione, e lo fanno armi in pugno. Il problema è che non si schierano con i vincitori e con i verbosi sostenitori del popolo e del progresso. Si schierano invece, esattamente come sessant'anni prima, dalla parte della Chiesa cattolica e della monarchia legittima. Per questo furono chiamati – come avvenne per i vandeani nel 1793 e per gli insorgenti nel 1799 e 1806 – «briganti».

E cominciarono le stragi, che poco ebbero da invidiare a quelle francesi giustamente condannate dal Manzoni. Come però già detto a proposito delle insorgenze, non è certo qui possibile fare un completo compendio del problema, il quale, del resto, è stato già esaurientemente trattato ed esistono numerosi studi che descrivono il tutto con accortezza e dovizia di particolari, a partire dal saggio di Franco Molfese, unico caso in cui uno storico non controrivoluzionario, bensì marxista, ha raccontato la verità sulla Controrivoluzione italiana (anche se, naturalmente, nella solita chiave interpretativa socio-economica)[349].

Si esporrà pertanto solo il quadro generale di questa immane tragedia, che ha sconvolto in maniera determinante la storia civile e sociale del Meridione italiano. Evidenziamo subito alcuni aspetti fondamentali, per ordinare le idee:

- Il termine «brigantaggio» è solo una strumentale confusione ideologica tra l'aspetto sociale e quello politico del fenomeno, cominciata con Robespierre in Francia durante la Controrivoluzione vandeana (l'«Incorruttibile» definiva briganti i nobili, il clero, i borghesi e i contadini ribelli al suo

Terrore), proseguita al tempo delle insorgenze e, quindi, soprattutto con la rivolta meridionale antiunitaria;

- la rivolta in realtà riveste proporzioni straordinarie e ha inizio nell'agosto del 1860[350], subito dopo l'arrivo dei Mille: nel complesso, al culmine della guerra civile, le bande comandate da capi raggiunsero il numero di 350, coinvolgendo decine di migliaia di persone, delle quali morirono tra le 20.000 e le 70.000; il Regno d'Italia, da parte sua, dovette inviare *in loco* fino a 120.000 soldati per reprimere la guerriglia;
- nella primavera del 1861 la rivolta divampa in tutto il Regno peninsulare; in agosto è inviato a Napoli con poteri eccezionali il generale Enrico Cialdini: inizia una spietata repressione militare, fatta di eccidi e distruzioni di paesi e centri ribelli[351], di fucilazioni e incendi, di saccheggi e incitazioni alla delazione, di arresti domiciliari coatti (la prima volta nella storia italiana) e di distruzioni di casolari e masserie, compresa l'eliminazione del bestiame dei contadini per la loro rovina materiale;
- particolare attenzione è data alla guerra psicologica, con proclami pieni di terribili minacce (sempre, peraltro, puntualmente messe in atto) accompagnati da foto di ribelli trucidati con famiglie, al fine di terrorizzare i «manutengoli», cioè coloro che aiutavano i ribelli;
- arriva poi la proclamazione dello stato d'assedio nel 1862: quasi l'intero Regno (compresa la Sicilia senza alcun motivo) è posto sotto una legge marziale di inaudita crudeltà;
- nel 1863 si istituisce la Commissione parlamentare di inchiesta sul brigantaggio (Massari), voluta certo dalla Sinistra – che denunciava i tremendi massacri dei contadini perpetrati con il consenso del governo – ma al fine di screditare la Destra e mettere il Meridione in mano a Garibaldi; la Destra dapprima la ostacolò, poi la manipolò, e diede la colpa del «brigantaggio» a Francesco II e a Pio IX;

- conseguenza della Commissione fu la legge Pica, massima espressione della sanguinaria repressione: essa prevedeva, fra altre cose, la fucilazione immediata di chi fosse colto con qualsiasi tipo di arma in mano, anche se non aveva commesso nulla, nonché l'arresto e la deportazione di parenti fino al terzo grado dei «briganti», oltre alla distruzione delle loro case e masserizie;

- «brigantaggio» e repressione dureranno comunque fino al 1870 (con un nuovo picco nel 1868), e i dati generali sono gravissimi;

- la storiografia ufficiale liberale e filorisorgimentale (F.S. Nitti, B. Croce e altri) spiega il fenomeno come un fatto di delinquenza comune, frutto di sobillazione reazionaria; quella marxista (Gramsci, Candeloro, Molfese ecc.) come espressione di rivolta proletaria;

- alla resistenza partecipò il fior fiore dell'aristocrazia legittimista europea, fra cui: il conte Henri de Cathelineau (discendente dell'eroe della Vandea), il barone prussiano Teodoro Klitsche de La Grange, il conte sassone Edwin di Kalckreuth (fucilato nel 1862), il marchese belga Alfred Trazégnies de Namour (fucilato nel 1861), il conte Emile-Théodule de Christen, i catalani José Borjés (definito «l'anti-Garibaldi») e Rafael Tristany, e tanti altri ancora[352];

- le motivazioni reali – senza voler escludere di principio anche elementi di carattere sociale e ricordando che senz'altro fra i ribelli vi furono efferati delinquenti nel senso letterale del termine – sono però più profonde e sono naturalmente quelle religiose e legittimiste: il popolo odiava liberali e «galantuomini» perché, fin dai tempi dei napoleonici, avevano oppresso e vilipeso sempre la religione, profanando chiese e reliquie; la presenza di frati e preti è costante nelle raffigurazioni popolari della guerriglia, così come i vessilli delle bande di guerriglieri esprimono sempre soggetti religiosi; anche

La Civiltà Cattolica espresse sempre la propria simpatia per la rivolta. Manifesta fu la fedeltà delle popolazioni meridionali alla spodestata Casa di Borbone delle Due Sicilie.

a) Dati generali

Risulta che nella sola Basilicata, tra il 1861 e il 1863, furono fucilate 1.038 persone, uccise negli scontri 2.413, incarcerate 2.768 e condannate al confino 525, di cui 140 donne[353]; nel Napoletano, secondo la relazione dello stesso Cialdini, 8.968 furono i fucilati (fra cui 66 preti e 22 frati), 10.604 i feriti, 7.112 i prigionieri, 918 le case bruciate, 6 i paesi interamente arsi, 2.905 le famiglie perquisite, 12 le chiese saccheggiate; 13.629 i deportati, 1.428 i comuni posti in stato d'assedio[354].

Martucci tenta un interessante calcolo generale sull'intero fenomeno della Controrivoluzione antiunitaria, e arriva alla conclusione che il numero dei meridionali caduti (in combattimento o per condanna a morte) oscilli tra «una cifra minima di 20.075 e una massima di 73.875 fucilati e uccisi in vario modo. Vale a dire un numero comunque molto superiore alla somma dei caduti in tutti i moti e le guerre risorgimentali dal 1820 al 1870»[355].

b) Leggi & proclami

Tutta la repressione nel Meridione era peraltro in sé essenzialmente illegale, visto che, pur essendo lo Statuto albertino stato esteso alle province meridionali nel 1860, la libertà individuale, l'inviolabilità del domicilio, la libertà di stampa e quella di riunione vennero calpestate e abolite, sostituite da arresti di massa, perquisizioni domiciliari, sequestro di giornali d'opposizione e scioglimento di riunioni politiche. Solo nel mese di luglio del 1862 venti importanti giornali vengono sequestrati trentasei volte. A tutto questo va aggiunta la sospensione dell'articolo 71 dello Statuto, architrave dell'equilibrio giurisdizionale del regno: «Art. 71 Statuto albertino, 4 marzo 1848: "Niuno può essere distolto dai suoi giudici naturali. Non potranno perciò essere creati tribunali o Commissioni straordinarie"». Commenta *La Civiltà Cattolica*: «Hanno uno Statuto scritto che dovrebbe governarli, ma che è lettera morta»[356].

Ma, oltre a ciò, quello che più impressiona ancora oggi è il tenore dei proclami con i quali Cialdini, Pinelli, La Marmora e altri terrorizzavano le popolazioni in nome della libertà rivoluzionaria. Vediamone solo alcuni per avere un'idea generale.

L'8 settembre 1860 (quindi agli inizi del fenomeno) a Teramo compare il seguente bando: «Qualunque cittadino prenderà le armi per avversare in qualsiasi modo il presente movimento italiano, sarà dichiarato nemico della patria, e come tale condannato alla fucilazione. Una commissione militare permanente procederà immediatamente con rito sommario alla punizione dei colpevoli».

Altro bando del 2 novembre 1860, sempre a Teramo, del governatore Pasquale Vigili: «Tutti i comuni dove si manifestino movimenti reazionari, o briganteschi, sono dichiarati in istato d'assedio. [...] I reazionari presi con le armi alla mano saranno fucilati. [...] Gli spargitori di notizie allarmanti [...] saran considerati come reazionari, arrestati e puniti militarmente e con rito sommario». In una corrispondenza del 10 novembre 1860 de *La Civiltà Cattolica* si riproducono, fra altre cose, alcuni passi di articoli di giornali e lettere private:

1) una lettera di Cialdini al governatore del Molise nella quale è scritto: «Faccia pubblicare che fucilo tutti i paesani armati che piglio, e do quartiere soltanto alle truppe. Oggi ho già cominciato».

2) Un articolo dell'*Union* di Parigi, ove si afferma che finora nelle Due Sicilie erano già state uccise «per vendetta politica» non meno di 3.000 persone, di cui 700 solo per ordine di Bixio.

3) Un articolo dell'*Unione* del Bianchi Giovini in cui si diceva: «Bixio ammazza a rompicollo, all'impazzata [...] fa moschettare tutti i prigionieri stranieri che gli capitano fra le unghie, e tira colpi di pistola a quei suoi ufficiali che osano far motto di disapprovazione». Fin qui la rivista dei Gesuiti.

Ecco un «bando-tipo» del generale Pinelli: «Il maggior generale comandante le truppe ordina: 1. Chiunque sarà colto con armi da fuoco, coltelli, stili o altre armi qualunque da taglio o da punta, e non potrà giustificare di esservi autorizzato dalle autorità costituite, sarà fucilato immediatamente. 2. Chiunque verrà riconosciuto di avere con parole, con denari e con altri mezzi eccitato i villici a insorgere, sarà fucilato immediatamente; 3. Egual pena sarà applicata a coloro che con parole od atti insultassero lo stemma dei Savoia, il ritratto del re o la bandiera nazionale italiana».

O' Clery parla di «terrore piemontese»: riporta alcuni proclami[357] contro il «brigantaggio», molti dei quali emanati non dal governo centrale, ma da Cialdini in persona a nome di esso, senza nemmeno proclamare la legge marziale o lo stato d'assedio. Già nel 1860 Cialdini, ancora durante la guerra di conquista, aveva fucilato a Isernia tutti i contadini trovati con le armi in pugno.

Ecco altri esempi di proclami. Il generale Galatieri da Teramo nel giugno 1861: «Vengo per difendere l'umanità e il diritto di proprietà, e per sterminare il brigantaggio [...]. Chiunque ospiti un brigante sarà fucilato senza distinzione di età, sesso o condizione e le spie faranno la stessa fine. Chiunque, essendo interrogato e abbia conoscenza dei fatti, non collabori con la forza pubblica per scoprire le posizioni e i movimenti dei briganti, vedrà la sua casa saccheggiata e bruciata». Uno dei proclami del famigerato colonnello piemontese Fumel (famoso in tutta Europa per la sua crudeltà) fu così commentato da Baillie Cochrane alla Camera dei Comuni inglese nel maggio 1863: «Un proclama più infame non aveva funestato i giorni più tristi del Terrore giacobino in Francia». Così cominciava: «Il sottoscritto, essendo stato incaricato di distruggere il brigantaggio, promette una ricompensa di lire 100 a chi possa portargli un brigante, vivo o morto. Lo stesso compenso andrà al brigante che ucciderà il compagno e la sua vita sarà risparmiata. Coloro che, in violazione di ciò, diano asilo o qualsiasi mezzo di sussistenza ai briganti o li vedano o sappiano come possono aver trovato rifugio e non informino le autorità civili e militari, saranno immediatamente fucilati. Tutti gli animali dovranno essere condotti nei depositi centrali con scorta adeguata. Tutte le capanne dovranno essere bruciate [...]. È proibito portare pane o altro genere di provviste fuori dall'abitato del comune, e i trasgressori saranno considerati complici dei briganti». E si consideri che il Parlamento di Torino prima disapprovò un tale proclama, ma poi lo autorizzò.

I proclami sono tantissimi, e allora O' Clery[358] ha fatto una cosa molto utile, schematizzandone il contenuto generale comune a tutti: «Da questi proclami appare che le misure adottate per la soppressione del cosiddetto "brigantaggio" furono: 1) fucilazione, con o senza processo, di tutti coloro che erano presi con le armi in pugno; 2) saccheggio delle città e dei villaggi ribelli; 3) arresto, senza processo o imputazione, delle persone sospette e dei «parenti dei briganti»; 4) equiparazione a complici di briganti, e punizione con la morte o il carcere a tutti coloro che: a) possedessero armi senza licenza; b) lavorassero senza permesso nei campi di determinati distretti; c) portassero in campagna cibo superiore a quanto bastasse per un pasto; d) serbassero provviste di cibo nelle capanne; e) ferrassero cavalli e possedessero o trasportassero ferri di cavallo senza licenza; 5) distruzione delle capanne nei boschi, obbligo di murare tutti i casolari isolati, allontanamento degli uomini e del bestiame dalle piccole fattorie, e raccolta del medesimo in luoghi sorvegliati dall'esercito; 6) incriminazione di qualsiasi comportamento neutrale, e trattamento dei presunti neutrali come amici e complici dei briganti; 7) rigida censura sulla stampa».

Superfluo ricordare come questi «signori», celebrati in tutti i nostri libri di storia e tramite migliaia di vie e piazze a loro dedicate in tutta Italia, oggi finirebbero senza dubbio alcuno sotto processo al Tribunale dell'Aja per crimini contro l'umanità e altro ancora.

c) Il problema dei prigionieri

Abbiamo già accennato ai morti e alle distruzioni. Ma ai prigionieri, che cosa toccava in sorte?

Del problema stranamente nessuno parla, nemmeno gli autori legittimisti, tranne qualche accenno fuggevole del padre Buttà. I prigionieri furono circa 50.000 borbonici più 18.000 pontifici, tra ufficiali e soldati; 10.000 soldati napoletani vennero rinchiusi nei forti di Ponza e Ischia, e qui lasciati al tifo, al colera, ai pidocchi e alla dissenteria. Vittorio Emanuele II e Cavour li definivano «canaglia», La Marmora «feccia» e «branco di carogne», «brodaglia» per Farini[359].

I prigionieri stranieri furono subito rilasciati, così come quelli appartenenti ad alte famiglie. Non tutti, però: Farini, quando era Luogotenente a Napoli, considerava ogni prigioniero, fosse anche un generale in carica borbonico, come un ribelle senza patria, e questo ancor prima della caduta di Gaeta.

Iniziarono poi le deportazioni al Nord: una trentina di alti ufficiali nobili furono deportati senza processo. Cominciò quella che *La Civiltà Cattolica* definì significativamente: «La tratta dei napoletani».

Decine di migliaia di uomini finirono nelle regioni settentrionali, ammassati in prigioni gelide dove soffrirono letteralmente la fame e la sporcizia.

Scrive Martucci, riportando brani di una lettera di un testimone insospettabile, il La Marmora, inviata il 18 novembre 1860 a Cavour, dopo aver visitato le carceri di Milano: «Trovandosi di fronte a 1.600 soldati borbonici in condizioni indescrivibili, tutti coperti di rogna e di vermina, moltissimi affetti da mal d'occhi o da mal venereo»; con sua grande sorpresa questo «branco di carogne», «questa canaglia», «questa feccia» rifiutava di arruolarsi tra le truppe sarde; i prigionieri «pretendevano aver il diritto di andar a casa perché non volevano prestare un nuovo giuramento, avendo giurato fedeltà a Francesco II».

Ma il generale La Marmora evitava di dire se quei soldati così malati erano stati affidati a medici militari piemontesi, come del resto non chiariva perché mai quella massa puzzolente di infelici non fosse stata rivestita[360].

Si dice addirittura che a Fenestrelle fossero stati tolti i vetri dalle prigioni per far soffrire di più il freddo ai prigionieri e convincerli ad accettare di entrare nel nuovo esercito, ma non vi fu niente da fare[361]. Naturalmente, i sopravvissuti tra loro andarono a ingrossare le file della grande rivolta meridionale del brigantaggio.

Dopo la presa di Roma, 4.800 soldati pontifici furono deportati nelle fortezze del Nord, specie a Fenestrelle. Alla fine di ottobre del 1861 il solo campo di concentramento di San Maurizio presso Torino rinchiudeva 12.447 ex militari borbonici e, secondo *La Civiltà Cattolica,* altri 12.000 erano sparsi in altre carceri. Al 30 giugno 1861 risultavano renitenti alla leva ben 52.000 uomini[362].

Secondo l'inchiesta parlamentare, nel 1863 risultavano 1.400 detenuti a Salerno, 1.100 a Potenza, 700 a Lanciano, 1.013 a Campobasso, 11.635 a Napoli.

La stessa Gran Bretagna iniziò a inquietarsi.

Il console inglese a Napoli Bonham – sempre favorevole al Risorgimento – affermò che nelle carceri napoletane vi erano almeno 20.000 prigionieri ammassati (ma altri parlavano di 80.000), in paurose condizioni di sporcizia e fame, e moltissimi attesero il processo per anni: ne nacque a Londra un dibattito parlamentare, e furono inviati a verificare Lord Seymour e Sir Winston Barron, che confermarono tutte le denunce giunte al Parlamento inglese[363].

Concludiamo questa triste pagina della nostra storia con quanto afferma Molfese: «Fin dall'inizio della campagna meridionale, il governo di Torino aveva fatto trasportare in zone dell'alta Italia o nelle isole tirreniche i militari borbonici prigionieri di guerra [...]. Ma dal dicembre del 1861, il governo Ricasoli aveva cominciato a pensare concretamente di istituire la pena della deportazione»; poi, sotto il governo Rattazzi, il ministro degli Esteri, Giacomo Durando, aveva avviato trattative col Portogallo per istituire bagni penali nelle colonie d'Asia e in Mozambico, anche al fine dichiarato di avviare con questa scusa processi coloniali nazionali; ma non se ne fece nulla per l'opposizione della Francia[364].

d) Giudizi & commenti

Al termine di queste riflessioni sembra opportuno riportare alcuni giudizi e commenti dell'epoca sul fenomeno del «brigantaggio».

Il più noto anticlericale del Risorgimento, Giuseppe Ferrari, ebbe il coraggio di denunciare le atrocità che si commettevano nel Meridione in nome della Rivoluzione italiana. Disse in Parlamento nel novembre del 1862: «Potete chiamarli briganti, ma combattono sotto la loro bandiera nazionale; potete chiamarli briganti, ma i padri di questi briganti hanno riportato per due volte i Borboni sul trono di Napoli [...]. È possibile, come il governo vuol far credere, che 1.500 uomini comandati da due o tre vagabondi possano tener testa a un intero Regno, sorretto da un esercito di 120.000 regolari? Perché questi 1.500 devono essere semidèi, eroi! Ho visto una città di 5.000 abitanti completamente distrutta [Pontelandolfo, *nda*]. Da chi? Non dai briganti».

Nel dibattito dell'8 maggio 1863, alla Camera dei Comuni a Londra, gli oratori delle varie correnti politiche si dichiararono d'accordo con Ferrari nel considerare il brigantaggio una vera e propria guerra civile.

Affermò Cavendish Bentinck: «Il brigantaggio è una guerra civile, uno spontaneo movimento popolare contro l'occupazione straniera, simile a quello avvenuto nel Regno delle Due Sicilie dal 1799 al 1812, quando il grande Nelson, sir John Stuart e altri comandanti inglesi non si vergognarono di allearsi ai briganti di allora, e il loro capo, il cardinale Ruffo, allo scopo di scacciare gli invasori francesi».

E Disraeli: «Desidero sapere in base a quale principio discutiamo sulle condizioni della Polonia e non ci è permesso di discutere su quelle del Meridione italiano. È vero che in un Paese gli insorti sono chiamati briganti e nell'altro patrioti, ma, al di là di questo, non ho appreso da questo dibattito nessun' altra differenza fra i due movimenti».

Scrisse Massimo d'Azeglio il 2 agosto 1861 al senatore Matteucci: «La questione di tenere o non tenere Napoli, a quanto mi sembra, dipende soprattutto dai Napoletani, a meno che non vogliamo, secondo il nostro comodo, cambiare i princìpi che abbiamo fin qui proclamato [...]; a Napoli abbiamo cambiato il Sovrano, al fine di stabilire un governo sulla base del suffragio universale, ma ci vogliono sessanta battaglioni per conservare il regno, e sembra che non bastino. Ma, si dirà, che ne è del suffragio universale? Non so nulla di suffragio; ma so che a nord del Tronto non sono necessari battaglioni, e che al di là lo sono. Dunque deve esserci stato qualche errore; e bisogna cangiare atti o princìpi e sapere dai Napoletani, una volta per tutte, se ci vogliono o no. Capisco che gli Italiani hanno diritto a fare la guerra a coloro che volessero mantenere i Tedeschi in Italia; ma agli Italiani che, rimanendo Italiani, non vogliono unirsi a noi, credo non abbiamo il diritto di dare delle archibugiate in luogo di ragioni»[365].

Dichiarò ancora Ferrari in Parlamento il 29 aprile 1862: «Questa si chiama guerra barbarica, guerra senza quartiere. Se la vostra coscienza non vi dice che state sguazzando nel sangue, non so più come esprimermi».

Il garibaldino Nicotera aggiunse: «Il governo borbonico aveva almeno il gran merito di preservare le nostre vite e le nostre sostanze, merito che l'attuale governo non può vantare. Le gesta alle quali assistiamo possono essere paragonate a quelle di Tamerlano, Gengis Khan e Attila».

Mi sembra conveniente terminare con il giudizio di un uomo che certo non poteva definirsi amico dei Borbone, ma sicuramente lo era dei Savoia.

Scrisse Napoleone III al generale Fleury: «Ho scritto a Torino le mie rimostranze; i dettagli di cui veniamo a conoscenza sono tali da far ritenere che essi alieneranno tutti gli onesti dalla causa italiana». Poi racconta alcuni episodi di cui era venuto a conoscenza, come la fucilazione per chi venisse preso con troppo pane addosso, concludendo: «I Borboni non hanno mai fatto cose simili. Napoleone».

Come realisticamente osservò Settembrini, il filo che ha unificato gli italiani e li teneva insieme era l'esercito...

Sono passati centocinquant'anni e il Sud d'Italia è ancora, e più che mai, sotto «questione meridionale».

Capitolo VIII
LA GUERRA ALLA CHIESA CATTOLICA

«L'ultimo fine della Rivoluzione Italiana
è la distruzione della Chiesa».

Il Diritto, *dicembre 1864*

Questa è la definizione che Peter J. Stanlis ha dato della Rivoluzione italiana: «Una sovversione politica che tentava innanzitutto di distruggere il cristianesimo»[366].

Tutto quanto sin qui detto sarebbe da sé solo più che sufficiente per evidenziare gli errori colossali dell'unificazione degli italiani e i mali che ne sono derivati e tuttora ne derivano, per dare risposta alle denunce riportate nell'Introduzione, per fornire spiegazione della drammatica storia degli italiani uniti. Eppure, manca ancora la pagina più dolorosa e quasi più inverosimile nella realtà dei fatti, la ferita più lancinante inflitta all'identità degli italiani del XIX secolo, la causa prima della spaccatura civile e morale del nostro popolo, tutt'oggi evidentissima dinanzi ai nostri occhi: la guerra alla Chiesa e alla fede stessa degli italiani.

Come ha dichiarato Ernesto Galli della Loggia, «l'Italia è l'unico Paese d'Europa (e non solo dell'area cattolica) la cui unità nazionale e la cui liberazione dal dominio straniero siano avvenuti in aperto, feroce contrasto con la propria Chiesa nazionale [...]. L'incompatibilità fra patria e religione, fra Stato e Cristianesimo, è in un certo senso un elemento fondativo della nostra identità collettiva come Stato nazionale»[367]. Consideriamo se tutto questo è vero.

1. L'identità ferita

Più volte si è accennato a tale tema in questo studio. Ora vediamo di affrontarlo, sebbene in maniera inevitabilmente ridotta e solo funzionale al nostro discorso; del resto, vi sono molti saggi ormai che approfondiscono in maniera specifica il tema[368].

Elenchiamo alcuni dei momenti e degli aspetti fondamentali di quella che potrebbe essere considerata – senza tema di esagerare – la «Guerra di religione italiana», ovvero la Rivoluzione italiana, meglio nota come Risorgimento. In che modo si tentò, come dice Stanlis, di «distruggere il cristianesimo»?

Da questo punto di vista, abbiamo già affrontato il discorso del ruolo avuto dalla massoneria (di cui i fini anticattolici costituiscono l'essenza del pensiero e dell'azione, la ragione prima della sua stessa esistenza), dal dispotismo illuminato, soprattutto dalla politica antireligiosa del giacobinismo e di Napoleone, dallo gnosticismo mazziniano, dalla violenta politica anticattolica attuata dai rivoluzionari a Roma durante gli eventi del 1848-'49, che costrinsero, tra le altre cose, Pio IX a fuggire dopo che si tentò di ucciderlo e che si erano uccisi il suo Primo ministro Rossi e il suo aiutante mons. Palma, dall'ambiguità dell'opera e del pensiero di Vincenzo Gioberti, in particolare con il suo odio diffusivo verso la Compagnia di Gesù. Ma tutto questo è solo il preambolo (se così si può dire), anche piuttosto «disordinato», di quella che sarà invece la metodica e premeditata guerra alla Chiesa portata avanti dal governo di Cavour prima nel Regno di Sardegna e dai suoi eredi politici poi in tutta Italia.

Questa guerra avvenne per «settori», cronologici, ideali e politici, secondo un piano ben preciso di conquista laicista della società cattolica italiana: settori che possiamo suddividere in ideologico, spirituale, legislativo, politico-economico.

a) Cambiare le menti: la guerra ideologica

La storia ci insegna che tutte le grandi rivoluzioni sono sempre precedute da decenni di preparazione ideologica, finalizzata a predisporre le menti dei popoli ai concreti cambiamenti futuri, politico-sociali e/o religiosi. Ciò avvenne anche con la Rivoluzione italiana.

Così, fin dagli anni della Restaurazione iniziò una vasta diffusione di scritti e opere di sapore anticlericale, come l'*Arnaldo da Brescia* di G.B. Niccolini, e poi gli scritti di G. Giusti, V. Salvagnoli, F.D. Guerrazzi, A. Ranieri, A. Vannucci, G. La Farina, M. Amari, Giuseppe Ferrari e altri, che cominciarono a diffondere ovunque quel sentimento di sprezzo per la religione in genere e per la Chiesa in particolare tanto evidente nel nostro Paese negli ultimi centocinquant'anni.

Durante il biennio 1848-'49 iniziarono poi a diffondersi un po' in tutta Italia nuovi giornali democratici con toni apertamente anticlericali. In Piemonte: *La Gazzetta del Popolo*, che sosteneva sempre le posizioni laiciste di Cavour, compreso il progetto di abolizione di tutti gli Ordini ecclesiastici; *La Ragione*, di Ausonio Franchi, che proponeva l'incameramento dei beni ecclesiastici, il matrimonio civile, la laicizzazione delle scuole e l'abolizione dell'insegnamento della religione, lo scioglimento degli Ordini religiosi; poi ve ne erano altri, come *La Concordia*, *L'Opinione*, *L'Unione*, *Il Dirit-*

to ecc., ove si arrivava anche a trattare questioni prettamente religiose, a negare la veridicità dei Vangeli, si faceva derivare il monachesimo dalla paganità, e si chiedeva, come sempre, l'abolizione degli Ordini religiosi.

Altri ve n'erano un po' in tutta Italia: *L'Alba*, toscano, (La Farina direttore), che pretendeva lo scioglimento dei Gesuiti, la libertà di culto e il socialismo; *L'Inferno*, di Livorno, che chiedeva la secolarizzazione dei beni ecclesiastici e l'abolizione del Papato; *Il Popolano*, di Firenze, decisamente anticlericale e anticattolico, il quale chiedeva che anche il clero dovesse servire militarmente e in un articolo di Montazio, «Il Papa è morto», si sosteneva che il Pontefice dovesse essere sostituito da un'assemblea di vescovi eletta a suffragio universale, e la religione subordinata alle esigenze della politica; il *Pallade*, di Roma, era per l'abolizione del potere temporale e la confisca dei beni ecclesiastici, per la rimozione dei preti dall'insegnamento scolastico e l'incameramento dei beni delle chiese; *Il Contemporaneo*, di Roma, (direttore Sterbini), che chiedeva il solito utopico ritorno alla Chiesa primitiva, e da non dimenticare era il noto *Don Pirlone*, ferocemente anticlericale e antigesuita. E poi tanti altri, a Napoli e altrove.

Si espansero altresì ovunque le società di mutuo soccorso, associazioni di solidarismo laico al fine di soppiantare le istituzioni di carità cattoliche; infatti molti dei loro membri, specie in Piemonte, erano di religione giudaica o valdese[369].

Dopo il 1849 iniziano a diffondersi le idee di Proudhon e Ferrari (guerra a Cristo e a Cesare, in quanto la religione è ostacolo all'affermazione del socialismo e della legge agraria) e poi di Pisacane (ateismo dichiarato). Anche Giuseppe Montanelli è anticlericale, ma vuole un ritorno alla Chiesa originaria. Altri autori minori (C. De Cristoforis, P. Maestri, E. Cernuschi) iniziano a predicare che tutta la Rivoluzione italiana ha un solo scopo supremo: l'abolizione del Papato; così anche De Boni (che diffonde la *Vie de Jésus* di Renan e altre opere europee anticristiane) con l'appoggio dei valdesi e Ricciardi, che identifica apertamente la Rivoluzione italiana con la guerra al cattolicesimo e al Papato. Tutti costoro sono collaboratori de *La Ragione* di Ausonio Franchi, il cui programma era «scristianizzare l'Europa» (C. Arduini) per sostituirvi una religione razionale. Vi si riscontrano anche prime tematiche femministe[370].

Né le cose andarono meglio dopo l'unificazione: si ebbe invece una vera e propria progressione dell'aggressività laicista. Sui giornali liberali (per esempio il *Corriere Cremonese*» del 27/XI/1860) si parlò subito di abolire l'art. 1 dello Statuto (che dichiarava essere la religione cattolica religione di Stato, mentre le altre erano tollerate), di privare la Chiesa di ogni sostegno finanziario statale, di introdurre il matrimonio civile, di sopprimere l'insegnamento religioso nelle scuole, di laicizzare i riti funebri e istituire la cremazione, di abolire i conventi e di arrivare all'incameramento di tutti i beni della Chiesa cattolica, di dichiarare ufficialmente la sottomissione della Chiesa allo Stato.

In questi decenni postunitari, a parte Carducci e il suo *Inno a Satana*, si diffusero gli scritti di stampo darwinista, hegeliano, razionalista e positivista (Stefanoni, Petruccelli della Gattina, G. Pantaleo, Luzzatti, Spaventa, A. Vera, A.C. De Meis, F. Fiorentino, M. Lessona, G. Canestrini. G. Trezza, R. Ardigò ecc.): vari docenti universitari cattolici vennero destituiti e sostituiti da altri di impostazione laicista[371], presero piede anche le «Società operaie di mutuo soccorso», sullo stampo di quelle piemontesi, la cui essenza dichiarata riposava sulla laicità, vennero istituite biblioteche popolari e leghe per l'istruzione del popolo, con scuole popolari: si affermarono così la cosiddetta morale laica da un lato e il mito del *self-made man* dall'altro[372].

Nasce, sempre in questi anni, il «Movimento del libero Pensiero». «Si diffonde un movimento, che si autodefinisce del libero pensiero, e che fin dallo stesso nome si propone di condurre una lotta frontale, senza esclusione di colpi, contro idee ed istituzioni che vengono accusate di conculcare e opprimere, in nome di un principio metafisico di autorità, appunto la libertà di pensiero. Tale lotta ha perciò per fine ambizioso, non solo la limitazione, ma il vero e proprio annullamento, da realizzare magari attraverso tappe successive, dell'influenza della religione sulla società e sullo Stato»[373]. Sono costoro che, insieme alla massoneria, organizzarono tutte quelle manifestazioni, anche violente, di anticlericalismo che crearono il clima degli anni Settanta-Novanta del secolo XIX in Italia.

Molte di queste società ebbero per presidenti onorari l'anarchico Bakunin e Garibaldi. Diffondevano idee mediante riviste (*Il libero pensiero*) e libri, sia di scienza (darwinismo, materialismo, naturalismo, sociologia, psicologismo), sia di storia, contro il Medioevo e la Chiesa, e diffondevano gli scritti degli illuministi del '700, nonché le opere sulla filosofia razionalista e contro la teologia cristiana e il cristianesimo. «Un insieme di motivi tenuti poi insieme dal comune denominatore della lotta contro la Chiesa e contro la religione [...]. Gli scrittori del "Libero Pensiero" negavano qualsiasi possibilità di modifica, di miglioramento, di purificazione del cattolicesimo e dello stesso cristianesimo», ed erano perfino contrari ad appoggiarsi all'aiuto dei protestanti contro la Chiesa[374]. Si affermò anche il movimento spiritista[375].

Insomma, appare evidente come nei decenni risorgimentali e postunitari una grande campagna ideologica anticattolica venne portata avanti nel mondo culturale e politico italiano, al fine manifesto di preparare l'opinione pubblica ad accettare e sostenere non solo il processo di unificazione con tutti gli sconvolgenti cambiamenti istituzionali e politici a esso legati, ma anche una vera e propria rivoluzione spirituale delle popolazioni italiane, destinate, negli intenti dei protagonisti di quei giorni, a dover – volenti o no – abbandonare la loro plurisecolare religione in nome di ideali estranei stabiliti dalle stesse *élites* che li propugnavano.

Si stava preparando una vera e proprio ferita mortale alla peculiare identità degli italiani: vediamo ora in concreto come tale ferita venne inferta.

b) Cambiare la religione: la guerra spirituale

Sentenzia il deputato Andreotti alla Camera il 3/VII/1867: «Noi abbiamo bisogno di una rivoluzione fatta a nome di tutti i culti contro il culto cattolico»[376].

V'è un'altra pagina di questa storia, che corre parallela a tutto quanto finora detto e a quello che diremo ancora in seguito. Si tratta di un'altra arma utilizzata per condurre la «guerra alla Chiesa cattolica», un'arma sottile e poco evidente, ma più affilata e letale di quanto si possa immaginare.

L'Italia nel XIX secolo fu invasa, con la connivenza delle forze filorisorgimentali, da «stormi» di protestanti (i celebri *colporteurs*) che piombarono nella Penisola – da Nord (Svizzera, Francia, Gran Bretagna) e da Sud via Malta – con migliaia di Bibbie (accuratamente «riformate») da distribuire, con notevoli disponibilità finanziarie per fondare chiese, società di soccorso e istituzioni evangeliche. Lo scopo? Non è difficile da immaginare...

Chi ha studiato a fondo il fenomeno non è un autore di tendenze «revisioniste» né tanto meno filocattoliche, bensì il noto storico valdese Giorgio Spini, massimo esperto in materia di protestantesimo in Italia, specie del XIX secolo.

I moventi dell'appoggio inglese al Risorgimento erano i seguenti: quello politico-militare, ovvero crearsi uno Stato amico e «riconoscente» nel Mediterraneo; quello politico-diplomatico: erigere un contraltare all'egemonia continentale tanto dell'Austria quanto della Francia; ma, soprattutto, quello religioso: la speranza concreta di veder crollare «Babilonia», «*the roman papism*», l'anticristo, e quindi, di conseguenza, la speranza di protestantizzare l'Italia[377].

Inoltre, v'era la Svizzera e Ginevra in particolare. La Rivoluzione italiana si concretò in Piemonte, ovvero nello Stato più vicino (in tutti i sensi) alla Svizzera, nello Stato ove era presente la più antica e importante comunità evangelica in Italia, quella dei valdesi.

Ovviamente tutto ciò ebbe un notevole peso, da un lato, nelle scelte del «partito piemontese» e, dall'altro, nell'attivarsi senza posa per decenni ad aiutare concretamente l'*élite* rivoluzionaria nella speranza appunto di portare a termine il più grande e antico dei sogni protestanti, già fallito nel XVI secolo.

Scrive Spadolini[378]: «La conquista dell'unità, in perfetta antitesi col Papato, stimolò gli infaticabili protestanti a raddoppiare i loro sforzi, a moltiplicare le loro chiese, a diffondere dovunque le loro bibbie in volgare, a centuplicare le loro prediche, le loro concioni e i loro giornali, che non mancarono di una certa diffusione e di una certa efficacia»; ed ecco nascere la «Chiesa dei fratelli», le «chiese libere», e altre varie comunità evangeliche a fini «missionari».

A questi sforzi corrispose, come detto, pieno appoggio da parte risorgimentalista, e in particolare da parte del Cavour, che, oltre alle sue avite simpatie calviniste, ben comprendeva che per avere l'appoggio inglese occorreva pur scendere a qualche compromesso... Mentre fervono i preparativi del Congresso di Parigi, il 1° gennaio del 1856 Cavour invita Emanuele d'Azeglio a far presente ai governanti inglesi che *«si nos alliés nous abbandonnent, le trionphe de l'Autriche e du Pape sera complet. Dans dix ans nous verrons le régime des Jésuites et des inquisiteurs établi des Alpes aux Calabres. L'Angleterre ne peut vouloir de tels résultats, non seulement par esprit de justice, mais dans l'intérêt de son influence et des principes politiques et religieux qu'elle professe»*[379].

D'altronde lo stesso Rosario Romeo scrive che Cavour ben «conosceva l'influsso che i gruppi protestanti avevano sull'opinione pubblica inglese. Un argomento di politica estera di fondamentale importanza si aggiungeva dunque alle motivazioni ideologiche del liberalismo cavouriano in fatto di religione»[380].

La stessa celebre formula «libera Chiesa in libero Stato» è di ispirazione protestantica. Arturo C. Jemolo la fa derivare dal noto pastore protestante Vinet, che Cavour conobbe da giovane e che ispirò anche il pensiero di molti cattolici liberali italiani, fra cui Lambruschini e Ricasoli.

Ma veniamo al quadro fornito da Giorgio Spini[381]. Dopo aver ricordato le origini romantiche della diffusione protestantica (calvinistico-sociniana) nella Penisola con gli scritti della Staël, di Sismondi e Vieusseux, spiega come col passar degli anni subentrasse l'influenza neopietista degli *evangelicals* britannici e del *Réveil* franco-elvetico, con la dottrina di Vinet sulla libertà religiosa o quella del modello di indipendenza dallo Stato offerta dalle «Chiese libere» della Francia, della Svizzera, della Scozia o dal protestantesimo degli Stati Uniti. «Durante il trentennio successivo al 1830 vi ebbero a che fare [...] non pochi tra i protagonisti del Risorgimento: Cavour, Lambruschini, Mamiani, Montanelli, Ricasoli: perfino il Duca di Lucca Carlo Ludovico si prese una cotta solenne per il protestantesimo. Grandi speranze si accesero pertanto di una riforma religiosa dell'Italia, ora nella forma moderata di un'evoluzione del cattolicesimo in senso evangelico ed ora nella forma rivoluzionaria di una distruzione del Papato. Queste speranze toccarono il culmine di *pathos* dopo la rottura fra Pio IX e l'Italia nel 1848, il dramma di Roma repubblicana nel 1849, l'esplosione della Questione romana nel 1859-60. In parallelo, Gran Bretagna e Stati Uniti avvamparono di collere violente contro il "Papismo" e plaudirono a Garibaldi quale spada dell'Eterno contro il Borbone e il Papa. Spuntaron nuclei evangelici italiani [...] imposero con le loro iniziative un'attuazione della libertà religiosa in Italia ben più ampia di quella prevista dallo Statuto o gradita ai ministri liberali dei Savoia; dettero una sorta di avallo al Risorgimento agli occhi dell'opinione internazionale e in particolare degli *evangelicals* capeggiati da Lord Shaftesbury».

Questa politica aveva lontane radici. Spini[382] ricorda che già il 23 maggio del 1694 Vittorio Amedeo II di Savoia emanò un editto di tolleranza per i valdesi, con l'appoggio della Gran Bretagna, sotto la spinta fortemente anticurialista del conte Radicati di Passerano, precorritore della tipica figura di ministro riformatore «illuminato».

Nel Settecento gli inglesi iniziarono la loro opera di propagazione del protestantesimo nei Paesi cattolici con la diffusione capillare delle Bibbie «riformate». Il Radicati nel 1735 inviò un suo libro al nuovo Re di Napoli Carlo di Borbone per invitarlo a mettersi a capo della futura «redenzione» italiana, e Franco Venturi interpreta questo gesto come la prima affermazione settecentesca dell'unità italiana. Alle teorie di Passerano si ispirano poi Alfieri e Botta quando definiscono il cattolicesimo un pericolo per la libertà e la società laica, facendosi sostenitori pertanto di una vera e propria riforma religiosa italiana che abolisse molte superstizioni e sciocchezze papiste, fra cui la confessione auricolare, il Purgatorio, il celibato ecclesiastico. Spini insomma insinua l'esistenza di un chiaro collegamento fin dal XVIII secolo tra l'affermazione dell'influenza della politica britannica nella Penisola e l'anticurialismo settecentesco italiano.

E poi, come sempre, c'è il gioco della massoneria: «Basta pensar quante volte – per esempio a Livorno, a Firenze, a Venezia – siano degli inglesi o dei tedeschi i fondatori delle prime logge massoniche», tanto che fu proprio la presenza di protestanti nelle logge che spinse, dopo una pubblica indagine, Clemente XII alla prima condanna ufficiale della setta nel 1738[383].

Successivamente abbiamo la Rivoluzione francese e l'invasione napoleonica, che segnano l'inizio concreto delle istanze rivoluzionarie nella Penisola, anche per quel che concerne la diffusione del protestantesimo. Infatti, è proprio sotto Napoleone che i valdesi acquisirono totale libertà civile e religiosa, venendo a costituire di fatto la prima comunità italiana che in pieno si distacca dall'*Ancien Régime* «e passa in blocco al campo opposto, aderendo alla causa repubblicana con decisa unanimità di consensi»[384].

Ma, a parte i valdesi, ben più importante è il fatto che è proprio in questi anni rivoluzionari che si cominciò ad affidare cappelle abbandonate a protestanti, provocando di fatto l'inizio della «immigrazione» dei primi gruppi di calvinisti e ginevrini, come Vieusseux e Sismondi a Livorno, e tanti altri (Eynard, Orelli), specie a Napoli (1811), Bergamo, Trieste ecc.: «Si sta creando così tutto un complesso di ponti tra Italia ed Europa protestante, che neppure la Restaurazione riuscirà più a tagliare»[385]. Ugo Foscolo non sfuggì a tali contatti.

Sono inoltre questi gli anni in cui si affermò nelle classi colte, anche grazie alla pubblicazione nel 1807 dell'opera del Sismondi, il mito di Ginevra come città civilissima, ordinata, colta, religiosa e progressista allo stesso tempo; la città di Necker e Rousseau... e poi il salotto della Staël e di Constant e le loro opere, l'eco del liberalismo protestantico del castello di Coppet, tutti elementi che influenzarono non poco la fervida fantasia delle giovani menti romantiche di inizio secolo, fra cui quella dello stesso Carlo Alberto, mandato a scuola a Ginevra e affidato al pastore e naturalista Jean Pierre Vaucher[386].

Ma oltre a Ginevra v'è sempre da tenere presente l'immancabile azione britannica, che operava proprio a partire dalla Sicilia e da Malta, ove stanziavano le navi inglesi, da cui fluivano Bibbie e giornali protestanti diffusi poi da italiani convertiti[387].

Anche negli anni della Restaurazione la penetrazione continuò, nonostante l'opposizione del Metternich e dei governi. A Napoli, oltre alla Bibbia si stampavano opuscoli di propaganda della Società biblica, fino all'intervento del governo che espulse i protestanti; ma l'attività continuò clandestina, anche in Toscana. «Un autentico fiume di britanni si dirige verso l'Italia all'indomani delle guerre napoleoniche – sembra che nel 1818, soltanto in Roma, che conta tuttavia 140.000 abitanti, vi sia la bellezza di 2.000 inglesi! – e dal semplice turismo passa tosto alla residenza temporanea o permanente per le ragioni più svariate [...]. Nelle principali di queste colonie britanniche, via via che passan gli anni, sorgono comunità anglicane, con proprie cappelle e propri ministri di culto»[388].

Oltre che a Roma, comunità anglicane erano a Messina, a Palermo, a Napoli (e poi Salerno, Piedimonte d'Alife, Angri), Genova, Livorno, Firenze, Siena; si stampavano libri protestanti come il *Common Prayer Book* o storie della Riforma inglese. Inoltre anche Federico Guglielmo di Prussia, tramite il suo ambasciatore a Torino Waldburg-Truchsess, favoriva in tutte le maggiori città italiane la nascita di cappelle protestanti, di cui l'ambasciatore era presidente onorario. Insomma, si trattava di un silenzioso attacco in grande stile.

Inoltre la penetrazione del protestantesimo ginevrino proseguì per decenni grazie all'opera de *L'Antologia*, la cui influenza è evidente su autori risorgimentali come Mamiani[389], Capponi, Lambruschini[390], Ridolfi, Ricasoli[391] e Guicciardini. Non per niente, nel 1828 venne a reggere la Chiesa svizzera di Napoli Louis Vallette, antico maestro di Cavour.

Ma oltre all'immigrazione, v'era anche l'emigrazione, vale a dire il folto stuolo dei fuoriusciti italiani che andavano a trovar rifugio in terre protestanti (soprattutto Ginevra e Londra). Scrive Spini[392]: «Gli italiani che cercan rifugio in Inghilterra, a Ginevra o negli altri Cantoni protestanti sono legione. E non pochi di essi, attraverso una lunga dimora in questi Paesi della Riforma, coronata magari da matrimonio inglese o elvetico, finiscono con l'immedesimarsi profondamente con l'ambiente locale e subirne in più modi l'influenza, dal punto di vista stesso delle convinzioni etico-religiose [...]. In parte non modesta, l'Italia è stata fatta da uno stato maggiore politico e culturale, vissuto per lunghi anni tra protestanti, circondato da ogni parte di amicizie protestanti e magari accompagnato da uno stuolo di mogli e parenti protestanti».

Dopo il 1830 e l'affermazione della Monarchia di Luglio in Francia, il mondo protestante europeo si risveglia ulteriormente, ed è in questo clima che si svolge la vicenda dei contatti giovanili del Cavour col protestantesimo ginevrino[393].

Ora i protestanti passarono all'attacco vero e proprio, e su questa strada sovversiva troveranno i loro alleati naturali nei rivoluzionari della sinistra mazziniana, mentre gli ambienti più moderati matureranno l'idea di un ecumenismo da attuarsi mediante un Concilio (Lambruschini, Ricasoli)[394]. Anche Giuseppe Montanelli aderisce in questi anni al protestantesimo seguendo Eynard.

Ma non bisogna dimenticare che anche gli Usa diedero il loro contributo, fin dal 1835, mandando tramite la Svizzera pastori a predicare il Vangelo e anche il repubblicanesimo;

ciò che caratterizzava i protestanti americani era il virulento anticlericalismo: essi non per niente saranno sempre sostenitori concreti di Mazzini[395] e soprattutto di Garibaldi, che consideravano un eroe della futura «riforma» italiana, tanto religiosa quanto istituzional-repubblicana (Spini ammette che spesso i protestanti americani perseguitarono i cattolici[396]). Poi nel 1839 nasce la prima vera società finalizzata a propagare il protestantesimo in Italia: l'*American Philo-Italian Society*, e poi nel '42 la *Christian Alliance*, che presentava Garibaldi come un eroe protestante.

Così Spini descrive la situazione alla vigilia del '48: «Nel 1847 l'Italia è già circondata da una sorta d'assedio protestante, stesole attorno dall'episcopalismo anglicano, dal presbiterianismo scozzese e dall'evangelismo "libero" di Ginevra e Losanna, con un appoggio anche da parte del protestantesimo americano. All'interno della Penisola, oltre alle tradizionali comunità straniere, vi sono già due teste di ponte, costituite dai valdesi e dagli "evangelici" toscani. All'esterno, due comunità organizzate con propri organi di stampa, a Londra ed a Malta»[397].

Durante poi la fase repubblicana di Firenze, i protestanti italiani, con a capo Guicciardini, passano direttamente alla sinistra rivoluzionaria, sostenuti da Ginevra, ove era stato costituito il «Comitato per l'evangelizzazione dell'Italia»; caduta Firenze, convennero tutti a Roma, al seguito di Gavazzi, il celebre «prete» garibaldino, ormai apertamente protestante[398]. È proprio durante la Repubblica Romana che i sogni inglesi di conquista evangelica maturano definitivamente. Racconta Spini[399] che Palmerston scrisse all'ambasciatore a Parigi Lord Normanby di essere convinto che, alla caduta di Roma papale, sarebbero seguiti il crollo del Papato e il trionfo del protestantesimo in Italia. «Se parla così il politico realistico, ben lontano dai fervori sentimentali del Risveglio, si può capir che cosa passi nella mente dei pii scrutatori della Bibbia e quindi anche del libro di Daniele e dell'Apocalisse. Mazzini, Garibaldi e i patrioti italiani in genere, che combattono contro il Papa, non fanno altro che attuare, agli occhi dei protestanti inglesi, americani e talvolta anche svizzeri, il disegno provvidenziale della distruzione di Babilonia-Roma. Sono dunque lo strumento eletto da Dio per il compimento delle Scritture. Ieri la questione italiana era soltanto una faccenda politica, interessante qualche circolo di *whigs* o qualche umanitario dello stampo dello Allen e compagni. Adesso diventa una questione di fede religiosa: una battaglia, in cui si vedono tenzonare gli angeli del Signore e le schiere di Satana»; neanche le guerre carliste hanno mai «suscitato in Inghilterra qualcosa di paragonabile ai deliri italofili degli anni fra il 1849 ed il 1860». In Lord John Russell, in Lord Palmerston, e finanche nella regina e nel principe Alberto, a ovvie ragioni di simpatia per regimi liberali come quello piemontese si aggiungeva l'intervento «di fattori religiosi, i quali trasformano la lotta per il Risorgimento italiano nella crociata per il Bene contro il Male, trascinando o riducendo al silenzio quanti non condividono le idee dei più avanzati liberali italofili. Che gli operai delle *Trade Unions* acclamino furiosamente Garibaldi, non è strano davvero: ma lo straordinario è che arrivi ad applaudirlo un conservatore, come Lord Shaftesbury, e che benpensanti reverendi o zitelle dei comitati di beneficenza parrocchiali diventino paladini sfegatati della camicia rossa [...]. Da qui l'interesse storico che presenta anche la cronaca, di per sé abbastanza modesta, dei nuclei protestanti sorti in Italia nel Risorgimento. In un certo senso, sono proprio questi sparuti gruppi, a cominciare da quello valdese, a dare la firma d'avallo alla cambiale del Risorgimento italiano». E aggiunge Spini che l'aspettativa apocalittica del crollo di Roma-Babilonia era connessa per gli inglesi a quella della restaurazione «di Israele nella Terra Santa, e quindi con più o meno vaghi progetti presionistici e con l'interesse per le missioni fra gli ebrei»[400].

E l'identità nazionale italiana? Disse Pio IX in un discorso del 27 agosto 1848 agli Scolopi, per la festa di san Giuseppe Calasanzio: «Si osa introdurre in Italia, tutta cattolica, e finanche nel centro della cristianità, il protestantesimo [...]. Costoro, se dall'una parte palesano i desideri ardenti della nazionalità italiana, vorrebbero dall'altra servirsi di un mezzo abominevole, che è fatto proprio per distruggerla [...], pretendono di introdurre il pernicioso seme della separazione dell'unità della fede per ottenere l'unità della nazione»[401].

Sarebbe ora facile ironizzare, a 150 anni di distanza, sull'attuale stato di salute della Chiesa anglicana e del protestantesimo in genere. Ma ciò non interessa il nostro discorso. Ciò che invece importa è sottolineare, qualora ve ne fosse bisogno, come, ancora una volta e per un aspetto così fondamentale, l'identità nazionale degli italiani sia stata tradita e offesa proprio dai protagonisti del movimento unitario. In fondo, fra costoro, gli anticattolici e gli atei avevano diritto di cittadinanza, in quanto le loro scelte rientravano nel diritto di libertà di opinione e di coscienza. Ma l'utilizzo strumentale del protestantesimo[402], giustificato solo dall'odio al cattolicesimo e dalla necessità di accattivarsi le simpatie delle potenze straniere per unificare l'Italia (o magari solo per ingrandire il Regno di Sardegna), questo è veramente imperdonabile. Essere atei o anticattolici è una scelta personale, così come essere cattolici o di qualunque altra religione: in tal senso, si può lottare per diffondere i propri ideali. Ma lottare per far divenire gli italiani protestanti nel XIX secolo, e ciò in nome dell'unità d'Italia, rappresenta forse – sebbene in sé stesso sia un risvolto del tutto secondario della storia del Risorgimento, proprio per l'assurdità del fatto in sé – la più odiosa ed evidente riprova della colossale ipocrisia dei padri – ideali e politici – della Rivoluzione italiana.

Volere che la «nuova Italia» sia scristianizzata rientra nell'ordine degli ideali; volere un'Italia protestante – da parte di chi non possiede fede religiosa – è solo espressione di becero machiavellismo o incontrollato odio. In ogni caso, tutto questo costituisce, come rilevato, un'ulteriore ferita apportata dalla Rivoluzione italiana alla vera identità degli italiani del XIX secolo.

c) Cambiare la Chiesa: la guerra legislativa

Passiamo ora alla pagina più importante e anche, per certi versi, più sconvolgente di tutta la questione della guerra alla Chiesa condotta dalla Rivoluzione italiana: quella dei provvedimenti legislativi antiecclesiastici e anticattolici presi dal Regno di Sardegna prima e dal Regno d'Italia dal 1861 in poi. Protagonista diretto prima e maestro ispiratore poi di tale politica antireligiosa fu senz'altro il conte di Cavour, il più importante dei «padri della patria», l'artefice eminente dell'unificazione italiana.

Già nel 1848 il primo Parlamento piemontese elargisce, con la guerra ancora in corso, l'«emancipazione» degli acattolici, in particolare per gli ebrei[403], e stabilisce con decreto legislativo del 25 agosto l'espulsione della Compagnia di Gesù dal Regno con l'incameramento dei beni. Con lo stesso provvedimento, vennero sciolti o comunque perseguitati altri Ordini religiosi definiti «gesuitanti» (da questo momento, il neologismo iniziò a indicare un vero e proprio reato politico d'opinione): le Dame del Sacro Cuore di Gesù, ree di «affiliazione gesuitica», vennero anch'esse espulse dal Regno con decreto firmato dal principe Eugenio[404] e i loro beni incamerati. Perseguitati con l'accusa grave del reato di «gesuitismo» furono gli Oblati di San Carlo, gli Oblati di Maria e i «Liguoristi» (Redentoristi).

Benché il Concordato del 1817 tra Santa Sede e Regno di Sardegna prevedesse che il potere temporale non potesse intromettersi in alcun modo nelle faccende riguardanti il potere spirituale (e quindi tanto meno incamerarne i beni), benché l'art. 1 dello Statuto albertino definisse la religione cattolica «religione di Stato», e benché l'art. 29 garantisse che «tutte le proprietà, senza alcuna eccezione, sono inviolabili», già nel '48 in Parlamento si cominciò a proporre l'esproprio totale di tutti i beni degli Ordini religiosi, affermando che, siccome i beni della Chiesa appartengono ai fedeli, e questi sono cittadini dello Stato che li rappresenta, allora anche i suddetti beni devono essere gestiti dallo Stato.

Con la legge Boncompagni del 1848 si istituisce l'istruzione laica, la sottomissione degli istituti religiosi al controllo del ministero della Pubblica Istruzione (che significava che lo Stato aveva diritto di controllo anche sugli insegnanti di religione e sui relativi testi da adottare) e l'obbligo dell'esame di Stato per l'abilitazione all'insegnamento in sostituzione del giudizio favorevole del vescovo; poi furono introdotte le ispezioni dei funzionari statali e l'obbligo dell'autorizzazione per l'apertura di qualsiasi scuola. Le cattedre universitarie vennero affidate a laici (e laicisti) come Melegari, Ferrara, Mamiani, Pasquale S. Mancini ecc., i quali peraltro gestivano anche le cattedre di teologia.

Il 6 marzo 1850 venne presentato al Parlamento il progetto di legge Siccardi: il 9 aprile si abolirono il foro ecclesiastico, le immunità ecclesiastiche e il diritto d'asilo; il 5 giugno si proibì al clero cattolico di acquistare stabili e immobili senza permesso governativo e il 15 aprile 1851 si abolirono in Sardegna i contributi ecclesiastici, le decime, le immunità al clero.

Nel 1852 una petizione di 20.213 cittadini, 117 consigli comunali e 32 consigli delegati chiesero al Parlamento di votare l'incameramento dei beni ecclesiastici, la riduzione dei vescovadi, la soppressione dei conventi, e l'istituzione della leva obbligatoria anche per i chierici.

Il Parlamento istituì la Commissione Melegari per la discussione delle proposte: secondo Melegari i beni possono essere incamerati in quanto, essendo il cristianesimo «religione di Stato», deve essere lo Stato a provvedere al suo mantenimento, anche perché la Chiesa è un'istituzione di diritto pubblico, e quindi allo Stato compete stabilire quali priorità siano utili alla Chiesa (si dimenticava però che i beni della Chiesa sono sempre frutto di donazioni private, e in quanto tali non possono appartenere allo Stato né tassati).

Inoltre, conclude Melegari, per mantenere i sacerdoti è necessario diminuire il loro numero, quello delle mense vescovili, e sopprimere alcuni Ordini religiosi non più «utili» alla società. Che cosa si intendeva con l'espressione «utili alla società»?

Il criterio di utilità si basava, secondo i deputati piemontesi, sulla produttività economica e lavorativa; quindi, era giusta la soppressione di tutti gli Ordini contemplativi (e naturalmente l'incameramento dei loro beni)[405].

Nel 1853 il deputato Boncompagni fece approvare la legge che stabiliva il reddito minimo di un parroco a £. 1.000 ed – erigendosi a teologo – affermò che «la Chiesa rappresentata qual grande istituto di beneficenza, è raffigurata nel concetto che meglio corrisponde all'idea del suo fondatore». Conseguenza, è che i suoi beni devono consistere in ciò che lo Stato reputa opportuno concederle[406].

Nel 1854 il governo approvò una proposta di legge di Rattizzi, che prevedeva di modificare il Codice penale diminuendo da un lato le pene per i reati contro la religione e, dall'altro, riducendo il diritto dei ministri di culto a esprimere in qualsivoglia maniera contestazioni e critiche contro il governo[407].

Arriviamo ai giorni dell'unificazione. Nell'ormai ex Regno delle Due Sicilie nel febbraio del 1861 fu varato il blocco dei sei decreti, di ispirazione giurisdizionalista tanucciana, voluto dall'ex primo ministro di Francesco II Liborio Romano e da Pasquale S. Mancini, consigliere per gli Affari ecclesiastici, che prevedeva: l'abolizione del Concordato del 1818 e della Convenzione del 1836; la piena uguaglianza civile e politica dei cittadini di altri culti; l'abolizione di ogni privilegio di foro e l'assoggettamento degli ecclesiastici alla legge comune; la soppressione delle commissioni diocesane e il ripristino del regio economato generale per l'amministrazione dei beni delle chiese e dei benefici vacanti; la negazione della qualità di ente morale alle case degli Ordini monastici e ai capitoli delle chiese collegiate; lo scioglimento di benefici, cappellanie e abbazie prive di cura di anime o uffici ecclesiastici e la creazione di una direzione governativa della cassa ecclesiastica per l'amministrazione dei beni relativi; la soppressione delle conferenze delle missioni; la sanzione del diritto di ingerenza del potere statale nelle commissioni di beneficenza e nell'amministrazione delle opere pie laicali, negli orfanotrofi, conservatori, confraternite e pie associazioni varie[408]; e anche la proibizione ai religiosi di comunicare con le case generalizie a Roma e l'obbligo ai superiori di ogni casa religiosa di render conto al ministero degli Affari ecclesiastici di ogni mancanza disciplinare dei sottoposti.

Il 13 marzo 1861 il deputato Ricciardi propose l'incameramento dei beni ecclesiastici, l'abolizione dei Concordati tra la Santa Sede e gli Stati preunitari, una drastica riduzione del numero dei vescovi, l'abolizione di tutti gli Ordini religiosi tranne uno maschile e uno femminile, entrambi sottoposti al controllo dello Stato: ma Cavour questa volta si oppose (i tempi stavano cambiando: erano ora i giorni di «libera Chiesa in libero Stato»).

L'11 marzo 1863 l'on. Macchi (della Sinistra) chiese la soppressione dal bilancio delle spese per l'insegnamento della teologia nelle università (la richiesta non fu approvata solo perché ci si rese conto che occorreva riformare l'intera legislazione universitaria e quindi conveniva aspettare). Sempre Macchi propose il 29 luglio l'abolizione dell'esenzione della leva per i chierici. Il 24 gennaio 1864 fu stabilita l'affrancazione di ogni prestazione dovuta a corpi morali.

Il 28 aprile 1864 fu approvata la legge che obbligava gli ecclesiastici al servizio di leva (si poteva però evitare il servizio versando 3.500 lire!).

Nota giustamente O' Clery che «il pretesto per applicare questa legge al clero fu l'uguaglianza di tutti i cittadini di fronte alla legge: esisteva, però, un'altra legge che dichiarava l'ineleggibilità al Parlamento dei membri del clero, poiché, evidentemente, pareva meno consono alla dignità sacerdotale discutere una decisione o un emendamento che imbracciare un fucile»[409].

Nel 1865 gli enti religiosi furono declassati a enti pubblici e soggetti al diritto civile, e si dispensò dall'obbligo della religione le scuole superiori; chi voleva l'istruzione religiosa, doveva farlo fuori dall'orario scolastico. Vennero poi abolite le facoltà di teologia.

Il 7 luglio 1866 il Parlamento italiano approvò la legge per la soppressione degli Ordini, delle corporazioni e delle congregazioni religiose regolari e secolari.

Si soppressero 25.000 enti, e vennero colpiti 1.793 tra conventi, monasteri e case religiose maschili e femminili con 22.213 membri buttati fuori con la forza da un giorno all'altro[410], devolvendone i beni al pubblico demanio per poi metterli all'asta in tutta Italia, avvantaggiando la nuova borghesia che se li accaparrava a un prezzo bassissimo, e svantaggiando di contro le popolazioni povere che persero i diritti fino allora goduti nelle terre di proprietà ecclesiastica[411]. Il 19 luglio 1873 la normativa venne estesa anche a Roma.

Nel 1867 i deputati De Boni, Macchi e Morelli (della Sinistra) tornarono alla carica, presentando progetti di legge per l'abolizione totale delle spese di culto, l'elezione del clero da parte dei fedeli, la proibizione di funzioni pubbliche (processioni, funerali), la soppressione dei cimiteri e l'introduzione della cremazione, l'abolizione dell'insegnamento della religione nelle scuole, il divorzio.

Il 15 agosto 1867 fu decretata la liquidazione dell'asse ecclesiastico: con essa cui veniva sciolto un elevato numero di enti ecclesiastici – fra cui abbazie, priorati, collegiate, cappellanie, prelature – e i loro beni incamerati.

Nel 1871 si approvarono le norme del Codice penale sardo sull'«abuso» dei preti nelle loro funzioni, nonché tutta la normativa e le circolari atte a controllare il clero nelle prediche, nelle funzioni e nelle scuole; fu concessa piena libertà di culto alle altre religioni e definita l'ammissione dei non cattolici nell'Ordine di San Maurizio e nelle accademie militari; fu poi approvato il riconoscimento del matrimonio civile degli ecclesiastici, e la laicizzazione delle scuole delle opere pie.

Nel 1872 l'on. Mazzoleni propose per l'ennesima volta l'abolizione del matrimonio religioso, mentre Vittorio Emanuele II firmava anche la legge che prevedeva l'espulsione di tutti i religiosi e le religiose dai loro conventi: vennero confiscate 476 case e disperse 12.669 persone.

Nel 1873 furono soppresse in tutte le università le facoltà di teologia e i seminari furono sottoposti a controllo governativo; nel 1874 tutto ciò fu attuato anche a Roma[412].

Lanza propose un progetto di legge per la soppressione degli Ordini religiosi anche a Roma, secondo la legge già esistente per il resto del Regno dal 1866. Il problema era però che a Roma si trovavano le Case generalizie degli Ordini. Pio IX e il cardinale Antonelli si rivolsero a tutto il mondo cattolico protestando per la libertà della Chiesa[413].

Quintino Sella, allora, iniziò una serie di soprusi contro le chiese e i conventi romani. Furono soppressi l'educandato femminile delle suore della Visitazione con il pretesto che la direttrice era avversa a tali provvedimenti, quindi altri quattro conservatori femminili vennero chiusi per la stessa ragione; poi vennero espropriati terreni e fabbricati della basilica di Santa Croce a Gerusalemme, del Gesù, dei monasteri di Santa Marta e della SS. Annunziata di via Sforza; poi toccò all'Oratorio e alla casa dei Filippini a Santa Maria in Vallicella, al convento dei minori conventuali dei SS. Dodici Apostoli, al monastero delle clarisse dei SS. Silvestro e Stefano in Capite, alla casa e all'orto dei Signori della Missione di San Silvestro a Monte Cavallo, al monastero delle agostiniane di Santa Maria delle Vergini, alla casa dei Teatini di Sant'Andrea della Valle, al convento dei Domenicani di Santa Maria sopra Minerva.

In seguito, iniziò la discussione per il disegno di legge contro le corporazioni religiose a Roma; dopo il dibattito alla Camera, si arrivò a un compromesso proposto da Ricasoli: lo Stato non riconosceva il diritto delle Case generalizie di risiedere in Roma, ma si permetteva ai padri generali e ai procuratori di restarvi fino alla fine del mandato; i beni delle corporazioni venivano sequestrati a beneficio della Congregazione della Carità, del municipio e della Provincia di Roma, e alla Santa Sede veniva assegnata una somma di £. 400.000 per sovvenire ai bisogni dei religiosi; qualora la Santa Sede non avesse voluto usufruire della somma, questa sarebbe andata a vantaggio degli Ordini religiosi ufficialmente attivi in Roma.

Ma ciò a Pasquale S. Mancini non bastava: chiedeva non solo la soppressione dei Gesuiti, ma per loro e solo per loro la proibizione di riunione in qualunque numero di persone. Lanza si oppose per l'evidente incostituzionalità della proposta: alla fine si arrivò a negare al Generale della Compagnia di Gesù di poter restare fino a fine mandato come stabilito per gli altri. Pio IX scomunicò tutti coloro che parteciparono e contribuirono all'applicazione della legge. Furono dati quindici giorni di tempo ai Gesuiti per sgomberare i quattro conventi (Gesù, Sant'Ignazio, Sant'Eusebio e Sant'Andrea al Quirinale) e altri luoghi minori[414].

Infine si espropriarono altri sette conventi: San Marcello, Sant'Andrea delle Fratte, ciò che rimaneva dei SS. Apostoli e dei SS. Silvestro e Stefano in Capite, San Paolo alla Regola, San Pietro in Vincoli, Santa Maria in Campitelli[415].

Con l'arrivo al governo della Sinistra storica non cambiò molto sul piano legislativo, in quanto la Destra aveva già raggiunto livelli molto alti di persecuzione anticattolica; si inasprì ancor più però la persecuzione «spicciola», quotidiana, salì ancora il livello di propagazione nella società italiana dell'odio anticattolico: «Proprio in quell'anno, in quel 1877, il 15 luglio, la legge Coppino sull'istruzione primaria e obbligatoria sostituiva al catechismo per i bambini delle elementari, le "prime nozioni dei doveri dell'uomo e del cittadino", ossia adottava ufficialmente una specie di morale laica, universale, spezzando anche formalmente la continuità della tradizione cattolica»[416].

Conclude Spadolini: «Quasi a completare l'edificio della Destra storica, quasi a trarre le logiche conseguenze da una politica temeraria che non avrebbe conosciuto debolezze ed esitazioni, la Sinistra si proporrà di presentare, nel '77, di fronte alle Camere, la legge sugli abusi del clero, che non si limitava più a colpire i patrimoni ecclesiastici, a distruggere i generalati delle Case, a sopprimere gli istituti di assistenza, a chiudere i seminari e gli altri organismi educativi, ma soffocava gradualmente le stesse possibilità di contatto e di comunicazione dei parroci con i loro fedeli, si appellava alle leggi dello Stato e ai doveri dei cittadini per paralizzare e infrenare la missione apostolica del sacerdote, per impedirgli di trasmettere al suo "gregge" gli ordini o i divieti del Pontefice, sotto minaccia di gravi sanzioni personali». Pio IX quasi moribondo reagì con grandissima energia, notando che se la legge fosse passata, sarebbe finita ogni forma di libertà minimale per il clero, compreso il Papa, sottomettendolo ai capricci del potere civile; la proposta di legge passò alla Camera, ma non al Senato[417].

Nel 1889 vi fu la riforma del Codice penale (Zanardelli): si introdussero articoli sugli abusi dei ministri del culto con clausole miranti ad «ammonire il clero a non parlare del potere temporale del Papa», come disse apertamente lo stesso Crispi[418], il quale poi il 17 luglio 1890 stabilì la laicizzazione delle Opere pie.

Infine, nel settembre-ottobre 1897 vennero promulgate le Circolari Di Rudinì: la prima sopprimeva tutte le associazioni cattoliche, le quali furono dichiarate contrarie all'unità d'Italia; la seconda vietava tutte le adunanze di carattere politico che avessero luogo nelle chiese; la terza ricordava ai prefetti che la Corte Suprema di Giustizia, in recenti sentenze, aveva riconosciuto che le riunioni non strettamente religiose tenute nelle chiese erano soggette alle leggi di polizia[419]; la quarta ribadiva che qualunque riunione numerosa fatta in chiesa, anche con inviti personali, doveva essere considerata come pubblica, in quanto tenuta in luogo pubblico, e quindi potenzialmente sovversiva; nella quinta si invitava l'autorità giudiziaria a favorire l'applicazione oltranzista delle disposizioni date nelle Circolari precedenti[420].

Insomma, era la persecuzione legale[421].

Così tramontava il Risorgimento in Italia.

d) Distruggere la Chiesa: la guerra politica

Veniamo ora all'azione concreta contro la Chiesa e la religione degli italiani, che comincia fin dai primi giorni di esistenza del Parlamento piemontese.

Già nel 1848 mons. Galvano, vescovo di Nizza, era stato minacciato fisicamente per aver negato i sacramenti a un ex esiliato morto impenitente; poi il Parlamento fece illegalmente processare mons. Artico, vescovo di Asti, per immoralità, ma fu trovato del tutto innocente; quindi toccò a mons. Gianotti, vescovo di Saluzzo, querelato per un'omelia. Ma più grave è ciò che accadde a mons. Luigi Fransoni, arcivescovo di Torino, che venne condannato nel 1850 per essersi opposto all'approvazione delle leggi Siccardi a un mese di carcere e a £. 1.000 di multa: ricevette 57.000 attestazioni di sostegno e simpatia, fra cui la visita di don Bosco[422].

Mons. Fransoni fece in seguito negare i sacramenti in punto di morte al deputato Pietro Derossi di Santarosa, in quanto si rifiutava di fare adeguata ritrattazione scritta per il suo voto favorevole ai provvedimenti antiecclesiastici; il governo intervenne anche su questo: i Padri serviti (a quest'Ordine apparteneva il sacerdote che aveva rifiutato i sacramenti per obbedire alle disposizioni dell'arcivescovo) furono espulsi dalla loro parrocchia, mentre l'arcivescovo fu nuovamente arrestato e deportato nel carcere di Fenestrelle, e i beni della mensa arcivescovile sequestrati (il re approvò pubblicamente l'arresto); infine, mons. Fransoni fu bandito da tutti gli Stati regi, i beni arcivescovili confiscati, e dovette andare in esilio a Lione.

In quegli stessi giorni anche l'arcivescovo di Cagliari, Marongiu-Nurra, fu condannato per abuso e deportato per la sua protesta contro l'abolizione delle decime sarde.

Emigrò a Civitavecchia.

Fra il 1850 e il 1852 furono elaborati tre progetti di legge per regolare esclusivamente per vie legali il vincolo matrimoniale, al fine di ridurre il matrimonio a mero «contratto» giuridico. Un magistrato, il conte Ignazio Costa della Torre, scrisse un opuscolo in difesa del matrimonio cattolico: l'opuscolo venne immediatamente sequestrato e l'autore condannato a due mesi di reclusione e a £. 2.000 di multa per aver espresso una sua personale opinione a mezzo stampa (condanna peraltro puntualmente eseguita); in più, il liberale governo piemontese processava per delitto d'opinione alcuni parroci accusati di sobillare rivolte e sequestrò due giornali cattolici, *L'Armonia* e *La Campana*, mentre il conte di Camburzano venne destituito dalla carica di Gentiluomo di Corte e dovette subire un processo penale solo per aver scritto che tali progetti erano anticattolici.

Nell'estate del 1854 vi furono la confisca dei beni del Seminario di Torino e l'occupazione di alcuni conventi di monache di clausura per trasformarli in centri di ricovero per malati di colera.

Falliti i tentativi circa il matrimonio civile, il governo intraprese nel 1853 quelli per l'incameramento dei beni ecclesiastici. Il vescovo Nazari di Calabiana, noto per le sue simpatie liberali, onde evitare la soppressione e l'incameramento dei beni di molti Ordini, avanzò la proposta che la Chiesa versasse allo Stato una quota corrispondente a quanto lo Stato pensava di guadagnare con la soppressione, ed essa venne stabilita in £. 928.412 annue (per questo si chiamò «l'offerta del milione»: in pratica si trattava di pagare allo Stato una tangente per il diritto alla sopravvivenza). Vittorio Emanuele II ne fu subito entusiasta, e scrisse al Papa una lettera per convincerlo ad accettare onde evitare la chiusura di molti conventi e lo scioglimento di vari Ordini. Ma a Cavour non interessava solo l'incameramento dei beni, quanto soprattutto lo scioglimento degli Ordini; il giorno in cui la quota fu versata dai vescovi, egli diede le dimissioni determinando una crisi ministeriale; il re richiamò al governo Cavour, il quale però impose al sovrano di firmare la legge del 29 maggio 1855 che scioglieva i seguenti Ordini religiosi maschili: Agostiniani calzati e scalzi, Certosini, Benedettini cassinesi, Cistercensi, Olivetani, minimi, minori conventuali, osservanti, riformati, Cappuccini, Oblati di Santa Maria, Passionisti, Domenicani Mercedari, Servi di Maria, Padri dell'Oratorio, Filippini; femminili: Clarisse, Benedettine cassinesi, Canonichesse lateranensi, Cappuccine, Carmelitane calzate e scalze, Cistercensi, Crocifisse benedettine, Domenicane, terziarie domenicane, francescane, celestine e turchine, battistine. «Fu tolta in questo modo la personalità civile a 34 Ordini forti di 331 case e 4.540 individui. Restavano 22 Ordini con 274 case e 4.030 individui»[423]. I loro beni furono incamerati e devoluti alla Cassa ecclesiastica a scopo di culto; ma anche la Cassa ecclesiastica era proprietà dello Stato[424].

Elezioni del 1857, le prime dopo la politica anticattolica: la minoranza parlamentare cattolica raddoppiò i deputati, da 30 a 60 (mentre uomini di Cavour come il Castelli non venivano nemmeno rieletti, il Solaro della Margherita, capo dell'opposizione cattolica intransigente, era confermato in ben quattro collegi). Cavour capì ovviamente il pericolo incombente. La soluzione adottata dallo statista fu semplice: mediante l'accusa di aver calunniato il governo tacciandolo di anticattolicità e di aver messo il Paese in pericolo di guerra civile con i loro discorsi contrari al governo liberale, l'elezione di 22 deputati cattolici fu invalidata[425].

Dal 1859, con la conquista progressiva della Penisola, la legislazione anticattolica viene imposta anche negli altri Stati e regioni. Vediamone le conseguenze.

A mano a mano che si occupavano i territori italiani, subito venivano applicate le leggi piemontesi contro la Chiesa. L'11 dicembre 1860 il Commissario per l'Umbria Pepoli emanò un decreto che dichiarava soppressi «tutte le corporazioni e tutti gli stabilimenti di qualsivoglia genere degli Ordini monastici e delle corporazioni regolari o secolari esistenti», obbligando i religiosi a lasciare i conventi entro quaranta giorni. Il 3 gennaio 1861 ordinò la soppressione di tutti gli Ordini religiosi e la confisca dei loro beni.

Iniziarono così le persecuzioni al clero non piemontese. Si cominciò con gli arresti dei religiosi che si rifiutavano di far cantare il *Te Deum* o suonare le campane a festa per l'annessione al Regno di Sardegna. Scrive *La Civiltà Cattolica* alla fine di giugno del 1860: «Si desidererebbe sapere, così per curiosità, dove il governo laico di qualunque Paese di questo mondo abbia pescato l'autorità di obbligare il clero a cantare il *Te Deum* piuttosto che il *Miserere* o il *Dies iræ* in un dato giorno dell'anno»[426].

Questo l'elenco degli arrestati e perseguitati[427].

Il cardinale Cosimo Corsi, arcivescovo di Pisa, venne arrestato domenica 13 maggio 1860, festa dello Statuto, per aver vietato il suono delle campane e aver punito i preti disobbedienti. Il governo provvisorio toscano gli aveva imposto una funzione liturgica, ma egli si era rifiutato; allora Ricasoli gli mandò a dire che la funzione si sarebbe svolta ugualmente, perché era dovere del governo garantire la libertà di culto! Cavour poi, informato da Ricasoli del fatto, stabilì di estendere la legislazione piemontese anche in Toscana, (il Tecchio propose anche che il provvedimento avesse efficacia retroattiva) e gli consigliò di favorire i protestanti per accaparrarsi le simpatie inglesi. Corsi fu arrestato e deportato a Torino. Così Cavour scrisse a Ricasoli per commentare l'arresto: «L'atto è forse poco legale, ma è siffattamente conforme ai consigli della politica ch'io mi lusingo di vederlo approvato anche dai puritani parlamentari [...]. Per ora lo teniamo qui [...]. Sta quieto in convento, contento di ricevere visite di vecchie pinzocchere e di codini arrabbiati».

Il domenicano Riginaldo Barbiani, a Piacenza, per essersi rifiutato di assistere al *Te Deum*, fu condannato a un anno di carcere e a 2.000 franchi di multa. A Pieve di Cento l'abate Giovanni Gilberti denunciò due guardie nazionali per averlo importunato di notte; ma risultò prete «non cantante», e quindi fu imprigionato al loro posto.

A Cento fu imprigionato l'arciprete mons. Antonio Amadei, poi i sacerdoti rettori di Bibola e Posara in Lunigiana, un altro a Modena; varie furono ovunque le perquisizioni, fra cui nella città di Torino a don Bosco e a don Cafasso. Furono arrestati il vescovo di Comacchio e i parroci di Codignola e Bagnocavallo, nonché il parroco di Lunario; a Genova un padre cappuccino; cinque sacerdoti insegnanti nel ginnasio municipale di Faenza furono destituiti dall'impiego perché non avevano assistito al *Te Deum*.

Perquisizioni furono fatte ai Padri somaschi di Cherasco e al seminario di Piacenza; le religiose del Sacro Cuore furono fatte sloggiare a Milano e a Parma, ove fu denunciato il priore dei missionari in quanto «non cantante». A Forlì fu destituito un prete perché aveva rifiutato l'assoluzione a un volontario, a S. Giovanni Valdarno fu arrestato un cappuccino che aveva parlato in difesa del potere temporale, a Borgo Sant'Angelo don Domenico Savari fu arrestato per aver condannato l'occupazione delle Romagne, i parroci di Longiano e Gatteo furono arrestati per non aver voluto assistere al *Te Deum;* mons. Ratta, vicario arcivescovile di Bologna, fu condannato a tre anni e mezzo di carcere e a 2.500 franchi di multa, mentre a Casalpusterlengo l'arresto del parroco non poté essere effettuato per la rivolta dei contadini accorsi in suo aiuto; il capitolo del Duomo di Piacenza fu esiliato in massa per ragioni di pubblica sicurezza. Fu arrestato e processato l'arcivescovo di Imola, cardinal Baluffi[428].

Poi vi fu il secondo arresto eccellente: l'arcivescovo di Fermo, il cardinale Filippo de Angelis, assegnato a domicilio coatto a Torino. Don Bosco andò subito a trovarlo per primo quando nessuno osava. Era già stato arrestato sotto la Repubblica Romana e relegato nel forte di Ancona. Solo nel 1866, sei anni dopo, Ricasoli gli permise di tornare a Fermo.

Nel giro di una settimana, tra fine settembre e inizio ottobre 1860, il numero dei cardinali arrestati salì a cinque. Garibaldi fece deportare l'arcivescovo di Napoli Riario-Sforza, e quello di Benevento Carafa, mentre il Commissario per le Marche Valerio fece altrettanto con l'arcivescovo di Ancona, Antonucci, e con il vescovo di Jesi cardinal Morichini (che venne poi nuovamente arrestato nel 1864).

Poi toccò ai vescovi. Furono arrestati quelli dell'Aquila, di Castellammare, Andria, Sessa, Teramo, Patti, Isernia, Bovino e Sora, alcuni dei quali morirono di crepacuore o per i disagi; quindi l'arcivescovo di Salerno, e i vescovi di Avellino, Lecce, Acerenza, Nardò, Foggia, Muro e gli ordinari di Reggio, Sorrento, Rossano, Capaccio e Anglona, mentre quelli di Castellaneta e Teano furono aggrediti e feriti. Il vicario di Reggio dovette fuggire perché aveva pubblicamente pregato per Francesco II. Ad Amalfi, la salma del vescovo fu oltraggiata durante i funerali, mentre l'arcivescovo di Capua fu sepolto nel cimitero comune. Il 13 gennaio 1861 a Napoli fu arrestato un sacerdote che, al Gesù Nuovo, aveva esaltato Francesco II[429].

Alla fine dei conti, nel solo ex Regno delle Due Sicilie furono arrestati 66 vescovi nel giro di pochi mesi, nonché 200 preti, per motivi politici.

Nel gennaio 1861 i piemontesi invasero, incendiarono e profanarono l'abbazia di Casamari.

Di quei giorni è il seguente proclama del generale Pinelli

contro i preti: «Indifferenti ad ogni principio politico, avidi solo di preda e di rapina, or sono i prezzolati scherani del vicario non di Cristo, ma di Satana; pronti a vendere ad altri il loro pugnale, quando l'oro carpito alla stupida credulità dei fedeli non basterà più a sbramare le loro voglie. Noi li annienteremo, schiacceremo il sacerdotal vampiro che con le sozze labbra succhia da secoli il sangue della Madre nostra; purificheremo col ferro e col fuoco le regioni infestate dall'immonda sua bava, e da quelle ceneri sorgerà più rigogliosa la libertà». A Torre del Greco si insultò un'immagine della Vergine Maria mettendole la camicia rossa[430].

Dopo la violenza, si ricorse all'astuzia. Si invitò un personaggio allora noto, il padre Passaglia, a raccogliere fra il clero italiano firme di adesione al nuovo regime, e il Passaglia ne raccolse 8.176 di secolari e 767 di regolari.

Notò però don Margotti ne *L'Armonia* che, a prescindere dal fatto che il Passaglia era stato premiato per la sua iniziativa con il titolo di cavaliere e con la carica di professore con stipendio superiore alle 6.000 lire annue, occorreva tener presente che il clero in Italia ammontava a 120.000 unità, e che quindi proprio la raccolta delle firme testimoniava di per sé la sostanziale fedeltà al Papa del clero nazionale; inoltre molti religiosi furono ingannati, altri in seguito ritrattarono, e, soprattutto, occorre tener presente che di molte firme v'era solo il nome...[431].

Il 6 giugno 1861 morì improvvisamente Cavour a 51 anni. Il precedente 27 marzo aveva lanciato nel nuovo Parlamento italiano il suo futuro programma politico: risolvere la «questione romana» in nome del principio della «libera Chiesa in libero Stato». I suoi eredi, gli uomini del suo partito, la Destra storica, si mantennero coerenti con tali dichiarazioni e princìpi nel modo che segue.

Il 21 agosto 1862: i beni ecclesiastici vennero devoluti al

demanio dello Stato. Il 12 luglio 1862 Petruccelli della Gattina dichiarò in Parlamento che alla base della politica italiana doveva esserci la guerra alla Chiesa cattolica[432].

Nel 1862 il governo (in nome del principio «libera Chiesa in libero Stato») proibì ai vescovi italiani di partecipare a un'assemblea di tutti i vescovi del mondo che si teneva a Roma in occasione della beatificazione dei martiri giapponesi; alcuni però parteciparono ugualmente, e allora Petruccelli della Gattina propose in Parlamento tre progetti: proibizione ai vescovi di pronunciare condanne senza il permesso del presidente del tribunale civile più vicino; l'introduzione del matrimonio civile e del matrimonio per i preti; l'abolizione dei seminari. «I progetti del Petruccelli della Gattina erano preparatori a un progetto complessivo mirante a introdurre una costituzione civile del clero, che fu da lui presentato il 27 gennaio 1864»: i vescovi devono essere nominati dal ministro dei culti, e vi deve essere un unico arcivescovo nominato dal re; i beni del clero devono essere sequestrati dallo Stato, che avrebbe stipendiato i preti; le cattedre di teologia abolite, i seminari controllati dallo Stato[433].

Il 25 aprile 1863 venne presentato il progetto Passaglia: l'ecclesiastico che non giurava fedeltà al re e allo Statuto decadeva dal suo ruolo e non riceveva l'*exequatur*; altri progetti parlamentari prevedevano la soppressione delle corporazioni religiose, la proibizione della nomina di nuovi vescovi fino al varo di una legge definitiva.

A Napoli, nel 1864, fu ordinato di togliere tutte le immagini della Madonna all'esterno delle case, col pretesto che «ciò era necessario per soddisfare la pubblica opinione»[434], e furono proibite processioni e Messe. Solo nel primo quinquennio unitario, nelle province del Napoletano furono chiusi i seminari di 49 diocesi[435].

Venne poi stipulata la «Convenzione di settembre» con la

Francia, con la quale si stabiliva che, sotto promessa di rinuncia a invadere lo Stato Pontificio da parte del Regno d'Italia, l'Impero francese ritirava le sue truppe da Roma.

L'8 gennaio 1865 il ministero di Grazia e Giustizia (che significativamente fin dal 1861 aveva preso a chiamarsi anche «dei culti») del liberale Regno d'Italia emana una circolare con la quale ammoniva i vescovi italiani che né l'enciclica *Quanta cura*, né il *Sillabo* di Pio IX potevano essere letti nelle chiese senza l'*exequatur* regio. Mons. Ghilardi, vescovo di Mondovì, per aver contravvenuto, fu condannato a tre mesi e mezzo di carcere.

Il 15 agosto 1867 fu decretata la liquidazione dell'asse ecclesiastico, i cui beni venivano incamerati dallo Stato.

Settembre 1870: invasione dello Stato Pontificio. Il 20 del mese vi fu l'occupazione militare di Roma, che venne annessa al Regno d'Italia. Cadeva lo Stato Pontificio senza che un solo romano esultasse con gli invasori[436].

Nel dibattito successivo al 20 settembre per la legge delle Guarentigie[437], Pasquale S. Mancini gettò la maschera e si oppose apertamente al principio cavouriano, in quanto, affermò, lasciare libera la Chiesa significava lasciare pieno potere al Papa sul clero nazionale e quindi sul popolo italiano; invocò quindi un nuovo giurisdizionalismo (la reintegrazione dell'*exequatur* e del *placet*), mentre i deputati radicali e quelli dell'estrema sinistra si spinsero oltre arrivando a chiedere non solo la parità assoluta per tutti i culti, ma l'aperta persecuzione di quello cattolico, «da trattarsi come setta pericolosa per le sue aspirazioni temporalistiche, antiliberali, antiunitarie». Naturalmente, nella formulazione della legge, vinse lo spirito del Mancini: si considerò estinto per *debellatio* lo Stato Pontifcio, e quindi lo Stato italiano si rivolgeva al Papa come «a un suo suddito» cui concedeva privilegi[438].

Sempre in occasione della discussione sulle Guarentigie,

alcuni deputati della Sinistra proposero l'espulsione dei Gesuiti dal territorio nazionale, l'abolizione dell'insegnamento della religione nelle scuole elementari (dalle superiori era già stato escluso) con la sostituzione dell'ora di «igiene e morale civile».

Nel carnevale del 1871 a Roma, una mascherata allegorica che offendeva il Papa e Goffredo di Buglione, si trasformò ben presto in un assalto al Vaticano. All'ordine del giorno divennero ormai le offese pubbliche contro i Gesuiti e gli spettacoli indecenti contro il Papa e il clero. Addirittura uno di questi «spettacoli», intitolato la *Monaca di Cracovia*, era in pratica una messa nera[439].

In occasione delle elezioni amministrative romane del 4 agosto 1872, i cattolici avevano deciso di partecipare al voto a determinate condizioni; allora il giornale anticattolico *L'Opinione* affermò testualmente che la partecipazione dei cattolici al voto era scandalosa, in quanto essi non erano cittadini, bensì solo cospiratori. «Nella storia delle campagne elettorali, quella fu certamente da comprendere tra le più violente»[440]. Tipografie di giornali cattolici come *La frusta* furono distrutte, abitazioni di cardinali ed ecclesiastici assalite (fra cui quella del cardinale Antonelli), preti e suore venivano sistematicamente aggrediti per le strade, e furono perfino tirate delle bombe. Vennero anche diffusi libri osceni contro Cristo, come quello di Raffaele Sonzogno.

Venne fondata a Roma la «Società di Pasquino», che per il carnevale del 1873 allestì un carro che rappresentava la cupola di San Pietro sormontata da un gabbione significante la lanterna con dentro un pappagallo e sulla sommità, al posto della croce, un clistere; c'era un cartello con scritto «Indulgenza plenaria»; furono date anche rappresentazioni laide di confessioni e viatici con bestemmie e oscenità. La «Società di Pasquino» chiese poi al Comune il Colosseo per farci una festa da ballo. Il Colosseo venne così sconsacrato, al fine di ribadire la sovranità laica su Roma.

Nel 1873 venne proposto di impedire l'ingresso in seminario ai giovani con meno di 21 anni e privi di licenza liceale, per evitare che potessero essere «ingannati» dai preti.

Nel 1875 ancora Petruccelli della Gattina chiese l'abolizione di alcuni articoli delle Guarentigie, come l'esclusione dei preti dall'elettorato attivo e passivo e dall'insegnamento. Fu posta in Roma la prima pietra per il tempio protestante. Trentasei vescovi vennero destituiti perché rifiutarono di sottoporre la loro elezione all'approvazione del governo.

Alla morte di Pio IX, si pose ai cardinali il problema di dove tenere il conclave, anche perché Crispi era ministro degli Interni e Mancini della Giustizia; si pensò seriamente all'estero (Avignone, Malta, Vienna), ma il governo italiano voleva a tutti i costi che si tenesse a Roma, e così Crispi arrivò a minacciare i cardinali che, qualora fossero partiti da Roma, non avrebbero più ritrovato al loro ritorno la disponibilità del Vaticano[441].

Il 13 luglio 1881 avvenne uno dei più vergognosi e incivili episodi di tutta la storia della Rivoluzione italiana: durante il trasporto della salma di Pio IX dal Vaticano alla Basilica di San Lorenzo fuori le Mura, un manipolo di anticlericali assalì con violenza il corteo in preghiera (più di 100.000 persone, come afferma Gorresio) e tentò concretamente di gettare il feretro nel Tevere. Ne seguirono scontri violenti, e solo il tardivo intervento delle guardie poté evitare il disastro finale. In più, alcuni giovani arrivarono a imbrattare un'effige della Vergine di sterco. Mancini e Depretis incolparono i cattolici in preghiera di aver fomentato i disordini! Questo fu il commento del noto garibaldino (uno degli eroi dei Mille) Alberto Mario sul giornale repubblicano *La lega della Democrazia*: «Si trasportava la carogna di Pio IX; la sua salma imbalsamata era deposta nel sepolcro tra i fischi e le baionette, e senza le baionette dei soldati e le rivoltelle della sbirraglia sarebbe stata gettata dal carro funebre [...]. Il nostro cuore faceva eco a quei fischi. Pio IX era uno stupido. Egli personificava la Chiesa cattolica ormai ridotta ad una mostruosa sciocchezza. I clericali di Roma trassero partito dal trasporto di questo Pontefice parricida pagliaccio: furono fischiati; applaudiamo a quei fischi, ma noi avremmo applaudito ancor più se le reliquie del grande sciocco fossero state gettate dal ponte Sant'Angelo nel Tevere». Mario poi propose anche di occupare il Vaticano[442].

Il 29 gennaio 1884 furono confiscati alcuni beni di *Propaganda Fide*. Il 30 dicembre 1887 il sindaco di Roma, il duca Leopoldo Torlonia, in occasione del giubileo sacerdotale di papa Leone XIII, andò in Vaticano per presentare gli auguri della cittadinanza romana; subito la massoneria inscenò una protesta pubblica e Crispi destituì senza pensarci su il sindaco.

Ancora nel 1888 il Papa voleva lasciare Roma, ma fu sconsigliato da Francesco Giuseppe; Crispi, venuto a conoscenza della cosa, fece sapere all'ambasciatore austriaco che, se il Papa avesse lasciato Roma, non vi sarebbe più tornato.

Il 9 giugno 1889 fu inaugurato il monumento a Giordano Bruno a Campo de' Fiori, mentre nel 1892 quello a Paolo Sarpi a Venezia. Altri monumenti furono poi eretti a Savonarola e ad Arnaldo da Brescia.

Nel luglio 1895 venne introdotta la festa nazionale del 20 settembre. Il noto «patriota» Guglielmo Oberdan assalì e distrusse la sede dei giornali cattolici *Il Cassandrino* e *La voce della verità*[443].

Iniziarono a nascere i Circoli anticlericali: a Milano Lega popolare anticlericale, che aveva come organo di stampa l'*Anticlericale*, e poi divenne Nuova Lega anticlericale.

Ecco qualche nome di riviste sorte in quegli anni: *Anticri-*

sto, Satana, L'Ateo, Il Lucifero, I discepoli di Satana.

Fine-inizio secolo: sono gli anni dell'aperta persecuzione della Chiesa da parte delle forze massoniche. Scrive lo storico della massoneria R.F. Esposito, che questa «brutalizza l'anticlericalismo offendendo non solo la verità storica, ma ogni buon gusto [...]. Il ridicolo ed il disprezzo a poco a poco sommersero la massoneria», e poi aggiunge: «Oltre agli ebrei, le logge hanno un buon numero di protestanti. Si può dire senza tema di errare che le chiese protestanti d'Italia siano in maggioranza massoniche»[444]. Esempio concreto fra mille possibili: è scritto in una circolare massonica del 1° gennaio 1896 pubblicata in risposta all'enciclica di Leone XIII *Il fermo proposito*: «Non tolleriamo la formazione in Italia di un partito cattolico; esso è parricidio e menzogna [...]. No! La Conciliazione, errore e menzogna, non deve consentirsi: dobbiamo combatterla; lo Stato, secondo la mente moderna, è termine inconciliabile con la Chiesa»[445]. Commenta Esposito: «L'anticlericalismo di questi anni divenne in tal maniera volgare e criminale. Nell'ultimo ventennio del secolo XIX l'episodio di Ponte S. Angelo era stato enorme, ma era rimasto unico; ora episodi simili se ne ripetevano a josa. Gli attentati ai cardinali a Roma e nei Castelli divennero fatti normali, le profanazioni alle chiese durante le funzioni e non, i disturbi anche gravi alle processioni erano diventati fatti di cronaca quotidiana [...]. La comparsa in pubblico del clero era diventata addirittura un'avventura»[446].

Anche Benedetto Croce fu costretto ad ammettere che «esagerata e fanatica sembrava la massoneria che si era assunto l'ufficio di combattere con guerra di sterminio il mondo cattolico» e che «l'anticlericalismo, con le sue inutili parate e chiassate, destava fastidio ed era giudicato documento di volgarità e di scarsa intelligenza»[447].

I frutti di tanta «congerie» non tardarono ad arrivare. Scrive Massè: «Il predominio delle Sinistre deliziò l'Italia con un regime demo-massonico-anticlericale, che significò e fu veramente il trionfo del settarismo più intollerante e intrattabile, imperversato nella sua maggior virulenza durante l'ultimo ventennio del secolo decimonono, dal 1880 al 1900. Periodo tristissimo in tutti i sensi, perché furono anni non di ascesa, ma di depressione per l'Italia sia all'interno che all'estero: all'interno, dove nella vita pubblica venne posto in disparte ogni probità politica e dove il sovversivismo anarchico e socialista faceva spaventosi progressi favorito dagli enormi scandali degli uomini di governo; all'estero, dove poco era il prestigio italiano, ridottosi dopo il disastro africano di Adua quasi al nulla. Esso si concluse con l'insurrezione del 1898 e le sanguinose repressioni di Bava-Beccaris, con i baccanali dell'ostruzionismo del 1899 e con l'assassinio del re Umberto I nel 1900»[448].

In questo marasma spirituale, ideale e politico si concludeva il secolo del Risorgimento, il secolo della Rivoluzione italiana, mentre emigravano milioni di italiani per la miseria in cui erano stati sprofondati dopo il 1861.

Concludiamo questo triste paragrafo con una riflessione dello storico Giovanni Spadolini: «La Sinistra [...] dopo la "rivoluzione parlamentare" del 18 marzo 1876, non aveva certo mutato un rigo, nel suo complesso, l'orientamento della politica ecclesiastica, ed anzi – sul piano delle dichiarazioni programmatiche e delle professioni ideologiche – aveva accentuato la sua opposizione al Vaticano, la lotta al "pericolo clericale". Dall'assalto alla salma di Pio IX nel 1881, all'inaugurazione del monumento a Giordano Bruno, nel 1889, nessun insulto era stato risparmiato alla Santa Sede, e l'azione dei circoli clericali e delle logge massoniche si era straordinariamente moltiplicata, influenzando largamente settori diversi dell'opinione pubblica, dalla scuola all'esercito, dalla magistratura alla burocrazia, che divennero, chi più chi meno, strumenti o alleati del laicismo dominante. Né mai fu intermessa, pur nei momenti di più accese speranze conciliatoriste, la legislazione anticlericale, che confermava l'ispirazione ideale dello Stato italiano, il suo sottinteso d'origine; ed appartengono al periodo di governo della Sinistra storica la legge sugli abusi dei ministri del culto, quella sulla soppressione delle decime sacramentali e quella, tecnicamente eccellente, sulla disciplina delle Opere pie»; inoltre, negli anni della Sinistra, «al laicismo consapevole, interiore e profondo di un tempo si sostituì troppo spesso un laicismo clamoroso, fazioso, filosofeggiante e scientista, tutto tribunizio e festaiolo»[449].

Qual è il «sottinteso d'origine» del nuovo Stato italiano? Quale «l'ispirazione ideale»?

2. La Questione romana

Lucidamente, l'anticattolico e massone Francesco Crispi disse in Parlamento il 17 novembre 1864: «La questione del Papato, o signori, non si può risolvere che in due modi: o colla rivoluzione o colla conciliazione. La rivoluzione è la sola che può imporre l'Italia a Roma. La rivoluzione, la quale non dovrebbe essere solamente politica, ma religiosa, è la sola che potrà dare all'Italia la vera capitale. Colla conciliazione entriamo in un ordine di idee del tutto differente. Noi siamo obbligati a transigere [...]. La Chiesa romana, signori, è cattolica, cioè universale. Questa condizione, che è una forza per lei, è un danno per noi. La Chiesa cattolica romana non può quindi diventare una Chiesa nazionale; e voi non potete trattarla come tutte le altre Chiese, il cui capo è un suddito del re. Essa per la sua indole universale bisogna che viva da sé, che non si assoggetti ad alcuna potestà temporale, poiché altrimenti le mancherebbe quella indipendenza che vogliono in essa le nazioni, le quali credono in lei. Aveva ragione il generale La Marmora di non poter comprendere la simultanea presenza del re e del Papa a Roma. Uomo logico come egli è, buon cattolico come tutti lo crediamo, non può immaginarsi come queste due potestà possano funzionare nella stessa città senza che tra loro nasca un attrito. Il Pontefice romano, quale oggi è costituito, non può divenire cittadino di un grande Stato, discendendo dal trono su cui lo venera tutta la cattolicità. Bisogna che sia principe e signore a casa sua, a nessuno secondo. D'altra parte il re d'Italia non può sedere accanto a un monarca a lui superiore [...]. C'è il partito della rivoluzione e quello della conciliazione. L'uno vuole andare a Roma ad ogni costo, l'altro intende rinunciarvi»[450].

Dalle lucidissime considerazioni del Crispi, appare evidente come la posizione di Pio IX non potesse essere diversa da quella che fu. Pio IX non era un sovrano di uno staterello italico, seppur pienamente legittimo, il più antico di tutti e amato dai suoi sudditi.

Pio IX, come tutti i suoi antecessori e successori, è sì re, ma un re universale, indipendentemente dalla esigua vastità del territorio da lui direttamente governato. Se si toglie questa accezione, svanisce il significato stesso dell'esistenza della Chiesa come struttura umana oltre che divina[451].

Da diciotto secoli la sede naturale e storica della Chiesa era Roma, e lì doveva restare; non la Chiesa appartiene a Roma – sebbene essa sia «romana» – ma è romana perché Roma appartiene alla Chiesa: è romana in quanto universale.

Crispi, in breve, esprime una realtà incontrovertibile: la religione cattolica non è una qualsiasi religione a carattere «locale», come accade per le varie confessioni protestanti, o come anche di fatto per quelle cosiddette «ortodosse»; e non è neanche una religione «gnostico-pneumatica», di stampo orientaleggiante; essa si incarna in una istituzione materiale di ordine sovrannaturale e allo stesso tempo storico, la cui essenziale peculiarità è la universalità (e, per il credente, la durata fino alla fine del mondo); pertanto, il capo di questa istituzione non può dipendere direttamente da un potere statale qualsiasi, che può comandargli di fare questo e non fare quell'altro, o magari al punto che un qualsivoglia tribunale civile possa giudicarlo e perfino arrestarlo (e, del resto, tutti i suoi uomini – il clero, dalle più alte cariche alle minori – sono tenuti a obbedire prima al vicario di Cristo, loro sovrano in terra, che a qualsiasi altro capo civile o politico); quindi, il Papa non può dipendere dal re d'Italia come da nessun altro sovrano al mondo, nemmeno dall'imperatore del Sacro Romano Impero (come insegnato nel magistero e nella teologia cattolica almeno da Gregorio VII in poi), perché il Papa non è «italiano», o di qualsivoglia altra nazionalità, ma è «universale», in quanto vicario in terra del Redentore.

Questo il senso profondo della «Questione romana»[452].

È solo con la rivoluzione del 1848 che si pose concretamente una «questione romana». A parte il caso di Mazzini, fino al 1848 nel processo risorgimentale non v'era ancora frattura tra patriottismo e cattolicesimo: il che, peraltro, è confermato dalla partecipazione di Pio IX alla guerra contro l'Austria.

Gli eventi del '48 però, specie a Roma, modificarono per sempre le cose. Pio IX è costretto alla fuga e tutto si chiarisce: «Si comincerà a vedere (fatto nuovo nella storia italiana) come il patriottismo possa mortificare, nello stesso segreto dei cuori, la religione dei padri, la fede millenaria». Lo stesso Gioberti passò, prima di morire, dal neoguelfismo «a un idealismo a sottinteso immanentistico e razionalistico, dove la fede si dissolve nell'intuizione di Dio e il dogma nella consapevolezza del credente»[453].

La risposta cattolica, dal punto di vista ideale e culturale, consisterà nella fondazione e attuazione de *La Civiltà Cattolica*, «la rivista dei Gesuiti destinata a condurre a fondo il più grande duello del secolo, quello fra cattolicesimo e liberalismo». I padri Taparelli d'Azeglio, Curci, Liberatore, Bresciani e altri definirono il Risorgimento e l'unitarismo figli dell'eresia protestante e dell'illuminismo, strumenti del demonio, al pari della traditrice monarchia sabauda[454].

Del resto, ai loro occhi, la politica anticlericale di Cavour confermava ciò; e occorre tener presente che mentre il Cavour si ispirava, almeno di principio, al criterio della «libera Chiesa in libero Stato», concezione in sé (almeno dal punto di vista dell'ufficialità) liberale e non giacobina, gli uomini del suo partito, della Destra storica, di ispirazione storicistica e hegeliana, dopo la sua morte non accettarono questa «parificazione» ideale, che poneva la Chiesa nel regno dei fini collocandola in qualche modo al di sopra dello Stato, e vedevano invece solo «nello Stato italiano l'interprete della morale civile, della morale laica, della morale del cittadino, autonoma e sufficiente»[455].

Si arrivò a bocciare anche il progetto del Ricasoli della «Libertà della Chiesa», in quanto, secondo l'opinione dei successori di Cavour, troppo rispettoso dei privilegi ecclesiastici. «In realtà, in antitesi a tutta la concezione cattolica, in opposizione all'antico diritto ecclesiastico, in contraddizione con la stessa tradizione delle Monarchie, era lo Stato che "ammetteva" la libertà della Chiesa, "riconosceva" il magistero del Pontefice, si "obbligava" a rispettarne le immunità e le prerogative, gli "attribuiva" un complesso di diritti, che andavano dalla sovranità personale alla franchigia nella corrispondenza, dalle guardie di difesa alla libertà di pubblicare gli atti della Santa Sede, dalla somministrazione di una rendita annua alla potestà di regolare le accademie e i collegi romani. Era naturale che la Chiesa si rifiutasse di accettare una legge, che, nel rispetto formale dell'autorità apostolica, partiva dalla negazione dell'ordine cristiano, dal sovvertimento della gerarchia tradizionale. L'enciclica *Ubi nos*, con cui il Papa condannava gli autori della "legge sacrilega", non era tanto l'espressione di uno sdegno momentaneo, quanto la riaffermazione di una pregiudiziale inviolabile: quella della supremazia della Chiesa, che non può riconoscere alcuna "concessione" dello Stato, in quanto è essa stessa la sorgente del potere, la fonte del diritto».

Ma, «indifferente alle scomuniche e agli interdetti, che mai raggiunsero tanta violenza di linguaggio, tanta intransigenza di stile, la vecchia Destra proseguì implacabile nel suo programma di governo, teso a fondare in Italia lo Stato laico, lo Stato moderno che non conosce altra giustificazione da sé stesso e altra morale della sua morale»[456].

L'equilibrata e lucida esposizione di Spadolini ci dimostra come «gli uomini della Destra attuarono una rivoluzione, che non fu soltanto politica, ma penetrò nelle coscienze e nei costumi, attraverso la legislazione sulla scuola, sul matrimonio, sull'educazione religiosa.

«La Sinistra non poté aggiungere molto a quella "riforma" che aveva mutato in profondità le basi della vita italiana, con un sovvertimento temerario che sfuggiva a tutti i consigli della moderazione e della prudenza»[457].

E chiaramente non potevano essere da meno gli uomini della Sinistra. Scrive Salvatorelli[458]: «In quanto al partito d'azione, anticlericale e antipapale, esso non voleva sapere di guarentigie in favore del Pontefice, e neppure, propriamente, di libera Chiesa in libero Stato[459]: esso parlava di annullamento totale del papato politico, considerato come nemico irriducibile, e vagheggiava la distruzione del papato spirituale, non propriamente per un atto diretto di forza, ma come conseguenza dell'abolizione del potere temporale e della riduzione del papato a un regime di diritto comune».

Solo con l'immanentismo e lo storicismo di Croce e Gentile si superò questa atmosfera positivista (oltre che con le correnti letterarie innovatrici e irrazionalistiche); e tutto ciò contribuì all'affermazione del modernismo, «la rivolta religiosa del Novecento, l'ultima e più audace forma di cattolicesimo liberale»[460].

A tale riguardo, può essere interessante riflettere su quanto sostiene Adolfo Omodeo in *Difesa del Risorgimento*[461], ove la tesi di fondo consiste in questo: essendo la Chiesa cattolica una società che si reputa perfetta e superiore allo Stato, mai avrebbe potuto accettare il principio cavouriano della «libera Chiesa in libero Stato» (che egli presenta come scontatamente «sincero»), a meno di promuovere e condurre a termine una radicale riforma interna in senso protestantico, facendo propria una concezione della religione sentimentalista, «attivista-americanista», individualista, che prevedesse come unico scopo della sua esistenza quello solidaristico immanentistico.

Scrive Omodeo: «La semplicissima formula di "libera Chiesa in libero Stato", nel senso cavouriano, includeva, – il conte ne aveva in certo modo coscienza fin dalla sua gioventù – né più né meno la riforma cattolica [...] una sconfessione, o quasi, di troppi sviluppi del cattolicesimo, quasi che in essi avesse operato la fralezza umana più che la perpetua assistenza divina». E quindi: «È indubbio che la formula includeva in sé qualcosa che dal punto di vista cattolico era innovazione: includeva una nota protestante che rimontava al Vinet, primo propugnatore della separazione, e la distingueva dalla tesi del Montalembert, per cui le due parallele di Chiesa e Stato dovevano incontrarsi non all'infinito, ma in Italia, onde assicurare al Papa l'indipendenza politica essenziale alla sua funzione religiosa. Infatti, la formula (che riduceva la vita ecclesiastica a fatto di comune diritto di libera associazione) era possibile nel protestantesimo, che ritiene la Chiesa mera associazione umana di culto e rinvia in un altro mondo la Chiesa celeste oltremondana; non così nel cattolicesimo, che considera la Chiesa terrena manifestazione temporale della Chiesa eterna, la ritiene retta dallo spirito di Dio, dinanzi a cui tutto deve cedere e piegarsi, e perciò fornita di una prerogativa primigenia superiore allo Stato, secondo il principio: "Bisogna obbedire a Dio piuttosto che agli uomini".

«La Chiesa cattolica è *societas perfecta*: fornita quindi di tutte le prerogative di piena giurisdizione, in quanto procede direttamente da Dio. A tutta questa teologia ecclesiologica, con le sue conseguenze autoritarie, la Chiesa avrebbe dovuto rinunciare. Sarebbe stato un rivoluzionamento»[462].

La conclusione del laicista Omodeo è scontata: fra Stato e Chiesa ogni conciliazione è impossibile (si vedi il discorso di Crispi); una delle due forze deve prevalere sull'altra, pena la propria morte. Infatti, termina Omodeo, la Chiesa è una minaccia perenne alla libertà del cittadino, e arriva al punto di scrivere: «Perciò, lo svolgimento di una politica laica non è immotivato, ed entro certi punti lo sono persino certi atteggiamenti del nazismo (non va dimenticato che il cattolicesimo pretenderebbe serbare la scissura fra cattolici e protestanti in Germania e nell'educazione dei cittadini e nella vita associata)»[463].

Come si può ben notare da una lettura attenta delle parole di Omodeo, Cavour, nell'avallare la sua celebre proposta «liberale» «libera Chiesa in libero Stato», non solo non era sincero (nel senso della totale mancanza di reciprocità egualitaria, come gli eventi storici hanno ben dimostrato), ma in realtà era perfettamente cosciente del fatto che il suo modo di intendere il concetto era strutturalmente differente da quello per esempio dei cattolici liberali, almeno di quelli sinceramente convinti delle proprie posizioni (Montalembert); egli sapeva «fin dalla gioventù» che tale principio (nella sua concezione) presupponeva la «riforma» della Chiesa, ovvero, come Omodeo palesemente ammette, la «protestantizzazione» della Chiesa, quindi la fine non solo del potere temporale, ma la fine della stessa Chiesa cattolica.

Il discorso ci porterebbe molto lontano, ben al di là dei confini ideali della questione risorgimentale, e quindi ci fermiamo qui.

Una riflessione però è necessaria: da un lato, se diamo per vero ciò che dice Omodeo, è chiaro che la formula cavouriana non ha nulla di sincero e tanto meno di «ingenuo», ma risulta essere una di quelle trappole concettuali utilizzate dalle forze sovversive necessarie ad attrarre le parti moderate della popolazione: il suo vero fine appare evidente: la distruzione del Papato, non solo come istituzione temporale, ma anche come forza spirituale.

D'altro canto, se ciò è vero, ben faceva allora Pio IX a opporsi a ogni cedimento alla politica cavouriana. Non si trattava infatti di difendere privilegi politici ed economici, ma di ben altro: si trattava di non cadere in trappole, il cui fine era la distruzione della Chiesa e della religione cattolica. Non per niente, scrive de Mattei[464], Pio IX protestò sempre, fino alla morte, contro la presa di Roma, «ribadendo che il principato temporale del Pontefice costituisce la condizione necessaria per il libero esercizio della sua autorità spirituale e che la "Questione romana" non è una questione politica, legata al problema dell'indipendenza e della unità italiana, ma una questione eminentemente religiosa, perché riguarda la libertà del capo della Chiesa universale, nell'esercizio del suo sacro ministero». Leone XIII, dal 1878 al 1889, protestò ben sessantadue volte ufficialmente[465].

La stessa legge delle Guarentigie, con cui si regolarono unilateralmente i rapporti fra Regno d'Italia e Chiesa cattolica dopo la presa di Roma del 1870, non poteva certo essere accettata dalla Santa Sede, quand'anche avesse previsto elargizioni ben più generose, poiché il suo presupposto era proprio che la Chiesa era soggetta giuridicamente allo Stato italiano, che nella sua liberalità provvedeva (finché lo avesse ritenuto opportuno) a fornirla di aiuti materiali e a garantirnne l'indipendenza formale[466].

Ma allora, occorre ammettere anche che i Papi non avevano proprio tutti i torti nel protestare per il modo con cui furono privati dello Stato Pontificio e nel non accettare l'imposizione delle Guarentigie (a parte ovviamente tutti gli altri provvedimenti vessatori e persecutori precedenti e susseguenti da parte del governo piemontese prima e italiano poi), palesemente lesive della sovranità e dell'indipendenza[467] di uno Stato legittimo più che millenario riconosciuto da quasi tutti i Paesi del mondo civile. Così rispose il cardinale Antonelli il 12 gennaio 1862 al marchese de la Vallette, il quale gli faceva notare che occorreva porre fine alla frattura fra il Papa e l'Italia, chiarendo con poche parole precise il punto di vista della Santa Sede sull'intera problematica: «[...] Non è affatto vero che esista un disaccordo fra il Papa e l'Italia; se il Santo Padre ha rotto le relazioni diplomatiche col governo di Torino, mantiene sempre eccellenti relazioni con l'Italia. Italiano egli stesso, e il primo degli italiani, assiste con dolore alle crudeli prove cui è sottoposta la Chiesa italiana. Quanto a venire a patti con i suoi predatori, è cosa che non faremo mai [...]. Il Sovrano Pontefice, all'atto della sua intronizzazione, e i cardinali all'atto della loro nomina giurano di non cedere alcuna parte del territorio della Chiesa. Pertanto, il Santo Padre non farà una concessione che neppure un conclave potrebbe fare, né un nuovo Pontefice né i suoi successori potrebbero permettersi nei secoli a venire»[468].

3. Il peso di Roma

Un'altra riprova che per gli uomini del Risorgimento la guerra non era allo Stato Pontificio, bensì alla Chiesa cattolica, ci viene dal fatto che essi, come magistralmente chiarisce Chabod[469], una volta presa Roma non si ritennero affatto soddisfatti, tutt'altro, mostrandosi sempre più «irrequieti», sempre più alla ricerca di vie nuove per abbattere la superstizione papista.

Era come se, pur essendo ormai padroni di Roma, pur avendo raggiunto quello che solo pochi anni prima rappresentava una sorta di chimera, vivessero nella paura di «risvegliarsi» di colpo da un sogno; e comunque, in ogni caso, quel pacifico vecchio, sconfitto e debole, assediato in un palazzo romano, non li faceva dormire tranquilli. Occorreva fare altro, occorreva annientarlo, occorreva portare la Rivoluzione italiana alle sue estreme conseguenze, gettare tutte le maschere, fino all'ultima.

Inoltre v'era anche un altro aspetto, quello del problema del valore universale dell'idea di Roma. Che cosa contrapporre alla Roma cristiana? Con quale idea universale sostituire l'universalismo per antonomasia? Come giustificare un regno di secondo rango e per di più neonato (e con quali mezzi!), una dinastia montanara e periferica, al posto del vicario di Cristo in terra?

Nota Chabod[470] che, dopo la presa di Roma, v'era la velata, ma concreta opinione generale (specie nei politici della Destra storica) che occorresse trovare una giustificazione dinanzi al mondo: il Kaiser Guglielmo I arrivò a consigliare a Vittorio Emanuele II di giustificarsi attuando la bonifica dell'Agro romano... Divenne così necessario far rinascere – sotto nuove spoglie e finalità – l'idea di Roma.

L'idea di Roma doveva rinascere proprio per soddisfare

l'ideale così caro al romanticismo della missione dei popoli.

Considerato quanto in precedenza osservato sul significato di Roma nella storia italiana ed europea, e sul ruolo dell'idea di Roma nelle coscienze dei nostri antenati, rimane da trarre l'inevitabile conclusione cui gli uomini del Risorgimento giunsero (Chabod la esprime in verità in poche pagine, ma essa costituisce il cuore di tutta la questione, come già detto): in qual modo scrollarsi di dosso la responsabilità dell'occupazione di Roma pontificia, senza alcuna giustificazione storico-politico-diplomatica?

Si proposero così due «vie d'uscita». La prima fu avanzata da Quintino Sella: Roma doveva avere una nuova missione universale: dopo quella della politica, dopo quella della religione, ora veniva quella della «scienza», la nuova divinità della modernità. Roma, rinnegando la superstizione cattolica e dogmatica, sarebbe diventata la capitale della scienza mondiale[471]. Si passava così dal Risorgimento al positivismo[472].

Del resto, l'idea di utilizzare la «scienza» come ariete contro la cittadella della Chiesa non era nuova; per tutti i decenni precedenti si erano tenuti i famosi «Congressi degli scienziati», fin dagli anni Trenta, un po' ovunque in Italia e sempre a spese dei sovrani, ove in realtà si cospirava apertamente contro la Chiesa e velatamente a favore della Rivoluzione politica e unitarista.

A maggior ragione i congressi continuarono dopo il 1861 e ancor più dopo il 1870, per le ragioni suddette.

Il vero problema era che a tutti appariva evidente come nello scontro ideale fra le «due Rome» – quella «italiana» («sabauda» o «mazziniana» che fosse) e quella cattolica – «delle due a giganteggiare sarebbe stata sempre la Chiesa, il Papato: Roma capitale d'Italia non avrebbe aggiunto nulla alla vecchia Roma pontificale. Niente missione cosmopolitica dell'Italia»[473].

Poi v'era la seconda «via di liberazione» dal peso di Roma, proposta questa dalla Sinistra. La evidenziò Francesco Crispi. Scrive Chabod: «Roma papale rimase in piedi; ma qualcosa di grande a Roma ci voleva: "il re di Sardegna è troppo piccola cosa per Roma. Roma, capitale del mondo, dev'essere la sede di una grande monarchia, o del pontificato" [Crispi, *Pensieri e profezie*, p. III]. E quindi, si pensò alla Roma della grande monarchia». Nasce così insomma il nazionalismo[474].

Al di là delle fantasticherie della Destra storica sulla scienza, molto più concreta e drammaticamente incisiva fu l'alternativa proposta e perseguita dalla Sinistra e dagli stessi ambienti radicali: non abbiamo le forze per sostenere la nazione italiana contro l'eredità dell'universalismo di Roma? E allora si passi al «culto della Nazione», si passi dal Risorgimento nazionale alla volontà di grandezza nazionale (le cui radici evidentemente erano proprio in Roma stessa): si passi all'affermazione del nazionalismo italiano, nuova divinità sostitutiva del cosmopolitismo universalista romano.

E si badi: il nazionalismo, del resto già per molti versi latente nel pensiero mazziniano (invano gli adepti postumi del Genovese – Salvatorelli, Omodeo, lo stesso Chabod ecc. – hanno tentato di nascondere tale equivoco risvolto del suo pensiero, evidenziando più il momento della «libertà» che quello del «primato italiano sugli altri popoli»), fu operato e voluto non dagli ambienti di destra, ma da quelli di sinistra, proprio come strumento per cancellare l'universalismo romano e ciò che esso implicava. Solo a fine Ottocento e inizio del Novecento, con Oriani e poi con gli altri nazionalisti, saranno le correnti di destra a farlo proprio, non come alternativa al cattolicesimo romano, ma presentandolo in un funzionale e strumentale parallelismo.

Del resto, gli uomini della Sinistra, memori appunto degli

ideali mazziniani, sentivano in particolar maniera il problema della «missione universale» di Roma. Ma qual era questa «missione» che dava senso all'intero Risorgimento? Molto onestamente Chabod la descrive in modo chiaro: «Quel che s'era fatto sino allora, non bastava; l'abbattimento del potere temporale non era fine a sé stesso, ma semplice mezzo: come per il Ricasoli, anche se con intenzioni del tutto opposte, il Regno d'Italia non doveva "stare a vedere", ma operare sulla Chiesa. Operare, questa volta in senso distruttivo: l'Italia nuova e il cattolicesimo vecchio non potevano più stare insieme; l'Italia, creatrice del Papato, doveva distruggere il Papato, doveva spaparsi» al fine di rimediare a tutto il male causato all'umanità con la Controriforma.

«Non più il rinnovamento della Chiesa, il rinato fervore religioso delle genti; ma, esattamente all'opposto, la fine della "superstizione", cioè dell'idea religiosa, il crollo del Papato anche come potere spirituale dopo il crollo del potere temporale; la fine del "vecchio cancro" [espressione di Michele Amari] che aveva roso per secoli il bel corpo dell'Italia, e il trionfo del libero uman pensiero. In luogo del messianismo religioso dell'età romantica, in luogo del cattolicesimo liberale, razionalismo settecentesco e giacobinismo rivestiti a nuovo e scientificizzati dal positivismo trionfante. In luogo della fiducia tra fede e scienza, Chiesa e libertà, la convinzione della inconciliabilità assoluta tra Chiesa e libertà, tra Papato e pensiero moderno. Non più dogmi, ma scienza». Se per Sella la scienza era il fine (anche se sempre in chiave anticattolica), per gli uomini della Sinistra la scienza è solo un mezzo per raggiungere il vero fine, la cancellazione del cristianesimo dal mondo[475].

Per questo occorreva unirsi idealmente e concretamente al *Kulturkampf* di Bismarck[476].

«Vecchio cancro», definiva la Chiesa Michele Amari. Si

pensi che il processo unitario viene idealmente inaugurato dal *Primato* di Gioberti, ove la Chiesa è presentata come il primo e ineguagliabile motivo d'orgoglio della civiltà nazionale, come la luce della italica gloria, come la roccia su cui costruire la futura confederazione italiana. E ora, dopo solo trent'anni, come si conclude il Risorgimento?

Tra l'altro, come nota sempre Chabod[477], al di là poi di quelle che erano le bellicose intenzioni, al di là dei ridicoli surrogati come il «culto della scienza», con il passar degli anni la Sinistra e le forze anticattoliche dovettero fare i conti con la realtà della storia: il cattolicesimo in Italia – nonostante la sicura vittoria politica della Rivoluzione italiana – non regrediva, anzi; il Papato, pur privato dello Stato Pontificio, non si indeboliva, anzi; la Chiesa, nonostante tutti gli attacchi ricevuti in ogni modo negli ultimi decenni, nonostante la mancata riforma voluta dal Ricasoli (o meglio, diremmo noi, proprio per quello) era sempre lì, più salda che mai. Al contrario: nascono l'Azione cattolica e altre istituzioni laicali di fedeli (Gioventù cattolica, Opera dei Congressi ecc.)[478]. Lo stesso Michele Amari comincia a temere che, alla lunga, a vincere sarà la Chiesa, come scrive in una lettera a Renan, il 30 marzo 1883.

La verità è che gli uomini del Risorgimento si erano illusi che la forza della Chiesa cattolica consistesse nel potere temporale, che dopo la presa di Roma i governi stranieri avrebbero tolto i loro ambasciatori, che la Santa Sede sarebbe stata abbandonata: avevano giudicato la Chiesa realmente alla stregua di un qualsiasi staterello politico.

Si erano illusi – come se non avessero diciotto secoli di storia alle loro spalle – di riuscire, varando qualche legge rapinatrice e assoldando qualche *barricadero* al seguito di Garibaldi, là dove neanche decine di imperatori romani – con i loro eserciti e magistrati, leoni e strumenti di tortura – erano riusciti quando la Chiesa viveva ancora nelle catacombe.

Disse, fra gli altri, il Sella alla Camera il 14 marzo 1881: «L'influenza del Pontefice è in realtà maggiore oggi nel mondo di ciò che lo fosse quando aveva il potere temporale». Perfino Crispi, parlando alla Camera il 28 novembre 1895, ammise la sconfitta contro l'onnipotenza della Curia e il «diabolico consorzio di Gesuiti».

4. Religione contro religione: dalla patria al nazionalismo

Occorreva pertanto creare una nuova religione e, come tutte le religioni che si rispettino, essa doveva avere, a imitazione in modo speciale proprio del cristianesimo, i suoi sacerdoti, i suoi riti, i suoi testi sacri, i suoi eroi e fondatori, i suoi martiri e, soprattutto, i suoi cantori e apologeti[479].

Si affermarono così da un lato il «mito del Risorgimento» e la *vulgata* risorgimentale: *vulgata* storiografica certo (cominciata allora e non più terminata, totalitariamente incontrastata nella cultura nazionale e specialmente in quella scolastico-universitaria, di cui Croce, Omodeo e Salvatorelli costituiscono i corifei per antonomasia), ma non solo: anche letteraria (da De Sanctis e Carducci in poi), musicale (Verdi ed epigoni), architettonica (lo stile «umbertino» e l'Altare della Patria, i monumenti e i busti in tutta Italia ecc.), per non dire quella «toponomastica», di una estenuante ripetitività (esiste un borgo, per quanto piccolo, in tutta Italia che non abbia una via o una piazza consacrata a qualcuno dei padri della patria?); e, dall'altro, la dottrina della «religione del Risorgimento», il passo ulteriore e definitivo: la nuova religione, la «religione della patria», anticamera del nazionalismo totalitario.

È proprio con l'affermazione della Sinistra storica che si passa anche in Italia dall'idea di nazione al nazionalismo, e in particolare con Crispi, che vede la nazionalità come una vera e propria «religione civile», quella della umanità, fondata sull'idea di patria (intesa nella sua accezione rivoluzionaria, naturalmente), a sua volta fondata sui valori non volontaristici, ma naturalistici, sulla stirpe.

Il ragionamento di Crispi è il seguente: la nazionalità è, prima ancora che politico, un «grande ed operoso principio morale», una vera e propria «religione civile», quella della umanità; ma questa mancherebbe della sua prima condizione essenziale ove non ci fosse l'idea di patria; nazione del resto vuol dire missione e a ogni popolo tocca la propria, ma in tal senso è chiaro che la più grande è quella del popolo italiano, chiamato dalla Storia ad affermare il principio di nazionalità sui ruderi della teocrazia cattolica. Fratellanza, cosmopolitsmo democratico, erano belle parole; ma illogiche senza nazionalità. Del resto, lo stesso Mazzini aveva scritto nel '71 che «senza patria non è possibile ordinamento alcuno dell'Umanità»[480].

Crispi, nella polemica fra liberali italiani (Bonghi) e nazionalisti tedeschi (Mommsen, Treitschke) sulla questione del plebiscito per stabilire la nazionalità dell'Alsazia, prese posizione con i tedeschi sostenitori del nazionalismo fondato sui valori razziali e culturali. Scrive Crispi: «La esistenza di una nazione o la negazione di essa non possono dipendere dal voto di un popolo. La nazione è, perché Dio l'ha fatta. Un plebiscito può costituire un fatto giuridico, ma non creare un fatto contrario alla natura» (lettera a Primo Levi, 4 novembre 1891). E poi: «... I plebisciti sono nulli, quando sono contro il diritto di nazionalità e contro la libertà. Siccome è vietato il suicidio all'uomo, è vietato alla nazione». Commenta Chabod: «L'idea di nazione sarebbe affogata in quella di stirpe. Era un principio gravido di pericolosi sviluppi, tale da legittimare ogni forma di conquista o, come si disse più tardi, di imperialismo; un principio certo dissueto al pensare e al sentire degli italiani [...]; togliendo il nesso strettissimo fra nazione e volontà nazionale, essi [quelli de *La Riforma*, il giornale di Crispi e della Sinistra storica] aprivano la via, senza avvedersene e senza volerlo, all'affermazione delle aborrite tendenze razzistiche»[481].

È appunto in nome delle esigenze nazionalistiche e irredentistiche (e anche per la necessità di porre un baluardo contro la Germania), che la Sinistra storica (Musolino, Cavallotti, Crispi) aprì all'alleanza con l'Austria imperiale. Nota Chabod che mentre Metternich rifiutava l'idea di nazione per la conservazione dell'ordine europeo, Bismarck rifiuta l'ordine europeo per l'affermazione del nazionalismo. «Era la fine dell'europeismo e l'inizio dei nazionalismi e degli imperialismi, del pangermanesimo e del panslavismo»[482].

Come accennato nel precedente paragrafo, furono poi invece le correnti di destra a fare proprie le tendenze più estreme del nazionalismo. Interprete primo ne fu Alfredo Oriani, il quale utilizzerà il nazionalismo per fini opposti a quelli della Sinistra, il cui scopo ultimo era sempre quello di colpire l'universalismo cattolico e quindi la Chiesa. Oriani, invece, capisce che la religione cattolica è troppo radicata in Italia, che gli italiani sono profondamente cattolici, che diffidano dei laici e che la Rivoluzione non è sentita. Al contrario, sosteneva Oriani, il Papato rimane sempre una grande istituzione, l'ultima forma di Roma imperiale; certamente sulla Chiesa grava la colpa di aver impedito l'unificazione e aver provocato la servitù degli italiani allo straniero, ma ciò non toglie che essa rimane ancora oggi l'unico vero vanto degli italiani. Vedova del Papato, sosteneva Oriani, Roma sarebbe solo un'insignificante città di provincia, mentre ora è ancora il centro del mondo. «Che cosa vi rappresenterebbero soli i re di Savoia? La loro montanara fortuna fra il Pantheon e S. Pietro, il Colosseo e il Vaticano, non vi ha che un significato provvisorio: sono troppo antichi come conti della Savoia, troppo recenti come monarchi d'Italia, troppo estranei alla grande tradizione nazionale per dare davvero a Roma una incancellabile impronta di modernità».

Quindi, conclude Oriani, occorre sostenere l'imperialismo come necessario alla futura grandezza italiana, all'affermazione definitiva del primato, ma per fare ciò il mito di Roma è imprescindibile, e al mito di Roma rimane imprescindibile l'eredità della Chiesa cattolica[483].

Naturalmente, fin troppo scontata è la considerazione che tutto ciò costituì la premessa non solo all'entrata in guerra nel 1915, ma all'avventura fascista e alla tragedia della Seconda guerra mondiale.

È davvero molto strano che i più celebri antifascisti liberali (a partire da Croce e crociani vari) abbiano sempre dato come cosa scontata che il fascismo fosse il rinnegamento del Risorgimento[484].

Al di là dell'evidenza storica del legame fra fascismo e storia precedente, del fatto che il fascismo fu l'esito conclusivo del lento, ma inesorabile autoesautoramento del regime liberal-risorgimentale, al di là dei legami ideologici fra «primato nazionale» risorgimentale e nazionalismo e fascismo; al di là di tutto ciò: quello che colpisce è il fatto che nessuno abbia mai voluto esaminare debitamente il legame ideologico e ideale fra le posizioni della Sinistra risorgimentale e il fascismo stesso[485] (e questo senza voler entrare nella questione delle origini «rosse» del fascismo).

Eppure, come è evidente, quella che può considerarsi una delle due anime vitali del movimento fascista (il nazionalismo e imperialismo, anche guerrafondaio quando necessario) trova le sue chiare radici proprio nel nazionalismo risorgimentale, propugnato per giunta non dalla Destra liberale, ma dalla Sinistra democratica e oltranzista, alla ricerca di avventure coloniali, esattamente come il fascismo.

Scrive Rocco Buttiglione: «In Italia la formazione dello Stato nazionale è accompagnata dal tentativo di una riforma religiosa che avrebbe dovuto sradicare dal cuore del popolo la fede cattolica sostituendola con una specie di religione dello Stato. È a questa religione dello Stato che fanno riferimento le *élites* dirigenti del nuovo Stato [...]. La espropriazione dei beni della Chiesa crea un fortissimo vincolo di interesse fra coloro che di essa saranno beneficiari, e i beneficiari sono infine proprio le nuove *élites* dirigenti». Ciò provocò l'estraneazione delle masse dal nuovo Stato; al laicismo materialista delle *élites* liberali del Nord fa eco quello "spiritualista" della scuola hegeliana di Napoli, che più di ogni altra "proporrà esplicitamente la nuova religione dello Stato", ispirandosi ai filoni ereticali della storia del pensiero italiano[486].

Si comprese definitivamente che non v'era possibilità alcuna di competere con l'universalismo ideale che Roma portava con sé come inseparabile eredità, e quindi si decise di fare altrimenti, di dare a Roma un nuovo ruolo, di farsi essa stessa una «religione»: la religione del nazionalismo italiano. Come conclude Chabod, Roma divenne «formatrice di soldati» per difendere la nazione italiana e per conquistare le colonie africane per un rinnovato impero romano; ai libri si aggiunse la spada, e la scuola doveva fornire soldati. «Coscrizione militare, coscrizione scolastica», dichiara Francesco De Sanctis alla Camera il 23 gennaio 1874.

Naturalmente, è proprio in questa maniera che si aprì la strada tutta in discesa che condusse alla Prima guerra mondiale con i suoi 700.000 morti e un milione e mezzo fra feriti e mutilati; e quindi, di conseguenza, al fascismo, al suo mito di Roma, alle sue conquiste coloniali, al suo nazionalismo, e a tutto ciò che ne consegue, fra cui, l'ulteriore guerra civile fra gli italiani. Scrive Emilio Gentile in proposito: «Per i nazionalisti aveva un posto centrale nella riorganizzazione dello Stato nazionale la rigenerazione del carattere, per forgiare un italiano nuovo interamente subordinato alla politica di potenza della nazione. La pedagogia nazionalista insegnava [...] il culto religioso della nazione, idolatrata come una divinità laica», e i cittadini dovevano essere educati nel vivere la loro vita in funzione della grandezza e sacralità della patria[487].

Come si può facilmente notare, al di là delle superficialità di Croce che, per disancorare il fascismo dall'Italia risorgimentale, inventa una cesura storica inesistente nel 1919, e arriva a paragonare l'avvento del fascismo alla calata degli Hyksos, il legame ideale e storico fra il Risorgimento italiano, e in particolare fra le correnti di sinistra e la stessa Sinistra storica, e il fascismo è non solo evidente, è consequenziale. Non per niente, Mussolini definì il suo movimento «Rivoluzione fascista», e Gentile lo presentò come il compimento della Rivoluzione italiana[488].

In realtà accadde questo: di fronte alla dicotomia «Risorgimento-nazione»/«universalismo-Roma», palesemente insolubile e fomentatrice di irrisolti complessi psicologici collettivi, come abbiamo visto, si tentò un'astuta quanto forzata sintesi: ci si impossessò dell'universalismo imperiale di Roma per metterlo al servizio dell'imperialismo italiano.

Si tentò di fondere ciò che contrastava nei princìpi e nei fatti: nazionalismo e universalismo, e la «via di fusione» era proprio l'imperialismo romano, presentato come nuova «religione» idonea all'anima profonda dell'identità italiana.

Il problema però, in questa apparentemente geniale forzatura ideologico-spirituale, l'ha ben esposto Emilio Gentile: il risultato di tutto questo non fu una maggiore unione degli italiani nella nuova loro patria, bensì la via della guerra civile perenne[489].

Per concludere, torniamo al discorso della nuova «religione». Ebbe a dire il momentaneo «sacerdote officiante» della nuova religione Giovanni Pascoli, il 9 gennaio 1911, in un discorso celebrativo del «giubileo» della patria, che Pascoli definì appunto «anno santo» della patria: «Santo, io ripeto. Quello che noi facciamo e il popolo italiano fa, non è una festa e una commemorazione civile, ma è una cerimonia religiosa. Noi celebriamo un rito della religione della Patria...», i cui fondatori furono naturalmente i quattro padri della Patria (ai quali Pascoli aggiunge Carlo Alberto), e i cui elementi sono il culto della libertà e della romanità, la fede nel progresso della nazione italiana risorta dall'abisso della barbarie, i cui martiri sono ovviamente i caduti per il Risorgimento, i cui santi sono coloro che hanno combattuto per esso[490].

Come Augusto Del Noce rileva[491], il Risorgimento ha lanciato «la religione della patria, nel senso della sua adorazione, della sua indebita elevazione a fine ultimo, in riferimento al quale ogni norma di condotta trovasse il suo significato e la sua giustificazione [...]. Si ebbe una sorta di trasferimento dell'amore religioso nell'amore della patria. La borghesia liberale, che non credeva più nel paradiso in Cielo e non condivideva (ancora) la speranza socialista del paradiso in terra, cercava nella religione della patria il surrogato della perduta fede nella religione rivelata. È questo il momento del successo dello Stato etico liberale».

5. Anticlericalismo?

Tutto quanto abbiamo sinora riassunto riguardo alla guerra condotta contro la Chiesa e la religione cattolica, è stato sempre teorizzato dalla storiografia col termine di «anticlericalismo»; concetto, peraltro, sebbene negativo e violento in sé, presentato sempre in una accezione positiva, in quanto opposizione attiva a un male, il «clericalismo», appunto (un po' come l'«antifascismo», per intenderci). Ma il concetto di «anticlericalismo» esprime realmente e pienamente tutto quanto avvenne, o è riduttivo e strumentale a ben altri fini che non la guerra alla «superstizione papista e gesuitica»?

È ovvio che non si poteva e non si doveva dire che «l'ispirazione ideale dello Stato italiano, il suo sottinteso d'origine» (parole di Spadolini: cfr p. 246 di questo volume) era la guerra alla Chiesa cattolica; occorreva appunto trovare il pretesto, trovare la trappola concettuale adatta a sedare gli scrupoli di coscienza degli italiani, anche di quelli più aperti e «progrediti» intellettualmente. E allora, al di là delle estemporanee uscite di Garibaldi, Ferrari, Petruccelli della Gattina, Ricciardi, Amari, Boncompagni e tanti altri, la verità è un'altra: la Rivoluzione italiana, il Risorgimento, non è contro la Chiesa («libera Chiesa in libero Stato»): è semplicemente contro il «clericalismo», orribile realtà, da combattere, come ogni uomo di buon senso riconosce, e, in particolare, all'interno del clericalismo, occorre estirpare la pianta più velenosa e infettante, quella del «gesuitismo».

L'anticlericalismo: «Libera Chiesa in libero Stato». Che era come dire, durante la Rivoluzione francese, *Liberté, egalité, fraternité*. Se ci si permette la semplificazione concettuale, si potrebbe dire che «libera Chiesa in libero Stato» sta alla Rivoluzione italiana come lo scandalo delle indulgenze sta a Lutero, come la Dichiarazione dei diritti dell'uomo sta alla Rivoluzione francese, come la riforma agraria sta alla Rivoluzione comunista. È il cavallo di Troia della Rivoluzione italiana.

Rosmini, Cantù, Manzoni, e tutti gli altri «cattolici-liberali», vi hanno creduto[492], e hanno appoggiato – chi in un modo, chi in un altro – la Rivoluzione italiana, proprio dicendo a sé stessi e agli altri che essa combatteva le disfunzioni clericalistiche e non la Chiesa cattolica in sé medesima; e come loro fecero tutti gli altri italiani cattolici e patrioti, che comunque accettarono la «Nuova Italia», che si presentava loro cattolica (art. 1 dello Statuto) e monarchica, e non certo mazziniana, repubblicano-radicale, laicista; anche se, come giustamente nota Fausto Fonzi, con il passare del tempo, gli occhi iniziarono ad aprirsi un po' a tutti di fronte alla progressiva aggressione legislativa laicista: già la politica di Cavour – fin dal «connubio» con la Sinistra – allontanò molti religiosi o laici che erano stati nel 1848 vicini alla causa nazionale, come Vito d'Ondes Reggio e altri, spingendoli alla intransigenza[493].

Un esempio di «anticlericalismo» fra mille possibili: scrive Alberto Mario: «Bisogna scegliere fra la libertà e l'autorità di diritto divino, fra la ragione e la Chiesa, fra la scienza e la teologia. Soltanto la libertà, la ragione, la scienza abbatteranno per sempre la religione cattolica»[494].

Prendendo spunto dalla tesi di Quinet, secondo cui la Rivoluzione francese era fallita perché non aveva annientato la Chiesa, «sottolineava che sarebbe stato un suicidio per l'Italia accordare alla Chiesa e al clero una libertà eguale a quella di tutti gli altri, perché si trattava di un nemico formidabile che occorreva disarmare prima di ammetterne la presenza [...]; sosteneva la necessità di abolire il primo articolo dello Statuto, d'incamerare tutti i beni del clero, compresi quelli parrocchiali, perché appartengono al popolo, e di distribuirli, a piccoli lotti, attraverso i Comuni, alle "famiglie dei proletari" [...], di realizzare l'istruzione laica, gratuita e obbligatoria, che avrebbe portato in poche generazioni alla fine dell'influenza della Chiesa, e di "decapitare" la Chiesa di Roma»[495].

Proprio per tali ragioni Mario contestava pubblicamente la formula cavouriana, e questo è il tipico schema del processo rivoluzionario: dopo che si è ottenuta la prima meta (quella «moderata», la trappola concettuale), si comincia a gettare la maschera e a «fare sul serio», additando all'opinione pubblica le successive «mete».

E infatti, come ebbe a dire con coerenza lo Spaventa in Parlamento a proposito delle leggi del 1873, «a tutti la libertà fuorché al clero»[496].

Di fatto, come vennero applicati politicamente e legislativamente i princìpi del cosiddetto «anticlericalismo»? O meglio, come si procedette nella guerra alla Chiesa cattolica? O' Clery ci fornisce uno schema concettuale di procedimento: «Riassumendo, la lotta contro la Chiesa fu attuata: 1) con l'esilio e l'arresto dei vescovi, lasciando le sedi vacanti, e impedendo ai vescovi di comunicare con Roma; 2) con la proibizione di pubblicare le encicliche papali; 3) perseguitando o arrestando i preti, e sorvegliandone la predicazione; 4) sopprimendo capitoli e benefici, e impadronendosi delle loro proprietà; 5) diminuendo il numero dei preti: a) chiudendo i seminari; b) applicando agli ecclesiastici la legge sulla coscrizione e sulla leva obbliagatoria; 6) introducendo il matrimonio civile, secolarizzando l'educazione e chiudendo le scuole gestite da religiosi; 7) rimuovendo le immagini esposte alla devozione popolare e proibendo le processioni religiose; 8) sopprimendo gli Ordini religiosi in tutta Italia e confiscando le loro proprietà»[497].

Scrive Giuseppe Ferrari nel 1851 nella sua più nota opera: «Tutto il cristianesimo si riduce a una maledizione primitiva che colpisce l'intera umanità per colpa di un uomo»[498].

Forse Ferrari, Petruccelli della Gattina, Mario, Bixio[499], Garibaldi, Depretis e vari altri potevano costituire l'ala «arrabbiata» della Rivoluzione anticattolica italiana; ma, come è noto, nelle rivoluzioni le frange estremiste acquistano con il precipitare degli eventi un peso sempre maggiore, che di rado si riesce poi a equilibrare; inoltre, visto ciò che fu nei fatti operato dalla classe dirigente cavouriana prima e «italiana» dopo, appare evidente come tali personaggi risultassero decisivi nella politica religiosa di quegli anni. La resero, insomma, «eccessiva», e sarebbe interessante approfondire le reali motivazioni per le quali in Italia – a un certo punto, più o meno con il nuovo secolo – si iniziò una lenta, ma consistente «retromarcia» in questo pericolosissimo cammino, evitando di precipitare nell'esperienza francese del 1792-'94 o di anticipare quella messicana degli anni Venti e quella spagnola degli anni Trenta.

Tutto quanto appena detto ci è confermato dagli stessi protagonisti di quei giorni, che almeno avevano il merito di parlare «senza peli sulla lingua». Disse solennemente Petruccelli della Gattina il 20 luglio 1862 alla Camera: «Fare la guerra alla preponderanza cattolica nel mondo, per tutto, con tutti i mezzi, questa la nostra politica dell'avvenire. Noi vediamo che questo cattolicesimo è un istrumento di dissidio, di sventura e dobbiamo distruggerlo [...]. La base granitica della fortuna politica d'Italia deve essere la guerra contro il Cattolicesimo su tutta la superficie del mondo».

E troviamo scritto nel periodico ufficiale della Destra storica, *Il Diritto*: «Quand'anche tutti gli uomini che hanno autorità nelle cose d'Italia e tutti i partiti che li secondano, fossero concordi nel volere, a dispetto della civiltà, mantenere intatto l'edifizio della Chiesa cattolica la nostra rivoluzione tende a distruggerlo, e deve distruggerlo e non può non distruggerlo senza perire. Nazionalità, unità, libertà politica sono mezzi a quel fine; mezzi che eventualmente sono grandi e solenni benefici per noi, ma che pure sono, rispetto all'umanità, null'altro che mezzi per conseguire quel fine, che a lei sta sommamente a cuore, della totale distruzione del Medioevo nell'ultima sua forma, il cattolicesimo»[500].

Come appare evidente, parlare qui di anticlericalismo non ha senso. «Nazionalità, unità, libertà politica, sono mezzi a quel fine»: è chiarissimo. Del resto, basti fare la seguente palese costatazione: proprio negli anni della massima intensificazione dell'odio anticattolico, il governo italiano, retto per di più dalla Sinistra storica, non si pone problema a varare un'alleanza politica e militare – che durerà decenni – con l'Impero asburgico, con l'Austria, il nemico per eccellenza del Risorgimento italiano. «Nemico» strumentale, però: il vero nemico, come appare evidente, non era Francesco Giuseppe (al quale occorreva solo togliere qualche regione), bensì il Pontefice romano, al quale occorreva togliere tutto.

Scrive il cardinale Pecci (il futuro Leone XIII) nel 1860: «Qua si riduce l'indipendenza, il risorgimento, il progresso, la libertà come da essi si intendono; abolire il culto cattolico, sterminare la religione di Gesù Cristo [...]. Il piano della cospirazione non è più dubbio per chiunque non voglia volontariamente accecarsi»[501]. Ed era ancora il 1860!

Scrive Pio IX nell'Allocuzione del 18 marzo 1861, *Iandudum cernimus*, in risposta alle profferte cavouriane di pacificazione sulla base del principio di «libera Chiesa in libero Stato»: «Noi desidereremmo prestar loro fede, se i dolorosissimi fatti, che sono quotidianamente sotto gli occhi di tutti, non provassero il contrario [...]. La guerra condotta al Pontificato romano non ha di mira solo la sottrazione a questa Santa Sede e al Romano Pontefice del suo legittimo potere temporale; ha di mira infatti anche l'indebolimento, e se mai fosse possibile, la completa eliminazione del potere di salvezza della religione cattolica»[502].

Una ulteriore conferma delle parole di due Pontefici? Scrive sempre il periodico piemontese *Il Diritto* nel dicembre del 1864: «L'ultimo fine della Rivoluzione italiana è la distruzione della Chiesa»[503].

Parte terza

LE CONSEGUENZE: IL DRAMMA ITALIANO

«All'indomani dell'8 settembre 1943,
lo Stato italiano, fondato nel 1861,
andò in frantumi [...].
Se l'esercito e il capo dello Stato
sono i massimi simboli di una nazione,
nulla più dello spettacolo di un esercito allo sbando
e di un capo dello Stato in fuga
poteva dare agli italiani
la percezione immediata e drammatica
dello sfasciume della nazione,
abbandonata in balìa di eserciti d'occupazione.
E nulla di più naturale, per gli italiani,
che seguire l'esempio
dell'esercito e del capo dello Stato:
essi gettarono via gli ideali di patria e nazione,
come i militari avevano gettato via le loro divise,
e si diedero alla fuga in cerca di salvezza,
come aveva fatto il re con il suo governo».

Emilio Gentile

Capitolo I
STATO SENZA NAZIONE

«Si pensi che nel 1913 il numero degli emigranti
toccava la punta massima in un anno
di circa novecentomila unità;
e che dall'inizio del secolo
all'entrata dell'Italia nella Prima guerra mondiale,
dunque meno che nel giro di una generazione,
la cifra complessiva degli emigranti
si approssima ai quindici milioni.
Questa è davvero storia di popolo».

Vittorio Frosini

Cavour muore il 6 giugno 1861, dopo aver annunciato che il prossimo obiettivo della «nuova Italia», oltre alla conquista del Triveneto, doveva essere la soluzione della cosiddetta «Questione romana». Chi gli succede non è alla sua altezza, mentre esiste ormai un nuovo Stato tutto da organizzare e gestire. Come si comporterà la «nuova Italia»? La risposta, come sempre, è nei fatti.

1. Due guerre civili

La vera Italia non partecipò agli eventi del 1859-'60, stette a guardare. Ma, dall'autunno del 1860, ebbero inizio vicende bandite dalla memoria storica degli italiani: la guerra civile, la seconda per la precisione, dopo quella fra insorgenti e giacobini avvenuta dal 1796 al crollo di Napoleone. Quest'ultima fu più cruenta nella sua complessità, ma si trattava pur sempre di una guerra soprattutto fra insorgenti e napoleonici. Ciò che invece accadde nel Meridione fra l'autunno del 1860 e il 1870 (in particolare, tra il 1861 e il 1864) fu una vera e propria guerra, condotta da parte dei vincitori con stragi e mezzi terroristici: per reprimere la rivolta filoborbonica e antiunitaria furono impiegati fino a 120.000 soldati, come abbiamo visto in precedenza. Vennero uccise decine di migliaia di persone e milioni furono costrette a emigrare.

Queste stragi non potevano pesare sulla coscienza della «nuova Italia», non potevano macchiarne la credibilità e l'onorabilità fin dalla nascita; dovevano assolutamente dileguarsi dalla coscienza storica degli italiani nuovi: così, da quegli anni a oggi, il compito di continuare a seppellire ogni giorno decine di migliaia di meridionali è passato agli storici risorgimentisti, che hanno occultato i fatti ogni volta che potevano o hanno presentato l'intera vicenda come un fenomeno... di «brigantaggio».

Occorre però svolgere anche un'attenta indagine su un nodo importante: se durante i giorni della prima aggressione rivoluzionaria, quella napoleonico-giacobina, centinaia di migliaia di italiani presero le armi in difesa della loro civiltà e identità aggredite, negli eventi del 1859-'60 ciò non accadde. In generale gli italiani – come popolo – non si schierarono: non favorirono i rivoluzionari, né li combatterono (anche se non mancarono vari episodi antiunitari e legittimisti[504]). Perché?

Le ragioni sono numerose, ma credo che tre di esse abbiano importanza prevalente sulle altre: 1) anzitutto la concezione romantica aveva ormai diffuso gli ideali patriottici, e quanto accaduto con Napoleone aveva lasciato un segno indelebile; 2) a differenza di quanto accadde dal 1796 al '99, quando tutto era finanche troppo evidente (un invasore in casa, ladro, stragista e anticattolico), ora per le popolazioni era più difficile capire esattamente che cosa stesse realmente succedendo, e in maniera così fulminea; 3) a confondere maggiormente le idee stava il fatto che Cavour era un Primo ministro di uno Stato cattolico e monarchico, il cui esercito era composto in gran parte da italiani.

Insomma, gli italiani non si sollevarono a favore dei piemontesi (in Lombardia e Veneto, al contrario, i contadini appoggiarono gli austriaci) per un innato italico buon senso (qualcosa non quadrava...); d'altro canto, non furono nemmeno pronti a morire in massa per i legittimi sovrani contro Vittorio Emanuele II, perché, in fondo, questi era il legittimo erede di quei Savoia in difesa dei quali migliaia di insorgenti avevano combattuto nel 1792 e nel 1799.

I Savoia costituivano infatti una delle legittime dinastie italiane, peraltro la più antica, e, almeno fino a qualche anno prima, la più ligia alla Chiesa cattolica. Così, tutto si svolse sopra le teste degli italiani, i quali, quando si trattò di andare a votare i plebisciti, non se la sentirono di finire licenziati, oppressi, arrestati, se non uccisi, per votare contro un Savoia, re cattolico e legittimo.

Fino all'autunno del 1860. Poi qualcosa cambia nel Mezzogiorno d'Italia, nell'ex Regno delle Due Sicilie, perché gli italiani di quelle terre conobbero la Rivoluzione italiana; conobbero Garibaldi e Bixio prima, Cialdini e La Marmora dopo; e fu la guerra civile, in nome della Chiesa cattolica e di Francesco II di Borbone, legittimo sovrano depredato dal cugino del trono, dei beni immobili e mobili, della patria.

Cavour, nel frattempo, era morto, e mai sapremo come egli avrebbe affrontato la tragedia della guerra civile. I suoi successori, gli uomini della Destra storica, l'affrontarono in maniera molto decisa: con la legge marziale, le stragi organizzate, la follia omicida (insorti, loro parenti, donne, bambini, vecchi, tutti furono soggetti a fucilazione immediata), la repressione distruttiva (case, masserie, allevamenti, riserve alimentari), il terrore istituzionalizzato, le deportazioni e gli arresti in massa.

Finita la violenza delle armi, sopraggiunse quella della fame: le terre della Chiesa e dei demani furono confiscate e vendute ai facoltosi borghesi, i quali sfruttarono milioni di contadini; le industrie del Sud avviate dai Borbone furono distrutte, milioni di persone ridotte al lastrico. Nacque la «Questione meridionale».

Nessun problema per lo Stato italiano, che era senza nazione: pronti i bastimenti per i suoi indegni figli, che non capivano le esigenze di progresso e civiltà dei nuovi italiani, e restavano quindi fuori dalla nuova identità nazionale. Quella degli «italiani già fatti», opposta a quella degli italiani «ancora da fare».

2. La «costruzione» della «nuova Italia»

Nelle pagine seguenti ci si limiterà a schematizzare, secondo una progressione logica, quelli che possono essere ritenuti i principali effetti che la Rivoluzione italiana ha prodotto nella società nazionale e nell'intera storia del Paese, rimandando ad altri studi il debito approfondimento specifico[505].

a) L'Italietta

Torniamo al 1861. L'Italia è unificata con i sistemi e le modalità che abbiamo potuto costatare. Mentre Massimo d'Azeglio scopre che, fatta l'Italia, occorre fare gli italiani, l'*élite* piemontese si accorge che i guai sono tanti e gravi.

In politica estera, il neonato Regno è diplomaticamente isolato e, comunque, subalterno e moralmente indebitato nei confronti dell'Imperatore dei francesi, ormai tutt'altro che favorevole al governo di Torino; sia perché, a parte l'acquisizione di Nizza e della Savoia, Napoleone si sente giocato da Cavour che non aveva rispettato i Patti di Plombières; sia perché l'imperatore avvertiva sulle proprie spalle tutto il peso della difesa di quanto rimaneva dello Stato Pontificio (meno dell'attuale territorio del Lazio).

E non meglio andarono le cose quando nel 1862 l'ambizioso Rattazzi, divenuto presidente del Consiglio, si mise in testa di voler dimostrare che non era da meno di Cavour, e cominciò a brigare con Garibaldi per indurlo ad assalire Roma senza che il governo di Torino ne apparisse complice. Sprovveduto tentativo di copiare il maestro, tale da irritare ulteriormente Napoleone III, che minacciò Torino di guerra qualora non avesse immediatamente trattenuto Garibaldi (che, come noto, fu fermato a cannonate, ferito e arrestato); il Paese, a causa dell'inesperienza dei nuovi governanti, scivolò in una situazione di quasi guerra civile fra «piemontesi» e garibaldini[506].

Né diversa piega presero gli avvenimenti con quella che i corifei della *vulgata* risorgimentale hanno spudoratamente definito la Terza guerra di Indipendenza (1866).

Sebbene l'Austria fosse contemporaneamente in guerra con la Prussia di Bismarck e ne venisse sconfitta, il Regno d'Italia fu umiliato sia militarmente (sconfitti esercito e flotta) sia diplomaticamente: Francesco Giuseppe cedette il Veneto solo perché gli venne imposto da Bismarck nel trattato di pace, ma per umiliare il governo di Torino l'affidò a Napoleone III, affinché lo «donasse» al Regno d'Italia.

Nel 1867 tornò al governo Rattazzi, che volle ritentare ciò

che aveva fallito nel '62: esorcizzare il fantasma del suo amico-rivale di sempre (Cavour). Contattò nuovamente Garibaldi di nascosto incitandolo a invadere lo Stato Pontificio, senza che il governo italiano (ora la capitale era a Firenze) apparisse coinvolto nell'operazione; Garibaldi si mobilitò subito (anche perché nel frattempo, con la Convenzione di settembre, le truppe francesi avevano lasciato Roma dietro impegno del governo italiano a non attaccare la Città Santa, anzi, a difenderla in caso di aggressioni esterne), ma Napoleone III fulminò di nuovo Rattazzi, costretto ad abbandonare ancora Garibaldi al suo destino, mentre truppe francesi tornavano a Roma per difendere il Papa dagli assalti di pochi garibaldini del tutto isolati e, anzi, contrastati dalle popolazioni pontificie. Furono infatti facilmente sconfitti a Mentana dai francesi e a Monterotondo dagli Zuavi pontifici, mentre a Roma i fratelli Cairoli (convinti che tutta la città non aspettasse che loro) rimasero travolti dall'assenza di un qualsivoglia aiuto popolare alla propria iniziativa.

Nel 1870 Bismarck rovescia il trono di Napoleone III: così, appena poche settimane dopo la caduta dell'Imperatore dei francesi, i bersaglieri entrarono in Roma, anche questa volta senza che i romani li accogliessero festanti[507].

Ora l'Italia era più isolata che mai. Al Congresso di Berlino del 1878 il nostro governo fu l'unico a uscirne «con le mani nette», come ammise lo stesso Benedetto Cairoli, allora presidente del Consiglio. Era talmente cocente l'umiliazione di non essere una «potenza» colonialista, che i nostri governanti (ormai gli uomini della Sinistra storica) pensarono bene di mettere da parte ogni residuo di dignità, pronti a vendersi l'anima al diavolo piuttosto che subire rassegnati la penosa sconfitta diplomatica. Si arrivò così alla stipulazione della Triplice Alleanza: con voltafaccia morale e politico, tradendo gli ideali di un'intera epoca storica, quella appunto del Risorgimento e della Rivoluzione italiana, gli uomini della Sinistra storica si allearono militarmente con l'Austria di Francesco Giuseppe! Non c'è quindi da meravigliarsi se i loro immediati successori, nel 1915, non avranno problemi di coscienza e di pudore a tradire gli alleati (ormai già da trentatré anni) Austria e Germania per vendersi, al momento decisivo, quello della guerra, al migliore offerente, alla Triplice Intesa.

I «giri di valzer» italiani, del resto, erano ben conosciuti e temuti dalla diplomazia europea. Comunque, di tutti i vergognosi voltafaccia della storia unitaria italiana, questo non fu neanche il peggiore: basti pensare appunto al Cavour che tradisce i Patti di Plombières, a Vittorio Emanuele II che scrive all'ultimo Borbone nel 1860 una lettera di condanna per l'invasione garibaldina, alle malefatte di Rattazzi, all'opportunismo del settembre 1870, e poi al comportamento di Vittorio Emanuale III e Badoglio... Ma questa non è la storia degli italiani: è la storia della Rivoluzione italiana, la storia di una *élite*.

E iniziò poi l'avventura coloniale: era viva la necessità di intraprendere la via dell'imperialismo, sia per non essere troppo da meno delle altre grandi potenze europee, sia per tentare di sconfiggere il significato universale della Roma cattolica. Si fecero due tentativi, uno nel 1887 e l'altro nel 1896: disastri completi, pagati al caro prezzo di migliaia di soldati italiani mandati a morire in Africa orientale per soddisfare le velleità di potenza.

Certo, nel 1912 l'Italia strappò la Libia al moribondo Impero turco; ma la Prima guerra mondiale era ormai alle porte, e sappiamo bene come la classe politica, nel 1919, saprà difendere gli interessi nazionali dopo aver sacrificato sull'altare della nuova «religione della Patria» 700.000 giovani e meno giovani e 1.500.000 mutilati (senza contare i morti e i mutilati di parte avversa, naturalmente). Fu questo il risultato finale della politica estera della classe dirigente del Risorgimento: la «vittoria mutilata», anticamera dell'avvento al potere del fascismo.

In politica interna abbiamo la guerra del cosiddetto «brigantaggio» e la nascita della «Questione meridionale» con l'emigrazione di milioni di contadini, resi ancor più disperati sia dall'accaparramento e speculazione dei beni ecclesiastici da parte delle *élites* borghesi, sia dalla dura pressione fiscale imposta alla popolazione povera del Meridione (la tassa sul macinato, che i Borbone avevano abolito), cui toccò subire il peso del «pareggio del bilancio», vero idolo della Destra storica. Scrive Giuseppe Galasso: «Nei primi quarant'anni né col libero scambio, né col protezionismo si riuscì ad inserirsi nel gruppo dei Paesi europei economicamente più avanzati»[508]. Comunque, la nuova Italia andò avanti, con il sangue dei meridionali che rimanevano nelle loro terre e con le lacrime dei meridionali che emigravano.

Urgeva poi il problema dell'organizzazione amministrativa del nuovo Regno. Data la peculiare realtà storica e sociale della Penisola italiana, si sarebbe dovuto attuare un sistema decentrato per serbare le enormi differenze di ogni genere fra i vari Stati preunitari; invece, soprattutto a opera di Rattazzi, venne realizzato l'accentramento totale, sullo stile della burocrazia francese, con la creazione anche della figura del prefetto. E fu il piemontesismo[509].

Ma se la Destra produsse il piemontesismo[510], la Sinistra originò la piaga della storia politica unitaria nazionale: il «trasformismo», vale a dire la tendenza dei deputati della opposizione a passare nella maggioranza in cambio di soldi o posti di potere[511].

Il trasformismo è fenomeno soprattutto italiano, pur essendo presente altrove (come nella Terza Repubblica francese), in quanto, come spiega Mieli, «il nostro è sostanzialmente l'unico sistema che non ha mai conosciuto alternanze per via elettorale: l'unico sistema in cui i cambi di maggioranza sono sempre avvenuti prima in Parlamento per poi ricevere "conferma" dalle urne. È dunque il solo Paese in cui quel bacillo del trasformismo ha provocato un male capace di produrre una paraplegia permanente». Continua Mieli: «Ma perché l'Italia ha partorito il trasformismo o comunque è stata così accogliente con esso? Probabilmente perché era insicura. Mimava i comportamenti delle grandi democrazie che andavano affermandosi nell'Ottocento e nel primo Novecento, ma dentro di sé sentiva crescere l'ansia che tutto quello che era stato costruito da Cavour potesse andare in pezzi da un momento all'altro. L'*establishment* italiano avvertiva che le masse cattoliche, quelle meridionali, la nascente sinistra socialista, quella radicale e repubblicana, non si riconoscevano nello Stato».

In pratica, come si può notare, la stragrande maggioranza degli italiani non si riconosceva nello Stato, che era quindi come «straniero in patria». Talché il trasformismo venne considerato un male necessario, un male minore, per salvare la stessa pericolante unificazione nazionale risorgimentale.

Seguirono gli anni degli scontri sociali, e un'ulteriore divisione iniziò a gravare sugli italiani unificati. Si diffusero socialismo e anarchismo, e cominciarono le rivolte contadine e operaie degli anni Novanta.

Ma gli uomini del Risorgimento non scherzavano: così nel 1898 a Milano gli operai che protestavano furono presi a cannonate; i socialisti manifestavano e i cattolici venivano arrestati, fra cui don Davide Albertario[512]. Di lì a poco, il re Umberto I venne assassinato dall'anarchico Gaetano Bresci. Ma questa volta i Savoia non definirono un anarchico assassino «eroe della patria», come avevano fatto con Agesilao Milano, l'attentatore di Ferdinando II.

E con questo omicidio si concludeva il secolo XIX.

b) Unitarismo & federalismo

Scrisse Henri d'Ideville, diplomatico francese, ammiratore pentito di Cavour: «L'unità italiana ha generato il garibaldinismo, la guerra contro la religione, il prestito forzoso, l'imposta sul reddito accompagnata dalle più pesanti tasse dirette e indirette; questa unità condannò fatalmente il Paese alla bancarotta, all'irreligione e al disordine sotto l'una e l'altra forma [...]. La confederazione sarebbe la soluzione conservatrice della questione italiana e credo non vi sia un italiano amante del Paese e della religione che non desideri questa soluzione»[513].

Le parole del diplomatico francese erano state precedute da quelle ben più importanti di Napoleone III in una lettera a Vittorio Emanuele II all'indomani dell'armistizio di Villafranca, dove l'imperatore, riprendendo il grande piano neoguelfo che assicurava l'indipendenza dell'Italia e l'unione confederale con a capo il Papa (e, a suo dire, Francesco Giuseppe era d'accordo), avanzava concrete proposte e consigli[514]. Così, ancora alla fine del 1859, Napoleone III riproponeva una soluzione confederale e almeno formalmente cattolica della questione italiana.

Ma è ovvio che le medesime ragioni che spinsero nel 1848 Carlo Alberto a non seguire il neoguelfismo, a maggior ragione indussero il figlio a fare altrettanto (dietro pressione di uomini come Cavour, Rattazzi, Ricasoli e soci): l'Italia doveva essere unificata da Casa Savoia, e come una conquista dinastica doveva risultare (e infatti, come noto, Vittorio Emanuele rimase «II» anche quando divenne primo re d'Italia, proprio a ribadire il concetto che l'Italia se l'era conquistata e gli spettava «per grazia di Dio»).

Scrisse anni dopo il Minghetti: «Quanti dolori avrebbe risparmiato l'Italia se si fosse contentata dell'unità politica, diplomatica e militare, rispettando le tradizioni speciali delle diverse regioni»[515].

Ma il confederalismo[516] non fu rifiutato solo per mere, eppur concrete ragioni di egoismo dinastico e «volontà di potenza»; v'era di più in gioco. La volontà accentratrice del partito piemontese era motivata anche da ragioni religiose. Confederalismo, localismo, decentramento, difesa del particolarismo erano, agli occhi del partito piemontese, tutti elementi riconducibili all'Italia medievale, vale a dire all'Italia cattolica e papale; il razionalismo massonico si assunse il compito di scalzare l'«irrazionalismo» medievale, vincolato al rispetto delle costumanze locali e quindi di per sé ostacolo a un governo centralizzato e funzionale, per sostituirlo con il razionalismo accentratore giacobino, e in tal maniera inferse un'ulteriore gravissima ferita all'identità italiana, che da sempre era universalista e localista.

Come accennato, furono soprattutto Rattazzi e La Marmora a predisporre le condizioni per l'accentramento «alla francese», nei mesi in cui sostituirono Cavour alla presidenza del Consiglio dopo Villafranca.

Nota Martucci che essi agirono a Camere chiuse, senza consultare nessuno, e trattarono la Lombardia – abituata all'ordine della legislazione asburgica – come se fosse una colonia. Ma non bisogna credere che ciò avvenisse contro la volontà di Cavour. In realtà egli non manifestò mai, durante i suoi nove anni di governo, alcuna concreta volontà di decentramento e confederalismo.

E anche quando sembrò avallare Minghetti nelle sue posizioni decentralistiche, invero si trattava solo di simpatia strumentale tesa a garantire un miglior accentramento e fusionismo; ancora il 2 marzo 1861 scriveva a Emanuele d'Azeglio, prendendosi gioco di Minghetti: diceva, in ordine all'autonomia toscana, che essa era «morta senza scosse» e aggiungeva significativamente che «molto presto seppelliremo quella di Napoli e Sicilia»[517].

Per il decentramento e il federalismo militavano soprattutto Rosmini, Balbo, il padre Ventura, Taparelli d'Azeglio, d'Ondes Reggio; Cattaneo e Ferrari in àmbito repubblicano e laicista; d'Azeglio e Minghetti all'interno della Destra storica. Minghetti delineò anche un concreto progetto di riforma amministrativa generale del nuovo Stato in senso autonomista, finalizzato alla difesa delle tradizioni locali e dei municipalismi. Nel suo progetto, al governo centrale spettavano solo determinate competenze: gli esteri, la difesa, i trasporti, le poste[518]. A prevalere fu però la linea filopiemontese[519]. Non si volle mantenere nemmeno un certo rispetto delle tradizioni locali e dei municipalismi; così, quando giunse al potere la Sinistra, ne derivò la grave piaga del «parlamentarismo», poiché «l'accentramento amministrativo ebbe per conseguenza l'accentramento nei deputati di ogni sorta d'influenze, di cui essi abusarono facilmente, inquinando con le loro illecite intromissioni, tutta la pubblica amministrazione»[520].

Il processo accentratore si fece sempre più radicale, fino all'ipertrofia fascista. Ma occorre ricordare anche che negli anni della ricostruzione postbellica, chi più di ogni altro si batté per una centralizzazione statalistica furono Togliatti e Nenni. Insomma, da Cavour al totalitarismo la via è in discesa...

c) La Questione meridionale & l'emigrazione

«Non vi sono cento unitari in sette milioni di abitanti», scrisse il Farini da Napoli il 12 dicembre 1860 al Minghetti[521]; e forse non avevano proprio tutti i torti, i sette milioni di abitanti, come gli anni e i decenni successivi hanno dimostrato.

A parte la guerra civile meridionale, la legge marziale, le

decine di migliaia di morti, i deportati, le stragi, la miseria, le violenze ecc., e quindi l'emigrazione in massa, a parte tutto questo, appena un decennio dopo, iniziarono a diffondersi nel Nord le prime idee di separatismo, anche se solo di stampo amministrativo; e proprio negli ambienti della borghesia mazziniana e garibaldina si ritrovano le prime ostilità contro i meridionali, che in alcuni scritti del tempo venivano presentati sporchi, pigri, corrotti e paragonati ai popolani della Valacchia e di Istanbul.

Del resto, già Chabod aveva messo in rilievo il fatto che anche negli ambienti della Sinistra italiana, con l'affermarsi delle simpatie per il nazionalismo prussiano e l'acuirsi della concorrenza nazionalista, l'ideale mazziniano era sempre più venuto meno e si era cominciato a condividere il federalismo di Cattaneo. Scrive Mieli: «Eccoci dunque al punto: ad appena dieci, massimo vent'anni dall'unità d'Italia, in ambienti non già liberal-conservatori, bensì garibaldini e mazziniani viene piantato il seme da cui nasce la proposta della secessione del Nord e dell'abbandono del Sud al suo destino»[522].

Peraltro, già gli esponenti della Destra, ai tempi dell'unificazione, si erano espressi in maniera molto chiara: «Che barbarie! Altro che Italia! Questa è Affrica: i beduini a riscontro di questi caffoni, sono fior di virtù civile», aveva scritto Farini; e d'Azeglio a un suo amico: «Unirsi ai napoletani è come andare a letto con un lebbroso».

Del resto, come mai questi meridionali cafoni non accettavano il progresso piemontese? Come mai non rinnegavano il loro oscuro e tetro passato borbonico, come i fuoriusciti napoletani amici di Cavour avevano sempre promesso sarebbe accaduto? E, soprattutto, come mai, pur abitando un Paese ricco di grandi risorse naturali – come sempre i fuoriusciti avevano sostenuto – continuavano a rimanere refrattari al progresso italiano? La spiegazione non poteva che essere una: tali popolazioni erano geneticamente inferiori. Non è colpa loro, occorre guidarle e correggerle come si fa con i minori e con i menomati; e tali opinioni vennero altresì consolidate dalla diffusione delle teorie razzistico-biologiche dei positivisti nostrani, come Niceforo, Sergi, Orano e soprattutto naturalmente Lombroso[523]. Come rileva Gramsci, tali assurdità assunsero «la forza di «verità scientifica» in un tempo di superstizione della scienza. «Si ebbe così una polemica Nord-Sud sulle razze e sulla superiorità e inferiorità del Nord e del Sud [...]. Intanto rimase nel Nord la credenza che il Mezzogiorno fosse una "palla di piombo" per l'Italia» e per il suo sviluppo industriale»[524].

E così si passò dal generoso e disinteressato desiderio del partito piemontese di «liberare» i fratelli meridionali dalla barbarie borbonica al disprezzo razzista verso la «palla di piombo» che si era messa al piede, alle stragi e allo stato d'assedio, all'emigrazione[525].

Di tutta la storia del Risorgimento, di tutti gli uomini che furono protagonisti o comparse nella grande drammatica vicenda, coloro che appaiono essere veramente i più ingrati, bugiardi, calunniatori, sono proprio i cosiddetti «patrioti» meridionali, vale a dire i più celebrati dalle correnti risorgimentiste meridionali e crociane: Poerio, Settembrini, Ricciardi, La Farina, Spaventa, Crispi, De Sanctis e altri ancora[526]: veri traditori della loro patria – svenduta con la menzogna del rinnegato – e dei sette milioni di loro concittadini, che non ebbero la stessa fortuna e scaltrezza di divenire amici di Cavour, parlamentari a Torino ricchi di stipendi e pensioni, di accaparrarsi cattedre universitarie, di trasformarsi in *colporteurs* protestanti; a quei concittadini, invece, toccò subire in sorte l'amministrazione di Rattazzi, i proclami di Cialdini e Fumel, le stragi di La Marmora, lo stato d'assedio con 120.000 soldati, i lager piemontesi, le tasse di Sella, e, come alternativa, i bastimenti per l'espatrio in massa[527].

Riguardo poi allo specifico aspetto di quella immane tragedia collettiva che fu l'emigrazione, ha scritto belle parole Vittorio Frosini, che vale la pena riportare[528]: «Una delle zone d'ombra della storiografia sull'Italia degli ultimi cent'anni, che oggi appare in maggior evidenza, è quella relativa al fenomeno dell'emigrazione: fenomeno sociale, che pure ebbe carattere imponente, e che si accompagnò alla vicenda del consolidamento politico e dell'ascesa economica dell'Italia unita, proprio come l'ombra si accompagna al corpo, crescendo silenziosa, marcia senza fanfare e conquista senza bandiera, mentre il sole del Risorgimento discendeva sull'orizzonte della storia.

«Si pensi che nel 1913 il numero degli emigranti toccava la punta massima in un anno di circa novecentomila unità; e che dall'inizio del secolo all'entrata dell'Italia nella prima guerra mondiale, dunque meno che nel giro di una generazione, la cifra complessiva degli emigranti si approssima ai quindici milioni. Questa è davvero storia di popolo [...]. Per aver mancato d'una classe dirigente, capace di dar luce di coscienza civile a quel movimento di masse, l'emigrazione è perciò entrata di sfuggita nei libri degli storici [...]; ed essa è stata considerata di solito, dagli autori dei manuali, come una benefica e (involontariamente, certo) generosa trasfusione di sangue a vantaggio d'altri popoli, in cambio del quale l'Italia poté ricevere quelle rimesse in valuta pregiata, che aiutarono il suo bilancio a raggiungere il pareggio [...]. Considerata in questa prospettiva appare giustificato il giudizio paradossale di Giovanni Bovio, che l'emigrazione costituiva una continuazione del Risorgimento».

Il problema dell'emigrazione contribuì inoltre allo sviluppo, per un verso, delle cosche mafiose e della delinquenza organizzata e, per l'altro, del colonialismo e del nazionalismo, fino alla Grande Guerra; conclude con pesante arguzia il Frosini: «E del resto, la Prima guerra mondiale aveva mostrato che c'era uno sconfinato paese, il regno della morte, a cui si potevano aprire con la guerra le frontiere per consentire di emigrare alla "meglio gioventù"». E fu la Grande Guerra, anticamera del fascismo.

d) Crisi economica & pressione fiscale

Senza dubbio, uno dei problemi che maggiormente turbò i sonni della classe dirigente risorgimentale fu quello dello stratosferico debito pubblico accumulatosi in tanti anni di guerre. Divenne, per questi esponenti delle classi agiate agrarie e finanziarie, una specie di questione d'onore: il colossale debito nazionale andava sanato, al più presto e a qualsiasi costo; erano in gioco la credibilità e l'onore del nuovo Stato[529].

D'altronde, il deficit era enorme già ai tempi di Cavour: v'era da rimediare alle spese per la guerra del 1848-'49, per quella di Crimea, per tutte le innovazioni apportate da Cavour e per la corruzione della classe dirigente borbonica; poi vennero la Seconda guerra d'Indipendenza e la conquista del Sud, la repressione della guerra civile meridionale, la cosiddetta Terza guerra d'Indipendenza, Mentana: in pratica, un'unica grande, immensa guerra.

Scrive O' Clery[530]: «Durante tutto questo periodo fu mantenuto un enorme esercito e, al tempo stesso, vennero intrapresi lavori pubblici su larga scala. Si progettarono e realizzarono arsenali e cantieri sufficienti per il più numeroso esercito europeo e per una marina imponente in numero e in qualità, furono costruite fortificazioni e varate corazzate. A parte l'esercito propriamente detto, c'era anche un esercito di pubblici funzionari, poiché il governo civile, modellato sul sistema centralizzato francese, è molto più costoso di un'amministrazione in cui prevalga l'elemento locale. La politica dell'Italia fu il tentativo di recitare un ruolo di grande Potenza militare e navale, e di subordinare a ciò ogni altra considerazione. Il denaro necessario a tal fine fu ottenuto con l'aumento delle imposte e dei prestiti stranieri, che, per gli interessi da pagare, causavano nuove uscite e quindi nuovo aumento di tasse, e ricorrenti nuovi deficit, senza fare il minimo taglio di spesa [...]. Il totale del debito consolidato al 1870 era di £. 3.772.250.000. A queste vanno aggiunte altre passività e garanzie non incluse nel debito consolidato, che facevano salire il debito pubblico a 6.275 milioni di lire [...]. I disavanzi annui erano enormi, e andavano dai 150 agli 800 milioni di lire. Quest'ultima somma corrispondeva al deficit. del 1866, somma quasi uguale alla metà delle entrate della Gran Bretagna e dell'Irlanda [...]. Ogni forma di tassazione esistente sotto i passati governi fu conservata, nuove tasse furono aggiunte, fino al punto che il libero cittadino dell'Italia unita ebbe la soddisfazione di apprendere che lo Stato percepiva un qualche introito dal suo cibo, dai suoi vestiti, dai suoi mobili, dalle sue finestre, dal suo stipendio o pensione, da tutto insomma, tranne dall'aria che respirava»[531].

O' Clery calcola che nel 1866 un abitante del Regno di Napoli pagasse 28 franchi al fisco, vale a dire il doppio di quanto il popolo napoletano pagava prima della «liberazione». Per non parlare poi degli abitanti degli altri Stati preunitari, il cui peggioramento fu ancora più evidente[532].

A parte l'esproprio dei beni della Chiesa, occorre inoltre tener presente che quei pochi che si arricchirono nel decennio 1860-'70 non produssero alcuna ricchezza nazionale né posti di lavoro, mentre si diffuse il pauperismo per l'aumento dei prezzi provocato dalle nuove tasse: Sella calcolava che l'operaio spendesse i quattro quinti del salario solo per l'alimentazione e i combustibili, cioè legna o carbone. Con l'unificazione lo Stato italiano aveva preso carico del debito di ciascuno Stato preunitario, ma «si era visto che su un totale di 2.402,3 milioni di lire, ben 1.321 milioni erano debiti fatti dal Piemonte per la causa d'Italia. Prima del 1848, quando il Piemonte se ne viveva ancora appartato, i suoi debiti ammontavano a neppure 100 milioni e il bilancio dello Stato sabaudo, in certi anni, presentava addirittura un attivo. Adesso, tutti gli italiani erano nei debiti fino al collo. L'indebitamento cresceva a vista d'occhio di pari passo col disavanzo annuale. Era una voragine che si spalancava per la corsa agli armamenti e le spese straordinarie che l'unità imponeva a getto continuo»[533].

Poi venne la tassa sul macinato[534], che provocò rivolte contadine, spesso a carattere violento, specie in Romagna, che fu messa in regime di occupazione militare sotto il generale Cadorna; questi attuò una ferocissima repressione, le cui cifre ufficiali parlano di 257 morti, 1.099 feriti e 3.788 arrestati. Come è noto, altre repressioni violente si ebbero, come nel caso dei Fasci siciliani o ancor più nei fatti di Milano del 1898, con il generale Bava Beccaris.

È ben difficile non arguire che la situazione economica che grava tutt'oggi sul popolo italiano, rendendolo uno dei più tartassati del mondo occidentale, trova le sue radici strutturali, se così si può dire, prima ancora che finanziarie, nella storia del Risorgimento italiano.

e) Sergenti & maestri elementari

Come si evince da tutto quanto finora detto, tirava in quegli anni in Italia aria di totalitarismo giacobino. Coscrizione obbligatoria: si tratta della leva di massa, invenzione rivoluzionaria istituita dai giacobini francesi, e mai attuata dagli Stati cristiani prerivoluzionari. Insomma, è una delle grandi conquiste del progresso rivoluzionario, che si proietterà poi nel XX secolo.

Del resto, la Sinistra storica italiana aggiunse anche un'altra coscrizione, quella scolastica, il cui scopo non era solo o tanto quello positivo dell'alfabetizzazione popolare, bensì precipuamente quello dell'aperta e perseguita scristianizzazione delle «masse»[535]. Il discorso sarebbe molto lungo e anche molto attuale, ma limitiamoci solo ad alcuni esempi chiarificatori.

Troviamo scritto nella *Rivista della Massoneria Italiana* (1879, n. 20-21, p. 308): «L'unico mezzo per atterrare la superstizione del confessionale è la scuola. La scuola nell'ordine morale è il cannone»[536]. Come disse il ministro Cesare Correnti alla Camera il 22 gennaio 1874, il fondo della questione era lo scontro fra scuola laica e scuola cattolica, «due secoli l'un contro l'altro armati»[537]. Il giorno precedente, sempre alla Camera, il deputato della Sinistra Michelini aveva sostenuto che il nemico della nuova Italia era il nemico della libertà e dell'incivilimento, vale a dire la Chiesa; questa andava combattuta mediante l'arma dell'istruzione, la sola capace di renderla vulnerabile; e Petruccelli della Gattina sentenziò il 5 marzo 1877: «Il cattolico non è né cittadino né uomo»; quindi invitava a fare nell'ordine morale ciò che già si era compiuto nell'ordine politico: dopo aver abolito la teocrazia temporale, occorreva far crollare la teocrazia spirituale, esautorando la Chiesa con la scuola laica[538].

Con questi presupposti (e per questi presupposti) si passò all'azione: nel 1877 si rese obbligatoria l'istruzione per la prima e la seconda elementare; l'insegnamento della religione diveniva facoltativo, ma Benedetto Cairoli il 9 marzo invitava pubblicamente dalla Camera dei deputati ogni padre di famiglia a impedire ai figli anche la sola lettura del catechismo.

Come la coscrizione obbligatoria militare doveva servire a

creare lo spirito nazionalista, così quella scolastica doveva servire a cancellare il retaggio cattolico dalle coscienze dei giovani per sostituirvi la nazionalistica religione della patria[539]. Come scrive Fabio Cusin[540], si tentò di porre rimedio all'assenza di una vera coscienza politica nazionale negli anni postrisorgimentali mediante «il maestro elementare e il sergente istruttore, che per cinquant'anni con la loro convinta ignoranza diffusero tra le masse [...] l'idea della patria comune», che era stata grande in passato e che poi era decaduta per colpa della Chiesa cattolica, ma che ora, grazie a casa Savoia e ai suoi eroi, era tornata grande[541]. Anche Fabio Cusin arriva alla inevitabile conclusione: da questo nazionalismo spicciolo nacque poi quello fascista.

3. L'ideologia risorgimentale

Ma per costruire davvero la «nuova Italia», per realizzare concretamente e in maniera definitiva l'imperativo dazegliano, occorreva naturalmente cambiare le menti di ventidue milioni di italiani; e per fare questo la coscrizione militare e quella scolastica non bastavano. Bisognava, in tempi brevi e in misura drastica, porre rimedio alla più grande debolezza di tutta la Rivoluzione italiana: il problema, non del tutto secondario, che essa non godeva dell'appoggio del popolo.

Per fare gli italiani occorreva trovare un mezzo nuovo, non politico, in quanto l'obiettivo ora necessario era quello di formare le menti, unificare ideologicamente e moralmente gli italiani, per la stragrande maggioranza cattolici fedeli a Roma papale: fatta l'Italia, insomma, occorreva ora fare i «fratelli d'Italia», non nel senso naturalmente che tutti gli italiani dovessero entrare nella massoneria, ma nel senso che le istanze massoniche dovevano entrare nelle menti di tutti gli italiani[542].

Così, dall'evento politico si passò all'evento ideologico: dal Risorgimento alla ideologia risorgimentale. In tal modo la Rivoluzione italiana continuava, e continuava dritta per l'iniziale sua strada verso gli obiettivi di sempre.

Scrive Sergio Romano[543]: «"L'deologia risorgimentale" non è sinonimo di Risorgimento. Essa è il "codice" etico-politico della classe dirigente nazionale dopo la costituzione dello Stato unitario, è il "credo" politico di coloro che si identificano con l'Unità e hanno un evidente interesse ad assicurarne un buon funzionamento».

Tale ideologia, continua Romano, nasce appena dopo l'unificazione, frutto anche di immaginazione e invenzioni necessarie per la gestione e sopravvivenza del nuovo Stato. «Anziché raccontare l'unità come effetto di circostanze impreviste e di opportunistiche adesioni, la nuova classe dirigente nazionale fu costretta a raccontarla come il risultato di un grande sforzo unitario e di una forte volontà collettiva. Fu taciuto il ruolo delle navi inglesi davanti al porto di Marsala, furono taciuti l'opportunismo e il doppiogiochismo delle classi dirigenti locali, fu ignorato o dimenticato l'eroismo di coloro che tentarono un'ultima difesa contro i piemontesi e i garibaldini [...]. L'Italia fu governata dall'alto perché qualsiasi altra forma di governo ne avrebbe pregiudicato l'esistenza [...]. Al vuoto politico-amministrativo di buona parte della Penisola rispose imponendo le istituzioni e le norme dello Stato piemontese: codici, giustizia amministrativa, istruzione, regolamenti sanitari, imposte, tariffa doganale. E alle improvvise fiammate di protesta e malcontento nelle città o nelle campagne rispose con stati d'assedio che si susseguirono sistematicamente dall'unità alla fine del secolo [...]. Proprio perché scaturito da circostanze impreviste lo Stato unitario ebbe immediatamente bisogno di una forte ideologia dominante [...]. Rovesciando l'ordine logico delle cose dovette creare *a posteriori* la premessa dell'Unità: fare gli italiani [...]. L'ideologia risorgimentale non è quindi [...] l'antefatto ideale e morale dello Stato unitario. È la somma delle convinzioni, delle certezze, degli obiettivi e dei metodi con cui la classe dirigente conferisce a sé stessa il diritto di governare [...]. Ma deve anche realizzare il più rapidamente possibile ciò che avrebbe dovuto, in buona logica, precedere l'unificazione e giustificarne l'avvento. Deve "fare gli italiani"».

Come si impone a un popolo un'ideologia in poco tempo? Come si mutano le menti di decine di milioni di individui? Come li si può convincere che «sono stati fatti italiani»?

Non è che vi fossero molte alternative. In mancanza dei sofisticati e in tal senso terribilmente incisivi mezzi di comunicazione odierni, gli strumenti erano sostanzialmente di tre tipi: 1) quello artistico-architettonico e urbanistico-topografico (dall'altare della Patria alle statue dei patrioti, ai nomi di vie e piazze di tutta Italia); 2) quello «orale», vale a dire le conferenze pubbliche, i discorsi celebrativi in ogni occasione, ma soprattutto i maestri elementari dispensatori delle pagine di *Cuore* e i docenti di liceo e università (ma anche i sergenti istruttori, come abbiamo osservato); 3) la carta stampata, lo strumento più potente di ogni altro: dai giornali ai libri di divulgazione storica e scientifica, e soprattutto i testi scolastici e universitari.

Si adattò insomma la storia passata alle esigenze presenti, il fatto all'ideale. E si sviluppò così, come spiega Emilio Gentile, «una rappresentazione simbolica del Risorgimento, basata sostanzialmente sull'assimilazione, da parte della classe dirigente liberale, delle diverse versioni risorgimentali del mito nazionale, da quella mazziniana a quella garibaldina – trasformate in parti integranti del mito nazionale dello Stato liberale – dopo averle opportunamente depurate di tutti gli elementi ideologicamente incompatibili con la propria concezione politica». Scopo di questa falsificazione storica era evidentemente il conseguimento della meta ideale, ovverosia «creare finalmente la patria degli italiani» sorvolando sulle divisioni e su tutti i problemi che caratterizzarono il movimento unitario, e insistendo precipuamente proprio sull'unità di intenti e voleri che mosse i quattro padri della patria: l'apostolo, il guerriero, il re, lo statista[544].

Con Crispi, nota Umberto Levra, il mito del Risorgimento diviene «nazional-popolare», condizione essenziale per fare gli italiani[545].

Nasce così la storiografia risorgimentista, ancor oggi viva e agguerrita, e naturalmente più che mai saldamente piazzata sulle cattedre, nei quotidiani e nelle grandi case editrici. Commenta Galli della Loggia: «La nostra storia nazionale è divisa *ab origine*: la nazione nasce da due nazioni che si sono combattute con le armi e messe fuori legge. Il grave è che la storiografia sia stata lo specchio fedele di questa frattura della storia, anziché provarsi a comporla, a comprenderla»[546].

Al pari di tante altre questioni esaminate nel presente saggio, anche questa meriterebbe apposite trattazioni, corredate da numerose citazioni di storici a concreta e palese dimostrazione di come si sia costruita l'ideologia risorgimentale (e dunque a dimostrazione di come si sia tentato di fare gli italiani): il «canone» della nostra storiografia, come l'ha definito Oscar Sanguinetti[547]. Ed è effettivamente un lavoro che prima o poi andrà fatto, come denuncia di una secolare, collettiva alterazione della verità storica.

Un giudizio per tutti a conferma di ciò. Scrive Franco Valsecchi circa l'uso politicizzato e pedagogicamente strumentale che si è fatto della storia del Risorgimento: «Il ciclo dell'unificazione non è ancora compiuto, il dramma risorgimentale non è ancora giunto all'ultimo atto, e già gli attori ambiscono a mutarsi in spettatori, si ergono a giudici del loro stesso operato, cercano di valutarne la portata. Ma rimangono, pur sempre, attori, partecipi della vicenda che propongono di riprodurre come storia e che, tuttavia, non è ancora, nel loro spirito, storia, bensì passione, lotta, ideologia, polemica: insomma, politica in atto»[548].

In realtà, ciò che Valsecchi presenta come vero per i primi decenni unitari, è rimasto vero sempre, tal quale, e forse ancora più oggi. La storiografia sul Risorgimento è solo il più marcato dei vari volti dell'ideologia risorgimentista; vale a dire, è stata ed è rimasta soltanto uno strumento di lotta politica, una delle voci, forse la più incisiva, della Rivoluzione italiana.

La storiografia risorgimentista ha influenzato e influenza le menti e la cultura degli italiani (e quindi il loro pensiero) non tanto e non solo mediante travisamenti della realtà (che comunque abbondano), quanto piuttosto per le ricostruzioni generali della storia che essa fornisce, per il quadro d'insieme in cui colloca fatti e personaggi, per i preconcetti ideologici con cui scrive, e, massimamente, per tutti i peccati di omissione, per quello che si ostina a tacere (l'elitarismo rivoluzionario, la brutalità giacobina, il grandioso ed eroico fenomeno dell'insorgenza controrivoluzionaria di massa, il vero volto del settarismo, l'inesistenza del consenso popolare, il fondamentale ruolo delle Potenze straniere e del protestantesimo internazionale, le manovre oscure che condussero alla caduta del Regno delle Due Sicilie, la farsa dei plebisciti, la corruzione morale e civile degli unitaristi, l'eroismo e la fedeltà dei borbonici a Gaeta e Civitella del Tronto nonché dei volontari pontifici a Castelfidardo e a Roma il 20 settembre 1870, il fiscalismo oppressivo, l'avventurismo delle classi dirigenti, il militarismo, il terrorismo stragista nel Mezzogiorno, il nazionalismo, e, soprattutto, la guerra alla Chiesa cattolica e l'anticlericalismo, per non parlare della vita e delle gesta dei singoli protagonisti...).

Bisognerà approfondire il discorso con appositi studi. Sarebbe bello che il centocinquantenario dell'unificazione nazionale non fosse un ennesimo trionfo dell'ideologia risorgimentale, fonte inesauribile di divisione fra gli italiani, ma preziosa occasione per riscoprire la verità della nostra storia, al fine proprio di perseguire le vie della verità, le uniche che conducono a serenità e unità vere.

Capitolo II
RISORGIMENTO, FASCISMO & GUERRA CIVILE

«Il fascismo è il massimo esperimento
della nostra storia
nel fare gli italiani».

Benito Mussolini

1. La nuova religione. Dalla Sinistra storica al fascismo

Ma torniamo ora, per avviarci a concludere, al problema della guerra alla religione cattolica in nome della nuova religione della patria, la via che condurrà il nostro popolo alla Guerra mondiale e alla dittatura.

L'assenza di ogni serio seguito popolare alle guerre unitarie[549], il fallimento militare della cosiddetta Terza guerra d'Indipendenza, i 120.000 soldati mobilitati per venire a capo della controrivoluzione meridionale, dimostravano chiaramente che l'aspetto bellico costituiva un'altra delle ragioni di agitazione e umiliazione per la classe dirigente risorgimentale. E così, come già accennato in precedenza, la Sinistra risorgimentale si tuffò nelle avventure coloniali e militari[550]. E fu un disastro[551]. Quando Sella, per risolvere il debito pubblico, avanzò la saggia proposta di ridurre le spese militari in quanto palesemente inutili, fu la Sinistra che si oppose[552].

Nota Sergio Romano[553] che, dinanzi al problema dazegliano di «fare gli italiani», la classe dirigente risorgimentale assunse due opposti atteggiamenti: uno guerrafondaio, adottato dalla Sinistra; l'altro diplomatico e attendista, seguito dalla Destra. Si può dire che Crispi, Salandra, Sonnino e Mussolini tentarono di «fare gli italiani» con la guerra[554], mentre Spaventa, Sella, Minghetti, Giolitti con le riforme, le infrastrutture, lo sviluppo economico. In fondo anche la Prima guerra mondiale fu fatta per «fare gli italiani», e ciò è dimostrato dalla indifferenza con cui il governo italiano era pronto ad allearsi con una delle due parti, in base al miglior offerente, in quanto l'importante era espandersi, ma anzitutto al fine di forgiare definitivamente l'unità nazionale mediante il più grande e tragico coinvolgimento delle masse contadine e lavoratrici. E fu questa la via adottata alla fine dal re e da Salandra. Scrive al riguardo De Ruggiero[555] che, proprio a causa del fatto che ai tempi di Salandra l'Italia era ancora l'Italia di pochi, fu deciso dallo statista di entrare nella Grande Guerra: «La patria [...] non era ancora compiuta: bisognava compierla. E fu dichiarata la guerra».

Naturalmente, lo spirito nazionalista e guerrafondaio[556], che culmina con la scelta, per le ragioni appena dette e per porre rimedio all'umiliazione inferta da Menelik, di entrare in una guerra sconvolgente e disastrosa dalla quale l'Italia sarebbe potuto benissimo rimanere fuori, trovò il suo naturale sbocco – anche a causa della «vittoria mutilata», delle prime violenze in Italia dei socialisti e comunisti contro reduci ed ecclesiastici, e del malcontento popolare per il mancato mantenimento delle promesse prebelliche di aiuti concreti ai ceti contadini – nell'affermazione del fascismo[557].

Come chiarisce sempre Emilio Gentile, «la diffusione del mito nazionale, fra l'inizio del secolo e l'avvento del fascismo al potere, ebbe, per così dire, un carattere conflittuale piuttosto che conciliativo: invece di favorire il sentimento di unità nazionale, convogliandolo verso lo Stato liberale, acuì e moltiplicò le fratture che dividevano gli italiani», i quali, ciascuno nelle varie tendenze, pretendevano di essere i veri interpreti del nazionalismo risorgimentale; e tutto ciò condusse a una «ideologizzazione della nazione», vera radice delle future guerre civili che insanguineranno l'Italia, conducendo di per sé alla «competizione per rivendicare la rappresentanza della vera Italia»[558].

Il regime liberal-risorgimentale, pur uscito vincitore dalla Grande Guerra (e stavolta lo sforzo militare era stato tragicamente concreto e anche eroico), era ormai svuotato di ogni vero significato, e la scena politica presentava come nuove protagoniste due forze popolari del tutto estranee al Risorgimento (anzi, una ne era stata la vittima designata).

La Rivoluzione italiana, di fronte al pericolo cattolico e a quello comunista, dovendo scegliere tra la sopravvivenza delle istanze liberali e laiciste di stampo «Destra storica» e una nuova svolta rigeneratrice, preferì questa soluzione facendo leva sull'altra faccia della sua medaglia, quella appunto militarista, propugnata per decenni dalla Sinistra, ma da tempo fatta propria anche dalle correnti letterarie e antidemocratiche della destra nazionalista.

L'uomo che riuscì a congiungere in un unico progetto politico eredità risorgimentale, istanze socialiste, mazziniane e garibaldine, e nazionalismo imperialista fu Mussolini. Il Mussolini del 1919. Insomma, il fascismo si assunse il compito di riuscire ove il liberalismo risorgimentale aveva fallito, ovvero di creare la «patria degli italiani», ponendosi in questo modo come esito fatale e completamento storico di tutto il Risorgimento nazionale. L'Italia fascista divenne la vera Italia, che non lasciava spazio ideale e politico a chi fascista non fosse. «Culmine della subordinazione della nazione al fascismo, definito teoricamente con la formula "lo Stato crea la nazione", fu l'attuazione del progetto di rivoluzione antropologica, col quale lo Stato totalitario si propose di rigenerare gli italiani, di "rifare" il loro carattere, di creare una nuova identità, spirituale e razziale, della nazione»[559].

Sono evidenti le varie fasi ideali e tappe storiche mediante le quali il fascismo tentò di attuare tale programma, vale a dire il comandamento dazegliano: si presentò la Grande Guerra come strumento palingenetico che fece conoscere gli italiani agli italiani, creando in loro la volontà e il senso della rinascita («risorgimento», appunto) e proiettandoli verso il futuro e non verso il passato, seppur ricco di glorie (anche il mito della romanità era inteso come produttore di gloria futura), e presentando il fascismo come il custode del «dogma della nazione», che per l'appunto divenne «fascista», strumento a sua volta temporaneo finalizzato all'affermazione di un futuro universalismo imperialista. È appunto lo «Stato che crea la nazione», e la nazione diviene, come insegnava Giovanni Gentile, prodotto dello Stato, dello Stato fascista; tutte le formule mussoliniane («Italia proletaria», «impero», «autarchia», «leggi razziali» ecc.) erano volte appunto alla realizzazione di questo assunto che può considerarsi il rivolgimento della logica degli eventi storici e, d'altro canto, il compimento degli intenti risorgimentali.

Lo stesso Mussolini ci dà conferma di quanto detto: in un discorso del 1924, ebbe a sentenziare: «Senza lo Stato non c'è nazione. Ci sono soltanto degli aggregati umani...». In fondo, anche per questo aspetto il fascismo risulta essere la più coerente applicazione storica di tutto il movimento risorgimentale, che prima volle realizzare e realizzò lo Stato nazionale, e solo in seguito volle porsi il problema dazegliano, quello degli «italiani», vale a dire il problema della nazione. Sentenziò sempre Mussolini a chiare lettere: «Il fascismo è il massimo esperimento della nostra storia nel fare gli italiani»[560].

Lo Stato liberale ha fallito nel suo compito di creare la nazione? La risposta del fascismo è chiara: l'errore non sta nei princìpi (vale a dire nel fatto di per sé evidente che lo Stato non deve anteporsi all'esistenza di una nazione), bensì negli uomini e nel sistema liberale che hanno fallito: sarà lo Stato fascista a creare la nazione italiana, sarà il fascismo a risolvere l'imperativo dazegliano[561].

Come si può notare, il fascismo si pose il più alto di tutti i compiti e doveri risorgimentali, e usò tutti i mezzi che ritenne opportuni e possibili – dalla creazione di un «uomo nuovo» rigenerato alla guerra – per ottemperare al grande fine. E a tale scopo era necessario anche continuare e portare alle estreme conseguenze ciò che il Risorgimento aveva ben cominciato, vale a dire la deificazione della nazione, la fondazione di una nuova religione (la stessa guerra fascista fu presentata come una «guerra di religione»[562]).

Spiega Guido Vignelli[563] che per realizzare la nazionalizzazione delle masse e la collettivizzazione delle coscienze «si organizzò una mobilitazione generale che «costrinse gli italiani a scendere in piazza, a partecipare ad adunate, marce, parate, sagre e ludi sportivi; bisognava infatti che essi fossero mantenuti in un costante e artificiale stato di entusiasmo [...]. Tutti i poteri e i mezzi statali vennero impiegati nella creazione della coscienza nazionale [...]. Inglobando la religione nella politica, il fascismo aveva l'intenzione di diventare una sorta di chiesa nazionale in cui la divinità era sostituita dallo Stato-Regime, la fede dalla "mistica fascista", i riti dalle cerimonie di massa, il sacerdozio dalla burocrazia di partito, gli ordini religiosi dalla "santa milizia combattente"; l'anelito religioso all'Assoluto veniva surrogato dal vitalismo, ossia dall'aspirazione a superarsi, ad abbattere tutti gli ostacoli che si frappongono al potenziamento dell'individuo e della nazione. Il guscio vuoto della laicità liberale veniva così riempito dal contenuto della "religione secolare", dalla mitologia del regime, dal culto della patria fascista: un culto che il popolo-dio tributava a sé stesso, conformemente alla prospettiva di Rousseau[564]. Pur operando con prudenza e gradualità, e cercando quell'intesa con la Chiesa avviata dal Concordato del 1929, il fascismo mirava a liquidare il cristianesimo in modo indolore, assimilandolo nella religione del Littorio»[565]. E, in fondo, anche la decisione di entrare in guerra a fianco di Hitler, era un estremo tentativo di rinvigorire ciò che ormai stava appassendo da anni: il fascismo come «movimento».

Scriveva Mussolini alla fine del 1920: «Noi lavoriamo alacremente per tradurre nei fatti quella che fu l'aspirazione di Giuseppe Mazzini: dare agli italiani il "concetto religioso della nazione"»[566].

Vi era una vera e propria «meccanica liturgica» di questa nuova religione: consacrazioni, giuramenti, iniziazioni, «fonte battesimale», benedizioni, «confessione di fede», «sangue rigeneratore», funerali fascisti col «Presente!», «unione degli spiriti» commemorati, vincolo sacro fra morti e vivi, culto degli eroi, la «nuova èra» fascista e il nuovo calendario, senso mistico della comunione, ordini militari, martirio, rinascita a nuova vita, Mussolini definito come «nuovo Messia», «prototipo dell'italiano nuovo», lo Stato come nuovo paradiso, e via continuando; fu anche varato un nuovo «Credo», blasfema e ridicola copia di quello cristiano di Nicea, insegnato ai Balilla fin dalla più tenera età[567]. Lo stesso idealismo fu da Gentile «aggiustato» in funzione di donare una nuova religione (immanentistica, ovviamente) agli italiani.

Come si può capire, è il fascismo e non altri che tenta concretamente di realizzare quello che era il fine primario della Rivoluzione italiana: la creazione di una nuova religione per gli italiani in sostituzione di quella cattolica. Non lo fece tuttavia con gli stessi metodi utilizzati dal «partito piemontese» e poi dalla Sinistra storica; cercò anzi, come abbiamo già detto, il compromesso con il cattolicesimo, finanche l'imitazione; ma l'obiettivo era comunque lo stesso. Anche in questo, soprattutto in questo, il fascismo si presenta ai nostri occhi come il vero esito del Risorgimento italiano.

Come ha potuto Benedetto Croce paragonare l'avvento del fascismo in Italia alla «calata degli Hyksos»? In realtà, Croce era in difficoltà, in quanto non poteva certo far quadrare il cerchio, vale a dire esaltare il Risorgimento come movimento liberale, e perfettamente conclusosi, e ammettere nello stesso tempo che l'esecrata dittatura fascista ne fosse la logica conseguenza storica.

Naturalmente non si vuole ora affermare che la dittatura fascista sia l'inevitabile conseguenza del Risorgimento, anche perché il determinismo non appartiene alla nostra concezione storica e religiosa; ma certamente non è più possibile continuare a ritenere che il fascismo sia stato qualcosa di estraneo – o addirittura di opposto – al Risorgimento. Il fascismo – come lo stesso Mussolini ebbe sempre a ribadire con le parole e con i fatti – è logica conseguenza della Rivoluzione italiana; o meglio, come ha insegnato Giovanni Gentile, la Rivoluzione fascista è l'attuazione della Rivoluzione italiana[568]. È appunto il secondo Risorgimento[569].

Utile può essere a questo riguardo schematizzare, seppur velocemente, il dibattito storiografico e politico su tale scottante questione. Come detto, Croce considera il fascismo come un «errore di percorso», del tutto avulso dal processo risorgimentale, attuato da un gruppo di avventurieri che seppero sfruttare una situazione difficile. Galasso, Romeo, Chabod e gli storici liberali in genere seguono per lo più l'impostazione di Croce, vedendo nella guerra mondiale la causa immediata del fascismo.

A parte costoro, però, in questo suo giudizio di comodo Croce è molto più isolato di quello che si possa credere. Per Gaetano Salvemini il fascismo fu invece l'epilogo del precedente corso della storia della società italiana, macchiata dalla corruzione, dal trasformismo, dalla violenza politica, dai brogli elettorali, dal disprezzo per il Parlamento; e anche Gramsci è di tale opinione, in quanto vede il Risorgimento come espressione di una piccola *élite* oligarchica, del tutto isolata dal popolo, la quale operò contro i reali interessi di esso; e ugualmente Gobetti trova le radici dell'affermazione del fascismo nella mancanza di prestigio della classe dirigente risorgimentale (oltre che nella solita «mancata riforma» religiosa)[570].

Interessante è notare che anche Togliatti condannò duramente il movimento democratico risorgimentale: i moderati a suo dire erano figure mediocri come pure i democratici, i quali, se fossero vissuti sotto il fascismo, ne sarebbero stati sostenitori, primo fra tutti Mazzini, che sicuramente avrebbe plaudito al corporativismo e al nazionalismo mussoliniano. «L'intera tradizione del Risorgimento vive, secondo Togliatti, nel fascismo, ed è stata da esso sviluppata fino all'estremo»; per cui «la rivoluzione antifascista non potrà essere che una rivoluzione "contro il Risorgimento"»[571].

Anche Giulio Colamarino[572] sottolinea il legame tra fascismo e l'età precedente, e afferma inoltre che è ingiusto e da ipocriti farne cadere solo sulla monarchia la responsabilità: «Meglio è in questa circostanza non dissimularsi l'intera verità, riconoscere che il popolo italiano è caduto in ultima analisi da sé stesso, perché non aveva alcuna coscienza di quello che stava perdendo e non si sentiva affatto impegnato a salvaguardare l'ignorato patrimonio politico e morale del Risorgimento»[573].

Oltre a tutta la storiografia fascista, che vede nel fascismo l'inveramento e il completamento del Risorgimento, oramai corrotto, e specie Gioacchino Volpe, che in *Italia moderna* rivendicava la capacità del fascismo di coinvolgere le masse popolari, anche Fabio Cusin in *Antistoria d'Italia* del 1947 ravvisa nel Risorgimento la preparazione al fascismo; ma è soprattutto Denis Mack Smith (sia in *Garibaldi e Cavour nel 1860*, sia in *Storia d'Italia dal 1861 al 1958*) che riscontra già nella politica opportunistica di Cavour la preparazione al futuro fenomeno del trasformismo e quindi alla conseguente crisi del liberalismo italiano, il cui esito fu il fascismo.

Ma anche in tempi più recenti troviamo conferme storiografiche a questa evidente conclusione. Giacomo Perticone critica palesemente l'interpretazione crociana, scrive infatti: «La storia del fascismo e della catastrofe, cui mette capo, devono avere le loro origini in tutta la storia del Postrisorgimento»[574].

Da parte marxista, Carocci ammette che esiste un «filo nero conduttore [...] dalla Destra storica al Depretis, dal Depretis alla reazione crispina, dal Giolitti alla reazione fascista»[575]; e secondo Perticone fu proprio il distacco reale fra *élites* governative e popolo italiano (Paese legale e Paese reale) a permettere le «dittature parlamentari» di Depretis, Crispi e Giolitti, che a loro volta prepararono Mussolini[576].

Per F.L. Ferrari[577] «il Risorgimento non formò una classe dirigente nuova, capace di avviare su nuove direttive la vita collettiva della nazione», e proprio per tal ragione la causa della disfatta del regime liberale non va ricercata nella crisi del dopoguerra in quanto già insita nel medesimo processo di unificazione nazionale. Anzi, egli nega che vi sia mai stato in Italia uno Stato liberale, per il semplice motivo che non v'era libertà, e il fascismo ne è la dimostrazione; la classe dirigente liberale, conclude Ferrari, era solo una consorteria di mediocri.

Augusto Del Noce[578] pone in rilievo come Gentile stesso riscontrasse nel pensiero di Mazzini e Gioberti l'aggancio ideale per l'ideologia fascista con il Risorgimento e in Manzoni, Gioberti e Rosmini le radici ideali dell'ideologia italiana, alla quale opponeva quella rivoluzionaria francese fatta propria da Giuseppe Ferrari; e del resto Gentile stesso si considerava il mediatore ideale fra l'insegnamento di Mazzini (pensiero) e l'azione di Mussolini[579]. In effetti, per Gentile il pensiero risorgimentale era diviso in due tronconi ideali: quello immanentista (Ferrari e Cattaneo) e quello spiritualista: Mazzini, Gioberti e Rosmini, che diedero un senso religioso al nuovo Stato che fu poi ripreso da Mussolini[580].

Per Martucci[581], inoltre, da porre in rilievo è anche il ruolo corrosivo svolto dalla piemontesizzazione legislativa, che mise in crisi tutto il sistema del diritto pubblico italiano indebolendolo fin dal principio, rendendolo vecchio e non aperto alle innovazioni (specie a causa della riforma Rattazzi del 1860), in tal maniera aprendo le porte alla crisi del sistema liberale del 1922 e al fascismo. Del resto, conclude Martucci, l'endemica debolezza dei governi italiani ne è la riprova.

Insomma, dal Risorgimento al fascismo, il passo è breve ed evidente. E i fascisti stessi, tutti, a partire da Mussolini e Gentile, definirono il movimento e il regime fascisti come «secondo Risorgimento». Secondo Risorgimento proprio anche specificamente dal punto di vista della politica religiosa, come abbiamo accennato, cioè della volontà di creare una nuova religione civile e nazionale come surrogato del cristianesimo (perfino il cambio di data lo evidenzia, esattamente come fecero i giacobini durante il primo grande tentativo di annientare il cristianesimo durante la Rivoluzione Francese).

Sappiamo che il tentativo, sebbene voluto chiaramente da Mussolini, Gentile e gli altri ideologi fascisti, non riuscì; e bisogna onestamente ammettere che non riuscì anche perché di fatto non seriamente perseguito. Anzi, al contrario, Mussolini scelse fin quasi da subito la via del ravvicinamento alla

Chiesa cattolica, che poi sfociò nella Conciliazione (non per niente pubblicamente criticata da Gentile).

Ma l'approfondimento della storia tra il regime fascista e la Chiesa cattolica deve evidentemente costituire oggetto di altri specifici studi; è nostra speranza di aver contribuito a chiarire come, anche e soprattutto dal punto di vista religioso, il fascismo, come del resto la grande diffusione di massa del comunismo nel nostro Paese, vale a dire i fenomeni totalitari del XX secolo, non possono essere spiegati prescindendo dalla frattura ideologica, dalla ferita identitaria arrecata al nostro popolo dalla guerra che la Rivoluzione italiana volle portare alla sua millenaria religione e alla istituzione per eccellenza fondatrice della nostra identità spirituale, civile, morale e culturale.

2. Dal fascismo alla Terza guerra civile

In ordine alla situazione degli anni precedenti e successivi alla Prima guerra mondiale, Emilio Gentile[582] parla di «ideologizzazione della nazione», che condusse alla divisione tra gli italiani per la rappresentanza della «vera Italia», e dunque allo scontro tra chi lottava come «nazione» e chi come «antinazione».

Da qui nacque il mito delle «due Italie», «come antagonismo fra due entità che non potevano convivere: la vita dell'una esigeva la morte dell'altra», e questo portò al «radicalismo nazionale», che indicava proprio nella mancata realizzazione della nazione mazziniana il fattore di divisione fra le «due Italie».

«Dal punto di vista ideologico, il mito delle «due Italie» era la bandiera di battaglia di tutti i nuovi movimenti che, da destra e da sinistra, contestavano lo Stato liberale, sostenendo la necessità di superare l'antagonismo debellando le forze e le idee che rappresentavano l'Italia vecchia, la *falsa Italia*, nemica della grande Italia, per portare al potere la *vera Italia*».

Tutto ciò condusse a una mentalità da guerra civile, giustificata dall'antagonismo fra le «due Italie», per edificare la «patria nuova». Una conferma al di sopra di ogni sospetto viene proprio dal giovane Adolfo Omodeo, che nel 1912 scriveva pieno di fervore mazziniano: «Tutto bisognerebbe rifondare, tutto riunire in una profonda volontà che tutto abbracci, che tutto vincoli, in cui tutto converga: creare la patria anche con la fiaccola della guerra civile»[583].

L'Omodeo ci sorprende sempre. Ma in fondo egli fu un uomo veramente coerente: da buon mazziniano, da buon «rivoluzionario italiano», egli auspica la guerra civile, necessaria al trionfo della Rivoluzione italiana.

Invece le cose andarono diversamente, in quanto al posto della guerra civile gli italiani si ritrovarono la dittatura di Mussolini. Ma questa era solo una successiva fase della Rivoluzione italiana, il tentativo, come abbiamo visto, più radicale per realizzare la «religione della patria», l'uomo nuovo italiano. Fallito il fascismo, non vi fu più nessuna possibilità per gli italiani «nuovi» di sfuggire a sé stessi: e fu la guerra civile, quella vera.

Anche in ordine alla guerra civile tra fascisti e partigiani, è necessario segnalare i consueti meccanismi di cancellazione della memoria storica utilizzati dalla patria storiografia (d'altronde, sul tema la letteratura è ormai vasta): come è stata universalmente definita la guerra tra italiani divampata dall'autunno del 1943 alla primavera del 1945? In qualsiasi altro Paese al mondo si sarebbe chiamata: «guerra civile». No, troppo facile per noi «italiani nuovi». Non fu guerra civile: fu «guerra di liberazione» o «di resistenza», o anche «partigiana». E con questa terminologia essa è presentata in ogni manuale di storia, nei libri e giornali, in Tv e nelle rievocazioni e anniversari da ormai sessant'anni. Come si giustifica una tale omissione?

La risposta la troviamo già esplicitata nelle precedenti parole di Emilio Gentile: i fascisti non erano «italiani»! E quindi non ci fu guerra civile. Nel senso che, avendo il fascismo tradito la Rivoluzione italiana e fallito il suo tentativo di concludere il Risorgimento, nonché perduto la guerra, occorreva denunciarlo e presentarlo come la «falsa Italia», il male in sé, a differenza della vera Italia, la «nuova Italia», l'Italia della Resistenza partigiana, espressione autentica della Rivoluzione italiana, unica erede quindi del Risorgimento, tanto che la stessa «guerra di liberazione» venne a configurarsi come «secondo Risorgimento», a beffa del fascismo che già venti e passa anni prima si era definito in tal maniera.

E poiché il fine ultimo della Rivoluzione italiana è quello di «fare gli italiani», non se ne può ammettere un totale fallimento parlando di «guerra civile»: il presupposto di «fare gli italiani», infatti, è la loro stessa unità, è il loro «sentirsi italiani» (come insegnava Mazzini) nel senso di appartenere a un unico destino e di esserne felici, contenti di essere uniti e «nuovi», cittadini della «nuova Italia», questa volta democratica e laicista.

Nessuna guerra civile, quindi, ma di liberazione: i cattivi italiani furono servi dello straniero invasore, laddove i veri italiani lottarono per la libertà e l'indipendenza della «nuova Italia» (e per «fare gli italiani»). Sono le stesse accuse rivolte agli italiani controrivoluzionari del Risorgimento «primo»: asserviti allo straniero (Austria), e quindi cattivi e falsi italiani, immeritevoli di essere ricordati dalla memoria nazionale. Quasi che i giacobini italiani non fossero stati a loro volta asserviti a Napoleone, o le classi dirigenti risorgimentali non avessero vinto vendendosi anima e corpo alla Francia e soprattutto all'Inghilterra.

Se c'è una costante della nostra storia negli ultimi due secoli è la totale dipendenza della «nuova Italia» dallo straniero, che sia francese, inglese, prussiano o americano (e per molti italiani anche sovietico): anche questa è una delle gravi conseguenze della Rivoluzione italiana.

Invece gli italiani, negli anni fatidici 1943-'45, hanno vissuto una vera e propria guerra civile, si sono divisi politicamente (fascisti e antifascisti) e geograficamente (Sud e Nord) e si sono spartiti anche gli invasori; si sono sparati, traditi, massacrati, e hanno regolato tanti conti in sospeso, anche dopo la fine della guerra: perché, come ormai è ben noto, se alcuni fascisti hanno collaborato alle rappresaglie naziste, i comunisti, per esplicita volontà di Togliatti, hanno aiutato – o per lo meno non ostacolato per nulla – Tito a riempire le foibe istriane, pronti anche a cedere la Venezia Giulia (e qualcuno parlava anche del Veneto) alla Jugoslavia se Stalin lo avesse realmente preteso. Inoltre, se per i fascisti la guerra terminò con la sconfitta del 1945, non fu così per parecchi partigiani comunisti, che continuarono le loro stragi e vendette, sempre pronti, peraltro, all'insurrezione armata, almeno sino alla fine degli anni Quaranta (ma anche oltre).

Finalmente, da alcuni anni diversi storici – anche di sinistra – hanno iniziato a porre rimedio a quest'altra menzogna istituzionalizzata della storiografia patria.

Importante in tal senso è stato il libro di Claudio Pavone, *Una guerra civile*, seguito poi da altri studi, fra cui vanno ricordati quello di Gian Enrico Rusconi, *Se cessiamo di essere una nazione* e, soprattutto, quello di Ernesto Galli della Loggia, *La morte della patria*[584], nei quali la guerra partigiana viene presentata come guerra civile[585], prima contro fascisti, poi, a pace fatta, contro gli ex fascisti (il riferimento è appunto alle stragi di italiani specie in Emilia-Romagna) e ancora semmai contro i comunisti, che (ricorda Edgardo Sogno) erano pronti a prendere le armi in caso di *golpe*.

Naturalmente, i notissimi lavori di Giampaolo Pansa[586] (che già in passato era stato fra i primi a denunciare le malefatte dei partigiani comunisti) costituiscono ormai – insieme a *Il libro nero del comunismo* – una sorta di Rubicone della storiografia contemporanea.

Inoltre, anche all'interno dello stesso mondo partigiano, forti e violente erano le divisioni fra cattolici e monarchici da un lato, azionisti e comunisti dall'altro[587].

Come sempre, è la Rivoluzione italiana che prosegue il suo cammino di odio e divisione. Del resto, la guerra civile tra partigiani e fascisti era non solo una guerra tra italiani, ma una guerra tra «italiani nuovi», nel senso che fu una guerra interna alla stessa Rivoluzione italiana, una guerra fra esponenti di diverse sue fasi. Più ancora che una guerra tra fascisti e antifascisti si trattò di una guerra tra le due famiglie dell'ideologia risorgimentale (due facce della stessa medaglia, in definitiva: la famiglia che voleva fare l'italiano nuovo con il «progresso» sociale e la laicizzazione dello Stato, e quella che voleva farlo con la guerra imperialista e la nuova religione della patria); ricorda Pansa: «Un'Italia non ancora fatta e già lacerata da un insanabile contrasto fra due rami di una stessa famiglia. La vittima più illustre di questa lotta intestina fu l'uomo che ne comprese meglio di altri il carattere "familiare" e che fece il possibile per interporsi fra i combattenti: Giovanni Gentile. [...] Vinse come sappiamo la "famiglia" risorgimentale che voleva fare gli italiani con l'educazione civile e con il progresso economico [...]; la guerra amputò l'ideologia risorgimentale di un suo membro»[588].

Peraltro, dinanzi alla viltà dei vertici politico-militari italiani e alla disorganizzazione dell'esercito, e costatando la disaffezione della maggioranza degli italiani verso entrambe le «famiglie» in guerra, se ne deve trarre la più evidente delle conclusioni: anche questa pagina della Rivoluzione italiana ha trovato gli italiani quasi del tutto estranei – e sovente ostili – alla Rivoluzione stessa. Questa volta avevano addirittura due possibilità di scelta, oltre ad avere tre invasori in casa e una patria da ricostruire: eppure, nonostante tutto questo, a eccezione di qualche migliaia di uomini e donne che si impegnarono (in ambedue le famiglie, peraltro), la grande massa degli italiani si comportò verso il «secondo Risorgimento» come si era sempre comportata verso il primo. «L'immagine di un popolo italiano che si solleva in massa, si arma e combatte contro l'esercito tedesco e contro i fascisti, appartiene a una forma di mitologia resistenziale, che non ha riscontro con la realtà storica», scrive Emilio Gentile.

I partigiani combattenti furono un numero esiguo, e in ogni caso isolato dalla grande massa degli italiani, che come sempre rimase inerte e passiva[589].

Non per niente Galli della Loggia parla come noto di «morte della patria»[590], della patria risorgimentale appunto, per definire il disastro dell'8 settembre 1943, sottolineando in particolare l'inettitudine e il tradimento dei massimi capi militari, spiegabili solo con una sostanziale mancanza del senso della patria nel proprio animo[591] (peraltro, gli stessi anglo-americani non trattarono mai né Badoglio né tanto meno i partigiani come alleati, ma sempre come un nemico sconfitto ora collaborazionista)[592]: testimonianza concreta del fallimento del comandamento dazegliano. Cioè del Risorgimento.

Rileva al riguardo Emilio Gentile[593]: «All'indomani dell'8 settembre 1943, lo Stato italiano, fondato nel 1861, andò in frantumi [...]. Se l'esercito e il capo dello Stato sono i massimi simboli di una nazione, nulla più dello spettacolo di un esercito allo sbando e di un capo dello Stato in fuga poteva dare agli italiani la percezione immediata e drammatica dello sfasciume della nazione, abbandonata in balìa di eserciti d'occupazione. E nulla di più naturale, per gli italiani, che seguire l'esempio dell'esercito e del capo dello Stato: essi gettarono via gli ideali di patria e nazione, come i militari avevano gettato via le loro divise, e si diedero alla fuga in cerca di salvezza, come aveva fatto il re con il suo governo»[594].

Nacque di conseguenza il «feticcio del vincitore», come lo chiamò Corrado Alvaro: aumentarono a dismisura l'immoralità, la mancanza di dignità personale e collettiva, e tutto ciò produsse la «disfatta del carattere», che fece dilagare il pessimismo nel popolo e fra gli intellettuali del tempo. Si diffuse l'idea della morte dell'Italia, e con essa del Risorgimento, come scrisse Giovanni Ansaldo: «Il Risorgimento si è concluso col più spaventoso patatrac della storia italiana. Occorre dunque che qualche straniero prenda in mano l'Italia, la inquadri, la rinsangui, la rigeneri, la governi»[595]. Risultato di tutto questo processo politico-mentale degli italiani fu, nota Emilio Gentile, l'affermazione del mito europeistico di Mazzini o dell'internazionalismo di Dossetti.

Ecco il frutto della «nuova Italia», fondata sulla guerra civile fra gli italiani e sull'inimicizia verso la loro religione e identità millenaria. Come poteva essere altrimenti? Nei momenti tragici della storia, di fronte a guerre distruttive e invasori presenti sul territorio nazionale, solo un elemento può dare forza, coraggio, dignità e coesione a un popolo: la consapevolezza, la fierezza e l'amore radicato per la propria identità nazionale (religione, lingua, cultura, costumi, usanze, patrimonio artistico, beni materiali, coscienza storica comune), esattamente come era avvenuto ai tempi della controrivoluzione cattolica e monarchica degli insorgenti contro l'invasore napoleonico. Ma questo era proprio tutto ciò che la «nuova Italia» degli italiani «già fatti» aveva voluto combattere in nome di valori utopici e artificiali che mai erano entrati veramente a far parte del bagaglio identitario degli italiani. Compresa quella dinastia che, seppur antichissima, aveva fondato, solo ottanta anni prima, il suo regno sull'inganno, sul furto agli altri legittimi sovrani, sulla guerra alla Chiesa e alla religione nazionali, sulla guerra civile, sulla depauperazione di mezza nazione, sulla legge marziale.

Alla fine, un'altra «nuova Italia» stava nascendo (la seconda), un'Italia differente anche da quella specificamente risorgimentale, ma sempre erede del Risorgimento, nel senso più rivoluzionario del concetto.

Dinanzi alla «morte della patria», la «prima nuova Italia» rinnegava la religione della patria – ormai palesemente fallita nella tragedia del totalitarismo – e si riciclava in un malsano internazionalismo, o, al contrario, si identificava nell'idolatria del «partito-patria», anticamera del sistema partitocratico dell'Italia contemporanea.

Ma nemmeno questo è stato sufficiente a garantire la pace e l'unità tra gli italiani.

I conti irrisolti della Terza guerra civile italiana sono rinati negli anni Settanta, dando vita al terrorismo, all'odio sociale, mettendo in pericolo la Repubblica nata dallo sfacelo della monarchia che aveva unificato l'Italia (e che – nemesi storica infallibile – perse il trono con un plebiscito tutt'altro che regolare...[596]), il tutto aggravato dai mali creati dal Risorgimento e mai risolti: la questione meridionale, sfociata nello strapotere stragista delle cosche mafiose, il fiscalismo opprimente, la spaccatura identitaria fra Nord e Sud anticamera delle tematiche secessionistiche, la corruzione diffusa che ha portato al crollo della Prima Repubblica e all'odio politico che ancora oggi divide gli italiani, come ogni giorno appare evidente dinanzi ai nostri occhi. Come non vedere, in ognuno dei mali accennati, i mali in precedenza riscontrati nel processo risorgimentale?

Viene ora da chiedersi, avendo in mente tutto quanto esaminato in precedenza, se veramente v'è da meravigliarsi che gli italiani, governanti, intellettuali e popolo, non sentano nel proprio cuore la necessità e l'orgoglio di festeggiare il centocinquatenario dell'unificazione italiana.

Riepilogo

IL NODO DA SCIOGLIERE DELLA STORIA ITALIANA

Il mito risorgimentale poggia su molteplici travisamenti storici, ideali e religiosi (ideologia risorgimentale[597]), il cui risultato è questo indiscutibile «dogma nazionale»: in Italia, per essere patrioti, per dimostrare di amare l'Italia, occorre amare il Risorgimento, in quanto è con esso che è nata la nostra patria. Si è sempre voluto a tutti i costi (e oggi con rinnovato spirito) far penetrare nelle menti degli italiani che l'unica via al patriottismo sia la celebrazione risorgimentale, la venerazione dei quattro «padri della patria».

È la più grande vittoria della *vulgata* risorgimentale, l'inganno per eccellenza: il far credere che chi narra ciò che è stato occultato (le insorgenze, il settarismo utopista, la guerra alla Chiesa cattolica, i brogli elettorali dei plebisciti, le stragi dei «briganti», il piemontesismo, il fiscalismo, l'emigrazione ecc.) e di contro non celebra Mazzini e Cavour, Vittorio Emanuele II e Garibaldi, Napoleone e Gioberti, sia «antitaliano» o comunque contro l'unità nazionale[598]. O magari studioso poco serio...

Chiunque sia ormai a conoscenza di quanto descritto e considerato in questo studio e vi abbia serenamente meditato, non può non vedere come la vittoria del Savoia e del partito piemontese, grazie al geniale Ministro che tutti e tutto mosse[599], non fu la vittoria dell'Italia, e tanto meno degli italiani; fu solo la vittoria di una *élite* potente e prepotente[600], che, con il pretesto dell'unificazione (poiché tale fu, non unità), gettò in realtà le basi storiche, politiche, ideologiche e sociali per la futura affermazione del totalitarismo e delle tragedie che il nostro popolo ha subito nel XX secolo[601].

Con il Risorgimento nasce lo Stato italiano, non però la nazione italiana[602]; essa esisteva già da secoli, riposava sulla identità italiana, classica, cattolica, romana, universale[603]. Il Risorgimento è stato invero proprio la negazione di tutto questo: è stato fatto contro la Chiesa[604], contro l'idea universale di Roma, senza rispettare, anzi abbattendole, le tradizionali realtà locali esistenti nella Penisola, riducendo tutto al Piemonte e al suo re. E questo senza alcun consenso popolare[605], attuato solo da un piccolo gruppo di oligarchi, con l'appoggio «mediatico» dei ceti intellettuali e quello economico del mondo settario e massonico[606], mediante inganni, corruzione e stragi mai accadute nella precedente storia italiana. Soprattutto, vendendosi anima e corpo allo straniero, anzi, a quei tre stranieri (Gran Bretagna, Francia e Prussia) verso i quali la nostra politica unitaria sarà debitrice o comunque subordinata in maniera non minore di quanto lo era quella degli Stati preunitari alla sola Austria[607].

Se è vero che patriota è chi difende la propria patria, prima dell'unificazione risorgimentale era perfettamente chiaro chi fossero i patrioti: erano coloro che combattevano per le proprie patrie, secolari e legittime, amate dalle popolazioni (insorgenti[608] e «briganti»[609]), mentre, per essere patrioti nel senso risorgimentale, bisogna accettare l'idea mazziniana e utopistica che la patria si situa nel mondo della volontà e non in quello reale della storia, della religione, della lingua, delle tradizioni[610].

Dopo l'unificazione tutto questo non è più così chiaro; infatti, tanto per addurre il più classico degli esempi, è evidente che, nell'ultima guerra civile italiana, sia i fascisti (che si presentavano come coloro che avevano portato a compimento il Risorgimento, specie dal punto di vista mazziniano) sia i partigiani (che si definivano a loro volta come gli eredi del Risorgimento, specie dal punto di vista garibaldino) si definivano patrioti, andando gli uni con il capo del Governo e gli altri con il capo dello Stato, e tutti lottando in nome dell'Italia (e tutti in realtà sottomessi a eserciti stranieri invasori) in una guerra civile – la Terza – devastante e mai veramente risolta nelle coscienze di molti[611], ancora oggi, dopo quasi settant'anni, carico cruento di odio dell'Italia repubblicana. Ciò accadde per il semplice motivo che l'Italia nata dal Risorgimento non rispecchia la vera identità nazionale[612].

Come ha osservato lo storico liberale Rosario Romeo[613]: «Lo Stato nazionale che negli intenti dei suoi creatori doveva essere la chiave destinata ad aprire agli italiani le porte del mondo moderno, ha evidentemente fallito nel suo compito; e gli italiani, nei vari ceti e in modi diversi, cercano di inserirsi nella realtà moderna ed europea per altre vie ed in altri contesti». Il che sta a significare non solo che la Rivoluzione italiana[614] ha ferito per sempre l'identità nazionale e diviso gli italiani, ma che essa non è neanche riuscita in realtà a costruire i presupposti della sua esistenza: lo Stato nazionale – in quanto non l'ha costruito nell'animo di quegli italiani che voleva cambiare[615] – e l'«italiano nuovo», appunto[616].

E qui torniamo ai drammatici interrogativi del dibattito dell'estate del 2009, con cui abbiamo aperto questo saggio. Se vogliamo provare a dare una risposta agli interrogativi di

Galli della Loggia e degli altri intellettuali, occorre riflettere che il problema è che la «vecchia Italia» non esiste più (se non nell'animo dei singoli ancora legati ai valori della civiltà di cui essa era espressione e protagonista), mentre la «nuova Italia» non è mai esistita, almeno non quella sognata dai rivoluzionari. Ciò che esiste è un'ibrida commistione di pertinace attaccamento alle radici divelte e di efficace sovversione anarchica spirituale e morale dell'identità nazionale. Pertanto, non v'è attaccamento vero e sincero all'Italia nata dal Risorgimento.

Rileggiamo ancora il fondamentale assunto dello stesso Galli della Loggia: «Si delinea in tal modo un fatto decisivo: la tendenziale cesura tra l'identità nazionale e l'identità italiana, cioè tra il modo di nascita e di essere dello Stato nazionale e il passato storico del Paese, divenuto la sua natura»[617]. Di qui la sua denuncia: l'immagine che gli stessi italiani hanno del loro Stato è «un'immagine a brandelli e di fatto inesistente: dal momento che ormai inesistente sembra essere qualsiasi idea dell'Italia stessa». Ecco il risultato della Rivoluzione Italiana.

La vera unità si sarebbe potuta raggiungere in altre maniere, per altre vie, in piena e profonda comunità di cuori e intenti, senza la guerra alla Chiesa e al clero e senza le stragi degli italiani nel Mezzogiorno, senza la corruzione dilagante e senza milioni di emigrati[618], senza dover dipendere materialmente dallo straniero e senza guerre civili, né militari né ideologiche. Sarebbe bastato rispettare la vera identità nazionale degli italiani per ottenere un autentico risorgimento, come gli eventi della primavera del '48 ben dimostrano[619].

Sarebbe bastato creare lo Stato unitario non in base alle utopiche istanze della «nuova Italia» educando gli italiani a diventare «nuovi» («fare gli italiani»), ma in base – anche a costo di metterci molto più tempo – alle millenarie e tradizionali istanze degli italiani «veri»: sarebbe bastato, insomma, fare la «vera Italia»[620], quella degli italiani del XIX secolo.

È proprio questa la grande riflessione e scoperta da evidenziare: è possibile essere patrioti senza essere filorisorgimentali? Certo che lo è, appunto a causa delle modalità con cui si è voluto condurre il processo di unificazione nazionale. Nel 1848 tutti combatterono con Pio IX, perché il neoguelfismo (quello onesto) era l'unico vero progetto nazionale e italiano che avrebbe permesso l'unica vera unità nazionale: prevedeva infatti un'Italia cattolica, unita intorno al Vicario di Cristo; un'Italia monarchica, quale era da secoli e secoli, unita intorno ai legittimi e tutt'altro che disprezzati prìncipi; un'Italia confederativa, decentrata, rispettosa delle secolari (o millenarie) caratteristiche, tradizioni ed esigenze delle varie popolazioni italiche.

Ma questo è esattamente ciò che non si volle allora, facendo precipitare l'esperienza confederativa degli anni 1846-'48 nella rivoluzione democratica sovversiva (a Roma, Firenze, Torino)[621], che fu un fallimento totale e portò l'Italia prima al disastro militare e poi alla restaurazione politica; e quindi si scelse la via sabauda (sintesi fra l'unitarismo repubblicano mazziniano e il federalismo – monarchico o repubblicano che fosse), la via della conquista militare e golpista degli altri Stati preunitari da parte di Casa Savoia.

Di qui, l'esigenza di calunniare fino all'inverosimile quegli Stati (e in particolare il Regno delle Due Sicilie e lo Stato Pontificio, trono e altare), lasciando ai contemporanei e ai posteri (fino a oggi) la fantasmagorica idea che gli italiani preunitari fossero un branco sperduto di infelici sotto tirannie retrograde e intollerabili: esattamente il contrario della verità storica come essa oggi ci appare[622].

La calunnia era necessaria proprio per giustificare la conquista *manu militari* di quei secolari Stati pacifici e legittimi, cioè per rendere giustificabile ciò che secondo le norme basilari del diritto internazionale era del tutto ingiustificabile: un'aggressione improvvisa e banditesca (i «Mille»[623]) di un Regno alleato. Ma soprattutto per rendere «bella e onorata» quella dinastia che non si peritò di togliere agli altri ciò che era loro, venendo meno alla prospettiva neoguelfa e confederale, cedendo alla frenesia centralista (in un Paese che da quindici secoli mai era stato unito[624]) e divenendo di fatto lo strumento della sovversione politica, civile e religiosa dell'Italia. Di qui, l'esaltazione anche di Garibaldi, che si mise al servizio di quella dinastia (dimenticando chi fosse e come avesse vissuto la sua vita di contumace)[625], l'esaltazione perfino di Mazzini (dimenticando i risvolti totalitari del suo pensiero e gli esiti terroristici e sanguinari della sua azione)[626], l'esaltazione di una nuova religione (il nazionalismo) contro la millenaria religione degli italiani (che dovevano «essere fatti nuovi»), quindi il militarismo, l'autoritarismo, e pertanto il fascismo e i fenomeni totalitari di massa[627], con conseguente tragica spaccatura del popolo italiano.

E in tutto questo, non possiamo non rammentare il ruolo svolto dalle grandi correnti storiografiche nazionali (liberali, nazionaliste, fasciste, quindi giacobine e marxiste, cattolico-progressiste, laiciste) che hanno, ognuna a proprio turno e per i propri scopi ideologici, avallato e spesso costruito, la *vulgata* risorgimentale, nell'esaltazione di ciascuna delle tante problematiche suddette, e soprattutto nell'occultamento di tutto quanto non corrispondeva o si opponeva alla grandezza della nuova Italia rivoluzionaria.

E così, sono sparite le insorgenze antigiacobine[628], i terroristi mazziniani sono divenuti eroi patriottici, Pio IX è divenuto il «cattivo» di tutto il Risorgimento (l'antitaliano per eccellenza), sparita ogni notizia riguardo alla guerra alla Chiesa cattolica, all'arresto di cardinali, di decine di vescovi e centinaia di sacerdoti, alla tentata protestantizzazione, allo scioglimento di decine di Ordini religiosi, all'incameramento di quasi tutto il patrimonio ecclesiastico, alla depauperizzazione delle popolazioni meridionali; ci si dimenticò di narrare le malefatte dei garibaldini o di Cialdini e La Marmora e soci, così come di dire che vi fu una vera e propria guerra civile nel Meridione, che fu risolta con decine di migliaia di italiani morti tramite metodi di sterminio organizzati e voluti direttamente dal neonato Parlamento nazionale italiano; ci si dimenticò di ricordare il progresso degli Stati preunitari così come la rovina economica e sociale dell'Italia postunitaria... e si fecero passare mille avventurieri per titani della storia mondiale.

E ancora oggi chi osa ricordare ciò che fu occultato e denunciare ciò che fu falsificato, è fatto passare per antitaliano, per «storico poco serio», non meritevole di attenzione. Da notare, però, che quasi mai viene smentito nello specifico delle sue affermazioni.

Tutto questo non ha contribuito – né potrebbe mai farlo – a unire gli italiani. Anzi, ha contribuito a dividerli nell'odio, nel rancore, nel disprezzo di tutto ciò che è italiano. Il risultato di tutto questo è la domanda con cui abbiamo iniziato il nostro studio: esiste una nazione italiana a centocinquant'anni dall'unificazione statuale?

I rinnovati richiami al patriottismo risorgimentale possono acquistare funzione positiva solo se disancorati dai protagonisti di quei giorni, gente idolatrata da ormai troppo tempo, che poco o nulla ebbe a che fare con gli italiani, quelli veri. Il patriottismo autentico può fondarsi solo sulla riscoperta della nostra profonda identità nazionale. Una profondità che si inoltra indietro nel tempo per ventisette secoli.

È da augurarsi che con l'anniversario del 2011 qualcosa cambi nelle celebrazioni per l'unità. Non è in discussione quest'ultima, ovviamente. Anzi, al contrario, il desiderio è quello di indovinare finalmente la vera strada dell'unità morale e civile degli italiani. Ma occorrerebbe finalmente dare spazio a coloro – italiani – che combatterono contro l'invasore napoleonico in centinaia di migliaia per quelle che erano le loro singole patrie, per i loro legittimi sovrani.

Occorrerebbe raccontare finalmente anche gli aspetti meno brillanti, anche quelli oscuri, del movimento unitario, ricordando anche che vi furono due guerre civili, stragi, errori, persecuzioni, il tentativo di scristianizzare gli italiani. Occorrerebbe smettere di presentare Pio IX come un antitaliano, e gli avversari di Cavour e Garibaldi come briganti senza scrupoli. Occorrerebbe evidenziare il ruolo svolto dalle potenze straniere, quello aperto e quello occulto. Occorrerebbe dire la verità sulle conseguenze storiche dell'unificazione, dal crollo economico e sociale del Meridione all'emigrazione di massa e alla criminalità organizzata, dal fiscalismo al nazionalismo, dal totalitarismo alla divisione perenne degli italiani. Occorrerebbe finalmente ricostruire la verità dei fatti, e presentare tutti gli attori di quei giorni per quello che veramente erano: italiani. Italiani che si divisero, che combatterono per le loro idee, istituzioni, per i loro sovrani o per i loro progetti.

Gli insorgenti erano italiani come i giacobini; non «folle controrivoluzionarie», come li ha definiti, con disprezzo tipicamente giacobino e radical-chic, sulla scia dello storico marxista Georges Lefebvre, Anna Maria Rao; ed erano molti di più. I difensori degli Stati preunitari erano italiani come i mazziniani, come i garibaldini, come e più dei sabaudi. I ribelli meridionali erano italiani come i Mille: anzi, lo erano molto di più, visto che nei Mille gli italiani erano minoranza; ed erano molti di più. I Papi, i Borbone, gli altri principi, erano italiani come i Savoia; anzi, lo erano di più, visto che non parlavano, a differenza dei Savoia, in lingua francese. Italiani erano tutti i religiosi perseguitati dai potenti di Torino. Italiani erano i milioni di emigrati a causa dell'unificazione. Centinaia di migliaia di italiani sono morti dal 1796 in poi per difendere la loro italianità così come essi la vivevano e la intendevano.

È necessario insomma iniziare a unire veramente gli italiani nella loro verità storica, non nell'inganno. Finché si farà finta, e sempre più in malafede, che siano esistite due Italie, una di serie A e una di serie B, o, peggio, che sia esistita una sola Italia, quella della «volontà», un'infima minoranza illuminata che ha liberato ventidue milioni di servi ignoranti, briganti e pigri, ebbene, allora, tutti gli sforzi di unificazione e pacificazione nazionale serviranno a poco, quand'anche vengano dalle più alte sfere della politica. Anzi, contribuiranno solo e sempre più a dividere e a disilludere.

Concludo questo lavoro con il pressante invito a festeggiare il centocinquantesimo anniversario dell'unificazione italiana ricordando, con la giustizia storica e l'onore militare e intellettuale dovuti, tutti quegli italiani che seppero combattere e sovente morire per la propria idea di Italia, dal 1796 al 1870. Per la propria identità, secolare, millenaria, universale e particolare allo stesso tempo.

Se e quando questo avverrà, un importante passo avanti verso l'unità della nazione italiana sarà stato compiuto. E da due Italie si inizierà a camminare verso una sola unica Italia.

BIBLIOGRAFIA

Giuseppe Cesare Abba, *Da Quarto al Volturno. Noterelle d'uno dei Mille*, Zanichelli, Bologna 1891 (oggi, Acquaviva, Piacenza 2007).

Harold Acton, *I Borboni di Napoli (1734-1825)*, (1960), Giunti, Firenze 1988 (oggi 1999); *Gli ultimi Borboni di Napoli*, (1962), Giunti, Firenze 1997 (oggi 1999).

Francesco Mario Agnoli, *L'epoca delle Rivoluzioni. Dalla Rivoluzione americana all'Unità d'Italia*, Il Cerchio, Rimini 1999; *Le due rivoluzioni*, in *La Rivoluzione Italiana*, a cura di M. Viglione, 2001a; *Le insorgenze*, in ivi, 2001b; *L'Italia unitaria*, in ivi, 2001c.

Aldo Albonico, *La mobilitazione legittimista contro il Regno d'Italia: la Spagna e il brigantaggio meridionale postunitario*, Giuffré, Milano 1979.

Carlo Alianello, *La conquista del Sud. Il Risorgimento nell'Italia meridionale* (1972), Rusconi, Milano 1998.

Giovanni Aliberti, *La Non-Nazione. Risorgimento e Italia unita tra storia e politica*, Istituti editoriali e poligrafici internazionali, Pisa-Roma 1997.

Giovanni Ansaldo, *Diario di prigionia*, a cura di Renzo De Felice, Il Mulino, Bologna 1993.

Carlo Antoni, *La lotta contro la ragione*, Sansoni, Firenze 1942 (poi 1973).

Pino Aprile, *Terroni. Tutto quello che è stato fatto perché gli italiani del Sud diventassero «Meridionali»*, Piemme, Milano 2010.

Alberto Aquarone, *Le forze politiche italiane e il problema di Roma*, in: *Alla ricerca dell'Italia liberale*, Guida, Napoli 1972; anche in Atti del 45° Congresso di Storia del Risorgimento italiano, Roma

21-25 sett. 1970, Tiferno Grafica, Città di Castello 1970.

Archivio economico dell'Unificazione italiana, (1955), Ilte, Torino 1958-1971.

Gianni Baget Bozzo, *L'intreccio*, Mondadori, Milano 2004.

Pierluigi Baima Bollone, *La scienza nel mondo degli spiriti*, Sei, Torino 1995.

Pietro Balan, *Continuazione alla storia universale della Chiesa cattolica dell'abate Rohrbacher, dall'elezione al pontificato di Pio IX nel 1846 ai giorni nostri*, 3 voll., Marietti, Torino 1879-1886 (poi 1903); *Storia d'Italia*, 7 voll., Modena 1875-1890 (poi Tipografia Pontificia ed arcivescovile dell'Immacolata Concezione, Modena 1894-1899).

Augustine Barruel, *Memoires pour servir à l'histoire du jacobinisme*, (1797), Diffusion de la Pensée française, Chiré-en-Montreuil 1973, tr. it., ed. Barbier, Carmagnola 1852.

Michele Battini-Paolo Pezzino, *Guerra ai civili. Occupazione tedesca e politica del massacro. Toscana 1944*, Marsilio, Venezia 1997.

Derek Beales, *Gladston on the Italian Question – January 1860*, in *Rassegna Storica del Risorgimento*, XLI (1954), I, 96-104; *Il Risorgimento protestante*, in: *Rassegna Storica del Risorgimento*, X-LIII (1956), II, 231-233; *England and Italy 1859-1860*, Nelson, London 1961.

Maurizio Bertolotti, *Le complicazioni della vita. Storie del Risorgimento*, Feltrinelli, Milano 1998.

Nicomede Bianchi (a cura di), *La Politique du comte Camille de Cavour de 1852 à 1861. Lettres inedites avec notes*, Roux et Favale, Turin 1885.

Elena Bianchini Braglia (a cura di), *La verità sugli uomini e sulle cose del Regno d'Italia. Rivelazioni di J.A. agente segreto del conte Cavour*, Edizioni Terra e Identità, Modena 2005; *In esilio con il Duca. La storia esemplare della brigata Estense*, Il Cerchio, Rimini 2007.

David Bidussa, *Il mito del bravo italiano: persistenze, caratteri e vizi di un paese antico/moderno, dalle leggi razziali all'italiano del duemila*, Il Saggiatore, Milano 1994.

Giacomo (card.) Biffi, *Risorgimento, Stato laico e identità nazionale*, Piemme, Casal Monferrato 1999.

Massimo Biondi, *Tavoli e medium. Storia dello spiritismo in Italia*, Gremese, Roma 1988.

Noel Blakiston, *Inglesi e italiani nel Risorgimento*, Bonanno, Catania 1973.

Maurizio Blondet, *Complotti. vecchi e nuovi*, Il Minotauro, Roma 2002.

Pier Carlo Boggio, *Cavour o Garibaldi?*, Tip. Scol. Di Sebastiano Franco e figli, Torino 1860.

Giulio Bollati, *L'italiano. Il carattere nazionale come storia e come invenzione*, Einaudi, Torino 1983 (poi 1996).

Carlo Botta, *Storia d'Italia dal 1789 al 1814*, Nistri e Capurro, Pisa 1824.

Giuseppe Bourelly, *Il brigantaggio dal 1860 al 1865*, Osanna Venosa, Venosa 1987.

Brigantaggio, lealismo, repressione nel Mezzogiorno, Macchiaroli, Napoli 1984.

Brigantaggio, legittima difesa del Sud. Gli articoli della «Civiltà Cattolica» (1861-1870), Introduzione di Giovanni Turco, Il Giglio, Napoli 2000.

Bruno Brunello, *Il pensiero politico italiano del Settecento*, Principato, Milano-Messina 1942 (poi Patron, Bologna 1964).

Pietro Buscalioni, *Cavour e la Massoneria*, in: «Rassegna contemporanea», 25 luglio 1914.

Giuseppe Buttà, *Un viaggio da Boccadifalco a Gaeta. Memorie della rivoluzione dal 1860 al 1861*, (1882), Bompiani, Milano 1985.

Omar Calabrese, *L'eroe, il romanzo, il romanzesco*, in *Garibaldi e la leggenda garibaldina. Manifestazioni per un centenario*, Atti del Convegno, Brescia 8 febbraio-2 giugno 1982, a cura di Giuseppe Armani e Laura Novati, Vannini, Brescia 1983.

Paolo Calliari, *Servire la Chiesa. Il Venerabile Pio Brunone Lanteri*, Lanteriana-Krinon, Caltanissetta 1989.

Rino Cammilleri, *Ufficiale e sacerdote. Il servo di Dio Felice Prinetti* (1994), San Paolo Edizioni, Milano 2000.

Giorgio Candeloro, *Storia dell'Italia moderna*, 11 voll., Feltrinelli, Milano 1956-1986.

Giovanni Cantoni, *L'Italia tra Rivoluzione e Contro-rivoluzione*, saggio introduttivo a P. Corrêa de Oliveira, *Rivoluzione e Contro-rivoluzione*, Cristianità, Piacenza 1977.

Giampiero Carocci, *Agostino Depretis e la politica interna italiana dal 1786 al 1887*, Einaudi, Torino 1956.

Alberto Castelli (a cura di), *L'unità d'Italia – Pro e contro il Risorgi-*

mento, E/O, Roma 1997.
Michelangelo Castelli, *Carteggio politico*, Roux, Torino 1890 (Fondazione Camillo Cavour, Santena 1968).
Carlo Cattaneo, *Prefazione al vol. X del Politecnico*, in *Scritti politici*, Le Monnier, Firenze 1964; *Le più belle pagine scelte da Gaetano Salvemini*, (1922), Donzelli, Roma 1993.
Federico Chabod, *Storia della politica estera italiana. Dal 1870 al 1896. Le premesse*, Laterza, Bari 1951 (oggi 1997); *L'idea di Nazione*, (1961), ed. a cura di A. Saitta ed E. Sestan, Laterza, Bari 1967 (oggi 2006).
Luigi Chiala, *Lettere edite ed inedite di C. di Cavour*, Roux et Favale, Torino 1883-1887 (poi 1913).
Zeffiro Ciuffoletti, *Stato senza nazione*, Morano, Napoli 1993.
Arturo Codignola, *Rubattino*, Cappelli, Bologna 1938.
Giulio Colamarino, *Il fantasma liberale*, Bompiani, Milano 1945.
François Collaveri, *Napoleone Imperatore e massone*, Nardini ed., Firenze 1986.
Adolfo Colombo, *Per la storia della Massoneria nel Risorgimento italiano. Documenti dell'Archivio Govean*, in: «*Rassegna Storica del Risorgimento*», Lapi, Città di Castello 1914; *L'Inghilterra nel risorgimento italiano*, (1860), Ed. Risorgimento, Milano 1917.
Giuseppe Coniglio, *I Borboni di Napoli*, (1970), Corbaccio, Milano 1999.
Plinio Corrêa de Oliveira, *Rivoluzione e Contro-rivoluzione*, (1959), SugarCo, Milano 2009.
Mario Costa Cardol, *Ingovernabili da Torino. I tormentati esordi dell'Unità d'Italia*, Mursia, Milano 1989.
Ignazio Costa Della Torre, *Gli Stati pontifici e gli Stati sardi. Risposta del conte Ignazio Costa Della Torre deputato di Varazze alla lettera indirizzatagli dal cav. marchese Gioacchino Napoleone Pepoli da Bologna*, Cerutti, Derossi e Dusso, Torino 1859.
Stephan Courtois (a cura di), *Il libro nero del comunismo. Crimini, terrore, repressione*, Mondadori, Milano 1998 (oggi 2007).
Jacques A.M. Crétineau-Joly, *L'Eglise Romaine en face de la Révolution*, (1859), Cercle de la Reinassance Française, Paris 1976.
Francesco Crispi, *Scritti e discorsi politici (1849-1890)*, Roux e Viarengo, Torino-Roma s.d. (1890, poi 1913); *Pensieri e profezie*, raccolti da Tommaso Palamenghi Crispi, Tiber, Roma 1920.
Benedetto Croce, *Storia d'Italia dal 1871 al 1915*, II ed., Laterza, Ba-

ri 1928 (Adelphi, Milano 2004).

Carlo M. Curci, *Dov'è l'Italia?*, in: *La Civiltà Cattolica*, serie III, vol. VI; *L'Italia vera oppressa dalla fittizia*, in: *La Civiltà Cattolica*, serie V, vol. 5.

Fabio Cusin, *L'Italiano: realtà e illusioni*, Ed. Atlantica, Roma 1945 (oggi Ram multimedia 2002); *Antistoria d'Italia*, Einaudi, Torino 1948 (oggi Mondadori, Milano 2001).

Massimo d'Azeglio, *Ricordi. Opere varie*, (1867), a cura di A.M. Ghisalberti, Milano 1966.

Loretta De Felice (a cura di), *Fonti per la storia del Brigantaggio postunitario conservate nell'Archivio Centrale dello Stato. Tribunali militari straordinari. Inventario*, Ministero per i beni culturali e ambientali, Ufficio Centrale per i beni archivistici, Roma 1998.

Renzo De Felice, *Intervista sul fascismo*, a cura di M.A. Ledeen, Laterza, Bari 1975 (oggi «il Giornale», Milano 2009); *Il Triennio giacobino in Italia (1796-1799). Note e ricerche*, a cura di Francesco Perfetti, Bonacci, Roma 1990.

Aldo De Jaco (a cura di), *Il brigantaggio meridionale. Cronaca inedita dell'Unità d'Italia*, (1969), Editori Riuniti, Roma 2005.

Henri Delassus, *Il problema dell'ora presente. Antagonismo fra due civiltà*. Parte prima: *Guerra alla civiltà cristiana*, (1904), Desclée e C., Roma 1907, ora in rist. anast.: Cristianità, Piacenza 1977.

Lorenzo Del Boca, *Maledetti Savoia!*, Piemme, Casal Monferrato 1998 (ora 2010).

Massimo de Leonardis, *Il quadro internazionale del «Risorgimento» italiano*, in *Dalla Malaunità alla rovina attuale*, Atti del XXI Convegno tradizionalista di Civitella del Tronto, supplemento al n. 16/17 di *Controrivoluzione*, Firenze 1992; *Gli Stati dell'Italia preunitaria*, in *La Rivoluzione Italiana*, a cura di M. Viglione, 2001a; *Il Risorgimento e la Chiesa Cattolica*, in ivi, 2001b; *Le relazioni internazionali*, in ivi, 2001c.

Vincenzo Del Giudice, *La questione romana e i rapporti fra Stato e Chiesa fino alla Conciliazione*, Ed. dell'Ateneo, Roma 1947.

Augusto Del Noce, *Il suicidio della Rivoluzione*, Rusconi, Milano 1978 (Aragno, Torino 2004); *Giovanni Gentile. Per una interpretazione filosofica della storia contemporanea*, Il Mulino, Bologna 1990; *Rivoluzione, Risorgimento, Tradizione. Scritti sull'Europa*, a cura di A. Tarantini, F. Mercadante e B. Casadei, Giuffré, Milano 1993.

Roberto de Mattei, *Pio IX*, Piemme, Casale Monferrato 2000; *La sovranità necessaria. Riflessioni sulla crisi dello Stato moderno*, Il Minotauro, Roma 2001a; *Le società segrete nella Rivoluzione Italiana*, in: *La Rivoluzione Italiana*, a cura di M. Viglione, 2001b; *Quale Papa dopo il Papa*, Piemme, Casal Monferrato 2002; *L'identità culturale come progetto di ricerca*, Liberal Edizioni, Roma 2004.

Agostino Depretis, *Discorsi parlamentari*, vol. VIII, Tipografia della Camera dei Deputati, Roma 1888-1892.

Guido De Ruggiero, *Storia del liberalismo europeo*, (1925), Laterza, Bari 1941 (ora 2003); *Scritti politici 1912-1926*, a cura di R. De Felice, Cappelli, Bologna 1963.

Giacinto de Sivo, *I Napoletani al cospetto delle Nazioni civili* (1861), Borzi, Roma 1967 (Il Cerchio, Rimini 1994); *Storia delle Due Sicilie dal 1847 al 1861* (1863), Edizioni del Grifo, Lecce 2004.

Giuseppe F. De Tiberiis (a cura di), *Le ragioni del Sud*, Esi, Napoli 1969.

Angiolo de Witt, *Storia politico-militare del brigantaggio nelle provincie meridionali d'Italia* (1884), rist. anast. Capone, Lecce 2007.

Vito Di Dario, *Oh, mia Patria! 1861. Un inviato speciale nel primo anno d'Italia*, Mondadori, Milano 1990.

Francesco Maurizio Di Giovine, *1799. Rivoluzione contro Napoli*, Ed. Il Giglio, Napoli, 1999; *La Repubblica Napoletana: mito e realtà*, in: *La Rivoluzione Italiana*, a cura di Massimo Viglione, 2001.

Eugenio Di Rienzo, *Le due Rivoluzioni*, in id. (a cura di), *Nazione e controrivoluzione nell'Europa contemporanea. 1799-1848*, Guerini, Milano 2004.

Oreste Dito, *Massoneria, Carboneria ed altre società segrete nella storia del risorgimento italiano*, Roux e Viarengo, Torino-Roma, 1905 (Forni, Sala Bolognese 2008).

Gaspare Di Vita, *Finanziamento della spedizione dei Mille*, in *La liberazione d'Italia nell'opera della massoneria*, a cura di A.A. Mola.

Giuseppe Donati, *Scritti politici*, a cura di Giuseppe Rossini, Ed. Cinque Lune, Roma 1956.

Giacomo Durando, *Della nazionalità italiana*, S. Bonamici e C., Losanna 1846.

Francesco Durelli, *Cenno storico di Ferdinando II, Re del Regno delle Due Sicilie*, Stamperia Reale, Napoli 1859.

Rosario F. Esposito, *La Massoneria e l'Italia dal 1800 ai giorni nostri*,

(1956), Ed. Paoline, Roma 1979.

Francesco L. Ferrari, *Il regime fascista italiano*, a cura di G. Ignesti, Edizioni di Storia e Letteratura, Roma 1983.

Giuseppe Ferrari, *La Federazione repubblicana*, s.n., Londra 1851 (Le Monnier, Firenze 1969).

Roberto Festorazzi, *I veleni di Dongo, ovvero gli spettri della Resistenza*, (1996), Il Minotauro, Roma 2004.

Foibe ed esodo, allegato a *Tempi & Cultura*, n. 3/1998.

Fausto Fonzi, *I cattolici e la società italiana dopo l'unità*, Ed. Studium, Roma 1953 (poi 1982).

Guido Francocci, *La Massoneria nei suoi valori storici e ideali*, Bolla, Milano 1950.

Carlo Francovich, *Storia della Massoneria in Italia dalle origini alla Rivoluzione Francese*, (1974), La Nuova Italia, Firenze 1989.

Vittorio Frosini, *Il «mondo» e l'eredità del Risorgimento*, Bonanno, Catania 1987.

Alessandro Galante Garrone, *L'albero della libertà. Dai giacobini a Garibaldi*, Le Monnier, Firenze 1987.

Giuseppe Galasso, *L'Italia unita nella storiografia del secondo dopoguerra*, in: *L'Italia unita. Problemi ed interpretazioni storiografiche*, Atti del Congresso di Palermo *La storia dell'Italia unita nella storiografia del secondo dopoguerra* (30/XI-3/XII 1978), a cura di R. Rainero, Marzorati, Milano 1981; *I Borboni delle Due Sicilie*, a cura di A. Pecchioli, Editalia, Roma 1992; *Italia nazione difficile. Contributo alla storia politica e culturale dell'Italia unita*, Le Monnier, Firenze 1994.

Ernesto Galli della Loggia, *Liberali che non hanno saputo dirsi cristiani*, in: «Il Mulino», n. 5, settembre-ottobre 1993, Bologna, pp. 855-866; *La morte della patria*, (1996), Laterza, Roma-Bari 1998a (oggi 2003); *L'identità italiana*, Il Mulino, Bologna 1998b (oggi 2007).

Giordano Gamberini, *Mille volti di massoni*, Erasmo, Roma 1975.

Giuseppe Garibaldi, *Clelia. Il governo del monaco (Roma nel secolo XIX). Romanzo storico-politico*, II ediz., Fratelli Rechiedei, Milano 1870; *Opere*, Cappelli, Bologna 1932; *Edizione Nazionale degli scritti di Giuseppe Garibaldi*, Istituto Nazionale per la Storia del Risorgimento Italiano, Roma 1982.

Charles Garnier, *Le Royaume des Deux Siciles*, Goupy, Paris 1866 (ed. it., Tip. Di Domenico e Camagna, Napoli 1861).

Cecilia Gatto Trocchi, *Storia esoterica d'Italia* (1996), Piemme, Casal Monferrato 2001.

Genova e l'impresa dei Mille, Canesi, Roma 1961.

Carlo Gentile, *Giuseppe Garibaldi ed il gran maestro dell'umanità*, Bastogi, Foggia 1981 (oggi 2007).

Emilio Gentile, *Il culto del littorio. La sacralizzazione della politica fascista*, Editori Laterza, Roma-Bari 1993 (oggi 2009); *La grande Italia. Ascesa e declino del mito della nazione nel XX secolo*, Mondadori, Milano 1997 (oggi 2009).

Giovanni Gentile, *Scuola e filosofia*, Vallecchi, Firenze 1908; *Origini e dottrina del Fascismo*, (1929), Istituto Nazionale Fascista di Cultura, Roma 1934; *Memorie italiane e problemi della filosofia e della vita*, Sansoni, Firenze 1936.

Andrea Giardina, *L'Italia romana. Storie di un'identità incompiuta* (1997), Laterza, Roma-Bari 2004.

Giuseppe Giarrizzo, *Massoneria e illuminismo nell'Europa del Settecento*, Marsilio, Venezia 1994.

Vincenzo Gioberti, *Del Primato morale e civile degli italiani*, dalle stampe di Meline, Cans e compagnia, Bruxelles 1843 (Utet, Torino 1946); *Il gesuita moderno*, S. Bonamici, Losanna, 1846; *I frammenti della Riforma cattolica e della libertà cattolica* (1847), Vallecchi, Firenze 1924 (poi Cedam, Padova, 1977); *Del rinnovamento civile d'Italia*, Bocca, Torino 1851.

Renato Giusti, *Giuseppe Finzi e la sottoscrizione per il «Milione di fucili» (1860)*, in: «Archivio Veneto», 1969.

Piero Gobetti, *Risorgimento senza eroi: studi sul pensiero piemontese nel risorgimento*, Ed. del Baretti, Torino 1926 (poi Einaudi 1976).

Jacques Godechot, *La controrivoluzione. Dottrina e azione (1789-1804)*, (1961), Mursia, Milano 1988.

Vittorio Gorresio, *Risorgimento scomunicato. Il più drammatico contrasto della Storia italiana, il dissidio che continuiamo a pagare*, (1958), Bompiani, Milano 1977.

Antonio Gramsci, *Il Risorgimento*, Einaudi, Torino 1949 (oggi Editori Riuniti, Torino 2000).

Maurizio Grassi, *Il Veneto tradito. 1866: ragioni e conseguenze di un plebiscito truffa*, in: *Dalla Malaunità alla rovina attuale,* Atti del XXI Convegno tradizionalista di Civitella del Tronto, supplemento al n. 16/17 di *Controrivoluzione*, Firenze 1992.

Ferdinand Gregorovius, *Passeggiate in Italia* (1856-1857), Carboni,

Roma 1906; *Storia di Roma nel Medioevo*, (1859-1872), 6 voll., Newton Compton, Roma 1988; *Diari Romani 1852-1874*, Nuova Editrice Spada, Roma 1992.

René Guénon, *Studi sulla Massoneria* (1910), Basaia, Roma 1983 (oggi Casini, Roma 2010).

Henri A.L. d'Ideville, *I piemontesi a Roma (1867-1870)*, a cura di G. Artom, Longanesi, Milano 1982.

Virgilio Ilari, *Inventarsi una Patria. Esiste l'identità nazionale?*, Ideazione, Roma 1996.

Inchiesta Massari sul brigantaggio. Relazioni Massari-Castagnola, lettere e scritti di Aurelio Saffi, osservazioni di Pietro Rosano, critica della Civiltà Cattolica, a cura di Tommaso Pedio, Lacaita, Manduria 1998.

Fulvio Izzo, *I Lager dei Savoia. Storia infame del Risorgimento nei campi di concentramento meridionali*, Controcorrente, Napoli 1999.

Arturo Carlo Jemolo, *Crispi*, Vallecchi, Firenze 1922; *La Questione romana*, Istituto per gli Studi di Politica Internazionale, Milano 1938; *Chiesa e Stato in Italia negli ultimi cento anni*, Einaudi, Torino 1948 (poi 1986).

La Civiltà Cattolica, dal 1850 al 1898.

La difesa del Regno. Gaeta, Messina, Civitella del Tronto, di Silvio Vitale, Francesco Maurizio Di Giovine, Gennaro De Crescenzo, Giovanni Turco, Il Giglio, Napoli 2001.

La liberazione del Mezzogiorno e la formazione del Regno d'Italia, Zanichelli, Bologna 1962.

Ugo La Malfa, *Per la rinascita dell'Italia*, in: *Quaderni del Partito d'Azione*, s.l., s.d.

Lucio Lami, *Garibaldi e Anita corsari* (1991), Tea, Milano 2002.

Sergio La Salvia, *Garibaldi*, Giunti Lisciani, Firenze 1995.

Alberto Lembo, *La posizione federalista e antiunitaria di Massimo d'Azeglio e Marco Minghetti*, in: *Dalla Malaunità alla rovina attuale,* Atti del XXI Convegno tradizionalista di Civitella del Tronto, supplemento al n. 16/17 di *Controrivoluzione*, Firenze 1992, pp. 116 ss.

Salvatore Lener, *La formazione dell'Unità d'Italia e i cattolici*, Edizioni «La Civiltà Cattolica», Roma 1961.

Leone XII (papa), Costituzione apostolica *Quo graviora mala.*

Leone XIII (papa), Lettera enciclica *Humanum genus.*

Francesco Leoni, *Il brigantaggio postunitario*, in: *La Rivoluzione Italiana*, a cura di M. Viglione.
Lorenzo Leoni, *La Massoneria e le annessioni degli Stati Pontifici*, 2 voll., Agnesotti, Viterbo 1893.
Aurelio Lepre, *Storia della prima Repubblica. L'Italia dal 1942 al 1992*, Il Mulino, Bologna 1993 (oggi 2007).
Giuseppe Leti, *Carboneria e massoneria nel risorgimento italiano*, Libreria Editrice Moderna, Genova 1925 (poi Forni, Bologna 1966).
Umberto Levra, *Fare gli italiani: memoria e celebrazione del Risorgimento*, Einaudi, Torino 1992.
Giuseppe Lisio, *Il braccialetto di Giulia Modena*, in: *Letture del risorgimento italiano 1749-1870*, scelte e ordinate da Giosué Carducci, Zanichelli, Bologna 1908.
Ennio Lodolini, *Governo del Re, governo della RSI, 1943-1945* (2), in: «Nova Historica. Rivista internazionale di Storia», n. 11 (2004).
Salvatore Loi, *Stefano Türr*, in: *La liberazione d'Italia nell'opera della massoneria*, a cura di Aldo A. Mola.
Alessandro Luzio, *Garibaldi, Cavour, Verdi. Nuova serie di studi e ricerche sulla storia del Risorgimento*, F.lli Bocca, Torino 1924; *La Massoneria e il Risorgimento italiano*, (1925), rist. anast. Forni, Sala Bolognese 2005; *Aspromonte e Mentana. Documenti inediti*, Le Monnier, Firenze 1935.
Denis Mack Smith, *Garibaldi e Cavour nel 1860*, (University Press of Cambridge 1954), (ed. it. 1958), oggi Mondolibri, Milano 2001; *Storia d'Italia dal 1861 al 1958*, Laterza, Bari 1969 (ora *Storia d'Italia dal 1861 al 1997*, Laterza, Bari 2008).
John Francis Maguire, *Roma, il suo sovrano e le sue istituzioni*, Le Monnier, Firenze 1858 (poi Tip. Rinascimento, Roma 1997).
Franco Malnati, *La grande frode – Come fu fatta la Repubblica*, (1997), Il Cerchio, Rimini 2009; *Il Referendum istituzionale del 1946: considerazioni non «politicamente corrette»*, in: «Nova Historica. Rivista internazionale di Storia», n. 2 (2002).
Alessandro Manzoni, *La Rivoluzione Francese del 1789 e la Rivoluzione Italiana del 1859. Osservazioni comparative* (1870), ora *Storia incompiuta della Rivoluzione Francese*, Bompiani, Milano 1985.
Fernando Manzotti, *La polemica sull'emigrazione nell'Italia unita*, Società Ed. Dante Alighieri, Firenze 1962 (poi 1969).
Giacomo Margotti, *Memorie per la storia dei nostri tempi dal con-*

gresso di Parigi nel 1856 ai primi giorni del 1863, Utet, Torino 1863-1865 (poi 1963).

Alberto Mario, *La questione religiosa di jeri e d'oggi*, Tip. Pier Capponi, Firenze 1867.

Howard R. Marraro, *Documenti italiani e americani sulla spedizione garibaldina in Sicilia*, in: «Rassegna storica del Risorgimento», Roma 1957.

Giacomo Martina, *Pio IX*, 3 voll., Università Gregoriana Editrice, Roma 1974-1990.

Roberto Martucci, *L'invenzione dell'Italia unita*, Sansoni, Milano 1999 (oggi 2007).

Domenico Massè, *Il caso di coscienza del Risorgimento italiano. Dalle origini alla Conciliazione*, (1946), Ed. Paoline, Roma 1961.

Gian Pio Mattogno, *Ebraismo, Massoneria e borghesia nella preparazione dell'impresa dei Mille*, in: *Dalla Malaunità alla rovina attuale*, Atti del XXI Convegno tradizionalista di Civitella del Tronto, supplemento al n. 16/17 di *Controrivoluzione*, Firenze 1992.

Walter Maturi, *Partiti politici e correnti di pensiero nel Risorgimento*, in: *Problemi storici e orientamenti storiografici*, a cura di E. Rota, Cavalleri, Como 1942; *Partiti politici e correnti di pensiero nel Risorgimento*, in: *Nuove questioni di storia del Risorgimento e dell'Unità d'Italia*, vol. I, Marzorati, Milano 1969.

Giuseppe Mazzini, *Scritti editi e inediti*, 1861-1865; *Scritti scelti*, a cura di J. White Mario, Sansoni, Firenze 1900; *Scritti*, scelti a cura della R. Commissione per l'edizione nazionale degli scritti di G. Mazzini, Zanichelli, Bologna 1920; *Scritti politici*, Utet, Torino 1972.

Paolo Mencacci, *Memorie documentate per la Storia della Rivoluzione Italiana*, 4 voll., Tip. Armanni, Roma 1879-1890.

Vittorio Messori, *Il beato Faà di Bruno. Un cristiano in un mondo ostile* (1988), Mondadori, Milano 1998; *Pensare la storia. Una lettura cattolica dell'avventura umana*, Ed. San Paolo, Cinisello Balsamo 1992 (ora SugarCo, Milano 2006).

Paolo Mieli, *Le storie, la storia*, Rizzoli, Milano 1999 (oggi 2004); *Storia e politica. Risorgimento, fascismo e comunismo*, Rizzoli, Milano 2001.

Aldo A. Mola, *Storia della Massoneria italiana dall'Unità alla Repubblica*, (1976), Bompiani, Milano 2003; Aldo A. Mola (a cura di), *La liberazione d'Italia nell'opera della massoneria. Atti del Convegno di Torino 24-25 settembre 1988*, Bastogi, Foggia 1990.

Franco Molfese, *Storia del brigantaggio dopo l'Unità*, Feltrinelli, Milano 1964 (poi 1983).

Giuseppe Montanelli, *Il partito nazionale italiano, le sue vicende e le sue speranze*, Tip. Steffenone, Camandona e C., Torino 1856.

Indro Montanelli, *L'Italia del Risorgimento*, Rizzoli, Milano 1972.

John R.H. Moorman, *A History of the Church in England* (1954), Adam & Charles Black, London 1976.

Carlo Morandi, *I partiti politici nella storia d'Italia* (1945), Le Monnier, Firenze 1986.

Emilia Morelli, *Mazzini in Inghilterra*, Le Monnier, Firenze 1938 (poi Istituto per la Storia del Risorgimento Italiano, Roma 1965).

Michele Moromarco (a cura di), *250 anni di Massoneria in Italia: Firenze 1732-1983*, Atti del Convegno di Firenze, 24-25 giugno 1983, (1985), Bastogi, Foggia 1992.

Gianfranco Morra, *Confederalismo e unitarismo*, in: *La Rivoluzione Italiana*, a cura di M. Viglione.

Benito Mussolini, *La dottrina del Fascismo*, in: *Enciclopedia Italiana*, (1932), Roma 1978.

Pietro Nenni, *Vento del Nord*, Einaudi, Torino 1978 (poi Marsilio, Venezia 1981).

Nicola Nisco, *Storia civile del Regno d'Italia*, Morano, Napoli 1885-1892.

Patrick Keyes O' Clery, *La Rivoluzione Italiana. Come fu fatta l'unità della nazione* (I ed. 1875-1892), Ares, Milano 2000; *L'Italia dal Congresso di Parigi a Porta Pia: la «Questione Italiana» vista da un cattolico irlandese*, Centro Romano Editoriale, Roma 1980.

Gianni Oliva, *Foibe. Le stragi negate degli italiani della Venezia Giulia e dell'Istria*, (1999), Mondadori, Milano 2009.

Adolfo Omodeo, *L'opera politica del Conte di Cavour*, La Nuova Italia, Firenze 1941 (poi Ricciardi, Napoli 1968); *Difesa del Risorgimento*, Einaudi, Torino 1951 (poi 1955); *Lettere 1910-1946*, Einaudi, Torino 1963; *L'età del Risorgimento italiano*, IX ed., Esi, Napoli 1965 (oggi Viviarium, Napoli 1996).

Giampaolo Pansa, *Il sangue dei vinti*, Sperling & Kupfer, Milano 2003; *Prigionieri del silenzio*, Sperling & Kupfer, Milano 2004; *Sconosciuto 1945*, Sperling & Kupfer, Milano 2005; *La grande bugia*, Sperling & Kupfer, Milano 2006; *I tre inverni della paura*, Rizzoli, Milano 2008.

Francesco Pappalardo, *Il mito di Garibaldi. Vita, morte e miracoli dell'uomo che conquistò l'Italia*, Piemme, Casal Monferrato 2002.

Giovanni Pascoli, *Patria e umanità*, Zanichelli, Bologna 1914 (poi 1923).

Carlo Patrucco (a cura di), *Documenti su Garibaldi e la Massoneria nell'ultimo periodo del Risorgimento italiano*, Forni, Sala Bolognese 1986 (ora 2010); autore originale Carlo Evasio Patrucco, Boffi, Alessandria 1914.

Claudio Pavone, *Una guerra civile. Saggio storico sulla moralità nella Resistenza* (1991), Bollati Boringhieri, Torino 2006.

Tommaso Pedio, *Massoni e giacobini nel Regno di Napoli* (1976), Levante, Bari 1986.

Angela Pellicciari, *Risorgimento da riscrivere. Liberali e massoni contro la Chiesa*, Ares, Milano 1998 (oggi 2009); *L'altro Risorgimento. Una guerra di religione dimenticata*, Ed. Piemme, Casale Monferrato 2000 (oggi 2006); *I Papi e la massoneria*, Ares, Milano 2007.

Silvio Pellico, *Le mie prigioni. Memorie di Silvio Pellico da Saluzzo*, (1832), a cura di Aldo A. Mola, Bastogi, Foggia 2004.

Flavio Peloso, *La conversione di Alessandro Fortis*, in: «Nova Historica. Rivista internazionale di Storia», n. 4 (2003).

Marcello Pera, *Perché dobbiamo dirci cristiani. Il liberalismo, l'Europa, l'etica*, con una lettera di Benedetto XVI, Mondadori, Milano 2008.

Giacomo Perticone, *L'Italia contemporanea dal 1871 al 1948*, (1957), Mondadori, Milano 1962 (poi 1968); *Scritti di storia e politica del post-risorgimento*, Giuffré, Milano 1969.

Arrigo Petacco, *L'esodo. La tragedia negata degli italiani d'Istria, Dalmazia e Venezia Giulia*, Mondadori, Milano 1999.

Claudia Petraccone, *Le due civiltà*, Laterza, Roma-Bari 2000.

Marta Petrusewicz, *Come il Meridione divenne una Questione. Rappresentazioni del Sud prima e dopo il Quarantotto*, Rubbettino, Soveria Mannelli 1998.

Pio VII (papa), Costituzione apostolica *Ecclesiam a Jesu Christo*; *Lettere apostoliche della Santità di N.S. papa Pio VII con le quali si condanna la società detta dei Carbonari*, Roma 1821.

Pietro Pirri, *Massoneria*, in: *Enciclopedia Cattolica*, Città del Vaticano, Sansoni, Firenze 1952, vol. VIII.

Achille Pontevia, *Cattolicesimo e Massoneria*, Atanor, Roma 1948 (poi 1977).

Ilaria Porciani, *Stato e nazione: l'immagine debole dell'Italia*, in: *Fare gli italiani. Scuola e cultura nell'Italia contemporanea*, a cura di S. Soldani e G. Turi, Il Mulino, Bologna 1993.

Ferruccio Quintavalle, *Religione, vita terrena, oltretomba nel pensiero di G. Mazzini*, Bocca, Milano 1942.

Ernesto Ragionieri, *Prefazione* a K. Marx-F. Engels, *Sul Risorgimento italiano*, Editori Riuniti, Torino 1959 (poi 1979).

Roman H. Rainero (a cura di), *La storia dell'Italia unita nella storiografia del secondo dopoguerra*, Marzorati, Milano 1981.

Anna M. Rao (a cura di), *Le insorgenze popolari nell'Italia rivoluzionaria e napoleonica*, in «Studi Storici», 2 (1998), Dedalo, Bari. Poi ripubblicato ampliato con il titolo *Folle controrivoluzionarie*, Carocci, Roma 2001.

Isabella Rauti, *I moti antiunitari*, in: *La Rivoluzione Italiana*, a cura di M. Viglione.

Niccolò Rodolico, *Il popolo agli inizi del Risorgimento nell'Italia meridionale (1798-1801)*, (1925), Le Monnier, Firenze 1926 (poi 1965).

Sergio Romano, *Finis Italiæ. Declino e morte dell'ideologia risorgimentale. Perché gli italiani si disprezzano*, All'insegna del Pesce d'oro, Milano 1994 (poi 1995); *Storia d'Italia dal Risorgimento ai giorni nostri*, (1978), Longanesi, Milano 1998 (oggi Tea, Milano 2009).

Rosario Romeo, *Dal Piemonte sabaudo all'Italia liberale* (1963), Einaudi, Torino 1964 (poi Laterza, Bari 1974); *Il giudizio storico sul Risorgimento* (1966), Bonanno, Catania 1987; *Vita di Cavour,* (1984), Laterza, Bari 1990a (oggi 2004); *Scritti politici. 1953-1987*, Il Saggiatore, Milano 1990b (poi 1991).

Ottavio Rossani, *Stato, società e briganti nel Risorgimento italiano*, Pianetalibroduemila, Possidente (Avigliano) 2002.

Ettore Rota (a cura di), *Problemi storici e orientamenti storiografici*, Cavalleri, Como 1942.

Giorgio Rumi, *Gioberti*, Il Mulino, Bologna 1999.

Gian Enrico Rusconi, *Se cessiamo di essere una nazione*, Il Mulino, Bologna 1993.

Luigi Salvatorelli, *Il pensiero politico italiano dal 1700 al 1870*, (1935), Einaudi, Torino 1941 (oggi 1985); *Pensiero e azione del Risorgimento* (1943), Einaudi, Torino 1962 (oggi 1998); *Il problema religioso nel Risorgimento*, Estratto dalla: *Rassegna Storica del Risorgimento*, XLIII, fasc. II (aprile-giugno 1956), Istituto Poligrafico dello Stato, Libreria dello Stato; *Spiriti e figure del Risorgimento*, Le Monnier, Firenze 1961 (poi 1968).

Gaetano Salvemini, *Scritti sul Risorgimento*, (1946), Feltrinelli, Milano 1961 (poi 1963).

Oscar Sanguinetti, *La storiografia*, in: *La Rivoluzione Italiana*, a cura di M. Viglione.

Agostino Savelli, *Il popolo italiano nella storia della libertà e della grandezza della patria dal 1800 ai nostri giorni. Storia civile, dal 1850 al 1869*, vol. II (gli altri due volumi sono di F. Lemmi e A. Gori), Vallardi, Milano 1928.

Aldo Schiavone, *Italiani senza Italia*, Einaudi, Torino 1998.

Michele F. Sciacca, *Il pensiero italiano nell'età del Risorgimento,* (II[a] ed.), Marzorati, Milano 1963 (poi 1973).

Alfonso Scirocco, *In difesa del Risorgimento*, Il Mulino, Bologna 1998.

Pietro Scoppola, *Chiesa e Stato nella storia d'Italia*, Laterza, Bari 1967.

Luigi Settembrini, *Epistolario*, Morano, Napoli, edizioni del 1883, 1894, 1898.

Carlo Sgorlon, *La foiba grande*, Mondadori, Milano 1992 (oggi 2005).

Alfredo Signoretti, *La politica inglese durante la crisi risolutiva dell'unità d'Italia*, Tip. Vecchioni, L'Aquila 1923.

Alois Simon, *Palmerston et les États Pontificaux en 1849*, in: *Rassegna Storica del Risorgimento*, XLIII (1956), III, pp.539-46.

Antonio Socci, *La dittatura anticattolica. Il caso don Bosco e l'altra faccia del Risorgimento*, (I[a] ed. 1989), SugarCo, Milano 2004.

Pasquale Soccio, *Unità e Brigantaggio*, (1969), Esi, Napoli 1980.

Simonetta Soldani, *Il Risorgimento a scuola*, in: *Alfredo Oriani e il suo tempo*, a cura di E. Dirani, Longo, Ravenna 1985.

Giuseppe Spada, *Storia della rivoluzione di Roma e della restaurazione del governo pontificio. Dal 1° giugno 1846 al 15 luglio 1849*, Pellas, Firenze 1868-1869.

Giovanni Spadolini, *Cattolicesimo e Risorgimento*, in: *Questioni di Storia del Risorgimento e dell'Unità d'Italia*, a cura di E. Rota, Marzorati, Milano 1951; *L'opposizione cattolica. Da Porta Pia al '98*, (III[a] ed.), Vallecchi, Firenze 1955 (Mondadori, Milano 1994).

Angelo A. Spagnoletti, *Storia del Regno delle Due Sicilie*, Il Mulino, Bologna 1997.

Giorgio Spini, *Risorgimento e protestanti*, (1956), Il Saggiatore, Milano 1989; *Gli studi storico-religiosi sui secoli XVIII-XX*, in: *La storiografia italiana negli ultimi venti anni*, Atti del I° Congresso Nazionale di Scienze Storiche, Perugia, 9-13 ottobre 1967, Marzorati, Milano, 1970.

Storia del Mezzogiorno, diretta da G. Galasso-R. Romeo, Editalia, Roma 1986.

Francisco Elias de Tejada y Spinola, *Napoles hispanico*, 5 voll., Montejurra, Madrid-Siviglia 1958-1964 (edizione italiana a cura dell'Editrice Controcorrente, Napoli, fino a oggi stampati i primi 3 volumi).

Paul Thiéboult, *Mémoires*, Plon, Paris 1894-1897 (poi 1962).

Bruno Tobia, *Una patria per gli italiani: spazi, itinerari, monumenti nell'Italia unita*, Laterza, Bari-Roma 1991 (poi 1998).

Luigi Torelli, *Pensieri sull'Italia di un anonimo lombardo*, L.R. Delay, Parigi 1846 (poi Tip. Del Progresso, Torino 1853).

Pino Tosca, *Il legittimismo estero*, in: *La Rivoluzione Italiana*, a cura di M. Viglione.

Francesco Trinchera, *La quistione napolitana: Ferdinando Borbone e Luciano Murat*, Torino 1855.

Giovanni Turco, *L'identità nazionale italiana*, in: *La Rivoluzione Italiana*, a cura di M. Viglione, 2001a; *«la Civiltà Cattolica» e il Risorgimento*, in: *La Rivoluzione Italiana*, a cura di M. Viglione, 2001b.

Un tempo da riscrivere: il risorgimento italiano, Mostra di Rimini 2000, Il Cerchio, Rimini 2003.

Giampiero Valdevit (a cura di), *Foibe. Il peso del passato. Venezia-Giulia 1943-1945*, Marsilio, Venezia 1997.

Nino Valeri, *Tradizione liberale e fascismo*, (1971), Le Monnier, Firenze 1972.

Leo Valiani, *Tutte le strade conducono a Roma: diario di un uomo nella guerra di un popolo*, La Nuova Italia, Firenze 1947 (poi Il Mulino, Bologna 1983).

Franco Valsecchi, *Dispotismo illuminato*, in: *Problemi storici e orientamenti storiografici*, a cura di E. Rota, Cavalleri, Como 1942; *Appunti per una storia della storiografia sul Risorgimento. Gli inizi*, in Aa.Vv., *Studi storici in onore di Gioacchino Volpe per il suo 80° compleanno*, vol. II, Sansoni, Firenze 1958; *Il riformismo borbonico in Italia*, (I ed. 1967), Bonacci, Roma 1990; *L'Italia del Risorgimento e l'Europa delle nazionalità. L'unificazione italiana nella politica europea*, Giuffrè, Milano 1978; *L'Inghilterra e il problema italiano nella politica europea del 1848*, in: *Rassegna Storica del Risorgimento*, 66 (1979).

Gianni Vannoni, *Massoneria, fascismo e Chiesa Cattolica*, (1979), Laterza, Roma-Bari 1980.

Danilo Veneruso, *Movimento cattolico e Questione nazionale*, in: *Di-*

zionario Storico del Movimento cattolico. Aggiornamento 1980-1995, Marietti, Genova 1997.

Marcello Veneziani, *La rivoluzione conservatrice in Italia: genesi e sviluppo dell'ideologia italiana*, SugarCo, Milano 1987 (poi 1994).

Franco Venturi, *Settecento riformatore. Da Muratori e Beccaria*, Einaudi, Torino 1969 (ora edito da «il Giornale», Milano s.d.).

Marcello Venturoli, *La patria di marmo. Tutta la storia del Vittoriano, il monumento più discusso dell'età umbertina, tra arte, spettacoli, invenzioni, scandali e duelli*, (1953), Newton Compton, Roma 1995.

Pietro Verri, *Decadenza del Papato, idea di governo di Venezia e degli italiani in generale*, 1783, edito postumo in: *Scritti inediti del conte P.V. milanese*, Londra (Lugano) 1825.

Guido Verucci, *L'Italia laica prima e dopo l'unità, 1848-1876. Anticlericalismo, libero pensiero e ateismo nella società italiana*, Laterza, Roma-Bari, 1981 (poi 1996).

Massimo Viglione, *La Rivoluzione francese nella storiografia italiana dal 1790 al 1870*, Coletti, Roma 1991; *Il problema della Rivoluzione francese nel pensiero di Vincenzo Cuoco: il dibattito storiografico e riflessioni aggiuntive*, in: «Risorgimento e Mezzogiorno. Rassegna di studi storici», a. IX, n. 1-2 (novembre 1998); *Rivolte dimenticate. Le insorgenze degli italiani dalle origini al 1815*, Città Nuova, Roma 1999a (oggi 2009); *Le insorgenze. Rivoluzione & Controrivoluzione in Italia. 1792-1815*, Ares, Milano 1999b; *Il problema dell'insorgenza controrivoluzionaria nella storiografia italiana*, in: *Le insorgenze popolari nell'Italia napoleonica. Crisi dell'antico regime e alternative di costruzione del nuovo ordine sociale*, Atti del Convegno di Studio, Milano 25-26 novembre 1999, a cura di Chiara Continisio, Ares, Milano 2001; Massimo Viglione (a cura di), *La Rivoluzione Italiana. Storia critica del Risorgimento*, Il Minotauro, Roma 2001; *«Libera Chiesa in libero Stato»? Il Risorgimento e i cattolici: uno scontro epocale*, Città Nuova, Roma 2005; *L'identità ferita. Il Risorgimento come Rivoluzione & la guerra civile Italiana*, Ares, Milano 2006.

Guido Vignelli, *La Rivoluzione Italiana e il Novecento*, in: *La Rivoluzione Italiana*, a cura di M. Viglione.

Valdo Vinay, *Luigi De Sanctis e il movimento evangelico fra gli italiani durante il Risorgimento*, Claudiana, Torino 1965.

Silvio Vitale, *I controrivoluzionari*, in: *La Rivoluzione Italiana*, a cura di M. Viglione.

Gioacchino Volpe, *Italia moderna*, Sansoni, Firenze 1934-1952 (oggi Le Lettere, Firenze 2002).

Carlo Zaghi, *L'Italia di Napoleone dalla Cisalpina al Regno,* in: *Storia d'Italia,* a cura di G. Galasso, Utet, Torino 1976, vol. XVIII.

Nicola Zitara, *L'unità d'Italia, nascita di una colonia*, (1971), N. Zitara, Siderno 1995.

Bonaventura Zumbini, *W.E. Gladstone nelle sue relazioni con l'Italia*, (1910), Laterza, Bari 1914.

NOTE

[1] Evidenzio in corsivo i concetti che appaiono più determinanti.

[2] Riguardo al problema separatista, oltre alle divisioni esistenti già fra gli stessi attori del processo unitario (alla fine tutti rimasero un po' scontenti: mazziniani e socialisti dovettero cedere ai moderati; come nota G. Candeloro, 1956, IV, 89, già nel federalismo repubblicano c'era «una critica *ante litteram* dell'unificazione del 1860-61 e di alcuni aspetti caratteristici dello Stato unitario italiano»; i cattolici-liberali furono condannati dalla Chiesa, specie dopo il 1870; gli stessi liberali, furono costretti ad alleanze politiche non gradite – il connubio, i problemi con Vittorio Emanuele II, con l'aristocrazia terriera, con i moderati e i conservatori più tradizionalisti – ; e infine gli ostacoli posti dai municipalismi e potentati locali), Giuseppe Galasso sottolinea come la vera spaccatura fra italiani, conseguenza anche certamente delle suddette divisioni, si ebbe proprio a causa dell'unificazione. Mentre in Francia, dopo la Rivoluzione, si parla di due Francie opposte e irreconciliabili, in Italia si hanno tante Italie, fra loro diverse e dissidenti, più o meno conciliabili fra loro. Ma vi è anche una spaccatura ben precisa fra due Italie, il Nord e il Sud, europea, moderna e razionalista la prima, mediterranea, «familista» e arretrata la seconda: «un antagonismo non storico semplicemente, come in Francia per la contrapposizione tra i valori della "Francia eterna" e quelli degli "immortali princìpi del 1789", ma economico e sociale, razziale ed antropologico, geografico e culturale». Di qui deriva il separatismo degli ultimi anni, tanto meridionale quanto soprattutto settentrionale. Vi è in pratica, conclude Galasso, un doppio dualismo: quello fra Paese legale e Paese reale, quello fra Sud e Nord. Cfr G. Galasso, 1994, pp. 5-7 e 24-26.

[3] Superfluo ricordare come una delle frasi più comuni dell'intero popolo italiano (e non solo) dinanzi alle difficoltà e disfunzioni sociali e burocratico-amministrative sia «siamo in Italia» o «queste cose accadono solo in Italia».

[4] In: M. d'Azeglio, p. 87.

[5] Non è nostro compito affrontare tale delicata e viva questione, se non in rapporto al nostro tema. In generale, importante rimane senz'altro il lavoro di Galli della Loggia, che meglio esprime il problema del ruolo della Chiesa e della religione cattolica nella costituzione millenaria dell'identità italiana: E. Galli della Loggia, 1998b.

[6] Assunto questo su cui v'è consenso generale fra tutti gli studiosi (è l'evidenza dei fatti storici che lo conferma). Cfr E. Galli della Loggia, ivi.

[7] Scrive, esempio, Luigi Salvatorelli dei secoli che vanno dal XII al XVI: «La vita del nostro popolo prende forma definita, uscendo dalla mescolanza romano-barbarico-cristiana e dallo sminuzzamento feudale, nel secolo duodecimo, e cioè nell'età comunale e per opera dei comuni, ai quali risponde, diversa e pure analoga, la formazione (non a caso contemporanea) del Regno di Sicilia. Dalla fine del secolo undecimo al principio del decimosesto è il grande periodo della storia italiana, quello in cui tutte le nostre energie economiche, politiche, culturali, morali, religiose hanno pieno e armonico sviluppo; in cui il tenor di vita si eleva e si raffina, le forme statali si complicano e si perfezionano; letteratura, arte, scienza fioriscono; e tanta pienezza di civiltà innalza l'Italia a un livello superiore a quello delle altre nazioni europee [...]; questo periodo di circa quattro secoli e mezzo che dal nostro punto di vista possiamo e dobbiamo considerare unitario, e che è quello del pieno sviluppo della vita italiana [...]. Fioritura superba e integrale di vita nella quale tuttavia è evidente la superiorità del momento culturale-spirituale su quello politico-territoriale [...]; nella prima parte di questo periodo più che quadrisecolare lo svolgimento della civiltà italiana rimane ancora sostanzialmente racchiuso entro i confini della nazione, mentre nel secondo trabocca al di fuori, e l'Italia diviene maestra all'Europa. Ma sino alla fine del periodo la storia italiana, pur collegata al resto d'Europa, ha carattere autonomo: gli Stati italiani sono indipendenti, il popolo italiano è soggetto, non oggetto, di storia, ha in mano il governo dei propri destini. Alla fioritura e alla preponderanza culturale risponde la personalità politica autonoma della nazione». E poi: «Questa unità morale anche l'Italia l'aveva conosciuta. Nel Due e Trecento, arte e pensiero, vita politica e religiosità vi si intrecciano in un fascio potente di sentimenti e di energie. La *Divina Commedia* è, tutt'insieme, la suprema espressione artistica del giovane popolo italiano, lo specchio di tutte le questioni politiche del tempo, l'enciclopedia scientifica e religiosa del Medio Evo italiano maturo. Giotto dipinge, non per sé, né per una conventicola o una clientela particolare, ma per tutto un popolo...». In: L. Salvatorelli, 1962, pp. 15-17 e 21-22.

[8] Scrive Gregorovius: «Il fatto che la religione cristiana sia sorta proprio nel periodo in cui veniva creato l'impero dei Cesari è uno di quegli avvenimenti che si è soliti chiamare provvidenziali. Essa poté infiltrarsi nell'antico impero e fondersi con esso perché l'universalità dei suoi princìpi era consona alla monarchia universale. Ciò fu riconosciuto da Costantino». F. Gregorovius, 1988, p. 38.

[9] Scrive bellissime parole Galli della Loggia: «Il sovrapporsi di civiltà romana e di cristianesimo cattolico sul suolo della Penisola ha rappresentato per l'Italia un deposito storico di tale spessore e prestigio da riverberarsi sulle sue vicende in modo e misura assolutamente unici e decisivi. L'Italia ha acquistato per sempre, grazie a tale sovrapporsi, un posto centrale nella civiltà dell'Europa e dell'intero mondo che da essa è stato e continua ad essere influenzato. Come custode e compartecipe a vario titolo del duplice retaggio romano-cristiano, da quindici secoli l'Italia entra dunque in mille maniere, e per mille tramiti diversi, nel farsi dell'autocoscienza della nostra civiltà e nel continuo travaglio delle sue opere. Presidiando il passato classico e la culla della cristianità occidentale, non solo è come se l'Italia presidiasse in qualche modo l'identità di ogni europeo, ma a tale identità essa ha

dato un contributo essenziale e diretto essendo stata la prima, ed essendo rimasta per un millennio e più tra i primissimi, ad elaborare, aggiornare e adattare quel passato. Sicché nulla o quasi di quanto nella Penisola si è pensato o fatto, di quanto qui si è scritto, si è dipinto o si è costruito, ha potuto essere considerato indifferente fuori dai suoi confini». E. Galli della Loggia, 1998b, pp. 31-32.

[10] F. Valsecchi, 1978, p. 4.

[11] Scrive Edgar Quinet dopo il 1848: «Non si tratta soltanto di indipendenza, ma di dare vita a ciò che non è mai esistito un solo giorno: creare un'Italia, ecco il problema». Cit. in Galli della Loggia, 1998b, 61.

[12] Cfr Andrea Giardina.

[13] Cfr Parte seconda, cap. VIII.

[14] Cfr S. Romano, 2001, p. 68; R. de Mattei, 2004, pp. 35-36.

[15] Scrive Franco Valsecchi: «Il mito di Roma domina il Medio Evo: l'Italia appare come unità non in quanto costituisce una nazione, bensì in quanto costituisce il cuore e il nucleo dell'eredità romana, centro spirituale e politico dell'impero che a Roma si richiama. Anche quando l'idea dell'impero tramonta, la nazione italiana continua a riconoscersi nel mito di Roma». F. Valsecchi, 1978, p. 3.

[16] Riguardo a tale accusa, scrive Massimo de Leonardis: «In realtà, come già osservato da Ludovico Antonio Muratori, la presenza del Papato a Roma preservò l'Italia da un destino ben peggiore della frammentazione politico-istituzionale: la spaccatura tra un Settentrione provincia tedesca, destinato forse a divenire luterano, ed un Meridione preda musulmana. Senza Papato l'Italia sarebbe oggi nelle condizioni della ex Jugoslavia». M. de Leonardis, 2001b, p. 247.

[17] Si veda a riguardo anche il saggio del cardinale G. Biffi, pp. 43ss.

[18] Per esempio Aldo Schiavone ricorda come la Chiesa ebbe anche «la ventura di rimanere l'unica forza attiva nella Penisola che fosse riconducibile a una genealogia italiana [...]. Finì con l'assumere perciò un ruolo di supplenza scopertamente politica, ben al di fuori dei confini dei suoi domini temporali; in molte occasioni, di difesa e di protezione locale – o almeno di velo – contro l'invadenza straniera». A. Schiavone, p. 243. E a p. 242 osserva: «Per mille e cinquecento anni, dalla fine dell'Impero romano, la Chiesa si era data la missione di tenere insieme, pur adattandosi alle diverse epoche, le torri e i campanili d'Italia». Si vedano a riguardo anche gli studi di autori come Bidussa, Aliberti, o come del cattolico Formigoni. Comunque, per avere un quadro veloce, ma puntuale dell'immensa eredità civile e morale che gli italiani devono alla Chiesa romana, si leggano le pagine iniziali di P.K. O' Clery, 2000. Si veda anche la *Prefazione* di A. Socci.

[19] Da non dimenticare naturalmente in tal senso il contributo – nel descrivere i meriti della Chiesa cattolica nel forgiare la civiltà e il «primato» degli italiani su tutti gli altri popoli – di uno dei più importanti protagonisti del Risorgimento, Vincenzo Gioberti, con il suo *Primato morale e civile degli Italiani*.

[20] È importante non dimenticare il contributo fornito in tal senso da Carlo Antoni nel suo celebre e fondamentale studio *La lotta contro la ragione* (pp. 66ss.), ove ricorda come anche per studiosi protestanti, per di più di epoca illuministica, come i giuristi del diritto pubblico tedesco, il Sacro Romano Impero (quindi l'idea imperiale di Roma misticamente unita alla Chiesa di Gesù Cristo) costituiva un baluardo contro la *raison* assolutista, unificatrice e livellatrice; e proprio in ciò il Sacro Romano Impero trovava la propria ragionevolezza. Lo stesso Justus Möser, pur protestante e

libertino, scioglie un inno al Papato e al gesuitismo: il primato di san Pietro è necessario alla Chiesa, non importa se vero o falso, in quanto: «È l'economia della Chiesa che lo esige, introdotta da Dio e da uomini molto grandi [...]. È il più grande capolavoro della saggezza umana quello per cui la Sede di Roma si è affrancata da ogni sovranità secolare, e l'intera Chiesa cristiana non può mai abbastanza ringraziare san Pietro per aver così bene sostenuto i suoi successori nelle loro abili fatiche e per averli così magnificamente illuminati nel loro instancabile lavoro nella vigna del Signore». In caso contrario, conclude il Möser, vi sarebbero state altrettante Chiese quanti sono i regni, e ovunque i principi sarebbero stati i padroni del clero (che per lo più è la situazione vigente nei Paesi protestanti e ortodossi).

[21] G. Aliberti, p. 9. Naturalmente per l'autore ciò è una sciagura per l'Italia, in quanto, egli afferma, rifacendosi ad altri studiosi laicisti come Altan, Bidussa e Bollati, proprio tale dipendenza ha reso l'Italia debole e «parrocchiana», chiudendole la possibilità di una vera e completa adesione alla modernità. Eppure, con Bidussa, è costretto ad ammettere che «Roma afferma la sua centralità come ideale universalistico e perciò si colloca oltre la nazione». D. Bidussa, pp. 39-40.

[22] E. Galli della Loggia, 1998b, pp. 43-45.

[23] Si veda, riguardo al problema della deriva laicista del liberalismo contemporaneo e delle sue conseguenze nella perdita d'identità spirituale, civile e culturale in atto in Europa e in Italia negli ultimi due secoli, l'importante saggio di M. Pera.

[24] Per testimoniare il valore universale e sovranazionale di Roma cristiana, fortemente incisive riescono le parole con cui il protestante, liberale, filorisorgimentale e tenacemente anticattolico (nonostante la decennale ospitalità ricevuta da quel Pontefice che tanto odiava) Gregorovius commenta nei suoi *Diari Romani* la notizia della dichiarazione del 1871 di Roma «capitale d'Italia»: «Non riesco ancora a capacitarmi di quell'avvenimento incommensurabile che farà discendere Roma al rango di capitale d'Italia: Roma, che da millecinquecento anni è la città cosmopolita per eccellenza e il centro morale del mondo, diverrà la residenza di una corte regia come tutte le altre capitali: questa idea non riesce a entrarmi in capo [...]. Tutto ciò che è civile, politico, mondano vi scompare o non emerge se non come una grigia rovina d'un tempo in cui l'Italia non era che una provincia di Roma».

[25] Prendendo spunto da questo celeberrimo commento di M. d'Azeglio, per esempio, Giuseppe Galasso inizia un suo contributo alla riflessione sul problema del Risorgimento, dal significativo titolo. G. Galasso, 1994.

[26] Sul concetto di Risorgimento come Rivoluzione italiana si veda Parte prima, cap. II, par. 1.

[27] Il lettore non esperto di storiografia faccia attenzione a questo rinomato storico, vestale della religione risorgimentale. Per capire meglio la sua impostazione ideologica, si rifletta su questa sua categorica affermazione: «Forse, nessuno vide con tanta nitidezza, dopo l'Alfieri, che non si può essere liberi restando cattolici». A. Omodeo, 1951, p. 256.

[28] Approfondiremo in seguito tale concetto.

[29] A. Omodeo, 1951, p. 444, nella recensione al *Risorgimento senza eroi* di P. Gobetti (Torino 1926). La nota considerazione omodeiana merita di essere ben approfondita, e lo faremo in seguito; per il momento basti tener presente che se anche il più omologato sostenitore del Risorgimento ha dovuto ricorrere a siffatti mezzi per giustificare un problema, è evidente che il problema è serio... anzi, è e-

vidente che forse questo è proprio il problema per eccellenza di tutta la storia italiana degli ultimi due secoli: il distacco delle popolazioni dalle *élites* che muovono (e scrivono) la storia, dai decenni risorgimentali a oggi: Paese reale e Paese legale.

[30] È questa del resto l'accusa fondamentale che Vincenzo Cuoco, nel suo celebre *Saggio storico sulla Rivoluzione Napoletana del 1799*, muove ai giacobini partenopei: quella di essere stati sempre distaccati dal popolo reale per aggrapparsi invece agli eserciti invasori e di aver voluto trattare Napoli e i meridionali come i rivoluzionari francesi trattavano Parigi (il celebre esempio delle Costituzioni come vesti, che non possono essere uguali per tutti, ma devono adattarsi al fisico di ogni uomo, vale a dire, alle tradizioni, usi e costumi di ogni popolo), secondo i dettami utopistici del giacobinismo di stampo massonico. Si veda per tutto questo M. Viglione, 1998, pp. 97-118.

[31] Al riguardo interessante può essere venire a conoscenza del seguente episodio. Troviamo scritto in una lettera che i giacobini napoletani, chiusi in Castel Sant'Elmo a causa della rivolta dei Lazzari e in attesa dell'arrivo dei napoleonici, il 21 gennaio 1799 inviarono al magistrato cittadino come *ultimatum* affinché arrestasse il furore dei Lazzari: «Non la Nazione, ma il popolo è nemico dei francesi» (cit. in N. Rodolico, p. IX). Questa dichiarazione appare come la dimostrazione concreta che i giacobini partenopei – come lo stesso Cuoco dichiara nel suo *Saggio* – non avevano alcun seguito nel popolo, da loro di conseguenza profondamente disprezzato. Il loro problema, comune a tutti i rivoluzionari di tutti i tempi, è che una rivoluzione si giustifica solo se fatta in nome e negli interessi reali del popolo e con il sostegno di esso. A causa di ciò i giacobini napoletani iniziarono a utilizzare in maniera strumentale il concetto di «nazione», come già era accaduto a Parigi. Consci del fatto di essere una minoranza élitaria, e che senza i francesi sarebbero stati facilmente eliminati non diciamo dall'esercito borbonico, ma da una parte del popolo della città di Napoli, essi si giustificavano davanti ai francesi, e ancor più davanti a sé stessi, autodefinendosi «nazione», indipendentemente dal loro numero effettivo e dalla loro reale rappresentatività. L'assunzione di tale principio, però, automaticamente comportava che tutti coloro che non erano rivoluzionari non erano degni di essere membri della «nazione». Era un nuovo modo di concepire la «nazione»: un modo del tutto soggettivo e illuministico, fondato sull'opinione ideologica e non sul sangue, sulla lingua, sulla cittadinanza, sulla tradizione, su tutti quegli elementi insomma che realmente compongono il concetto di nazionalità. Nel caso specifico di Napoli, quel messaggio sta a significare due cose: una, che in quello specifico giorno, giorno di rivoluzione giacobina e controrivoluzione popolare dei Lazzari, la «nazione» napoletana era composta, secondo chi scriveva, da qualche decina di persone in tutto, quelle appunto rinchiuse in Castel Sant'Elmo, mentre gli altri milioni di individui liberi che abitavano il Regno di Napoli (clero, nobili, borghesi e contadini) non erano nulla: vale a dire, erano il popolo. L'altra, che il popolo non era degno di essere considerato parte della nazione, e questo evidentemente in quanto era in disaccordo con quelle poche decine di democratici chiusi in Castel Sant'Elmo.

[32] G. Galasso, 1994, pp. 1ss.

[33] E. Galli della Loggia, 1998a, p. 5.

[34] Per un approfondimento della problematica, si veda G. Turco, 2001a.

[35] Scrive in merito Paolo Mieli: «Tra il 1861 e il 1915, il popolo anziché esse-

re una riserva di consenso, costituì un problema per le *élites* liberali che fecero l'Italia. Con conseguenze drammatiche nella definizione dei modi di fare e di intendere la politica». P. Mieli, 2001, p. 105.

[36] F. Chabod, 1967. Naturalmente sull'idea di nazione gli studi sono numerosi. Ma non è mio interesse trattare il problema in sé, bensì solo inquadrarlo in funzione del discorso risorgimentale. Comunque, fra tutti gli altri, si veda al riguardo: E. Gentile, 1997.

[37] F. Chabod, ivi, pp. 32-35.

[38] R. de Mattei, 2001a, p. 31. Scrive Roberto de Mattei al riguardo: «Nel Medioevo, i concetti di nazione e di patria non hanno il senso che è stato loro attribuito nel XVIII e nel XIX secolo, ma sono vivi nella coscienza europea. Tutto il Medioevo, sottolinea Bernard Guenée, continua ad accettare la definizione di nazione data da Cicerone e ripresa da Isidoro di Siviglia: "Una nazione, come indicato d'altronde dall'etimologia della parola, si definisce in base alla nascita; è un insieme di uomini che hanno un origine comune e sono legati dal sangue". Ma come riconoscere se certi uomini hanno o no un'origine comune? In definitiva, il solo carattere "nazionale" che s'impone a tutti è la lingua. "Le nazioni", secondo de Maistre, "hanno un'anima collettiva ed una vera unione morale che le costituisce per quello che sono. Questa unità è soprattutto annunciata dalla lingua"». Nel Medioevo – conferma lo storico – una nazione è soprattutto una lingua.

[39] Cfr D. Veneruso.

[40] Cfr al riguardo F. Valsecchi, 1978, pp. 7-8.

[41] E. Gentile, 1993, p. 5.

[42] Ivi, pp. 6-7.

[43] F. Chabod, 1967, pp. 68-72.

[44] Per Mazzini si veda anche F. Valsecchi, 1978, pp. 10ss.

[45] G. Mazzini, *Nazionalità. Qualche idea sopra una costituzione nazionale; Scritti editi ed inediti*, VI, pp. 125-126.

[46] *Ai giovani d'Italia*, ivi, LXIV, pp. 165-166.

[47] Cfr G. Mazzini, *Dell'unità italiana*, in 1972, p. 946. Il concetto di educazione nazionale era già presente in realtà in alcuni autori giacobini, come Vincenzo Cuoco. Si veda in merito M. Viglione, 1991.

[48] G. Mazzini, ivi, p. 947.

[49] Scrive Gianni Turco: «In una visione d'insieme, le tesi espresse dai teorici risorgimentali dell'unificazione politica italiana evidenziano una concezione inequivocabilmente *ideologica* della nazionalità. La nazione per costoro non è una realtà già costituita, ma un'idea da attuare; non è in una comunità effettivamente vivente, ma in una umanità investita di un compito messianico. La nazionalità finisce, così, per identificarsi radicalmente con un'ideologia. Quella, appunto, che raccoglie l'eredità del giacobinismo, attua una sorta di mutazione antropologica, si afferma in forza di una idea di futuro e si dispone a realizzarlo». G. Turco, 2001a, p. 59.

[50] Ben noti sono i toni tutt'altro che positivi dei commenti delle *élites* del Nord all'idea di essere «uniti» ai meridionali. Un esempio per tutti. Scrisse la marchesa Costanza d'Azeglio (in francese, naturalmente) al figlio Emanuele ambasciatore a Londra: «Qui a Torino nessuno vuole l'unione con Napoli, per ragioni che solo un piemontese puro sangue può capire... Se si trattasse del Veneto, credo che l'entusiasmo si desterebbe e che la questione sarebbe schiettamente popolare. Ma non c'è grande en-

tusiasmo per i napoletani, che ci sono troppo distanti». Cit. in: M. Costa Cardol, p. 9.

[51] Della rivolta antiunitaria meridionale parleremo in seguito: si veda Parte seconda, cap. VII.

[52] Merita di essere riportata al riguardo l'arguta quanto incisivamente vera osservazione del card. Biffi: «Il rimprovero comunemente indirizzato al nostro popolo (e particolarmente ai cattolici) di "non avere il senso dello Stato", andrebbe per ragioni di equità e completezza integrato con il rimprovero ai costruttori e ai gestori dello Stato unitario di non avere un sufficiente "senso della nazione"». G. Biffi, p. 26, nota.

[53] Ha scritto Gianni Baget Bozzo: «La nascita dello Stato-nazione in Italia non fu un fenomeno popolare: esso venne imposto all'Italia dall'Europa. L'Italia era un popolo unito da una cultura e da una civiltà, ma, dopo Roma, mai da uno Stato [...]. La Chiesa rimane così, anche in età moderna, al centro dell'Italia [...]. Le armate napoleoniche riducono l'Italia a provincia dell'impero francese, e per questo il fenomeno più notevole è la reazione dell'Italia alla Rivoluzione, con le insorgenze cattoliche che accompagnano la prima instaurazione dell'impero francese in Italia. Lo Stato-nazione nasce, in Italia, negandone la tradizione e trasformando il Paese in una terra annessa allo Stato meno italiano e più francesizzato d'Italia, la monarchia dei Savoia.

«E come l'invasione napoleonica aveva abolito, in nome della Repubblica francese, le Repubbliche italiane, così la monarchia dei Savoia distrugge, con la benedizione della Prussia imperiale, lo Stato Pontificio e il più antico Regno d'Italia, quello di Sicilia, che comprendeva Napoli e Palermo. Lo Stato-nazione italiano si compie dunque combattendo la tradizione politica cattolica, la cultura d'istituzione italiana. In nessun Paese europeo occidentale lo Stato nazionale s'impone con tanta violenza, avendo l'istituzione dominante della religione, della cultura e della politica italiana, il Papato, all'opposizione». G. Baget Bozzo, pp. 47-48.

[54] E. Galli della Loggia, 1993, pp. 855-866; citazione a pp. 855-856. Commenta a sua volta Franco Cardini: «La Chiesa cattolica, i suoi riti, la sua cultura erano e restavano – almeno nel secolo scorso – l'unica base d'identità forte e qualificante della nazione italiana. Fra il 1848 e il 1929 si verificò quindi nel nostro Paese qualcosa di ben più grave che non una sequenza di espropri di beni e di atti limitatori della libertà religiosa (ma anche civica) del clero e dei fedeli. Quel che in realtà accadde, fu un tentativo – solo in parte riuscito, anche perché non sempre portato avanti con il rigore e la coerenza che sarebbero stati necessari – di tagliare le forti e profonde radici culturali della nazione italiana, solidamente ancorate alla Chiesa e alla tradizione cattolica». F. Cardini, *Postfazione* a A. Pellicciari, 1998, pp. 219-220.

[55] Cfr F. Chabod, 1951, pp. 315-320.

[56] E. Galli della Loggia, 1998b, p. 65.

[57] Scrive Cattaneo: «Chi in Italia prescinde da questo amore per le patrie singolari, seminerà sempre nell'arena». C. Cattaneo, 1993, pp. 100-101.

[58] E. Galli della Loggia, 1998b, p. 157.

[59] Anche la maggiore realtà nazionale statuale che per secoli è esistita in Italia, il Regno del Sud, era sì «nazione» (l'unica della Penisola) proprio perché non strutturata su «municipi», ma mai fu statocentrica; anzi, mai come nel Regno di Napoli le tre entità costitutive dell'identità politica italiana di cui parla Galli della Loggia furono essenzialmente attive. Inoltre, resta il dato di fatto che fu proprio il Sud

la parte della Penisola che più violentemente e costantemente si ribellò al centralismo repubblicano-giacobino imposto dalle armi francesi negli anni dell'invasione napoleonica e poi da quelle piemontesi unitariste.

[60] Del resto, la stessa rivoluzione unitarista, proprio per la sua predisposizione statocentrica, ha dovuto fare i conti con la reale identità nazionale italiana. Lo riconosce perfino Omodeo, che ricorda come proprio durante la Prima guerra di indipendenza (vale a dire il momento sicuramente più qualificato dell'intero movimento unitarista italiano) irrompa il municipalismo a rovinare tutto: «Di fronte al nemico in armi cominciò un patteggiamento fra volontà distinte non disposte a conciliarsi. Nel nuovo regno dove sarebbe stata posta la capitale? Se Torino vantava le tradizioni della monarchia, Milano si sentiva la prima città d'Italia. D'altro canto i piemontesi protestavano, perché era assurdo esigere che il regno facesse la guerra *gratis et amore Dei* [...]; le città lombarde osteggiavano Milano, quelle venete Venezia; Piacenza e Guastalla erano in antagonismo con Parma; Reggio con Modena. Con una politica simile a quella della Convenzione, il Piemonte cercava di assimilare ad uno ad uno i diversi comuni. Si giunse al punto che l'esercito di Carlo Alberto non si mosse contro i rinforzi che il Nugent conduceva al Radetzky, nella speranza che la minaccia austriaca inducesse Venezia repubblicana a darsi al Piemonte! Ma intanto il concorso di guerra dei lombardi in queste controversie svaniva quasi del tutto [...]. Ad accrescere i guai sopravvenne a Milano, reduce dall'esilio, il Mazzini che recò un nuovo elemento d'imbarazzo, per quanto dapprima si astenesse dal far propaganda repubblicana e fosse disposto a far tregua con Carlo Alberto: tanto che il Cattaneo e il Ferrari l'accusarono di tradimento». A. Omodeo, 1965, pp. 344-345.

[61] A. C. Jemolo, 1922, pp. 122-123.

[62] Penso ad autori come: Buonarroti, Ferrari, Cattaneo, Montanelli, Blanch, Gioberti, Balbo, Manzoni ecc., fino ad arrivare a Pisacane e a Mazzini e mazziniani vari. Cfr M. Viglione, 1991.

[63] Per tutto questo, cfr Salvatore Lener. Commenta inoltre questo autore (p. 81): «Non è forse proprio del liberalismo di lasciare ai vari partiti, o ai cittadini dissenzienti, la possibilità giuridica di esprimere liberamente la loro particolare volontà, e di riconoscere valore giuridico e funzione politica anche alla "opposizione"? Quale possibilità di manifestarsi si diede all'opposizione della maggioranza cattolica fedele alla Santa Sede, ai repubblicani, agli ancora non trascurabili nuclei di legittimisti dei sovrani di fatto spodestati? E non fu soprattutto Napoleone III a consigliarli o a volerli, pei suoi fini personali e diplomatici? È pacifico tra tutti gli storici che l'unità d'Italia, così come fu proclamata nel 1861, fu opera di una ristretta minoranza. Taluno aggiunge che le rivoluzioni, come le guerre, la trasformazione degli Stati come i mutamenti di regime, sono sempre voluti da minoranze attive, e subìte dalle maggioranze passive. Ma, nel caso nostro – essendo non meno pacifico che la gran maggioranza degli italiani, se non alla stessa unità, certo al modo in cui fu compiuta e in ordine al regime del nuovo Stato, o fu ostile o fu tragicamente passiva, anche perché priva delle possibilità di esprimere validamente la propria volontà – parrebbe logico lasciar da parte, in più decoroso silenzio, il principio democratico, e non esaltare troppo il trionfo dell'ideologia liberale».

[64] B. Croce, 1928, p. 30.

[65] A. Del Noce, 1978 (oggi 2004).

[66] Cfr al riguardo R. de Mattei, 2000, p. 6.

[67] Scrive in merito questa significativa frase lo stesso Omodeo, in riferimento alla scelta del Piemonte di mantenere la costituzione dopo la sconfitta di Novara: «La rivoluzione così conquistava nel Piemonte quel piede a terra in Italia che prima aveva sempre invano desiderato: conquistava un esercito, una diplomazia, un parlamento che doveva essere la sua palestra». A. Omodeo, 1965, p. 374.

[68] L. Salvatorelli, *Pio IX e il Risorgimento*, in: 1961, p. 257.

[69] Scrive Giorgio Spini: «L'anticlericalismo e la diffusione del "libero pensiero" di segno deista o materialista furono bene tra i fatti più clamorosi della vita italiana dal Risorgimento in poi». G. Spini, 1970, II, p. 1266.

[70] Fra le numerosissime dimostrazioni concrete che si potrebbero fornire a quanto appena affermato, basterebbe riportare alcune frasi scritte o citate in Parlamento dai protagonisti di quei giorni (oltre agli atti e ai provvedimenti legislativi presi contro la Chiesa cattolica), a partire magari da Giuseppe Ferrari, il cui motto personale era: «La Rivoluzione è la guerra a Cristo e a Cesare»; e in tal senso, per lui, come per tanti altri, andava appunto intesa la Rivoluzione italiana. Ma anche questo aspetto sarà approfondito in seguito. Scrive a riguardo F.M. Agnoli (2001, p. 112): «I protagonisti del Risorgimento recepirono, facendolo proprio, il progetto di distruzione della Chiesa cattolica e, nelle sue conseguenze più estreme, della stessa religione cristiana (e, al limite, di tutte le religioni) come fenomeno sociale. Progetto che costituisce, appunto, l'essenza, il nucleo fondamentale, della Rivoluzione».

[71] Ancora nel marzo del 1902, poco prima della morte, Leone XIII ebbe a ricordare che: «La massoneria è la personificazione permanente della Rivoluzione; essa rappresenta una sorta di società civile rovesciata, il cui scopo è il dominio occulto di quella che noi conosciamo e la cui sola ragion d'essere è la guerra a Dio e alla Chiesa». Cit. in: P. Calliari, p. 59. Così rispondeva il Bollettino della grande Loggia simbolica scozzese: «La framassoneria non può fare a meno di ringraziare il Sommo Pontefice della sua ultima Enciclica. Leone XIII, con un'autorità incontestabile e con grande lusso di prove, ha dimostrato una volta di più che esiste un abisso insuperabile tra la Chiesa, di cui egli è il rappresentante, e la Rivoluzione, di cui la framassoneria è il braccio destro...». Citato da Sarda y Salvany, *Le mal social, ses causes, ses remèdes*, riportato in Delassus, p. 39.

[72] In: G. Francocci, p. 217.

[73] Fra tutta la vasta bibliografia in materia, si veda nello specifico: L. Leoni; O. Dito; G. Leti; A. Luzio, 2005; C. Francovich; A.A. Mola, 2003; R.F. Esposito; A.A. Mola (a cura di), 1990. A. Pellicciari, 2007.

[74] Così Alessandro Luzio, e con lui anche Gioacchino Volpe nelle sue opere. Ma entrambi scrivono al riguardo durante gli anni Venti, quando Mussolini aveva deciso di combattere il potere occulto e pericolosamente sovversivo della Massoneria, e, quindi, vi era tutto l'interesse nella storiografia nazionale a ridurre i «meriti» dell'azione massonica nell'unificazione nazionale.

[75] Per un quadro d'insieme dei legami fra Massoneria e settarismo risorgimentale e per una presentazione generale del ruolo svolto dalle sètte nel Risorgimento italiano, si veda il saggio di R. de Mattei, 2001b, cap. V.

[76] Cfr per tutti: O. Dito, G. Giarrizzo e P. Pirri.

[77] La letteratura in merito è vastissima. Comunque, basti ricordare in tale sede alcune delle opere più classiche, come A. Barruel, J. Crétineau-Joly, H. Delassus.

[78] Cfr F. Collaveri. Del resto, il comportamento tenuto dagli eserciti napoleonici in Italia negli anni dell'invasione (oltraggi al clero, chiese e conventi spogliati e profanati, ostie consacrate gettate al vento con le reliquie dei santi, preti e finanche vescovi coartati a fare il servizio militare, legislazione fortemente laicista ecc. e poi quello tenuto dallo stesso imperatore nel quindicennio del suo dominio (occorre ricordare che Napoleone è a tutt'oggi l'ultimo potente della terra che ha fatto morire un Papa in esilio e ha fisicamente arrestato – facendo entrare i suoi eserciti nelle sacre stanze – e deportato un altro Papa per anni, osando ciò che neanche Hitler alla fine dei conti ebbe il coraggio di attuare), rimangono testimonianza inconfutabile dello spirito violentemente anticattolico che animava i rivoluzionari e il loro capo (il Concordato fu fatto solo per motivi di comodo in un momento in cui a Napoleone interessava allontanare i ricordi più giacobini della Rivoluzione e per ottenere l'incoronazione papale).

[79] Si potrebbero riportare veramente innumerevoli citazioni (sia di fonti cattoliche contro la setta – a partire dalle numerose condanne papali – sia massoniche contro la Chiesa e la religione), ma è impossibile. A nome di quelle cattoliche, ne scelgo una per tutte: così parla Leone XIII nell'enciclica *Humanum genus* del 20 aprile 1884. Dopo aver ricordato come gli adepti della Massoneria debbano obbedire ciecamente ai capi pena la morte, il Pontefice riassume brevemente i punti essenziali della dottrina massonica: il naturalismo ateo, la separazione Stato-Chiesa con conseguente legislazione laicista, l'imposizione dell'istruzione laica ai fanciulli, l'annientamento di ogni prerogativa civile per la Chiesa, l'anticlericalismo sfrenato, l'odio per ogni religione e in particolare per quella cattolica; inoltre ricorda che anche quando i massoni parlano di un ente supremo la loro concezione è assolutamente panteista, e infatti negano la vita eterna e la Provvidenza, e tutta la dottrina cattolica sulla salvezza, rinnegando ogni valore e ideale sovrannaturale in nome di un immanentismo materialista; coerentemente i massoni propagano una visione edonistica dell'esistenza, l'amore libero, il divorzio, e sono vittime di una concezione egualitarista della vita e della società che li conduce all'odio verso ogni autorità legittima, facendoli sostenitori di un democratismo laicista e anarchico. Detto questo, Leone XIII afferma testualmente: «Da questi brevi cenni si scorge abbastanza chiaramente che cos'è e che cosa vuole essere la setta massonica. I suoi dogmi ripugnano tanto e con tanta evidenza alla ragione, che nulla può esservi di più perverso. Voler distruggere la religione e la Chiesa fondata da Dio stesso, e da Lui assicurata di vita immortale, voler dopo ben diciotto secoli risuscitare i costumi e le istituzioni del paganesimo, è insigne follia e sfrontata empietà [...]. In questo pazzo e feroce proposito pare quasi potersi riconoscere quell'odio implacabile, quella rabbia di vendetta, che contro Gesù Cristo arde nel cuore di satana». Si veda circa le condanne pontificie della Massoneria A. Pellicciari, 2007.

[80] Scrive Leone XIII sempre nella *Humanum genus*: «Varie sono le sètte che, sebbene differenti di nome, di rito, di forma, d'origine, essendo per coincidenza di proposito e per affinità dei sommi princìpi strettamente collegate fra loro, convengono in sostanza con la setta dei frammassoni, quasi centro comune, da cui muovono tutte e a cui tutte ritornano».

[81] Rileva Guénon che la «gnosi è l'essenza e il midollo della massoneria». R. Guénon, p. 3. Cit. in C. Gatto Trocchi, p. 19. Riguardo alla diffusione dell'occultismo nella società italiana del XIX secolo, scrive la Gatto Trocchi a p. 21: «In Ita-

lia [...] se il grande filone dell'occultismo prese nuovo vigore attraverso il magnetismo e lo spiritismo, ambedue si inserirono nel libero pensiero anticlericale, laico e massonico. Una parte della cultura massonica potenziò lo spiritismo, l'occultismo e l'immaginario magico». L'autrice prosegue rivelando nelle pagine successive (22-23) che fu Garibaldi che iniziò a Caprera alla Massoneria il padre dell'anarchismo Bakunin, pubblico esaltatore del satanismo, e aggiunge: «In Italia l'occultismo si era inserito con varie articolazioni nel libero pensiero protetto da casa Savoia [...]. Nel 1856 nella capitale sabauda venne costituita una società spiritica che aveva fra i suoi appartenenti il vicepresidente della Camera dei deputati, Gaetano De Marchi, scienziati, professionisti ed esponenti di case illustri [...]. Successivamente comparvero gli "Annali dello Spiritismo" diretti da Errico Dalmazzo (alias Teofilo Corani) e poi da Vincenzo Scarpa, decorato da Vittorio Emanuele II e diretto collaboratore di Cavour. Lo stesso Cavour che aveva protetto gli spiritisti in vita si manifestò come fantasma in varie occasioni, costringendo per esempio Massimo d'Azeglio a faticosi esercizi [...]. Garibaldi, che ebbe un ruolo di rilievo nell'esoterismo italiano, si interessò attivamente sia allo spiritismo, sia alla massoneria dei riti [facendosi] nominare Gran Jerofante della massoneria egiziana». La Gatto Trocchi dedica poi il secondo capitolo del suo interessante studio a Mazzini, dimostrando, citazioni del Genovese alla mano, la sua fede nella metempsicosi, nelle credenze gnostiche e cabalistiche, la sua amicizia con la nota satanista Blavatsky, e i legami ideali dell'attuale *New Age* con il pensiero esoterico del Genovese. Altri protagonisti di quei giorni che non rimasero estranei a pratiche spiritistiche sono Manzoni, d'Azeglio, Bonghi (ivi, pp. 37-38), e finanche Vittorio Emanuele II e Umberto I. Cfr anche: M. Biondi e P.L. Baima Bollone, pp. 233-234. Nel resto del suo studio, infine, la Gatto Trocchi pone in rilievo gli aspetti preternaturali presenti in *Pinocchio* e in varie opere del melodramma ottocentesco, e quindi l'interesse per lo spiritismo di uomini (oltre a vari celebri stranieri) come Capuana, Carducci (a parte il suo *Inno a Satana*), Giovanni Amendola, Pascoli, D'Annunzio, e, persino, dell'insospettabile Benedetto Croce, anche se solo dal punto di vista dell'interesse «scientifico», naturalmente.

[82] I Papi condannarono anche la Carboneria in quanto tale. Pio VII, il 13 settembre 1821, con la costituzione *Ecclesiam a Jesu Christo*, dichiarava che essa costituiva l'imitazione, «se non addirittura l'emanazione» della Massoneria già condannata dai suoi predecessori. Poi il 13 marzo 1825, Leone XII ripeteva le medesime condanne con la costituzione *Quo graviora*, ove specificava che la setta dei carbonari si era assunta «il compito di combattere la religione cattolica e, nell'ordine civile, i legittimi sovrani».

[83] David Levi, nel suo discorso di apertura della costituente massonica del 23 febbraio 1863, disse: «Nel 1815, malgrado le note sconfitte, tutti i FF.: sentivano che i tempi erano maturi, che era venuto il giorno dell'azione. La Mass.: abbandonò allora il campo religioso e filosofico per entrare nel campo politico e nell'azione. Essa si organizzò in Vendite e fondò la società dei Carbonari. Il Carbonarismo diretto dal pensiero mass:. divenne in breve una forza, una potenza, si poté chiamare legione: discese ordinato in campo nel 1821 in Piemonte, in Napoli [...] e tornò più formidato nel campo di battaglia nel 1830 e 31. Egli fu in quell'epoca che l'Ordine subì una nuova trasformazione... Come dal grande albero della Massoneria era nato il Carbonarismo, un genio vi innestò, germoglio nuovo e fecondo, la Giovine

Italia...». Cfr *250 anni di Massoneria in Italia*, p. 242, nota 22.

[84] Attorno al 1730 è documentata l'esistenza delle prime due logge massoniche in Italia, a Firenze e a Roma. Cfr Francovich, pp. 38-43.

[85] C. Morandi, p. 6. Sull'opera di diffusione e di preparazione politica del giacobinismo da parte delle logge massoniche cfr anche, fra gli altri, G. Candeloro, 1956, I, pp. 180-190; W. Maturi, 1969, pp. 46-47; T. Pedio, 1986.

[86] W. Maturi, 1942, p. 841.

[87] O. Dito, pp. 68-71. Del resto, Dito nota come la credenza carbonarica in Gesù Cristo non deve meravigliare, in quanto ai tempi del Risorgimento con Cristo si intendeva dire in realtà il Grande Architetto dell'Universo, in quanto anche la Carboneria era naturalista.

[88] Tutti i Papi del XIX secolo e gli autori cattolici in genere hanno sempre ritenuto – e come tale giudicata – la Carboneria come filiazione diretta della Massoneria (più o meno lo stesso dicasi per la Giovine Italia: Mazzini era appunto da giovane «carbonaro»). Cfr per esempio: Pio VII, 1821, e altrettanto per Leone XII con la costituzione del 12 marzo 1825 *Quo graviora mala*, dove raccoglieva tutte le condanne dei Pontefici precedenti sulla Massoneria e sètte segrete in genere e le applicava alla Carboneria, che tutte le riassume. Alcuni storici filomassonici, o comunque filorisorgimentali, tendono al contrario a negare filiazioni e simiglianze delle sètte risorgimentali con la Massoneria (si vedano Luzio, Omodeo, Esposito). Non così altri storici, di cui alcuni notoriamente affiliati alla Massoneria, che invece rivendicano orgogliosamente il ruolo storico determinante nella Rivoluzione italiana avuto dalla setta. Cfr per esempio: A. Pontevia, che scrive (p. 133 e n. 6 a p. 122): «Tutti i movimenti insurrezionali d'Italia, tutti gli uomini che con la parola, con l'esempio e spesso col sangue cooperarono a rendere l'Italia una e libera, furono tutti massoni»; la stessa Carboneria era «un'emanazione puramente massonica».

[89] Cfr R. de Mattei, 2000, pp. 23-25. Delassus descrive efficacemente il profondo odio anticattolico che portò questo Nubius a girare instancabilmente per decenni in tutta Europa per cospirare contro la Chiesa ovunque e comunque fosse possibile. Riporta inoltre anche i soprannomi e le notizie biografiche di alcuni altri capi dell'alta Vendita: Piccolo Tigre, Gaetano, Volpe, Vindice, Beppo; a loro veniva chiesto di vivere per sempre a servizio dell'ideale, senza poter mai rinnegare pena la morte, e dovevano anche vivere amando di rimanere sconosciuti e reputati per niente, proprio come il cristiano dell'*Imitazione di Cristo*. Cfr H. Delassus, pp. 110ss.; 198ss.

[90] J. Crétineau-Joly, II, p. 129; H. Delassus, I, p. 595.

[91] Cfr R.F. Esposito, pp. 57-58.

[92] Molto importante questa notazione. Gli opuscoletti dei fratelli francesi sono naturalmente i *pamphltes* dei massoni del secolo precedente, che avevano preparato l'opinione pubblica alla Rivoluzione; per quanto riguarda il riferimento all'Inghilterra, avremo modo di vedere in seguito quanto esso sia vero, ed è in fondo un'esplicita conferma del ruolo fondamentale che la Gran Bretagna ebbe nella Rivoluzione italiana, fin da questi primissimi anni del Risorgimento.

[93] J. Crétineau-Joly, II, pp. 82-83; H. Delassus, I, pp. 585-586.

[94] Scrive l'anticlericale Giuseppe Montanelli al riguardo: «È un libro che farà epoca [...]. Quelli che lo addebitano di anticaglia pontificia non hanno inteso che il Papa di Gioberti è tal cosa la quale, quando esistesse, saremmo tutti papalini». Cit.

in: G. Martina, I, p. 66. Di Gioberti parleremo in seguito.

[95] «Fare il prete patriota», ordina Vindice (cfr H. Delassus, I, p. 244): ecco spiegati Gavazzi, Gioberti, Ventura, Tazzoli, Bassi, e tanti altri che giunsero a correre appresso a Mazzini dimenticandosi della fede e dei giuramenti della loro gioventù.

[96] Che il voler ostinatamente ridurre l'odio anticattolico della Massoneria a semplice «anticlericalismo» sia cosa del tutto fuorviante, lo dimostra, più di ogni altro ragionamento, la seguente disposizione data a tutte le logge dal Gran Maestro dell'Oriente d'Italia Ludovico Frapolli nel 1867, in occasione della crisi di Mentana seguita al fallito assalto di Garibaldi contro Pio IX: «La Massoneria non ha da occuparsi del potere temporale de' Papi, poco le cale che vi sia un principe di più o di meno. Combatte il Pontefice e non il Papa-Re; questo abbandona al braccio secolare: spetta alla Nazione perennemente tradita il provvedere. Il massone va più in là: lavora a distruggere le credenze assurde che hanno mai sempre appoggiato la tirannia...». In: D. Massè, p. 308.

[97] Cfr G.P. Mattogno, pp. 78-85.

[98] Esiste al riguardo una vasta bibliografia, fra cui ricordiamo: C. Gentile e C. Patrucco.

[99] S. Loi, pp. 365-376.

[100] C. Patrucco, pp. 10-11. Cfr anche A. Codignola, pp. 199ss.

[101] A. Colombo, p. 7; P. Buscalioni.

[102] G. Gamberini.

[103] Cfr per tutti A. Luzio, p. 2005.

[104] Samuel Colt, affiliato alla loggia «St. John's» del Connecticut, inviò 100 fucili di ottima fattura. Cfr H.R. Marraro, pp. 12-58.

[105] Sulla determinante azione che l'Inghilterra (sia come Governo ufficiale sia come Massoneria) svolse a favore del Risorgimento, torneremo in seguito. Per il momento, a togliere ogni dubbio in merito basti la sincera frase che Garibaldi in persona pronunciò in un incontro pubblico a Londra durante un suo viaggio: «Se non fosse stato per il governo inglese, non avrei mai potuto passare lo Stretto di Messina». Citata in P.K. O' Clery, 1980, p. 118.

[106] Cfr, G. Di Vita, pp. 379-80. L'ipotesi del Di Vita è che tutto quel denaro servisse solo per corrompere i funzionari borbonici. Quel che è certo è che il Nievo scomparve durante una traversata nel Tirreno, mentre era ancora in corso la spedizione garibaldina (e del «malloppo» non si seppe più nulla): forse sapeva troppe cose? Cfr anche R. Martucci, pp. 232ss.

[107] È lo stesso Gran Maestro dell'Oriente italiano, Corona, che ricorda ciò nel Convegno di Torino del 24-25 settembre 1988, intitolato *La liberazione d'Italia nell'opera della Massoneria*. Cfr anche la già citata voce di P. Pirri nell'*Enciclopedia Cattolica*.

[108] Scrive Maturi: «Più tardi, dopo il periodo carbonaro e quello della mazziniana Nuova Italia, la Massoneria, risorta a nuova vita nel 1860, ebbe un grande sviluppo e trovò la principale ragione della sua diffusione nel trionfo in Italia delle idee laiche ed anticlericali. Della Massoneria si servirono come strumento tanto Cavour quanto Mazzini, ma essa finì col legarsi essenzialmente con le correnti democratiche, e tra le correnti democratiche essenzialmente col garibaldinismo, il cui motto era Italia laica». W. Maturi, 1942, p. 868.

[109] Cfr in particolare O. Dito, che ricorda, dopo gli albori della Massoneria italiana del XVIII secolo, come i giacobini napoletani fossero tutti massoni, e come

fu sempre la Massoneria a organizzare i moti del '20-'21 e del '30-'31 (anche se sotto l'ègida della Carboneria).

[110] Scrive Alberto Mario al Quinet nel giugno 1867: «Voi mi foste maestro e guida. Vi ho studiato e seguito perché vi credo nel vero massime riguardo all'Italia, ove l'avvoltoio cattolico ha il suo nido. In Italia c'è ancora il pregiudizio nella democrazia che la libertà, la libertà inerme, basti ad uccidere la Chiesa cattolica, benché si sappia che nessuna religione è caduta e morta di per sé». Cit. in A. Galante Garrone, p. 265.

[111] Sul concetto di «Rivoluzione» come processo storico – e metastorico – di secolare guerra alla Chiesa e alla civiltà cristiana si veda: P. Corrêa de Oliveira; G. Cantoni, pp. 7-50.

[112] Osserva al riguardo Fausto Fonzi: «"Il nostro Risorgimento è tutto quanto anticlericale" (Rossi), "il Risorgimento nacque scomunicato" (Tagliacozzo), "il Risorgimento conteneva intrinsecamente... una carica anticattolica" (Pavone), si è scritto recentemente; del resto già per Croce e per i suoi seguaci il Risorgimento era mosso da una fede opposta a quella cristiana cattolica, da una religione diversa e nuova, con i suoi confessori e con i suoi martiri [...]. L'antica tesi de "La Civiltà Cattolica" ha quindi molto credito ancora nell'opposto campo politico-religioso, ed ha certo un suo innegabile fondamento nelle proclamate aspirazioni anticattoliche di un Mazzini o di un Ferrari, di un Settembrini o di uno Spaventa, di un Pisacane o di un Sella. Non soltanto nell'organizzazione dell'Anticoncilio di Napoli; o nell'opera svolta dalla Massoneria; nella propaganda battagliera di ateismo razionalista e materialista dei tanti giornaletti dai nomi diabolici; nel favore governativo alle associazioni anticlericali, alle chiese protestanti e ai sacerdoti ribelli; nelle violenze contro laici, sacerdoti e vescovi, nelle chiese e presso gli stessi altari, si devono ricercare le tendenze anticattoliche nel Risorgimento (e nel postrisorgimento), ma pure in molte più composte manifestazioni della Destra liberale, in motivi statalistici o individualisti; nelle offese nazionalistiche all'universalismo cristiano; negli egoismi borghesi che ledevano con metodi liberisti il principio della fraternità e della solidarietà umana». F. Fonzi, 1982, pp. 325-326.

[113] Alcuni generici e altrettanto clamorosi esempi, fra gli innumerevoli possibili, dell'enfatizzazione dell'atteggiamento massonico verso la Chiesa cattolica in quegli anni. L'8 dicembre 1869, primo giorno del Concilio Vaticano I, la Massoneria apre a Napoli, nello stesso giorno, l'Anticoncilio massonico (peraltro, risultato una patetica scimmiottatura durata solo pochi giorni). Jules Michelet disse che vi avrebbero partecipato anche i morti, chiedendo che alla presidenza fossero chiamate le ombre di Hus, Lutero e Galilei. «L'infallibilità papale è un'eresia. La religione cattolica romana è una menzogna, il suo regno è un delitto», scriveva il Gran Maestro dell'Oriente di Torino, Timoteo Riboli (cit. in R.F. Esposito, p. 133); e Garibaldi da Caprera scriveva a Ricciardi, presidente delle assise napoletane: «Rovesciare il mostro papale, edificare sulle sue rovine la ragione e il vero» (ivi p. 134). In quegli stessi giorni, Carducci componeva l'*Inno a Satana*.

[114] *La Civiltà Cattolica*, 27 aprile 1881, serie XL, vol. VII, fasc. 748, p. 623. Cit. in F.M. Agnoli, 1999, p. 67.

[115] L. Settembrini, dall'*Epistolario*, citato in: A. Omodeo, 1951, p. 257.

[116] Il cardinale Giacomo Biffi ha accennato all'importanza del 1796 come data epocale della storia italiana: «[...] È abbastanza plausibile far risalire a quell'even-

to l'avvio di un'altra e ben diversa epoca della nostra storia». G. Biffi, pp. 9ss. Citazione a p. 12.

[117] Masaniello e pochi altri episodi analoghi, antecedenti e successivi, ebbero più carattere di rivolta contro l'oppressione fiscale di governi stranieri che carattere di rivolta sociale contro l'ordine costituito tradizionale.

[118] I primi moti popolari a carattere controrivoluzionario avvennero ancor prima della Rivoluzione francese in Toscana (diocesi di Prato e Pistoia) nel 1787 e nel 1790, contro la politica giansenista del vescovo Scipione de' Ricci, appoggiata dai Lorena.

[119] Cfr S. Vitale, 2001a, pp. 195-217.

[120] La letteratura al riguardo è molto vasta. Si vedano fra tutti M. Veneziani e G. Vignelli.

[121] Fra le varie possibili divisioni e opposizioni, questa fra italiani «realisti» e italiani «utopisti» (o settari) è di fondamentale importanza. Scrive G. Turco in merito al giudizio espresso dai padri de *La Civiltà Cattolica* in quegli stessi anni su tale questione: «Di fronte ad una pubblicistica che teorizzava un'Italia possibile, ovvero una nazione da realizzare piuttosto che una nazione realmente esistente, il Curci oppone l'evidenza di un Paese reale, che non è né una pura possibilità, né una mera eventualità, ma una comunità che, nell'àmbito di ordinamenti e costumi diversificati, condivide un comune retaggio storico, religioso e civile. Altra è, insomma, l'Italia come costruzione da realizzare *ex novo*, che i gruppi rivoluzionari identificano con i propri disegni, altra è la "vera Italia", che vive pacificamente nell'alveo di tradizioni e istituzioni plurisecolari. I popoli italiani sono nella loro realtà ben diversi da quanti "si arrogano il vanto di averla tutta e solo con loro, anzi di essere essi l'Italia". In tal senso è lo stesso padre Curci a proporre una chiave di lettura dell'unificazione che, nella consapevolezza delle stesse teoriche risorgimentali, appare perspicuamente capace di penetrarne il significato: "*l'Italia fittizia*", ovvero l'Italia delle fazioni liberali e unitarie, ha preteso di stare per "*l'Italia vera*". E ad essa si è effettivamente sovrapposta, con la realizzazione dell'unità statuale. La prima è costituita da esigue minoranze organizzate, la seconda da un Paese reale complesso e multiforme. La prima è l'espressione delle astrazioni ideologiche, la seconda del tessuto di comunità organicamente stratificate. L'Italia delle cosiddette "minoranze illuminate" pretende di rappresentare un destino tutto da edificare, mentre l'Italia dei popoli vive della continuità delle generazioni. La prima si costituisce in forza di un'adesione meramente volontaristica, alla seconda si appartiene in ragione di una storia di cui la nascita stessa fa partecipi. La prima pretende di avere ogni diritto, in quanto si autoproclama inverificabilmente come l'avvenire che s'avanza; la seconda si alimenta di una tradizione omogenea, quanto ai suoi fondamenti etico-religiosi e culturali, ma riccamente diversificata quanto alle varie regioni e alle diverse compagini statali. Insomma, mentre per le correnti risorgimentali la nazione è un dato da istituire, che si identifica con i vari progetti ideologici da attuare attraverso la cancellazione dei precedenti ordinamenti, per l'Italia delle piccole patrie, l'appartenenza ad una comunità, e ad uno Stato, si dispone in un tessuto di relazioni reali, che tuttavia non esclude il riconoscimento di una più ampia identità storico-culturale». G. Turco, 2001, pp. 62-63. Gli articoli del p. Curci dedicati a tali questioni sono *Dov'è l'Italia?* e *L'Italia vera oppressa dalla fittizia*. Anche il Taparelli d'Azeglio parlava di «patria reale» e «patria nominale».

[122] Inquietante in proposito è la seguente costatazione: «L'Italia, con un eserci-

to che non ha più di 6.000 uomini "operativi" e armamento obsoleto, ha tre polizie con 450.000 agenti». M. Blondet, p. 335.

[123] P. Mieli, 1999, pp. 258-259.

[124] F. Valsecchi, 1942, pp. 700-701.

[125] Quanto sin qui detto è universalmente noto fra gli esperti. Cfr L. Salvatorelli (1962, pp. 14-15), dove il noto storico risorgimentista sostiene, a ragione, che in effetti non si può interpretare la Rivoluzione italiana come una specie di opera di conquista militare di Casa Savoia (presentando questa come l'interprete delle esigenze storiche della nazionalità italiana), prescindendo dal movimento riformatore settecentesco, il quale però a sua volta deve essere inteso nella generale congerie europea da cui trasse la sua linfa vitale.

[126] Come dice Chabod, il *quid novi* del Risorgimento fu portato dalla Rivoluzione francese, la quale sola rende il Risorgimento «politico», in quanto fornisce agli italiani la volontà di unificare politicamente la Penisola: è la Rivoluzione francese che consente di passare dal riformismo dei vari Verri, Filangieri, Genovesi (pur necessario per la preparazione intellettuale degli italiani) alla rivoluzione di Mazzini, dalle riforme sociali e religiose alla concreta volontà di *libertà politica, indipendenza* e poi *unità* della nazione. Cfr F. Chabod, 1967, pp. 57-64.

[127] Analizzeremo in seguito il contributo di Spini in un apposito paragrafo; già nel Settecento riformista egli scorge l'apporto anticattolico protestantico. G. Spini, 1989, pp. 34ss.

[128] A. Omodeo, 1965, pp. 18-19.

[129] A. Gramsci, p. 45.

[130] L. Salvatorelli, 1956, pp. 197-198.

[131] Scrive per esempio Omodeo sull'opera compiuta contro la Compagnia di Gesù: «La soppressione della compagnia è l'esempio classico delle riforme del secolo XVIII, compiute per ragioni di Stato, violentemente e senza scrupoli giuridici: basti pensare alle brutali deportazioni dei Gesuiti senza che individualmente avessero compiuto alcun reato veramente provato [...]. E la soppressione dell'Ordine fu il punto di partenza per il capovolgimento del regime ecclesiastico in tutti gli Stati cattolici, e l'espansione degli Stati laici». A. Omodeo, 1965, p. 54.

[132] Scrive ancora L. Salvatorelli (1962, p. 43) che il giurisdizionalismo italiano è il frutto della fusione (e della diffusione) di giansensimo e gallicanesimo.

[133] M.F. Sciacca sottolinea l'importanza del ruolo politico del giansenismo in Italia, utilizzato dai sovrani e dai riformatori in senso anticuriale e sostanzialmente anticattolico; quindi intriso di spirito rivoluzionario, che negli anni rivoluzionari finirà per divenire sostegno del giacobinismo (vedi esponenti come Tamburini, Zola, de' Ricci, Serrao, Degola ecc.) contro la reazione cattolica alla Rivoluzione francese e a Napoleone. M.F. Sciacca, pp. 59-64.

[134] Seguo in particolare fra gli altri: L. Salvatorelli, 1956; Id., 1962; Id., *Il pensiero politico italiano dal 1700 al 1870*, 1941; A. Omodeo, 1965; B. Brunello; F. Venturi. Cfr anche M.F. Sciacca.

[135] Cfr, in particolare M.F. Sciacca, ivi, pp. 56ss.

[136] L. Salvatorelli, 1956, p. 199.

[137] P. Verri, 1825.

[138] Commenta Sciacca: «Le ideologie illuministiche, il propagarsi delle sètte politico-religiose – come la massoneria [...] – diffondevano l'incredulità in mezzo al

popolo che, privo di controllo per natura, si abbandonò non di rado alla satira volgare, al frizzo sconcio, alla caricatura di cattivo gusto. Così il secolo dei "lumi" oscurava pericolosamente la coscienza religiosa delle masse e lasciava loro le invincibili superstizioni». M.F. Sciacca, pp. 56-59 (citazione p. 59). Fra gli autori che aderiscono alle idee sensiste e illuministiche Sciacca menziona in particolare Soave, Gioia, Romagnosi, Delfico, Cuoco, Borrelli, Galluppi, e poi Foscolo e Leopardi.

[139] L. Salvatorelli, 1941, pp. 78-90.

[140] Scrive Carlo Botta, ex giacobino e quindi testimone oculare di quei giorni: «Ciò rendeva i francesi odiosi, ma ancor più odiosi rendeva gli italiani, che per loro medesimi o per le opinioni parteggiavano pei francesi. Né il popolo discerneva i buoni dai tristi, anzi li accumunava tutti nell'odio suo, perché vedeva che tutti ajutavano l'impresa di una gente, che venuta per forza nel loro Paese, aveva turbato l'antica quiete e felicità loro. Certamente gridavano, e più assai che non sarebbe stato conveniente, il nome di libertà: ma vana cosa era sperare, che nell'animo dei popoli consumati ed offesi dall'insolenza militare prevalesse un nome astratto sopra un male pur troppo reale: detestavano una libertà, che si appresentava loro mista di improperi e di ruberie». C. Botta, II, pp. 7, 115.

[141] Per una presentazione generale dell'intera questione, si veda: M. Viglione, 1999a; Id., 1999b. Si veda anche per un quadro generale breve: F.M. Agnoli, 2001b, pp. 331-353.

[142] «Repubbliche effimere, prive di autonomo potere politico e militare gelosamente custodito dai francesi; ma, soprattutto, prive della legittimità di consenso in quanto espressioni di una minoranza che si arrogò il diritto di legiferare, governare e giudicare in nome e per conto dell'intera collettività senza averne ricevuto il mandato preventivo». F.M. Di Giovine, 2001, p. 117.

[143] Per una ripresentazione degli eventi e del reale significato politico, ideologico e religioso dell'esperienza repubblicana partenopea, si veda anche F.M. Di Giovine, 1999.

[144] Lo riconosce perfino uno storico risorgimentista come Scirocco, che in un breve accenno alle insorgenze del 1799, così commenta: «Queste vicende mostrarono quanto fosse esigua la minoranza che sosteneva l'azione riformatrice promossa sotto l'ègida della Francia». A. Scirocco, p. 26.

[145] Sulla concezione della guerra fra giacobini e insorgenti come «guerra civile» cfr E. Di Rienzo, pp. 9-83.

[146] Basti pensare, solo per fare un esempio, che nel dipartimento della Ciociaria vescovi e sacerdoti dovevano montare la guardia ogni giorno, compresa la domenica!

[147] Una di queste, dei «Viva Maria» aretini, è ancora conservata a Roccalbegna.

[148] Cfr a questo riguardo M. Viglione, 1999b, pp. 140ss. e M. Viglione, Ares 2001, pp. 419-433.

[149] A.M. Rao (a cura di), 1998.

[150] Ciò è rilevabile facilmente in particolare nei saggi di Preto, Romagnani, Cattaneo e in quello della stessa Rao nel lavoro di *Studi storici* sopra indicato, ove tali autori, che accusano senza mezzi termini gli storici di ispirazione cattolica di essere fanatici politicizzati, danno piena prova di come le loro accuse possono senz'altro essere ritorte contro loro stessi.

[151] J. Godechot, p. 305.

[152] R. De Felice, 1990, p. 63

[153] C. Zaghi, pp. 74ss.

[154] Commenta a questo proposito Paolo Mieli in un suo articolo dedicato all'argomento: «Il lettore farà presto a decidere se è vero o no che la storiografia ha peccato di dimenticanza nei confronti di questa rivolta antigiacobina e controrivoluzionaria. È sufficiente che in tutta onestà si dia una risposta a questa domanda: "Cosa so io delle insorgenze?"». P. Mieli, *Ebrei d'Italia, la maledizione giacobina*, in: *La Stampa*, 18 luglio 1999.

[155] P. Thiéboult, II, p. 325

[156] Si vedano gli studi di E. Gentile, e in particolare, 1993, 1997; quindi il già citato volume di M. Veneziani e il veloce quadro d'insieme fornito dal già citato saggio di G. Vignelli. Basilari sono poi, nell'insieme della problematica, gli scritti di E. Galli della Loggia, in particolare 1998a.

[157] Cfr R. de Mattei, 2001b.

[158] Così faranno nelle loro opere gli storici più legati al mito mazziniano: Omodeo, Salvatorelli e perfino Chabod.

[159] Affronteremo in seguito i legami del fascismo con il mazzinianesimo. Per ora mi limito a mo' di esempio a riportare le seguenti due affermazioni. Scrive Mussolini il 27 agosto 1921 in una lettera a Michele Bianchi: «Il fascismo può e deve prendere a divisa il binomio mazziniano: Pensiero e Azione». Gli fa eco Giovanni Gentile: «Nel fascismo si trae al più rigoroso significato la verità mazziniana "Pensiero e Azione", immedesimando così i due termini da farli coincidere perfettamente, e non attribuire più nessun valore a nessun pensiero che non sia già tradotto o espresso in azione». G. Gentile, 1934, I, pp. 38-39.

[160] P. Balan, 1886 e 1890.

[161] G. Spada.

[162] Cfr in particolare L. Salvatorelli, 1941, pp. 225-259.

[163] Stando al suo avventuristico (a dir poco) ragionamento, la Rivoluzione francese fu una manifestazione di religiosità, anche se ancorata all'illuminismo scettico. Essa infatti se ne può considerare come il compendio da Cristo in poi; e siccome il cristianesimo è individualismo puro, e il Medioevo fu la massima espressione del cristianesimo, la Rivoluzione francese può essere definita come l'ultima fase del Medioevo. In pratica, Mazzini ha completamente capovolto la realtà dei fatti: la Rivoluzione francese fu un fenomeno di religiosità cristiana, anzi, ne è stata l'ultima espressione! Di fronte a tali assurdità, perfino Salvatorelli non si può trattenere: «È uno dei punti in cui la capacità storica, pur notevole, del Mazzini, fa naufragio nelle secche dei suoi schemi»: ivi, p. 240.

[164] Sulla concezione unitarista del Mazzini, ma anche per i risvolti totalitari del suo pensiero, si veda fra altri G. Morra, pp. 163-165.

[165] Nel 1948 lo storico inglese Lewis Namier, in un convegno all'Accademia dei Lincei, riconobbe in Mazzini uno dei principali ispiratori del nazionalismo contemporaneo. Cfr R. Romeo, 1987, p. 116.

[166] Per i legami che Mazzini intratteneva con il mondo esoterico e dello spiritismo (Blavatsky), così come per i legami fra il suo pensiero e lo gnosticismo e il cabalismo (metempsicosi, purificazione, vita extraterrestre e altro ancora), si vedano F. Quintavalle e C. Gatto Trocchi. Cfr anche R. de Mattei, 2001b.

[167] L. Salvatorelli, 1941, pp. 252-254.

[168] Scrive Salvatorelli: «Utopie? Sia pure. Ma vi sono utopie puramente fanta-

stiche, o ingenuamente reazionarie, di cui non val la pena di parlare; e vi sono utopie piene di significato, perché rappresentano un ideale al limite. Questo è il caso dell'utopia mazziniana» (ivi, p. 256). Sarebbe interessante, qualora fosse possibile, farsi spiegare dal Salvatorelli perché, a suo dire, l'ideale utopico «al limite» di Mazzini sarebbe migliore di altri ideali utopici. Un'utopia è sempre «un'idea al limite», altrimenti non sarebbe utopia. E, francamente, se proprio volessimo fare una gerarchia anche fra le utopie, quella mazziniana appare non solo fra le più fantasiose, ma anche fra le più pericolose, in quanto evidenti a tutti sono gli elementi totalitari che la costituiscono. Del resto, il rivoluzionario repubblicano e ferocemente anticattolico Giuseppe Ferrari riconosceva in Mazzini l'incarnazione del santone islamico.

[169] Ivi, p. 259.

[170] Come è noto, anche Marx (che lo chiamava ironicamente «Teopompo») lo accusò sempre, oltre che di «idealismo metafisico», di utopismo politico, proprio a causa del fatto che egli credeva di poter effettuare la rivoluzione in Italia tramite una *élite* intellettuale, senza coinvolgere le masse proletarie e contadine. Cfr E. Ragionieri, p. 25.

[171] Scrive Guido Verucci: «L'aspirazione di Mazzini si indirizza verso una società totalitaria [...]: l'anticlericalismo di Mazzini è soltanto mezzo per far prevalere un sistema teistico e spiritualistico che si potrebbe anche definire di teocrazia democratica, di una teocrazia più rigida e assoluta di quella tradizionale cattolica». Egli, dice Verucci, rifiuta la laicità intesa come libero scontro fra fedi diverse. Cfr G. Verucci, p. 8.

[172] Spiega Del Noce: «Il dio di Mazzini è principio interno alla coscienza umana, che muove non alla contemplazione, ma all'azione [...]; non è una realtà al di là dell'uomo [...], non può essere oggetto di rivelazione esterna»: A. Del Noce, 1990, pp. 371-372.

[173] Riportato in R.F. Esposito, p. 86.

[174] G. Mazzini, 1861-1865, I, p. 270; V, 179; VII, p. 213.

[175] Ivi, V, p. 55; XVI, p. 63.

[176] Ivi, XIV, p. 99; VII, p. 242. Mazzini che accusa di settarismo la religione cristiana...

[177] R.F. Esposito, pp. 86-87.

[178] G. Mazzini, 1900, XXXI.

[179] Sciacca non esita a definirlo un fanatico e un inconcludente. M.F. Sciacca, p. 262.

[180] Commenta Salvatorelli: «Per il papato e il cattolicesimo non vi è posto nel Risorgimento mazziniano»; L. Salvatorelli, 1943, p. 117.

[181] G. Spadolini, 1955, pp. 30-32.

[182] In tal senso, un'attenta e analitica disamina dei suoi scritti (a partire dagli Statuti della Giovine Italia) comprovante palesemente il reale significato delle parole e dei motti mazziniani, si trova in P. Mencacci, I, pp. 29ss.

[183] G. Lisio, p. 122.

[184] Scrive le seguenti, patetiche parole il laicissimo e anticattolico Omodeo, grande corifeo della nuova religione risorgimentale, di Maria Drago, madre «veneratissima» del Genovese: «Anima nobilissima, che come la Madonna evangelica andava raccogliendo tutti i presagi della futura grandezza del figlio...». A. Omodeo,

1965, p. 300. Come si può notare, la malattia era contagiosa...

[185] Perfino Omodeo lo ammette, scrivendo: «Diretto al popolo, il pensiero del Mazzini non fu mai veramente popolare». E in seguito riconosce anche come Mazzini sia rimasto sempre isolato anche dai suoi stessi amici, perché ritenuto poco affidabile e pericoloso, specie nei momenti decisivi: A. Omodeo, ivi, pp. 307 e 402. A sua volta, Scirocco rimarca la poca consistenza numerica della Giovine Italia, a causa della religiosità laica del Mazzini che non piaceva né ai moderati in quanto avversa alla Chiesa né ai democratici in quanto religiosità, e completamente estranei rimasero sempre i ceti contadini: A. Scirocco, p. 57. Sentenzia del resto Salvemini: «Specialmente fra gli italiani, la predicazione religiosa di Mazzini ha avuto un insuccesso che non si esagera a definire addirittura completo»: G. Salvemini, *Scritti sul Risorgimento*, 1961, p. 200. Ebbe successo solo postumo, per esempio fra i modernisti, come l'inquieto conte T. Gallarati-Scotti.

[186] Lo stesso Scirocco definisce il tentativo come pura follia: A. Scirocco, p. 61.

[187] P.K. O' Clery, 2000, p. 121. Ricorda l'autore che Mazzini, da giovane, scrisse anche un trattato di guerriglia.

[188] Cfr A. Omodeo, 1965, p. 484.

[189] Cfr A. Scirocco, p. 138.

[190] P.K. O' Clery, 2000, p. 546.

[191] Cfr L. Salvatorelli, 1941, p. 338.

[192] Si veda al riguardo: G. Spada; P. Mencacci; P.K. O' Clery, 2000, pp. 195ss.; V. Del Giudice, pp. 30-32. Commenta O' Clery «Assumeva solo l'ombra di un grande nome. Era sì la Repubblica, ma il berretto frigio aveva preso il posto dell'aquila conquistatrice; le ferree legioni romane erano rappresentate dalla ciurma in camicia rossa di Garibaldi e Bixio e il gruppo di giornalisti, avvocati ed agitatori professionisti dominati dalla folla delle gallerie e dalla marmaglia di Roma, costituiva un mesto surrogato del *Senatus Populusque Romanus.* Una cosa sola la nuova Repubblica aveva in comune con l'antica, ed era il paganesimo. Costruita in sfida a Dio, in guerra col suo Vicario, calpestando la legge e l'ordine, agiva per rendere il centro del mondo cristiano quello che era stato prima di Costantino: la roccaforte dell'incredulità più empia. E chi erano gli uomini che proclamavano la repubblica? Bravacci rivoluzionari come Garibaldi; o, peggio ancora, uomini come Luciano Bonaparte, principe di Canino, e il canuto traditore Armellini che doveva tutto ai Papi o chi, come Sterbini, era stato liberato dall'esilio o dal carcere con l'amnistia con cui Pio IX aveva iniziato il suo regno, solo per complottare contro il suo liberatore». Ivi, p. 200.

[193] G. Spini, 1989, pp. 247-248.

[194] Interessante risposta polemica, ma veritiera del Mazzini, che rinfaccia all'ipocrita ospite le violenze compiute dai protestanti contro i cattolici.

[195] Così sentenzia il suo grande ammiratore Giovanni Gentile: «La religiosità mazziniana è l'immanenza del divino nell'uomo»: G. Gentile, *Mazzini e la nuova Patria*, in Id., 1936, p. 35.

[196] P.C. Boggio, p. 27

[197] M. Costa Cardol così scrive sui rapporti fra i due: «Mentre le lettere dell'apostolo sono lunghe, circostanziate, improntate quasi ad umile deferenza malgrado il sussiego dottrinario dell'intellettuale superiore, l'Eroe risponde – quando risponde – con frasi brevi, spesso vaghe, che celano a malapena il disprezzo verso un i-

deologo che si proclama martire, ma non affronta mai il fuoco ed ha sempre in tasca un passaporto straniero per togliersi dagli impicci». M. Costa Cardol, p. 205.

[198] G. Ferrari, pp. 90-121, cit. a p. 120.

[199] S. Romano, 2001, p. 21.

[200] Commenta giustamente Vittorio Messori al riguardo: «La Confederazione italiana (alla quale Pio IX, appena eletto, aveva dato il suo assenso, disponendo che lo Stato pontificio aderisse ad una Lega doganale, primo passo per un'unità più stretta), non era affatto un'utopia, come da secoli mostrava la Svizzera; e come, dal 1870, mostrerà la Germania, dove si stabilì un'unione talmente salda da reggere sino alla fine della tempesta della guerra del 1914 e che, pur realizzatasi attorno alla Prussia, lasciò sui troni i sovrani legittimi e rispettò l'autonomia degli Stati confederati. Volevano, quei cattolici, un'unità che non fosse solo un episodio della secolare espansione dei Savoia in Italia; una unità, poi, che non calasse dall'alto, imposta da una piccola casta di borghesi, di aristocratici, di intellettuali, di scontenti, di utopisti, quando non di avventurieri e di demagoghi, ma che coinvolgesse le masse popolari...»: V. Messori, 1998, p. 217.

[201] Ecco un giudizio, per tutti gli altri, dell'abate Gioberti sull'Ordine fondato da sant'Ignazio di Loyola: «Riconciliare il secolo col cattolicismo lo credo possibile, purché in modo espresso se ne sequestrino i Gesuiti. Italianamente poi son persuaso che il gesuitismo è funesto per la sua influenza all'Italia, e che la prima condizione *sine qua non* per la salute di questa è l'estirpazione di quella canaglia». In D. Massè, p. 194.

[202] Rinnegando gli aspetti cattolici e confederali del *Primato*, quest'ultima opera acuiva i toni nazionalisti e populisti. Scrive G. Donati in *Gioberti e i nazionalisti* (ora in *Scritti politici* a cura di G. Rossini, Roma, 1956, pp. 157ss.) che Gioberti fu il precursore democratico del nazionalismo italiano.

[203] G. Morra, p. 157.

[204] Commenta Sciacca: «Sembra anche evidente che il Gioberti sia stato più abile e scaltro che sincero: conquistare attraverso la Chiesa ed un programma moderato e prudente, la classe media e il Papato alla causa italiana [...]. Le sue lodi della Chiesa, del Papato e del Cattolicesimo, più che dettate dalla fede del credente sembrano suggerite dal calcolo politico». Cfr M.F Sciacca, pp. 318-319, n. 7.

[205] A.C. Jemolo, 1948, pp. 30, 33.

[206] Cfr A. Omodeo, 1965, pp. 317-324 (cit. p. 323).

[207] A. Gramsci, p. 50. Gramsci ricorda come dopo il 1848, nel *Rinnovamento*, Gioberti dimostri chiare simpatie giacobine (arriva perfino a giustificare lo sterminio dei girondini e il Terrore robespierriano); ma ancor più importante, dice Gramsci, è che egli si dimostra giacobino per la situazione italiana, sia per l'egemonia del «partito piemontese» da lui voluta e predicata sia per l'alleanza fra intellettuali e popolo. Ivi, pp. 144-145.

[208] Non era di questa opinione Giorgio Rumi, che, in un suo lavoro dedicato a Gioberti, difende invece i suoi meriti nell'aver indicato la via cattolica al Risorgimento e nell'aver individuato nel cristianesimo e nella Chiesa di Roma il vero collante dell'identità italiana e la giustificazione ultima del suo primato fra i popoli. In effetti, anche in questa sede non si vuole affatto porre in dubbio il valore del *Primato* se preso come lavoro in sé, né tanto meno la validità del progetto confederale neoguelfo, e neanche, come mette in rilievo Rumi, gli influssi che tutto ciò ebbe

sulla storia e nel pensiero italiano successivi. Cfr G. Rumi. Il problema è però ciò che Gioberti scrisse e fece prima del *Primato* e soprattutto dopo il *Primato*. Questo non può essere dimenticato, ai fini di un completo giudizio sull'uomo e sulle sue reali intenzioni.

[209] R. Romeo, 1987, p. 114.

[210] G. Montanelli, pp. 19-20.

[211] P. Gobetti, p. 25.

[212] V. Gioberti, 1924, p. 168 e 193-194.

[213] Naturalmente, le fole risorgimentali sull'oppressione austriaca non meritano nemmeno di essere prese in considerazione per una smentita. Credo si possa affermare in tutta tranquillità che il dominio asburgico del Lombardo-Veneto possa essere definito il più felice e benvoluto di tutti i domini stranieri mai verificatisi nella storia italiana (e forse mondiale). Del resto, il benessere sociale, la innata produttività e la serena indole di convivenza civile di quelle popolazioni stanno a dimostrarlo ancora oggi. Inoltre, riprova concreta di quanto detto, viene proprio dal comportamento delle popolazioni rurali lombarde, che non seguirono affatto il comportamento di quelle urbane (Milano, Brescia), ma al contrario dimostrarono sempre la loro simpatia verso gli austriaci, come quando durante la guerra, nel '49, Magenta rifiutò alloggio e viveri alle truppe piemontesi. «A leggere i giornali di Milano nel 1849, sembrava che le truppe piemontesi di re Carlo Alberto fossero nemiche anziché alleate». M. Costa Cardol, p. 21.

[214] Vale a dire: l'espansione graduale del Regno, conquistando regione dopo regione, a partire dalla sempre agognata grande meta: la Lombardia. In pratica, era evidente a tutti che il re sabaudo mirava solo alla conquista della Lombardia, e tutta la sua tattica militare e politica fu sempre finalizzata a ciò. Cfr a merito i già citati saggi di M. de Leonardis e F.M. Agnoli in: *La Rivoluzione Italiana*, cit.

[215] Da parte sua, Pio IX si era ormai accorto del gioco «neoghibellino»; inoltre, il nunzio a Vienna, Viale-Prelà, mandava allarmanti dispacci: il clero e il popolo cattolico erano scandalizzati dal fatto che il Pontefice della Chiesa universale avesse partecipato alla guerra contro l'Impero cattolico in veste di aggressore, e lo scisma era tutt'altro che lontano. Così, maturò la sofferta decisione di ritirarsi dalla guerra, sia per ragioni religiose (Pio IX prima di essere un sovrano italiano, era il Vicario di Pietro, capo della Chiesa universale, Pontefice di ogni cattolico al mondo), sia per ragioni politiche (oltre ad aver compreso il gioco di Carlo Alberto, era sempre più chiaro dinanzi ai suoi occhi il precipitare della situazione nella stessa Roma, ormai in mano ai settari sovversivi). Cfr al riguardo R. de Mattei, 2000.

[216] Volendo poi esprimere un giudizio sulla repubblica democratica toscana di Guerrazzi e Montanelli, sono senz'altro sufficienti le insospettabili parole di Omodeo: «Poco di poi crollò l'inetta demagogia del Guerrazzi in Toscana, piena di grande verbosità, di prepotenze continue da parte dei democratici livornesi, e vuota d'ogni frutto [...]. Anche la democrazia toscana si confessava incapace di vincere il regionalismo: la dittatura democratica appariva vuota di ogni contenuto ideale». A. Omodeo, 1965, p. 359.

[217] Così recitava il testo della lettera: «Il governo borbonico rappresenta l'incessante, deliberata violazione di ogni diritto; l'assoluta persecuzione delle virtù congiunta all'intelligenza, fatta in guisa da colpire intere classi di cittadini, la perfetta prostituzione della magistratura, come udii spessissime volte ripetere; la negazione di

Dio, la sovversione d'ogni idea morale e sociale eretta a sistema di governo».

[218] La letteratura al riguardo è vastissima. Basta leggere una qualsiasi storia del e sul Risorgimento per rendersene conto. Come sempre, a modello paradigmatico della *vulgata* cfr A. Omodeo, 1965, pp. 64-65.

[219] Tali sciocchezze si smentiscono da sole, naturalmente. Gli stessi storici che descrivono a tinte fosche la situazione degli italiani sotto gli austriaci nel XIX secolo (allo scopo di giustificare appunto la Rivoluzione), non esitano a esaltare il riformismo sociale e politico di Maria Teresa e Giuseppe II del XVIII secolo come apportatore di giustizia e benessere (e ciò si spiega per il fatto che tali provvedimenti erano di carattere fortemente laicista e furono adottati soprattutto contro la Chiesa cattolica), senza porsi il problema però di cadere in palese contraddizione con sé stessi e con la storia, visto che la legislazione asburgica del XIX secolo era la stessa del secolo precedente, tanto celebrata come progredita e lungimirante. In realtà, tutti sanno, a partire dalle popolazioni del Lombardo-Veneto, quanto si vivesse in ordine sociale armonico sotto la dinastia asburgica (e questo è vero, senza peraltro voler sminuire le grosse responsabilità della aggressiva politica giuseppina). Anche per quanto riguarda il giuseppismo e il suo anticlericalismo (o meglio, la guerra personale alla religione e alla Chiesa cattolica condotta dall'imperatore Giuseppe II), occorre dire che nella realtà dei fatti le cose stanno esattamente al contrario di quanto afferma la *vulgata* risorgimentale: se spaccatura v'è stata fra gli Asburgo e i lombardi, questa avvenne non nel XIX secolo, ma proprio ai tempi del giuseppismo. Scrive appunto Franco Valsecchi a proposito delle estremistiche riforme di Giuseppe II: «Passa come un rullo compressore, tutto livellando sul suo cammino, e soffoca ogni iniziativa che non parta dal centro. Con Giuseppe II, si inizia il divorzio fra la Lombardia e il dominatore austriaco». F. Valsecchi, 1990, p. 22.

Per quanto riguarda poi la mitologia sullo Spielberg e sulle torture dei poveri patrioti caduti nelle rapaci mani degli austriaci, perfino i due più accaniti sacerdoti della religione risorgimentale sono costretti, loro malgrado, ad ammettere che i processi e gli interrogatori austriaci avvenivano sempre «col massimo rispetto della procedura austriaca» (A. Omodeo, 1965, p. 270). «Nulla di più legale dei processi politici austriaci di questi anni, ove poté bastare a taluno mantenersi negativo per essere assolto. Neppure l'applicazione delle pene poté dirsi particolarmente rigorosa, perché tutti i condannati ebbero commutata la sentenza capitale in prigionia a tempo, e furono dopo vari anni liberati» (L. Salvatorelli, 1962, pp. 101-102). E anche per quanto concerne lo Spielberg, basti ricordare che proprio Silvio Pellico, tornato libero si riconciliò con gli austriaci, divenendo praticamente antirisorgimentale e vivendo una vera e propria conversione religiosa al cattolicesimo. Cfr la pubblicazione integrale (vale a dire senza «tagli censori»), curata da Aldo A. Mola, de *Le mie prigioni* (riproduzione fotografica del manoscritto).

[220] Per un veloce, ma puntuale quadro d'insieme storico-politico-sociale e religioso degli Stati dell'Italia preunitaria, con particolare attenzione al reale livello di civiltà ed effettivo grado di progresso da essi raggiunto, cfr il saggio di M. de Leonardis, 2001a.

[221] Anche il cardinal Biffi scrive belle pagine sull'elevato grado di civiltà, cultura e progresso che ancora caratterizzava la società italiana anteriore al Risorgimento; di contro, è proprio dopo l'unificazione che si riscontra l'inizio della decadenza. Cfr G. Biffi, pp. 19ss.

[222] Esempio concreto di come la calunnia – anche la più stupida – venne eretta a sistema di propaganda per distruggere la reputazione del Regno delle Due Sicilie e produrre una strumentale giustificazione per la futura invasione: scrive uno dei fuoriusciti, Francesco Trinchera: «Il viaggiatore che capita in quel regno non vi scorge nulla che accenni alla vita di un popolo civile, niuna istituzione utile e fecondatrice di bene, niun insegnamento pubblico o privato, non strade, non comunicazioni tra provincia e provincia, tra la capitale e le provincie, non traffichi, non commercio, non arti, non industrie, non manifatture...». Come si può notare, il buon Trinchera aveva sognato di stare nel Sahara.

[223] Il migliore studio al riguardo risulta essere il fondamentale lavoro di F.E. de Tejada, *Nápoles hispánico.*

[224] Cfr fra tutti: F. Valsecchi, 1990; *Storia del Mezzogiorno*; H. Acton, 1988; Id., 1997; G. Galasso, 1992; A. Spagnoletti; G. Coniglio. Spagnoletti e Coniglio presentano una vasta bibliografia generale sull'argomento. Comunque, sicuramente non farà male leggere G. de Sivo, 2004. Si veda anche il già citato saggio di M. de Leonardis, 2001a.

[225] F. Valsecchi, 1990, p. 105. Tutto questo discorso è stato approfondito da Marta Petrusewicz, che ha dedicato decine di pagine per descrivere sia i progressi economici (specie nell'agricoltura) sia soprattutto l'effervescente attività culturale del Regno delle Due Sicilie sotto Ferdinando II, almeno, a suo dire, fino al 1848 (anno idealizzato, nel quale anche l'autrice ritrova una troppo paradigmatica cesura tra il bene e il male). Cfr M. Petrusewicz, cc. 2-3-4.

[226] L. Salvatorelli, 1962, p. 179.

[227] È da notare che gli stessi storici usano toni diversi anche nel giudizio su Ferdinando IV. Fino agli anni Novanta del suo regno, i toni sono abbastanza indulgenti; poi, quando il sovrano iniziò a rendersi conto che il riformismo portava alla rivoluzione, e quando poi arrivò la rivoluzione e la perdita del trono, e quindi cominciò a reagire, fino alla riconquista e alla punizione dei giacobini, allora per i nostri storici diviene anch'egli un sovrano abietto. Non per niente, l'unico che non viene giudicato come tale dalla *vulgata* è proprio colui che perse definitivamente il Regno, Francesco II. Però, come sempre accade, viene compianto come un incapace...

[228] Per esempio Marta Petrusewicz, che pur fa proprie le solite pesanti accuse antiferdinandee dei fuoriusciti postquarantotteschi, ammette serenamente che durante il periodo della Restaurazione nel Regno: «La libertà di parola e di stampa rimase piuttosto ampia, anche se intervallata da periodi di aggravata censura; a patto di non toccare le istituzioni della monarchia, si poteva dire e scrivere quasi tutto. Le società segrete furono messe fuori legge e il nuovo Concordato firmato; ma il primo provvedimento colpì più i poco numerosi e reazionari Calderari che i ben organizzati e più radicali Carbonari». Inoltre, prima del '48, Ferdinando «compì una vera rivoluzione amministrativa, si mise a costruire ferrovie, incoraggiò lo sviluppo dell'industria e delle banche, e non ostacolò tentativi di riforma tendenzialmente democratica delle istituzioni». M. Petrusewicz, pp. 21 e 22-23.

[229] Per decenni l'Inghilterra, anche a causa della debolezza di Ferdinando IV, era stata la protettrice (in pratica, controllava materialmente la politica del Regno) della Corona borbonica, specie negli anni napoleonici. Nel 1816 il governo britannico si era fatto concedere da Ferdinando (ora I come Re delle Due Sicilie) il monopolio dello sfruttamento dello zolfo siciliano per pochi soldi, senza che il Regno

ci guadagnasse. A Ferdinando II, divenuto re nel 1830, ciò non andava giù; inoltre, egli aveva abolito la tassa sul macinato (per non gravare sul popolo), e quindi aveva bisogno di soldi. Così decise di affidare il monopolio a una società francese, che pagava il doppio dell'Inghilterra. Se c'è una cosa che la storia insegna, è che la Gran Bretagna è liberale sempre fin quando non si toccano i suoi interessi: Parlmerston mandò subito una flotta militare davanti al Golfo di Napoli, minacciando senza ritegno di bombardare la città. Ferdinando II però non era come suo nonno: tenne duro, preparando flotta ed esercito alla guerra. Il tutto si risolse con l'intervento di Luigi Filippo: il re dovette rimborsare sia agli inglesi sia ai francesi (perché il monopolio rimase agli inglesi, che però mai dimenticarono l'onta subita) il presunto danno arrecato.

[230] Basti ricordare il Ritiro delle Donzelle povere dell'Immacolata Concezione, l'Opera del Vestire gli ignudi, il Collegio delle Scuole Pie a Palermo, l'Immacolatella, il grande Albergo dei Poveri nel capoluogo siciliano, il monastero delle Teresiane a Chiaja e a Pontecorvo, i due grandiosi alberghi per i Poveri del Regno, l'uno a Porta Nolana, l'altro a S. Antonio Abate, il Ritiro di S. Maria Maddalena per le donne ravvedute.

[231] F. Valsecchi, 1990, p. 95.

[232] Peraltro, la politica intesa a diminuire i privilegi ecclesiastici di Ferdinando, come del resto del Tanucci (anche se in maniera più incisiva), non fu mai volta contro la Chiesa cattolica come istituzione e la religione cattolica, sulla quale sempre si fondò il Regno dei Borbone delle Due Sicilie: ci si limitò solo a confische di manomorta e a riduzioni di privilegi soprattutto di ordine finanziario. Scrive in proposito Valsecchi: «La politica borbonica si manteneva nei limiti del giurisdizionalismo, senza varcare quelli dell'illuminismo». Ivi, p. 129.

[233] G. Coniglio, p. 327.

[234] Spagnoletti, pp. 80-90.

[235] Ivi, p. 88.

[236] C. Alianello, pp. 121-126.

[237] F. Durelli.

[238] M. Petrusewicz, p. 37.

[239] P.K. O' Clery, 2000, pp. 95-96.

[240] «Malgrado le oscillazioni, la politica economica borbonica fu di una continuità notevole». M. Petrusewicz, p. 72.

[241] G. Coniglio, pp. 340-342.

[242] Nota M. Petrusewicz (p. 114) come: «Molti prigionieri, tra cui il De Sanctis e il Dragonetti, dopo aver scontato qualche anno di carcere, vennero deportati in apparenza in America, mentre le autorità sapevano benissimo che sarebbero sbarcati *en route* a Malta o in Inghilterra e si sarebbero rifugiati in qualche paese europeo».

[243] Negli eventi del '48 a Napoli: «Il sentimento prevalente, tanto nel governo quanto nell'opinione pubblica, non fu né repubblicano né antiborbonico. A parte qualche repubblicano convinto, come Ricciardi, Saliceti e La Farina (il futuro ferreo sostenitore di Cavour), la maggioranza dei *leaders* [...] riteneva che Ferdinando II fosse in grado di svolgere questo compito». Ivi, p. 107. Un libro davvero importante per la descrizione effettiva e puntuale della situazione politica, economica e sociale del Regno delle Due Sicilie prima della caduta è sicuramente quello di C. Garnier.

[244] Scrive in una lettera al governo di Firenze il 10 ottobre 1867 (in occasione

dell'episodio di Mentana) Temistocle Solera: «È con profonda vergogna come italiano e col più acerbo dolore come funzionario devoto al Re e alla patria che io devo per sacro debito rivelare che il governo è bassamente tradito da quanti si vantano di avere in Roma seria influenza sulle masse e di poter quindi a loro beneplacito condurle ad insorgere [...].. Nei tre giorni di mia permanenza non mi sono dato tregua un solo momento visitando ed investigando uomini e cose, non risparmiando né officine né taverne né postriboli, dove più che in ogni altro luogo la gioventù espande l'anima e perde più facilmente ogni prudenza; dovunque ricavai prove e dati eloquenti che m'accertarono essere impossibile una seria ed efficace insurrezione...»; e continua raccontando che v'era stato un tumulto popolare di genere sociale, eppure nessuno aveva mai urlato e detto nulla di carattere patriottico; inoltre ora che la città era indifesa perché le truppe erano a Mentana, non solo nessuno fece nulla per farla insorgere, ma i pochi gendarmi rimasti passeggiavano per le vie tranquillamente, perfino senza spada al fianco. In A. Luzio, 1935, pp. 340-345.

[245] Cfr per tutto questo, fra gli altri, P.K. O'Clery, 2000.

[246] R. de Mattei, ne *Il Tempo* del 3 settembre 2000.

[247] Cfr A. Pellicciari, 2000, pp. 176-184. Pellicciari riprende i suoi dati, oltre che dall'*Archivio economico dell'Unificazione italiana* e dal giornale *L'Armonia*, diretto da Giacomo Margotti, anche dalla relazione inviata il 14 maggio 1856 al ministro degli Esteri francese Walewski dal conte Aloys de Rayneval, diplomatico in servizio a Roma, nonché dal libro del conte Ignazio Costa della Torre e dall'opuscolo del deputato J.F. Maguire, scritto dopo un suo soggiorno a Roma.

[248] A. Pellicciari, ivi, p. 180.

[249] Ivi, pp.187-190.

[250] Interessante è anche venire a scoprire alcuni dati statistici sulle condizioni della Sardegna (che apparteneva ai Savoia dal 1720) ancora alla fine del XIX secolo, quindi ben dopo l'illuminato governo cavouriano e della Destra storica, in un Italia ormai da decenni unificata. Scrive Paolo Mieli, che riprende le notizie dal libro di Rino Cammilleri, *Ufficiale e sacerdote*, dedicato alla figura del Servo di Dio Felice Prinetti: «L'isola versava in condizioni drammatiche al cui confronto persino il Meridione d'Italia poteva apparire come un Eden. Su 363 comuni, 337 erano senza fogne e 285 senza acqua potabile. Il 79 per cento dei maschi era analfabeta, le donne quasi tutte. Agricoltura e pastorizia erano pressoché le uniche attività produttive, ma le tecniche di coltivazione e allevamento erano, a dir poco, arcaiche. La povertà era davvero inimmaginabile. Gli Ordini religiosi per lo più erano stati soppressi come nel resto dell'Italia risorgimentale: solo alcuni erano stati risparmiati per via della loro "pubblica utilità", come le suore negli ospedali militari e negli asili d'infanzia. Per quel che riguardava l'universo cattolico, l'accanita propaganda anticlericale aveva fatto crollare a picco le vocazioni. Le fattucchiere erano più consultate dei preti...». P. Mieli, 2001, pp. 162-163. Cfr R. Cammilleri.

[251] P.K. O'Clery, 2000, p. 271, n. 1.

[252] Per un quadro schematico ma preciso sul fondamentale ruolo svolto dalle potenze straniere nel Risorgimento, si veda il saggio di M. de Leonardis, 2001c.

[253] Cfr B. Zumbini; A. Colombo, 1917; A. Signoretti; D. Beales, 1954; Id., 1956; A. Simon; V. Vinay; N. Blakiston; F. Valsecchi, 1979, I, pp. 14-24.

[254] Cit. in P.K. O' Clery, 2000, p. 374, n. 7.

[255] «La protezione inglese, ufficiale o privata, ha sempre, nell'Ottocento, qual-

cosa di misterioso e di insinuante. Come la massoneria». M. Costa Cardol, p. 205.

[256] Riguardo a tutto questo aspetto del «risveglio» e del fondamentale ruolo svolto dalle forze protestanti nel Risorgimento italiano, si vedano in particolare gli studi di Giorgio Spini.

[257] M. Costa Cardol, p. 186.

[258] D. Beales, 1961, p. 22. Citato in M. de Leonardis, 1992, pp. 16-17.

[259] J.R.H. Moorman, p. 392. Citato in M. de Leonardis, ivi.

[260] Cfr M. de Leonardis, ivi.

[261] Cfr P.K. O' Clery, 2000, pp. 132ss.

[262] *Cavour e l'Inghilterra*, I, Bologna, 1933, p. 442, doc. 522; ivi, p. 461, doc. 545. Entrambi questi documenti sono citati da G.P. Mattogno, pp. 74-75.

[263] Così M. de Leonardis descrive il meccanismo mediante il quale Gran Bretagna e Francia permisero a Cavour la realizzazione della sua opera: «Fu il principio del non-intervento, invocato e applicato più volte e sempre sostenuto dalla Gran Bretagna, a consentire la realizzazione del "risorgimento". In base a tale principio un popolo aveva il diritto di ribellarsi al suo legittimo sovrano e di ricevere aiuti dall'estero, o addirittura uno Stato poteva inviare volontari ad attaccarne un altro senza dichiarazione di guerra (così avvenne l'impresa di Garibaldi nel 1860); il Sovrano legittimo non aveva però il diritto di chiedere l'aiuto di un altro Principe». «L'Italia non nacque per la forza delle proprie armi, per l'impulso della maggioranza del popolo, ma grazie alla protezione delle potenze rivoluzionarie straniere. Lo Stato italiano si affermò combattendo più gli stessi italiani (con la repressione del "brigantaggio", ovvero della guerriglia fedele al Sovrano legittimo) che gli stranieri. Il modo in cui fu fatta l'Italia, con l'intrigo e l'inganno, è alle origini dell'ambiguità della nostra politica estera e del nostro scarso spirito militare. L'affermazione di Augusto Del Noce "che il cosiddetto Risorgimento italiano non è stato in realtà che un capitolo della storia dell'imperialismo inglese", alla luce delle riflessioni qui svolte non ci appare più paradossale». M. de Leonardis, 1992, pp. 17-18. Cfr anche Id., 2001c, pp. 253-272.

[264] Stando a quanto stabilito nei celebri Patti di Plombières, Cavour era in effetti pronto a cedere allo straniero il Regno delle Due Sicilie, quasi tutti i territori dello Stato Pontificio (fu Napoleone III a volere la sopravvivenza di questo ridotto al solo Lazio senza Rieti), il Granducato di Toscana e i Ducati centrali. Il tutto, solo per avere la Lombardia e forse il Veneto.

[265] Molto profonda la seguente riflessione di Paolo Mieli, il quale mette in rilievo il fatto che il comportamento politico di Cavour, che «peccava, inutile continuare a nasconderselo, di grave carenza sotto il profilo etico», e che si servì di Mazzini e Garibaldi (uomini «con uno o ambedue i piedi fuori della legalità») per rimediare all'assoluta mancanza di seguito popolare della sua politica, mise il Paese in condizione di vivere «i suoi attimi iniziali e poi i suoi primi anni di vita vedendo crescere dentro di sé la consapevolezza del fatto incontestabile che l'unica sorgente riconoscibile di legittimità per lo Stato stesso era collocarsi fuori dall'area della legittimità parlamentare». Cfr P. Mieli, 2001, p. 140.

[266] Cit. in C. Alianello, p. 14.

[267] Cit. in ivi, p. 25.

[268] A. Omodeo, 1951, p. 332.

[269] C. Alianello, pp. 25-30.

[270] Interessante è la motivazione fornita dal Visconti-Venosta per giustificare diplomaticamente l'invasione dello Stato Pontificio, Stato sovrano e amico: essendo l'esercito pontificio composto di 13.000 uomini, di cui 5.000 stranieri, costituiva una seria minaccia per l'Italia. Peccato che il Visconti-Venosta si sia dimenticato di aggiungere che l'esercito italiano raggiungeva le 525.000 unità effettive. Cfr P.K. O' Clery, 2000, p. 678.

[271] P.K. O' Clery, ivi, pp. 281-288. Del resto, così commentò d'Azeglio il fatto che l'Austria fosse caduta nel tranello di Cavour di dichiarare per prima la guerra: «Uno di quei terni al lotto che accadono una volta in un secolo» (lettera a Cavour, Londra, 21 aprile 1859, in *Cavour e l'Inghilterra. Carteggio con V.E. d'Azeglio*, Zanichelli, Bologna 1961, II, p. 316), cit. in: R. Martucci, p. 50.

[272] Con lui non ebbe mai pietà. Dopo i moti del 1853, mandò un centinaio di presunti mazziniani su due navi da guerra negli Usa, e poi ancora in altre occasioni; fra questi vi era Alberto Mario. Cfr Martucci, p. 32. Figuriamoci che cosa avrebbero mai scritto i nostri storici se fosse stato Ferdinando II a fare una cosa del genere!

[273] A. Omodeo, 1965, p. 384.

[274] A. Scirocco, p. 131.

[275] Citato in R. Martucci, pp. 50-51.

[276] Scrive R. Martucci (ivi, pp. 38-39): «Cavour aveva abusato della sua furbizia. Nelle cancellerie europee si deplorava che la parola del rappresentante del re di Sardegna – adesso re d'Italia – fosse passata da sinonimo di lealtà a sinonimo di doppiezza. Cavour aveva sistematicamente mentito. Aveva proclamato di essere all'oscuro della spedizione dei garibaldini nel Mezzogiorno, mentre provvedeva ad armarli; si era professato ben disposto verso Francesco II, mentre comprava i suoi generali e i suoi ministri; aveva camuffato da ambasciatori e consoli i suoi agenti incaricati di suscitare moti di piazza a Firenze, Modena, Bologna, dappertutto. Aveva fatto la faccia feroce contro Mazzini, mentre se n'era servito. A Napoleone III aveva lasciato credere di volersi limitare a un regno dell'Alta Italia, mentre poi si era gettato su Palermo e Napoli. E adesso voleva allungare le mani su Roma, sul cuore della cristianità cattolica. Poco prima che la morte togliesse a Cavour l'imbarazzo della quadratura del cerchio, Massimo d'Azeglio scriveva di lui: "Le affermazioni sue nessuno le prende sul serio; quel caro nome è arrivato a tale che la sola cosa che credesi impossibile è quella appunto che afferma"».

[277] C.F.R. de Montalembert, *Histoire de l'invasion des Etats Pontificaux en 1870*, p. 64, cit. in: P.K. O' Clery, 2000, p. 675.

[278] Altro esempio di violenza era la censura attuata dai liberali: *L'Eco di Bologna* fu sequestrato 24 volte in 13 mesi, i suoi editori multati e imprigionati; la *Nuova Europa* 4 volte in 9 giorni; in tre anni furono soppressi 29 giornali di Napoli e altri furono sequestrati; il *Napoli e Torino* subì il sequestro di 17 numeri su 50; il *Machiavelli* 5 su 11; *l'Aurora* 10 su 19 ecc. Cfr P.K. O' Clery, 2000, p. 527.

[279] In: L. Leoni, II, p. 298. Per una diversa presentazione di Giuseppe Garibaldi si veda F. Pappalardo.

[280] Cfr O. Calabrese, pp. 119-131.

[281] A. Pellicciari, 2000, p. 229. Cfr anche L. Lami.

[282] S. La Salvia, p. 64.

[283] G. Candeloro in: *la Repubblica*, 20 gennaio 1982.

[284] In: A. Pellicciari, 2000, p. 237.

[285] Boggio, p. 44.

[286] Del resto, perfino Salvatorelli è costretto ad ammettere che il Nostro «sognava una specie di dittatura, senza parlamento e con poca libertà». L. Salvatorelli, 1962, p. 189.

[287] A. Pellicciari, 2000, pp. 234-237. Nota inoltre Martucci che durante la campagna del Sud si fucilavano senza pensarci sopra coloro che venivano accusati di codardia o di non aver eseguito bene gli ordini; e racconta il caso del comandante Liparachi, che aveva disobbedito a un ordine di Garibaldi non per colpa sua, ma solo perché si era rotto il timone della sua nave e perché la ciurma si era ammutinata; Garibaldi, furioso, lo fece processare e voleva farlo fucilare; ma la corte si rifiutò affermando che si sarebbe trattato di un omicidio! R. Martucci, p. 168.

[288] Rattazzi e Garibaldi erano fatti per intendersi e per combinare guai. Inoltre, va ricordato che entrambi, insieme a Bertani, non si fecero scrupoli di proporre la dittatura militare del re (voluta peraltro anche da Ricasoli). Cfr R. Martucci, p. 139.

[289] Racconta Gregorovius che Garibaldi, entrato a cavallo nella Cattedrale della città, fece condurre i prigionieri dentro la chiesa, e, vedendo che costoro si scoprivano il capo in segno di rispetto, credette che il rispetto fosse verso di lui... Inoltre: «Quando le schiere garibaldine furono nel duomo di Monterotondo, uno di essi salì sul pulpito, afferrò il crocifisso e cominciò un sermone burlesco condito di innumerevoli sozze bestemmie, invitando finalmente l'uditorio ad invocare il dio Garibaldi. Questo fu fatto in mezzo ad un indicibile baccano, dopo di che il predicatore esclamò: "Ed in nome di Garibaldi io vi impartisco la benedizione". Gli ascoltatori non risparmiavano ogni sorta di gesti osceni e schernitori delle sacre reliquie; quello salito sul pulpito fece col crocifisso il segno della croce, poi lo gettò al suolo riducendolo in pezzi». F. Gregorovius, 1906, III, pp. 181-182.

[290] Cfr P.K. O' Clery, 2000, pp. 650 e 674.

[291] Cfr V. Messori, p. 590.

[292] Divenne anche presidente onorario di una società spiritica veneziana. Sulla sua attività spiritista, si veda il già citato libro di C. Gatto Trocchi.

[293] Cit. in V. Gorresio, p. 229. Scrive Martucci su quella che definisce la Sinistra militare: «Va chiarito che una Guardia Nazionale mobile permanente di circa un milione di volontari avrebbe portato il Regno d'Italia ad avere sotto le armi 1.500.000 combattenti, con un inevitabile aumento della pressione fiscale, oggi inimmaginabile, tale da far impallidire perfino il ricordo della famigerata tassa sulle farine che il pudìco Quintino Sella volle mascherare utilizzando il termine più neutro di "tassa sul macinato". Simile mobilitazione permanente avrebbe prodotto una forza militare almeno quadrupla rispetto a Francia e Inghilterra, grandi potenze che, con un numero infinitamente più basso di soldati, presidiavano giganteschi e ricchissimi imperi coloniali». Tutto questo avrebbe portato inoltre, osserva giustamente Martucci, alla tentazione inevitabile di una politica imperialista e magari nel Mediterraneo, andando a «sfruguliare» gli interessi francesi in Tunisia o quelli inglesi su Malta, provocando il rischio concreto di distruggere l'intera opera di Cavour. «Forse, quella storiografia che ha contestato Cavour per aver umiliato il garibaldinismo non si è resa conto di aver rimproverato lo statista per non aver anticipato di almeno mezzo secolo quello che avrebbero fatto Depretis, Crispi, Giolitti e Mussolini, proiettando un Paese arretrato in una serie ininterrotta di disfatte militari culminate nell'umiliazione dell'8 settembre 1943». R. Martucci, p. 9. Mi sem-

bra una riflessione che andrebbe seriamente approfondita, e che mette bene in luce i legami ideali e ideologici (oltre che politici) fra la Sinistra storica, il nazionalismo colonialista e il fascismo, come vedremo in seguito.

[294] «Gran cuore, ma niente cervello». Cit. in: A. Galante Garrone, p. 281. Scrive R. Martucci (p. 226): «Abituato a parlare con tutti senza negarsi, Garibaldi tendeva a dare ascolto all'ultimo interlocutore in ordine di tempo; anche a costo di azzerare deliberazioni già adottate, sconfessando senza problemi collaboratori fin troppo disposti a dargli ragione».

[295] «Questo Garibaldi è buono solo a distruggere». Cit. in: V. Messori, 1992, p. 590.

[296] In: A. Galante Garrone, p. 281. A sua volta Proudhon diceva che Garibaldi gli faceva l'effetto «di un eroe di Omero, perciò di un gran babbeo». In: M. Costa Cardol, p. 26.

[297] In *Il Libero Pensiero Internazionale*, Bolettino – opuscolo dell'Associazione Italiana, Anno V, giugno 1907, n. 49, Milano, edito per il «Convegno Anticlericale del 7 luglio», p. 27.

[298] G. Garibaldi, *Opere*, Cappelli, Bologna 1932, II, p. 12. Cit. in: R.F. Esposito, pp. 138-139, 145.

[299] V. Gorresio, 229ss.

[300] A. Savelli, p. 474.

[301] Pubbl. in: *Edizione Nazionale degli scritti di Giuseppe Garibaldi*, vol. X; *Epistolario*, vol. IV, pp. 215-18.

[302] G. Garibaldi, 1870, pp. 21 e 112. Commenta M. de Leonardis: «La figura di Garibaldi è stata sfruttata propagandisticamente da molti, grazie anche ai suoi discendenti, alcuni dei quali si schierarono per il regime fascista, mentre altri lo avversarono. I monarchici sabaudi hanno ricordato il suo "Italia e Vittorio Emanuele" e la simpatia per tale Sovrano, i repubblicani le sue convinzioni istituzionali, i socialisti i suoi rapporti con le internazionali operaie, i fascisti il suo antiparlamentarismo ed il ruolo di dittatore. In realtà egli fu soprattutto un massone, di qui il suo odio per il cattolicesimo. Accettando la nomina a Gran Maestro del Supremo Consiglio scozzesista di Palermo, il 30 marzo 1862, egli scriveva: "Cotesta nomina a G. M. è la più solenne interpretazione delle tendenze dell'animo mio, de' miei voti, dello scopo cui ho mirato in tutta la mia vita"». Pubbl. in *Edizione Nazionale degli scritti di Giuseppe Garibaldi*, pp. 25-26. In: M. de Leonardis, 2001b, pp. 236-237.

[303] Interessante notare è che l'uomo che voleva un milione di uomini in armi (in tempo di pace) si fece promotore di una Società di difesa degli animali, che nacque nel 1871 con il suo aiuto. Cfr G. Verucci, p. 206.

[304] Cfr V. Gorresio, pp. 303ss.

[305] Si veda quanto scritto da R. Martucci nel suo già citato importante studio, pp. 229ss. Comunque, per una puntuale panoramica dei traffici illeciti, delle mazzette, dei fallimenti, delle concussioni e corruzioni sia economiche sia politiche e giudiziarie commessi nel primo decennio unitario tanto dagli ambienti della Destra quanto da quelli vicini a Garibaldi, che coinvolsero peraltro gran parte della finanza italiana e francese, dando ufficiale inizio all'*ethos* tipico dell'Italia unitaria, si vedano anche le pagine (il capitolo è significativamente intitolato *La tangente di Garibaldi*) di V. Di Dario, pp. 88-118.

[306] R. Martucci, p. 229.

[307] Scrive M. Costa Cardol: «Parimenti, non fa meraviglia che Scialoja, mandato in tutta fretta da Cavour a sorvegliare l'operato dei compagni di Garibaldi a Napoli, apostrofasse Bertani: "Che? Volete far sparire i milioni perché non resti che l'unità?". E lo stesso Garibaldi, assalito dai dubbi, confidava: "Se non fosse per fare uno scandalo [che tradotto in italiano corretto corrisponde a: "Se ciò non provocasse uno scandalo", *nda*] leverei la cassa a Bertani"»; M. Costa Cardol, p. 49. Testimonia Filippo Curletti sul Bertani: «Bertani, secretario di Garibaldi, era, prima della spedizione della Sicilia (1860), semplice ufficiale di sanità a Genova facendo delle visite a 1 franco e 30 centesimi. Egli è oggi (1861), colonnello di Stato maggiore, e la sua fortuna, seguendo le valutazioni le più moderate, non è minore di 14 milioni!!! Non si conosce l'origine che di 4 milioni. Ed anche di questi l'origine non è la più pura! Furono la mancia che Bertani pretese dai banchieri Adami e comp. di Livorno per far loro accordare una concessione di strada ferrata a cui aspiravano». E. Bianchini Braglia, pp. 70-71.

[308] R. Martucci, p. 231.

[309] M. Costa Cardol, pp. 45-46.

[310] Ivi, p. 47. Le concessioni per le ferrovie saranno poi date ai Rothschild per il Nord e il Centro, e all'imprenditore massone Bastogi per il Meridione, il quale otterrà l'appalto mediante la corruzione del parlamentare Guido Susani, presidente della Commissione parlamentare che doveva stabilire la concessione dell'appalto, mediante una tangente di £. 1.100.000 di quel tempo, come sarà poi accertato da una commissione d'inchiesta. Del resto, è ben noto a tutti il fatto che alcune delle più importanti attuali industrie italiane del ferro, della gomma, degli armamenti e altro vennero fondate da ex garibaldini mazziniani in gioventù. Cfr per tutto questo e altro ancora anche F.M. Agnoli, 2001c.

[311] Si veda al riguardo un'interessantissima testimonianza di un importante protagonista di quei giorni, testimone diretto e sincero di quanto accadde: E. Bianchini Braglia (a cura di), pp. 45-46. L'agente segreto è, come dice la curatrice, Filippo Curletti (p. 13), il quale, nel 1861, solo pochi mesi dopo gli eventi che lo videro protagonista, volle con dichiarata sincerità farne un breve, ma puntuale racconto.

[312] Mieli, prendendo proprio spunto da studi recenti su questo tema, descrive nei particolari tutte queste prime e paradigmatiche vicende di corruzione di stampo «tangentopolitano», che fin dalla nascita iniziarono ad affliggere e a caratterizzare il nuovo Stato unitario. Cfr P. Mieli, 2001, pp. 145ss., e pp. 166-194, dove pone l'attenzione anche sulle figure di Crispi e Giolitti.

[313] F.M. Agnoli, 2001c, p.276. Si confronti questo saggio anche per l'approfondimento dei vari scandali sopra citati.

[314] Cfr su tutti quello di R. Martucci.

[315] P.K. O'Clery, 2000, pp. 349-350.

[316] Cfr A. Pellicciari, 2000, pp. 258-259.

[317] S. Romano, 1994, p. 14.

[318] R. Martucci, p. 252.

[319] Ivi, pp. 250-251. Nonostante ciò, il già citato memoriale di Filippo Curletti ci assicura che: «Più di quattro quinti dei contadini dell'Emilia non si accostarono giammai alle urne!». E. Bianchini Braglia, p. 57. E come avvenne, allora, il trionfo elettorale per l'annessione? La risposta allo stesso Curletti, testimone diretto dei fatti: «Anche prima dell'apertura del voto carabinieri ed agenti di polizia travestiti

ingombravano le sale dello scrutinio e l'ingresso alle medesime. Era sempre fra di loro che sceglievamo il presidente dell'uffizio e gli scrutatori. Noi non eravamo quindi molestati da questo lato. In certi collegi questa introduzione di massa nell'urna dei biglietti degli agenti (noi chiamavamo ciò *completare il voto*) si fece con tale sicurezza e con sì poca attenzione, che lo spoglio dello scrutinio diede più votanti che elettori iscritti. Vi si rimediò facilmente con una rettificazione nel processo verbale [...]. Per quel che riguarda Modena ne posso parlare scientemente, perché tutto vi si fece sotto i miei occhi e la mia direzione. Del resto un metodo perfettamente uguale fu seguito a Parma ed a Firenze». Ivi, p. 52.

[320] R. Martucci, pp. 256ss.

[321] G. de Sivo, 1967, p. 53.

[322] G. Buttà.

[323] Purtroppo non fu solo ridicola, ma anche tragica. A Napoli, un contadino che aveva gridato «Viva Francesco II!» fu assassinato all'istante. In: *Un tempo da riscrivere*, p. 23.

[324] Un esempio fra mille possibili. Leggiamo in una lettera di Cavour a Farini (che gli aveva promesso l'insurrezione dell'intera Emilia-Romagna non appena fossero giunti i piemontesi) del 3 luglio 1859: «Sin ora, conviene il confessarlo, il patriottismo ha dati risultati fiacchissimi. Solo i soldati regolari od irregolari si mostrarono bene; ma ciò non basta; bisogna che le masse facciano qualche cosa [...]. Vi confesso che la condotta dei Romagnoli rispetto alle truppe Pontificie mi ha accorato e sfiduciato. Beltrami, voi, lo stesso Minghetti mi ripetevate ogni qual volta me ne parlavano, non essere cosa da badarci; che giunta l'occasione sarebbe affare di un momento. Ora non vi sono più tedeschi e tre mila fotuti Svizzeri bastano a spargere il terrore in una popolazione di 3.000.000 di individui. Ciò è una mentita alle nostre asserzioni sullo Stato delle Romagne. Ciò mette l'Imperatore e noi nel massimo degl'imbrogli». In: *La liberazione del Mezzogiorno e la formazione del Regno d'Italia*, V, pp. 434-435. Cit. in: R. Martucci, p. 94. Sempre Martucci a pp. 95 e 96 ricorda che il moto che mandò via da Firenze il Granduca Leopoldo II fu organizzato da Ricasoli con fuoriusciti prezzolati e travestiti da agitatori toscani, mentre nel Modenese la gente non fece nessuna festa per la partenza del Duca Francesco V, ma al contrario o pianse o al massimo rimase neutrale. Si veda al riguardo anche V. Ilari, 23.

[325] I. Montanelli, p. 590.

[326] Scrive sempre Salvatorelli che, dopo il 1861, «la partecipazione del popolo alla vita pubblica, e più particolarmente al compimento dell'edificio nazionale, diminuisce invece di accrescersi [...]. L'elaborazione interna del nuovo Stato si compie per opera quasi unicamente governativa, con ben scarso concorso dell'opinione pubblica e dello stesso Parlamento (che seguita ad essere eletto a suffragio ristrettissimo)». E nota anche come non avvennero mai le tanto sospirate rivolte popolari né a Venezia né a Roma, neanche il 20 settembre del '70, e neanche l'Impero asburgico fu travolto da moti popolari come tutti credevano sarebbe avvenuto. Cfr L. Salvatorelli, 1962, pp. 209-210. Inoltre, tanto per fare degli esempi: nel 1848 solo poche diserzioni di italiani si registrarono nell'esercito austriaco, e nel 1866 su 6.907 reclute venete i renitenti furono appena 22. Quando il Duca di Modena Francesco V sciolse il suo esercito nel 1859, non vi fu quasi nessun abbandono e il piccolo esercito seguì il sovrano in esilio formando la Brigata Estense, inquadrata poi

nell'esercito asburgico; la Brigata si accrebbe sempre più nei mesi successivi con centinaia di volontari, fino a superare i 5.000 uomini. Quando nel 1863 Francesco Giuseppe sciolse la Brigata, ancora 782 soldati chiesero e ottennero di rimanere al suo servizio, mentre gli altri, tornati in patria, furono incarcerati. Cfr *Un tempo da riscrivere*, pp. 24-25; E. Bianchini Braglia, 2007.

[327] P. Mieli, 2001, pp. 104-105.

[328] Buttiglione vede tale frattura come conseguenza proprio della politica anticattolica condotta dall'*élite* risorgimentale: «I ceti popolari si sentiranno offesi dal nuovo Stato nelle loro convinzioni religiose ed espropriati anche materialmente»; da ciò derivò il sentimento di disprezzo delle *élites* nei confronti delle popolazioni: «La riforma religiosa voluta dalle *élites* è fallita ed esse si vendicano di questo fallimento separandosi dal popolo e incolpando il popolo». R. Buttiglione, *Prefazione* ad A. Pellicciari, 1998, p. 7. Lo stesso Spadolini, rilevando l'opinione de *La Civiltà Cattolica* (serie XVI, vol. XII, 1897, 385ss.) che vede il vero motivo della reazione popolare nell'abisso esistente fra il Paese reale e quello legale, nel fatto cioè che non erano ancora stati fatti gli italiani, ammette che il motto «l'Italia siamo noi» dimostrava in realtà solo il loro fallimento presso la vera popolazione italiana, alla quale avevano voluto imporre la nuova religione dell'Italia e del Risorgimento senza riuscirci. G. Spadolini, 1955, p. 445.

[329] R. Martucci, p. 161.

[330] Si confronti al riguardo M. de Leonardis, 2001c, pp. 262ss.

[331] Le migliori ricostruzioni generali e schematiche finora realizzate su quanto avvenne in quei giorni sono senz'altro quella di R. Martucci (pp. 166ss.), e il racconto di P.K. O' Clery, 2000.

[332] R. Martucci, ivi. Del resto Jessy White Mario nella sua *Vita di Garibaldi,* riconosce che gli ufficiali borbonici evitarono sempre di battersi seriamente. Riguardo poi alla stessa celebre garibaldina, moglie di Alberto Mario e amante di Garibaldi, Filippo Curletti ce la descrive con queste parole: «Io trovai Napoli nel più incredibile disordine. Il campo di Caserta in un disordine più incredibile ancora. L'armata riboccava di donne, Milady White e l'Ammiraglia Emile ne erano le eroine, le notti si passavano in orgie!». E. Bianchini Braglia, p. 70.

[333] Naturalmente il Ghio fece poi anch'egli la sua carriera militare. Nemmeno mentre Garibaldi passa lo Stretto la flotta borbonica fa nulla, laddove il generale Briganti, altro noto traditore che sempre si ritirava rifiutando ogni forma di resistenza anche minimale, a un certo punto venne ucciso dai suoi uomini inferociti per la sua condotta; ma ciò provocò l'anarchia fra le truppe borboniche, mentre Ghio e Alessandro Nunziante consegnavano le fortezze e la flotta senza combattere. Cfr P.K. O' Clery, 2000, p. 393.

[334] M. Castelli, I, p. 323.

[335] Cfr *Un tempo da riscrivere*, p. 21.

[336] «Una volta ottenuto l'assenso dei capi della "onorata società" [...], i "camorristi proprietari" o capi-sezione avevano preso il posto dei commissari e i "picciotti di sgarro" quello degli agenti di polizia, garantendo un ferreo controllo sociale. Resta solo da aggiungere che questa disinvolta attribuzione del monopolio della violenza legale ad una delle più importanti organizzazioni criminose del Mezzogiorno – al di là del beneficio contingente di evitare qualche saccheggio nei giorni del trapasso di sovranità – avrebbe pregiudicato le sorti della convivenza civile

napoletana per gli anni a venire». R. Martucci, pp. 167 e 221. A tutt'oggi ne paghiamo le conseguenze.

[337] Naturalmente Cadorna non perse l'occasione di punire i cattolici: l'arcivescovo di Monreale e diversi sacerdoti furono arrestati, chiese e monasteri furono occupati e il clero venne fatto evacuare; proibì le processioni religiose, il suono delle campane e perfino l'abito religioso. Cfr *Un tempo da riscrivere*, p. 20.

[338] Il 12 maggio il ministro degli Esteri napoletano Carafa invia al Villamarina una dura nota con queste parole: «Un fatto della più selvaggia pirateria si è consumato da un'orda di briganti, pubblicamente arrolati, organizzati ed armati in uno Stato non nemico, sotto gli occhi di quel Governo, e malgrado le promesse ricevutesi di volerlo impedire». In: *La liberazione del Mezzogiorno e la formazione del Regno d'Italia*, I, p. 91. A p. 105, in nota, si riporta una lettera di Cavour a Ricasoli dopo lo sbarco di Marsala dell'11 maggio, in cui il conte dice che si è deciso «di non impedire l'invio di armi e munizioni, purché si eseguiscano con una certa prudenza».

[339] R. Martucci, pp. 162-163.

[340] Nella notte tra il 31 maggio e il 1° giugno arrivò a Marsala un primo carico di armi composto da 4.000 fucili, 500 carabine, 100.000 pacchi di cartucce. Garibaldi definirà questo carico piemontese «molto giovevole alla causa nazionale in un momento in cui il nemico era ancora formidabile fra le mura di Palermo» (lett. di Garibaldi al comandante Agnetta, 8 ottobre 1861, cit. in *Genova e l'impresa dei Mille*, p. 390). Poi con la spedizione Medici giunsero sempre dal governo piemontese 8 obici da montagna, 800 colpi per obici, 20 utensili per fabbricare cartucce, 50 razzi da segnalazione, 11.000 tra fucili e carabine, 3 piroscafi. Dopo, con la spedizione Cosenz, vennero recate a Garibaldi forniture per 850.000 franchi; se ne incaricò la direzione di Milano del *Fondo per il milione di fucili*, ideato da Garibaldi stesso nel 1859 (per questi dati cfr A. Luzio, 1924 e R. Giusti) e sostenuto direttamente dal governo piemontese: lo stesso Vittorio Emanuele II avrebbe dato 137.000 lire, ma secondo il comandante de Rohan ben 3 milioni. Altri aiuti vennero dal capitalismo finanziario, fra cui il gruppo bancario Adami-Lemmi di Livorno. Guarda caso, proprio a Lemmi Garibaldi concederà l'appalto per la costruzione della rete ferroviaria del Meridione. Traggo queste notizie da G.P. Mattogno, pp. 76-78.

[341] M. Costa Cardol, pp. 137-138.

[342] In: R. Martucci, p. 187.

[343] In: P.K. O' Clery, pp. 452-453.

[344] Del resto, come nota Alianello elencando gli espropri dei beni religiosi e delle chiese, oltre che dei beni delle banche e dei privati: «Chi restò a bocca asciutta fu il contadino, il quale non ebbe più un tozzo di pane da rodere e in più gli toccò pagare tasse e gabelle delle quali fino allora mai aveva sentito parlare. Per la prima volta nella sua storia travagliata, si vide sequestrare il campo, la capanna, il mulo, il maiale, gli attrezzi, e non da un feudatario spietato e violento, ma da quel grande benefattore – tale si proclamava – che fu il grande riscatto». C. Alianello, p. 128.

[345] Cfr fra gli altri: *La difesa del Regno*.

[346] Commenta Martucci: «Francesco di Borbone aveva in quel momento 25 anni, Maria Sofia solo 19, eppure nella sventura seppero dar prova di forza d'animo e dignità che sovrani ben più anziani e temprati di loro non avrebbero posseduto. La dinastia che li aveva scalzati dal trono con i sotterfugi di una guerra non dichiarata, avrebbe conservato la corona per meno di un secolo, perdendola in circostanze i-

gnominiose. Infatti, 82 anni dopo gli avvenimenti qui narrati, l'8 settembre del 1943, Vittorio Emanuele III di Savoia (nipote del re che aveva unificato l'Italia), dopo un clamoroso ribaltamento di alleanze in una guerra che lui stesso aveva dichiarato, posto di fronte alla scelta suprema antepose la propria salvezza personale ai doveri di sovrano. Fu così che, invece di assumere il comando dei suoi soldati a Roma come aveva fatto Francesco II a Gaeta, Vittorio Emanuele III preferì abbandonare la capitale alla rappresaglia tedesca lasciando privi di ordini i suoi generali. In questo modo riuscì a salvare la propria vita nell'ignominiosa fuga di Pescara e Brindisi, compromettendo con una sola decisione i destini della patria, della popolazione civile e di un esercito lasciato allo sbando. Del tutto irrilevante che con quell'atto di fellonìa abbia compromesso anche i destini della dinastia dei Savoia, perché quando l'interesse personale di un singolo individuo viene anteposto a quello di un'intera nazione, prima o poi giunge il momento dei rendiconti». R. Martucci, p. 198.

[347] Scrive giustamente Sergio Romano: «Se questi furono i nuovi battaglioni dell'Italia unitaria, la nuova classe dirigente avrebbe dovuto rendere rispettoso omaggio, nel momento in cui assumeva la direzione del nuovo Stato, agli ostinati difensori borbonici di Messina, Civitella del Tronto, Gaeta, e avrebbe dovuto aggiungerne i nomi al "ruolo degli eroi" di cui venerare la memoria. Come gli svizzeri alle Tuileries nel 1792, quegli uomini si batterono perché avevano giurato fedeltà al loro re e non meritavano l'oblio a cui li ha condannati la leggenda risorgimentale». S. Romano, 1994, p. 15.

[348] A. Manzoni, 1985. Cfr sull'argomento M. Viglione, 1991, pp. 258ss e F.M. Agnoli, 2001a, pp. 112ss.

[349] Ecco una bibliografia generale orientativa sull'argomento: *Inchiesta Massari sul brigantaggio. Relazioni Massari-Castagnola, lettere e scritti di Aurelio Saffi, osservazioni di Pietro Rosano, critica della Civilta Cattolica*; A. de Witt; F. Molfese; *Il brigantaggio meridionale*, a cura di A. De Jaco; *Le ragioni del Sud*, a cura di G.F. De Tiberiis; C. Alianello; N. Zitara; A. Albonico; P. Soccio; *Brigantaggio, lealismo, repressione nel Mezzogiorno*; G. Bourelly; L. Del Boca; *Fonti per la storia del Brigantaggio postunitario*, a cura di L. De Felice; F. Izzo; R. Martucci, pp. 189-232; pp. 287-340; *Brigantaggio, legittima difesa del Sud*; O. Rossani. Cfr inoltre il quadro generale fornito da F. Leoni, 2001, pp. 365-385. Oltre a Leoni, consiglio in particolare le fondamentali opere del Martucci e di O'Clery e, infine, il recentissimo volume di Pino Aprile.

[350] F. Molfese, p. 6. Già quando il 6 settembre 1860 Francesco II lascia Napoli, e l'8 settembre chiama alla resistenza armata, risposero fino a 50.000 uomini.

[351] Tragicamente noti sono i due paesi di Pontelandolfo e Casalduni, che vennero invasi dalle truppe di notte, incendiati, distrutti, mentre i soldati uccidevano tutti gli uomini, violentavano e squartavano vive le donne (strappando orecchie e braccia per impossessarsi dei gioielli), bruciavano i cadaveri sugli altari delle chiese, depredando tutto.

[352] Si confronti al riguardo il breve, ma puntuale quadro generale di P. Tosca, pp. 386-393.

[353] Sull'importanza del contributo femminile alla rivolta antitunitaria, cfr *Un tempo da riscrivere*, pp. 27-28.

[354] G. de Sivo, 2004, p. 447. Commenta Messori (da cui traggo i dati): «Ne traevo una conclusione oggettiva: ben più sanguinosa che quella con gli stranieri, fu la

guerra civile fra italiani». V. Messori, 1998, p. 16.

[355] R. Martucci, pp. 312-314.

[356] *La Civiltà Cattolica*, a. XIV (1863), VIII, serie quinta, p. 437.

[357] P.K. O' Clery, 2000, pp. 513-514. Riprende i proclami da C. Garnier.

[358] P.K. O' Clery, 2000, p. 517.

[359] R. Martucci, pp. 201ss.

[360] Ivi, p. 215.

[361] Scrive *La Civiltà Cattolica*: «Per vincere la resistenza dei prigionieri di guerra, già trasportati in Piemonte e Lombardia, si ebbe ricorso ad un espediente crudele e disumano, che fa fremere. Quei meschinelli, appena coperti da cenci di tela, rifiniti di fame perché tenuti a mezza razione con cattivo pane ed acqua e una sozza broda, furono fatti scortare nelle gelide casematte di Fenestrelle e d'altri luoghi posti nei più aspri luoghi delle Alpi. Uomini nati e cresciuti in clima sì caldo e dolce, come quello delle Due Sicilie, eccoli gittati, peggio che non si fa coi negri schiavi, a spasimar di fame e di stento fra le ghiacciaie». In: *La Civiltà Cattolica*, a. XII, 1861, XI, p. 367.

[362] Cfr *Un tempo da riscrivere*, p. 25.

[363] Cfr P.K. O' Clery, 2000, p. 519 e R. Martucci, p. 310.

[364] F. Molfese, pp. 332-333. F. Chiocci afferma in un suo articolo ne *il Giornale* (12 settembre 2000), dal titolo *La «soluzione finale» dei piemontesi*, che il governo con il consenso del re voleva acquistare una colonia in Borneo per deportare 15.000 detenuti, e solo la cronica mancanza di fondi evitò tale infamia.

[365] Cfr P.K. O' Clery, 2000, pp. 508-509. G. Candeloro definirà quest'ultima logicissima e onesta osservazione «moralismo piuttosto astratto». G. Candeloro, V, p. 171.

[366] Citata in F.M. Agnoli, 2001a, p. 115.

[367] E. Galli della Loggia, 1993, pp. 855-856.

[368] Per chiunque volesse approfondire nei particolari la politica anticattolica (e, in certi sensi e casi, la persecuzione antireligiosa) del Regno di Sardegna prima e del Regno d'Italia poi, consiglio fra tutti un lavoro imprescindibile in tal senso, e documentatissimo: D. Massè in particolare da p. 248 in poi; quindi: le opere di G. Spadolini, 1955 e 1951 e di V. Gorresio; i libri di A. Pellicciari, 1998, 2000, 2007 e M. Viglione, 2005.

[369] Cfr G. Verucci, 1981, pp. 40-42.

[370] Ivi, pp. 46ss.

[371] «È noto il caso dei trentacinque professori dell'Università di Bologna, che all'alba del '65 ricevettero l'ordine di giurare fedeltà al governo di Torino e che, avendo rifiutato, si videro immediatamente destituiti». G. Spadolini, 1955, p. 24. Del resto, riguardo alla vera e propria censura massonico-laicista attuata in ambiente universitario, basta tener presente la scandalosa persecuzione – veramente incredibile – di cui fu vittima uno dei maggiori geni scientifici italiani del XIX secolo, il beato Faà di Bruno. Si veda in proposito il libro di V. Messori.

[372] Cfr per tutto questo G. Verucci, 1981.

[373] Ivi, p. 179.

[374] Ivi, p. 189.

[375] Cfr P. Scoppola, p. 235.

[376] Atti Ufficiali della Camera, n. 300, tornata 3 luglio 1867.

[377] Cfr anche i due saggi di M. de Leonardis in: *La Rivoluzione Italiana*, 2001b

e 2001c.

[378] G: Spadolini, 1951, p. 857.

[379] «Se i nostri alleati ci abbandonano, il trionfo dell'Austria e del Papa sarà completo. Tempo dieci anni e vedremo il regime dei Gesuiti e degli inquisitori stabilito dalle Alpi alle Calabrie. L'Inghilterra non può desiderare un simile risultato, non solo per spirito di giustizia, ma nell'interesse della sua influenza e dei princìpi politici e religiosi che professa». In: N. Bianchi (a cura di), p. 99.

[380] R. Romeo, 1990a, p. 232.

[381] Seguo in particolare la sua opera *Risorgimento e protestanti*, 1989. Citazione a pp. 3-4.

[382] Ivi, pp. 7-23.

[383] Ivi, p. 34.

[384] Ivi, p. 47.

[385] Ivi, pp. 59-66 (citazione, p. 65).

[386] Ivi, pp. 69-70. Scrive Spini: «Facciamo pure un elenco degli spiriti magni del primo liberalismo italiano e vedremo subito come per la maggior parte di essi, dai lombardi come il Manzoni e il gruppo del *Conciliatore* ai subalpini come Carlo Alberto ed il Cavour od il Santarosa o dai toscani riuniti attorno al Vieusseux ed all'*Antologia* sino allo stesso ligure Mazzini, non sia neppure pensabile una biografia, ove si prescinda da influenze ginevrine, amicizie fidate con ginevrini [...]; non c'è quasi aspetto della vita italiana del primo Risorgimento, che sia estraneo all'influsso esercitato da Sismondi». Ivi, p. 77.

[387] Ivi, pp. 85-89.

[388] Ivi, p. 108.

[389] A Bologna, quando venne data la cattedra di Pedagogia al Mamiani, vi fu una rivolta popolare contro l'eretico. Ivi, p. 351.

[390] Il Lambruschini si fece sostenitore, fra le altre cose, dell'evoluzionismo dei dogmi, della possibilità dell'esistenza di una Chiesa senza Papa e senza episcopato, del matriminio per i preti, di una semplificazione e volgarizzazione del culto, e negò l'eternità delle pene e il valore storico dei miracoli di Cristo. Cfr anche A.C: Jemolo, 1948, pp. 270ss. Curioso appare il fatto che illustri storici lo presentino come serio e preparato esponente del cattolicesimo.

[391] Scrive B. Ricasoli a Carlo Della Porta il 24 gennaio 1855 (*Carteggio*, V, Bologna, 1952, p. 168): «Solo a Ginevra può esistere chi può essere fatto per me [...]. A Ginevra soltanto io mi sento nel mio aere». G. Spini, 1989, p. 265. Del resto, basti pensare che nel 1855 rimproverò il governo piemontese perché procedeva troppo timido nella raccolta di firme contro il clero e per la chiusura dei conventi. Ivi, p. 307. Inoltre sosteneva che i beni delle parrocchie dovevano essere gestiti da laici e il clero dovesse essere eletto dal popolo. Cfr anche A. C. Jemolo, 1948, p. 270.

[392] G. Spini, ivi, p. 137.

[393] Ibidem, 149ss. Riguardo al Cavour, scrive Spini che: «La vicenda dei rapporti del Cavour col protestantesimo franco-svizzero è ben nota: l'affettuosa familiarità, sino dai primi anni, con i parenti ginevrini, come lo zio filantropo, J.J. de Sellon, tutto imbevuto dell'umanitarismo di stampo "quacchero" [...] e sua moglie Cecilia de Budé, conquisa invece dai nuovi fervori "evangelici": il crescente distacco dall'uggiosa atmosfera clerico-reazionaria della Torino sabauda e l'abbandono della fede cattolica, grazie soprattutto alla lettura di Constant e di Guizot nel

1828-29; la "crisi razionalistica", per cui Camillo esporrà tanto chiaramente le proprie simpatie verso il socinianesimo, in una famosa lettera del 1830 alla zia Cecilia: l'amicizia con i de la Rüe, durante il soggiorno a Genova da ufficiale, e, dopo le dimissioni dall'esercito, il trasporto di più in più appassionato verso Ginevra, *seconde patrie*, per cui dal 1833 in avanti, non vi sarà quasi più anno, sino al 1848, in cui il Cavour non si rechi a respirarne con delizia l'*atmosphère de raison*. Di qui, l'intensificarsi dei rapporti del Cavour con l'ambiente ginevrino, nel cui patriziato troverà le più fraterne delle proprie amicizie [...]; di qui, una serie di contatti con l'ambiente ecclesiastico stesso ed i suoi Cellérier, Vinet, Naville». Ivi, pp. 158-160. Del resto, Cavour era soprattutto un pragmatico. Scrisse a Michelangelo Castelli il 17 luglio 1852 in riferimento al suo soggiorno inglese: «*Notre antipapisme nous rend cher à leurs yeux*» (il nostro antipapismo ci rende cari ai loro occhi). In: L. Chiala, I, p. 259.

[394] Spini, da buon protestante, critica ironicamente – e giustamente – gli storici (come Gambaro e vari altri) che pretendono di presentare i cattolici liberali del XIX secolo come dei «buoni cattolici»; essi infatti, nota lo storico protestante, hanno ridotto la religione a principio morale, presentato Cristo come un «Newton dell'anima», negato la storicità della Chiesa, affermato il latitudinarismo teologico, l'evoluzionismo dei dogmi, definito il dogma della Trinità come «misticheria platonica», etichettato gli uomini del Vaticano come i «turchi dell'Occidente» ecc. Commenta Spini: «Potremmo dire, con un paradosso non molto lontano dalla verità, che un Lambruschini è cattolico, nella misura in cui ciò gli è consigliato dai suoi maestri protestanti». Ivi, p. 165. Lo storico protestante, proprio in quanto tale, può presentare la realtà quale essa veramente era: alcuni dei cattolici liberali italiani del XIX secolo, almeno i più noti, erano per lo più degli eretici che auspicavano una sovversiva riforma interna della Chiesa, che ben poco aveva da invidiare a quella luterana o calvinista, e, per certi aspetti, andava anche oltre le stesse istanze protestanti.

[395] Mazzini fu in accordi segreti con la *Christian Alliance* e istituì a Londra i *Friends of Italy*, società aperta ai protestanti e ai più accaniti antipapisti. Cfr S. Lener, pp. 110ss. Cfr anche E. Morelli.

[396] G. Spini, 1989, p. 210.

[397] Ivi, p. 236.

[398] Protestante e anche massone, come molti altri protestanti attivi. Ivi, p. 341.

[399] Ivi, pp. 250-251.

[400] Peraltro, mentre faceva tutto questo, il mondo protestante inglese si inferociva per la restaurazione della gerarchia cattolica in Gran Bretagna, che definiva «*papal aggresion*»; si arrivò così alla scandalosa sentenza di condanna del cardinal Newman nel processo contro l'Achilli (un imbroglione patentato molto attivo nel mondo evangelico del tempo). Nota onestamente lo Spini: «Il men che si possa dire sul processo Achilli-Newman è definire la condanna del grande cattolico inglese una mostruosità giudiziaria» (ivi, p. 274); ma proprio ciò è sintomatico dell'ambiente inglese di quegli anni: tutti aspettavano come imminente un castigo divino su Roma di stampo naturale (terremoto, inondazione), o vedevano in Mazzini «l'uomo della Provvidenza»... In America, invece, tale ruolo spettava a Garibaldi.

[401] Ivi, p. 242.

[402] Si potrà anche ritenere, come qualche studioso ha fatto, che i toni del protestante Spini siano un po' troppo fervorosi nel descrivere una realtà ben più limita-

ta di quanto egli abbia voluto far credere. Ma ciò non toglie che senza alcun dubbio la sostanza del suo discorso rimanga vera.

[403] A. C. Jemolo, 1948, p. 73.

[404] Affermò il deputato Amedeo Ravina che, qualora anche non vi fossero state altre ragioni per espellerle (e, a sua opinione, ve ne erano tante), a lui sarebbero bastate «la goffagine, la sguaiataggine, la stranezza del solo nome, nome il quale mostra non essere altro che una buccia fallace e ipocrita del gesuitismo». Citato in: A. Pellicciari, 2000, p. 31.

[405] I cavouriani e la sinistra iniziarono così veramente a pensare anche per la Chiesa stessa, arrivando al punto di giudicare loro che cosa fosse meglio per essa e addirittura a fornire loro la giusta interpretazione del pensiero di Cristo. Insomma, iniziarono a fare anche i teologi, pur di poter combattere la Chiesa e impossessarsi dei suoi beni.

[406] Come nota Massè, è ovvio che, date tali condizioni, nel momento in cui lo Stato si incaricasse di svolgere esso stesso il ruolo di benefattore svolto dalla Chiesa, quest'ultima diventerebbe inutile e quindi lo Stato avrebbe diritto a incamerare tutti i suoi beni.

[407] Piuttosto «pittoresca», occorre dirlo, appare la giustificazione che il solito Omodeo ha voluto dare di tale evidente sopruso: ammettendo che il provvedimento era «apparentemente illiberale», ha voluto giustificarlo definendolo necessario alla difesa della libertà stessa. Cfr A. Omodeo, 1941, I, p. 282. Di quale libertà parla Omodeo? Della libertà di togliere il diritto di parola agli avversari... Del resto, come giustificava il Rattazzi, ministro del governo liberale piemontese, il provvedimento? Con una circolare nella quale si trovava scritto fra l'altro: «L'appello *ab abusu* viene in sussidio alla legge penale per reprimere tutti quegli eccessi e quegli attentati alla sovranità civile che, comunque non siano reato secondo le leggi ordinarie, pure non sono mai da sopportarsi in nessun tempo e da nessun governo». Cfr G. Margotti, I, pp. 93-94. In pratica, il ragionamento è questo: «Tu hai diritto di parlare secondo la legge, ma siccome sono io che governo, se dici qualcosa che non mi sta bene, io ho il diritto di condannarti anche se la legge non me lo concede». In nome di che? Ovvio, ce lo ha detto Omodeo: della difesa della libertà...

[408] Riportando tutto questo, lo stesso storico marxista Molfese non può evitare di accusare Pasquale S. Mancini di astrattezza e contraddittorietà, anche perché alla fine – coinvolti come erano in ben altre questioni d'urgenza (un'Italia tutta da costruire, la rivolta legittimista meridionale, il debito pubblico ecc) – l'amministrazione fu sempre delegata alle Case religiose stesse, e quindi la legge risultò un fallimento, e contribuì ad alienare le simpatie dei moderati e del clero non reazionario, e tutto ciò facilitò a maggior ragione la grande insorgenza contadina del 1861. Cfr F. Molfese, pp. 78-80.

[409] P.K. O'Clery, 2000, p. 580.

[410] «Giustamente si è fatto notare che Vittorio Emanuele cacciò più monaci e suore dalle loro Case che austriaci da un campo di battaglia». Ivi, p. 584.

[411] Commentò il cattolico-liberale «pentito» Cesare Cantù: «Distruggere, sempre distruggere! Volgetevi all'onda perigliosa che da alcuni anni solcate, e presi voi stessi di sgomento, guatando di quanti rottami l'avete sparsa. Distruggete i Comuni, distruggete la famiglia, distruggete i codici, distruggete le autonomie, distruggete le barriere d'Italia; or distruggete la Chiesa, distruggete lo Statuto e prima

avrete distrutto la libertà». Cit. in: R. de Mattei, 2000, p. 101. Da notare è che vennero raccolte firme pro e contro la legge: quelle favorevoli furono 16.000, quelle contrarie dei cattolici 191.000. In nome dei princìpi liberali di democrazia, il re sanzionò quello che probabilmente può essere definito il più grande «furto legalizzato» della storia d'Italia. Inoltre, è da ritenere che la tragica rivolta popolare antipiemontese di Palermo del 1866, repressa nel sangue come sempre, pur avendo visti attivati anche i primi esponenti anarchici e socialisti, in realtà fu in gran parte una sommossa di carattere antirisorgimentale. Infatti, il prefetto Torelli riferiva che, a motivo dell'abolizione degli Ordini religiosi, almeno 5.000 persone a Palermo avevano perso i mezzi di sussistenza, e ciò fu una delle cause immediate della rivolta. Cfr P.K. O' Clery, 2000, p. 609.

[412] Commenta Spadolini riguardo a tutti questi provvedimenti anticattolici da parte del governo italiano: «Quasi volesse applicare fino in fondo il programma della filosofia moderna, che dissolve la filosofia nella speculazione umana come una fase preliminare e preparatoria della coscienza "tutta spiegata"». G. Spadolini, 1951, p. 846.

[413] Gorresio riporta il testo della protesta del Pontefice. Leggiamone un significativo passo: «Ed invero che giova proclamare l'immunità della persona e della residenza del Romano Pontefice, quando il governo non ha la forza di guarentirci dagli insulti giornalieri cui è esposta la nostra autorità, e dalle offese in mille modi ripetute alla nostra stessa persona? Che giova non tenerci chiusa la porta del nostro domicilio, se non ci è possibile di uscirne, senza assistere a scene empie e ributtanti, senza esporci ad oltraggi per parte di gente qui accorsa per fomentare l'immoralità e il disordine; senza correre il pericolo di renderci causa involontaria di conflitto fra cittadini? Che importa promettere guarentigie personali per gli alti dignitari della Chiesa, quando essi sono obbligati financo ad occultare per via le insegne della loro dignità, per non trovarsi esposti ad ogni genere di cattivi trattamenti? A che giova proclamare la libertà del nostro pastorale ministero, quando tutta la legislazione, anche in punti importantissimi, trovasi in aperta opposizione coi princìpi fondamentali e le leggi universali della Chiesa?». V. Gorresio, p. 96.

[414] Scrive de Leonardis: «Tra l'altro, l'odio e la furia antireligiosa dei "padri della patria" risorgimentali arrecarono in pochissimi anni più danni al nostro patrimonio artistico di mezzo millennio di guerre: archivi di Ordini religiosi bruciati e usati come carta straccia, capolavori confiscati ai conventi disciolti venduti a poco prezzo agli stranieri, chiese (ma anche il Palazzo ducale di Urbino, colpevole di essere stato sede del Legato pontificio) trasformate sistematicamente in depositi del monopolio statale del sale, che con le sue esalazioni distrusse gli affreschi». M. de Leonardis, 2001b, p. 244.

[415] Commenta Gorresio: «Gli esecutori della legge e gli acquirenti dei beni mostrarono però di tenerne poco conto: in un solo mese si vendettero 1.397 lotti dell'asse ecclesiastico con un aumento medio del 25 per cento del prezzo di aggiudicazione rispetto al prezzo d'asta». V. Gorresio, p. 104.

[416] G. Spadolini, 1955, pp. 143-144.

[417] Ivi, p. 147.

[418] V. Del Giudice, p. 148.

[419] «Giustamente i cattolici opponevano a questa circolare governativa l'art. 73 dello Statuto, il quale afferma che "l'interpretazione delle leggi in modo per tutti obbligatorio spetta esclusivamente al potere legislativo"; ma ogni obiezione giuri-

dica, in quelle circostanze, era perfettamente inutile». R.F. Esposito, pp. 275-276.

[420] «Rudinì poteva essere contento: fra settembre e ottobre l'attività dei comitati diocesani e parrocchiali fu praticamente paralizzata, sciolte le riunioni in chiesa, impedite le inaugurazioni delle casse rurali o degli istituti di credito, vietato l'uso delle bandiere, controllate dall'autorità di polizia quelle discussioni che non potevano essere proibite a termini di legge». G. Spadolini, 1955, p. 443.

[421] Commenta l'Esposito riportando un brano de *La Civiltà Cattolica* (3 settembre 1898, p. 63): «Il piccolo *Kulturkampf* divenne seriamente odioso. Dalla primavera del 1897 all'autunno seguente le associazioni cattoliche furono perseguitate all'infuori di ogni metafora [...]. Furono, e dove era stata proclamata la legge eccezionale dello stato d'assedio e dove non era stata proclamata, soppressi i migliori nostri giornali (in primo luogo *L'Osservatore Cattolico* di don Davide Albertario, poi processato e condannato, e *l'Unità Cattolica* del marchese Sacchetti), processati scrittori, distrutti può dirsi in quarantotto ore sino a settemila consorzi cattolici (comitati dell'Opera dei Congressi, associazioni giovanili e universitarie d'A.C. ecc.); di cui tremila comitati parrocchiali, che eran costati presso a trent'anni di fatiche e stenti». R.F. Esposito, p. 279.

[422] Sul pensiero e l'azione del fondatore dei salesiani in ordine al processo unitario, che egli a Torino poté realmente vivere «in diretta», si veda il citato lavoro di A. Socci.

[423] Cfr V. Gorresio, pp. 70ss.

[424] Il conte Solaro della Margherita definì in Parlamento il provvedimento: «Latrocinio sacrilego». Cfr D. Massè, p. 384.

[425] Del resto, per meglio intendere l'antidemocratico comportamento di Cavour e soci può essere utile leggere il seguente tracotante commento alla vicenda fatto da Depretis dopo molti anni: «Nel 1857 vi fu in Piemonte un'alzata di scudi del partito clericale [...]; il partito liberale, col conte di Cavour alla testa, ha resistito a questo tentativo [...]; il partito clericale ha allora imposto i suoi candidati, e cinque o sei canonici sono venuti a sedere, con tutto lo sfoggio della loro intransigenza, in mezzo ai deputati piemontesi [...] e noi abbiamo allora annullate quelle elezioni. Ed in una memorabile seduta noi abbiamo veduto tutto quel pelottone di cattolici sfilare dinanzi a noi liberali, ed uscire dall'aula, perché le loro elezioni erano state annullate» (30 giugno 1886, A. Depretis, *Discorsi parlamentari*, VIII, Roma, 1892, p. 726), citato in: A. C. Jemolo, 1948, p. 145.

[426] Cit. in: V. Gorresio, p. 122.

[427] Seguo per lo più in questo V. Gorresio, pp. 122ss. e D. Massè, pp. 481-482.

[428] Specifica Gorresio: «Tutto ciò non avveniva per lo zelo di intemperanti autorità, locali, ma per ordini precisi che da Torino incitavano alla severità. Luigi Carlo Farini, ministro dell'Interno, il 9 giugno scriveva al barone Ricasoli a Firenze: "Badate ai Gesuiti [...] Tutti quelli che non sono dello Stato vanno rinviati se ancora non si discuoprono rei. Badate anche a certe congregazioni ed ordini claustrali. I camillini, gli oblati, i Domenicani sono intinti nella pece. Sopravegliate la congregazione di San Vincenzo di Paola"». V. Gorresio, ivi, pp. 140-141.

[429] Il noto «prete garibaldino» Gavazzi proclamò pubblicamente che avrebbe trasformato la Chiesa del Gesù in un tempio protestante: fu a stento salvato dal linciaggio.

[430] Perfino il laicista Gorresio ammette onestamente: «Il governo [...] condusse

metodicamente contro il clero e gli Ordini religiosi una politica di estrema severità, con un rigore ed un'intransigenza che ancor oggi stupiscono. Nel giro di pochi mesi dall'impresa dei Mille, nelle sole province meridionali, arrestò, processò, confinò sessantasei vescovi. Nel giro di quattro anni, a partire più o meno dalla medesima data, i cardinali che furono arrestati e processati, per motivi che oggi sembrano futili, furono otto», fra cui il card. Pecci, il futuro Leone XIII. V. Gorresio, p. 107.

[431] Cfr ivi, pp. 182-183.

[432] Cfr P.K. O' Clery, 2000, p. 577.

[433] G. Verucci, pp. 245-266.

[434] P.K. O' Clery, 2000, 579. L'opinione pubblica napoletana contro le immagini della Madre di Dio?

[435] Ivi, p. 580.

[436] Scrive Aquarone: «Può essere anche considerato significativo che malgrado le speranze di moderati e democratici, di uomini di governo e di oppositori, l'ultimo capitolo del Risorgimento si chiuse al di fuori di qualsiasi movimento popolare senza la partecipazione attiva dei più direttamente interessati: le tanto attese e sperate dimostrazioni delle popolazioni del territorio romano contro il dominio papale non si concretarono». A. Aquarone, *Le forze politiche italiane e il problema di Roma*, 1972, p. 155.

[437] La legge delle Guarentigie prevedeva che i nuovi vescovi dovessero chiedere al governo il permesso per l'utilizzo dei loro beni; ma questo comportava di fatto il riconoscimento del governo italiano da parte della Chiesa, e quindi Pio IX lo proibì: i nuovi vescovi vennero così a trovarsi in condizioni veramente miserevoli, alcuni ridotti anche alla indigenza.

[438] Cfr F. Fonzi, pp. 333-334.

[439] Commenta Gorresio: «Per dirlo in breve, si trattava di una messa nera conclusa da un eccidio tanto generale quanto gratuito. Anche i giornali liberali di un certo gusto, o per lo meno rispettosi di una certa dignità, si lamentavano "dell'immoralità e delle turpitudini onde i teatri si facevano scuola, con rappresentazioni offensive del buon costume e addirittura oscene, per le quali sempre più facilmente a cagione dell'eccitamento sensuale, la gioventù fuggiva le pratiche di pietà, inchinava o rompeva al vizio, alle libidini, agli adulteri". Quasi ogni sera erano posti sul palcoscenico cardinali, sacerdoti, frati e monache a farvi la più odiosa e laida figura; onde si accendeva l'odio della moltitudine contro i religiosi, che incontrati per via venivano insultati, percossi e peggio, come accadde ad un domenicano che fu ucciso dal colpo di pugnale di un popolano che usciva dall'eccitante rappresentazione dei Misteri dell'Inquisizione di Spagna». V. Gorresio, pp. 201-202.

[440] Ivi, p. 213.

[441] Cfr V. Del Giudice, p. 130.

[442] Cfr V. Gorresio, pp. 300ss.

[443] Ivi, p. 307.

[444] R.F. Esposito, pp. 306 e 318.

[445] In: *La Civiltà Cattolica*, 13 gennaio 1896, pp. 239-241.

[446] R.F. Esposito, p. 314.

[447] B. Croce, pp. 98 e 73. Croce parla di «scarsa intelligenza», e in molti casi ciò è senz'altro vero; ma non è sempre sufficiente. Spesso v'era molto di più che spingeva costoro a certi atti e comportamenti; v'era una specifica e drastica «scel-

ta di campo», che in sé stessa richiedeva una certa dose di intelligenza. Per esempio, ricorda Esposito che spesso i massoni si mettevano a turno a fare la guardia al capezzale dei loro «fratelli» morenti per impedire di riconciliarsi con Dio in punto di morte. Accadde per Piero Cossa, Marco Minghetti, Giacinto Gallina (per il quale fu il cardinal Sarto, il futuro Pio X, a essere respinto). R.F. Esposito, p. 158. Celebre poi è il caso di Alessandro Fortis: cfr F. Peloso, pp. 77-88.

[448] D. Massè, pp. 517-518.

[449] G. Spadolini, 1951, p. 847.

[450] In: A. C. Jemolo, 1938, pp. 69-71..

[451] Per un approfondimento di tali concetti fondamentali, si veda R. de Mattei, 2002.

[452] Seguo soprattutto Spadolini, 1951, pp. 839ss.

[453] Ivi, p. 840.

[454] Per un riscontro preciso sulle campagne antirisorgimentali condotte dalla rivista gesuita nei primi venti anni della sua esistenza, si veda: G. Turco, 2001b, pp. 218-230.

[455] G. Spadolini, 1951, pp. 843-844. Per il «cattolico liberale» Ricasoli era compito dello Stato guidare il processo di purificazione e riforma della Chiesa.

[456] Ivi, pp. 844-845.

[457] Ivi, p. 860.

[458] L. Salvatorelli, 1962, p. 208.

[459] Affermò in Parlamento – con la sua solita sincerità di rivoluzionario disincantato – Giuseppe Ferrari: «La frase "libera Chiesa in libero stato" è uno scherzo politico. Sì, voi non credete alla pomposa libertà che promettete al Pontefice, sorridete se alcuno vi prende sul serio. Non mi negherete che il Pontefice sia sotto la dominazione del Regno d'Italia» (G. Ferrari, *Atti uff.*, 12 maggio 1873. Cit. in: *L'Osservatore Romano*, 28 marzo 1911).

[460] G. Spadolini, 1951, p. 862.

[461] A. Omodeo, 1951, pp. 347ss.

[462] Ivi, p. 415.

[463] Ivi, pp. 417-418.

[464] R. de Mattei, 2000, p. 121.

[465] In risposta a una di queste proteste, l'enciclica *Quamvis animi*, la rivista *La capitale* pubblicò un articolo intitolato: «Le corbellerie del Sig. Pecci». Cfr R.F. Esposito, p. 212.

[466] Scrive Del Giudice: «D'altronde, la legge delle guarentigie (a parte ogni valutazione circa il merito delle sue disposizioni) non poteva essere ritenuta soddisfacente, sia perché con essa si affermava, in via di principio, il diritto dello Stato italiano di regolare, secondo i suoi criteri, la condizione della Santa Sede, sia perché una tal legge rimaneva per sé stessa soggetta, nel tutto e nelle singole parti, alla variabilità di ogni altra legge di carattere interno. È dunque spiegabile che il Papa, chiunque esso fosse, non cessasse di rinnovare, allora e poi, le proteste per la sua insostenibile situazione, posto, com'esso si riteneva, *sub hostili dominatione*, e insistesse sul principio che l'indipendenza per il libero dominio della Chiesa e la dignità del Sommo Pontefice non potessero assicurarsi che con la garanzia della sovranità territoriale». V. Del Giudice, p. 129.

[467] Gli stessi «cattolici liberali» capivano perfettamente la problematica della

difesa della necessaria indipendenza della Santa Sede, e così proponevano le più fantasiose soluzioni. Per esempio G. Durando, in *Della nazionalità italiana,* propose che al Papato fossero concesse Civitavecchia e la Sardegna, mentre L. Torelli, in *Pensieri sull'Italia di un anonimo lombardo,* si limitò all'Elba.

[468] Cfr P.K. O' Clery, 2000, pp. 503-504.

[469] F. Chabod, 1951, pp. 203ss. Si confrontino per tutto quanto da ora in poi viene trattato anche i fondamentali studi di E. Gentile, 1997, pp. 43ss. e 1993, Introduzione e pagine seguenti.

[470] F. Chabod, ivi, p. 190ss.

[471] E così si pensò di costruire il Policlinico, che nelle intenzioni doveva costituire un esempio insuperato nel mondo di progresso scientifico e funzionalità.

[472] Ivi, pp. 203ss.

[473] Ivi, pp. 218-219.

[474] Ivi, pp. 301ss.

[475] Scriveva Settembrini dopo il 1870: «La monarchia tutta di un pezzo, forte, con un principe rispettato, la monarchia stabilita in Roma, distruggerà necessariamente e inevitabilmente il papato, un poco più presto o più tardi non importa» (*Epistolario*, p. 283). In: ivi, p. 259, n. 2.

[476] Ivi, pp. 226-228.

[477] Ivi, pp. 258-262.

[478] Cfr in merito G. Biffi, p. 31.

[479] Sul progressivo sviluppo della necessità di realizzare una «religione della patria» in sostituzione alla «declinante religione cattolica», e sugli uomini che tentarono tale processo (tanto della Sinistra quanto poi della Destra nazionalista) e sui mezzi utilizzati, si vedano in particolare i libri di E. Gentile, e specie 1993, pp. 20ss. nonché il saggio di G. Vignelli, pp. 303ss.

[480] Cfr F. Chabod, 1951, pp. 51ss. Chabod tenta in ogni maniera, come anche Omodeo, Salvatorelli e altri (specie i filomazziniani) di giustificare Mazzini dall'accusa di nazionalismo, dando risalto più al suo insegnamento sulla libertà e fratellanza dell'Umanità che alla sua idea fissa del primato italiano sugli altri popoli da liberare. In realtà, proprio il ragionamento di Crispi pone in rilievo tutte le principali tematiche del pensiero mazziniano. Crispi, invero, altro non fa che portare alle ultime conseguenze gli insegnamenti del maestro della sua gioventù, dando loro coerenza logica in un senso a discapito dell'altro. Inoltre, è significativo che Giovanni Gentile – come anche soprattutto Mussolini – troverà proprio nelle idee mazziniane di «primato italico» uno dei fondamenti dello Stato etico fascista e nazionalista. Si veda, circa il passaggio dal nazionalismo al fascismo, quanto scrive Emilio Gentile nelle citate sue opere, e specie ne *Il culto del littorio.*

[481] Cfr F. Crispi, p. 148, cit. in: F. Chabod, ivi, pp. 60ss.

[482] F. Chabod, ivid, p. 169.

[483] Ivid, pp. 301ss.

[484] «Le negazioni fasciste del socialismo, della democrazia, del liberalismo, non devono tuttavia far credere che il Fascismo voglia respingere il mondo a quello ch'esso era prima di quel 1789, che viene indicato come l'anno di apertura del secolo demo-liberale. Non si torna indietro. La dottrina fascista non ha eletto a suo profeta de Maistre. L'assolutismo monarchico fu, e così pure ogni ecclesiolatria». B. Mussolini, p. 26.

[485] Nel discorso di Ferrara del 4 aprile 1921, Mussolini dichiara che il fascismo si riallaccia «al socialismo di Carlo Pisacane, di Giuseppe Ferrari e di Giuseppe Mazzini».

[486] R. Buttiglione, *Prefazione* ad A. Pellicciari, 1998, p. 6. Del resto, come nota Chabod, questa operazione si inseriva perfettamente nella tendenza generale del contesto culturale e politico dell'Europa del XIX secolo, che aveva ben accettato e fatto propria la concezione nazionalistica dell'idea di patria instaurata dalla Rivoluzione francese. «La nazione diventa patria: e la patria diviene la nuova divinità del mondo moderno. Nuova divinità: e come tale sacra. È, questa, la gran novità che scaturisce dall'età della Rivoluzione francese e dell'Impero». F. Chabod, 1967, pp. 61-62.

[487] Per un'attenta esposizione del passaggio al nazionalismo imperialista italiano degli anni prefascisti e fascisti, con un nuovo culto di stampo religioso della patria, cfr E. Gentile, 1997, pp. 104ss. La citazione è a p. 112. Nelle pagine successive l'autore poi mostra il passaggio da tale concezione religiosa del nazionalismo al razzismo deterministico. Si veda anche il saggio di G. Vignelli, pp. 306ss.

[488] «Il riconoscimento del Regno con Roma capitale, da parte del Pontefice, è l'ultimo sigillo dell'opera del Risorgimento, e la definitiva instaurazione dei fondamenti morali dello Stato italiano nella coscienza degli italiani». G. Gentile, 1934, II, pp. 93-94.

[489] E. Gentile, 1997, pp. 73ss.

[490] G. Pascoli, pp. 1ss. Cit. in: E. Gentile, 1997, p. 17.

[491] A. Del Noce, 1993, p. 335.

[492] G. Verucci (pp. 3-6) ricorda come l'anticlericalismo fosse diffuso anche fra i cattolici liberali (Manzoni era giansenista, Tommaseo simpatizzava per Savonarola, Mamiani era contro non solo il potere temporale, ma contro la stessa figura del Pontefice romano, Rosmini e Capponi ammiravano lo spiritualismo della Chiesa primitiva, il Lambruschini tendeva nettamente verso Calvino e non da meno era Ricasoli, Minghetti voleva la laicizzazione della scuola, e poi Gioberti, che peraltro morì con una Bibbia protestante fra le mani... Cfr G. Spini, 1989, p. 308), soprattutto inteso come anticurialismo finalizzato all'apertura della Chiesa al mondo moderno.

[493] Cfr F. Fonzi, p. 328

[494] A. Mario, p. 49.

[495] G. Verucci, p. 283.

[496] F. Fonzi, p. 335.

[497] P.K. O' Clery, 2000, p. 585.

[498] G. Ferrari, p. 8.

[499] Scrive Bixio che anche se «non vi fossero altre ragioni per abolire i conventi, sarebbe almeno il diritto di guerra, poiché il clero in Italia (salvo individuali eccezioni) è un nemico, e i conventi sono fortezze da espugnare» (N. Bixio, *Gazzetta del Popolo*, 19 maggio 1861), cit. in: A. Pellicciari, 1998, p. 180.

[500] Cit. in: *Un tempo da riscrivere*, p. 43.

[501] Cit. in: A. Pellicciari, 1998, p. 155.

[502] Disse in proposito il deputato Miceli alla Camera il 17 febbraio 1866 (Atti uffic., n. 154): «L'abolizione dei conventi e la soppressione del clero, a noi nemico, è la rivoluzione grande, la rivoluzione italiana, la rivoluzione politica, che dobbiamo tutti volere, per abbattere il Papato, che circonda ed allaccia colle sue reti il mondo». Riguardo poi alla solita questione circa la sincerità d'animo del Cavour,

occorre ricordare che ancora il 30 maggio 1861, festa del *Corpus Domini*, Cavour proibì per la prima volta nella storia del governo sabaudo che una qualsiasi autorità dello Stato partecipasse alla tradizionale processione. Molti cattolici vollero vedere nella sua successiva morte il giusto castigo. Cfr *Un tempo da riscrivere*, p. 18.

[503] Cit. in: ivi, p. 34.

[504] Cfr I. Rauti, pp. 354-364.

[505] A tale proposito si veda anche il saggio di F.M. Agnoli, 2001c.

[506] Cfr M. Costa Cardol, pp. 180ss. L'Italia – appena nata e già in guerra con le popolazioni meridionali – sprofondò sull'orlo della guerra civile generale, e dovunque le sinistre erano contro l'esercito e i piemontesi. Si dovette ricorrere anche alla fucilazione di soldati che volevano passare dalla parte di Garibaldi.

[507] O' Clery ricorda che si ebbero casi di soldati italiani che disertarono per non combattere contro il Papa. Inoltre, furono molti i tentativi di corrompere gruppi di cittadini romani per indurli a far festa all'entrata dei piemontesi; ma quelli se ne stettero poi inerti, o addirittura combatterono per Pio IX. P.K. O' Clery, 2000, pp. 705 e 710.

[508] G. Galasso, 1994, p. 12.

[509] Come conferma Alfonso Scirocco, la piemontesizzazione fu un'operazione voluta e attuata soprattutto dal solito Rattazzi. In un periodo di soli due mesi (ottobre-novembre 1859) egli, al governo insieme a La Marmora al posto di Cavour, con i pieni poteri concessigli dalla guerra, riformò – con ritmo di lavoro da stakhanovista – il sistema amministrativo, l'ordinamento provinciale e comunale, il Consiglio di Stato, la Corte dei Conti, il contenzioso amministrativo, gli stipendi degli impiegati, la pubblica sicurezza, i lavori pubblici, le opere pie, la sanità; contemporaneamente, come se non bastasse, curò la redazione di tre codici (penale, di procedura penale e di quella civile) e riorganizzò l'ordinamento giudiziario, dando alla magistratura un ordinamento gerarchico; ridusse pure drasticamente le autonomie decisionali, regolando con norme minuziose ogni ramo della pubblica istruzione e dell'azione amministrativa. Tutto questo in soli due mesi! Cfr A. Scirocco, pp. 142ss.

[510] Giuseppe Ferrari definì il piemontesismo «l'ultima invasione barbarica», mentre il toscano Ricasoli, sebbene fosse il più fanatico paladino dell'annessione e del centralismo, ebbe poi a dire: «La stupida pedanteria e laida burocrazia piemontese ci costringeranno a nuova rivoluzione per rigettarne quel giogo che mi è più antipatico di quello che mi fu l'austriaco. Non vogliono capire che noi vogliamo essere italiani e avere un'anima italiana e non automi alla maniera loro». Cfr *Un tempo da riscrivere*, p. 32.

[511] Cfr P. Mieli, 1999, p. 261. Le altre citazioni sempre a pp. 261-262.

[512] Il generale Bava Beccaris, con nove gruppi di artiglieria, fece strage di almeno 200 persone, fra cui un soldato fucilato per essersi rifiutato di sparare sulla folla e 450 feriti. Dopo la repressione militare seguì quella giudiziaria colpendo a sinistra, ma soprattutto a destra: si soppresse l'*Osservatore Cattolico* di don Davide Albertario, che fu condannato a tre anni di reclusione; venne poi colpita l'Opera dei Congressi: si soppressero 4 comitati regionali, 70 comitati diocesani e 2.600 parrocchiali, 600 sezioni giovanili e 5 circoli universitari. Bava Beccaris fu decorato da Umberto I, il «Re buono».

[513] H. d'Ideville, *I piemontesi a Roma (1867-1870)*, a cura di G. Artom, Longanesi, Milano 1982, pp. 55 e 59.

[514] Riportata in D. Massè, pp. 431ss.

[515] In: M. Costa Cardol, p. 100.

[516] Per un quadro d'insieme della questione, si veda il saggio di G. Morra.

[517] Cfr R. Martucci, pp. 139, 403-408, 413.

[518] Cfr S. Romano, 1994, pp. 10-12. Cfr al riguardo anche A. Lembo, pp. 116ss.

[519] Scrive Morra: «Sospeso tra unitaristi dimenticati e federalisti zittiti, l'esito del processo risorgimentale non raggiunse né l'unità, né la federazione. L'Italia fu unificata, non unita, tanto che le differenze tra i vari "pezzi" del mosaico unitario si accentuarono, soprattutto fra il Nord ricco e in via di industrializzazione, e il Sud povero e tardo-agricolo, ma soprattutto burocratico, ministeriale e familistico. E fu più occupata che liberata da un Piemonte, che impose, con singolare miopia, le sue leggi a Stati diversi e non di rado più progrediti (come lo erano la Lombardia per l'industria, la Toscana per il diritto penale, Parma per quello civile). La difesa dell'unità di uno Stato così vasto e inatteso doveva spingere la Destra storica e ancor più la Sinistra trasformista a introdurre, se non il federalismo, almeno un forte decentramento, come proponeva lo stesso Cavour. I governi dell'Italia unita non vollero: non quelli di Destra, il cui liberalismo avrebbe dovuto disporli al decentramento; meno ancora quelli della Sinistra, troppo sensibili alla tradizione giacobina e mazziniana della *republique unique et indivisible.* Il modello di organizzazione del nuovo Regno fu quello francese, di tutti il più lontano da ogni federalismo. Fu un regime pseudoparlamentare, che deteneva tutti i poteri in quanto non aveva di fronte a sé altre istituzioni che glieli controllassero o limitassero». G. Morra, p. 166.

[520] R. Martucci, pp. 447ss. Cfr anche G. De Ruggiero, pp. 344ss.

[521] Pubblicata nei *Carteggi* di Cavour, Bologna 1954, vol. IV, pp. 56-57. Citata in: G. Morra, p. 167.

[522] Cfr P. Mieli, 1999, pp. 230-239 e M. Bertolotti.

[523] Scrive Marta Petrusewicz: «La pesante presenza nella storia dell'Italia unita di un pregiudizio antimeridionale non può essere messa in dubbio»; e ricorda la spinta verso l'affermazione del razzismo che fornì Cesare Lombroso con le sue teorie: «D'altronde, anche il linguaggio dei dibattiti parlamentari sul brigantaggio era impregnato di termini razziali, di malattia, di degenerazione, di inferiorità». Cfr M. Petrusewicz, pp. 10-11.

[524] A. Gramsci, pp. 79-80. Interessante è che Gramsci sostiene (n. 1 a p. 81) che negli anni 1925- '26 si temette in certi ambienti una restaurazione borbonica al Sud.

[525] Osserva al riguardo Marcello Veneziani: «A questo proposito vorrei ricordare una pagina del tutto dimenticata della storia postunitaria: la voglia di dividere l'Italia che animò molti illustri intellettuali e politici alla fine del secolo scorso, sulla base di ragioni razziste. Leggete le pagine di Cesare Lombroso per il quale "l'intero popolo del Mezzogiorno assume i connotati del delinquente atavico"; le pagine di Enrico Ferri secondo cui "la minore criminalità nell'Italia settentrionale derivava assai dall'influenza celtica"; le pagine di Alfredo Niceforo che scriveva: "La razza maledetta, che popola tutta la Sardegna, la Sicilia e il Mezzogiorno d'Italia dovrebbe essere trattata ugualmente col ferro e col fuoco – dannata alla morte come le razze inferiori dell'Africa, dell'Australia ecc". Leggete Giuseppe Sergi, che ravvisava la differenza tra meridionali e settentrionali nella diversa conformazione del cranio. Perfino Turati divideva l'Italia in due civiltà. Sapete che cosa avevano in comune questi intellettuali? Erano tutti anticattolici, positivisti, di sinistra, ade-

renti al socialismo»: M. Veneziani, *Il Risorgimento non deve essere il tribunale della storia (a proposito di un appello firmato da sessantasei intellettuali)* in: *il Giornale* del 28/settembre 2000. Cfr in merito anche C. Petraccone.

[526] Nota Martucci che a costoro «spetta una rilevante parte di responsabilità nell'aver fatto circolare l'idea che uno Stato meridionale corrotto, abitato da individui imbelli e oziosi, richiedesse una profilassi militare per modernizzarsi»: R. Martucci, p. 9.

[527] In merito al fenomeno dell'emigrazione, Esposito afferma che la Massoneria «fu schiavista, perché speculò sulla fame di lavoro delle nostre popolazioni infelici e partecipò alla tratta degli italiani». Cfr R.F. Esposito, p. 238.

[528] V. Frosini, pp. 101-105. Cfr anche F. Manzotti.

[529] Scrive Ciuffoletti: «Quintino Sella, industriale biellese e ministro delle finanze nel governo La Marmora, sosteneva che per l'Italia "il pareggio era questione di vita o di morte, questione del *To be or not to be* e che bisognava subordinare a questo fine l'intera politica tributaria, non avendo remore nello spingere la pressione fiscale fino ai limiti ritenuti necessari a sanare il deficit». Z. Ciuffoletti, p. 269. Cit. in: F.M. Agnoli, 2001c, p. 287.

[530] P.K. O' Clery, 2000, pp. 569-571.

[531] Scrive Galasso: «Il prestigio della classe politica non ne uscì rafforzato. La popolarità della politica era scarsa nel Paese, pur dopo gli entusiasmi risorgimentali [...]. È stato detto a ragione che il governo del nuovo Stato fu la tomba di "molte grosse reputazioni patriottiche" [R. Romeo, *Dal Piemonte sabaudo all'Italia liberale*, Torino, 1964, p. 270]; e non mancò chi disse che Cavour morì a tempo per la sua gloria di grande uomo di Stato, ché altrimenti anch'egli sarebbe facilmente incappato in quel logorio». Cfr G. Galasso, 1994, pp. 20-23.

[532] Prendiamo per esempio il Veneto. M. Grassi sostiene che dopo il 1866 l'economia veneta fu distrutta, soprattutto l'agricoltura e l'attività manifatturiera, sopraffatta dalle importazioni obbligate dei prodotti inglesi; inoltre, nuove tasse vennero a gravare su agricoltori e piccoli imprenditori per mantenere la burocrazia e l'esercito; peggiorò anche la sicurezza pubblica, e triplicato fu il numero delle guardie. Vennero poi incamerati dal governo italiano i soldi accumulati da decenni di amministrazione asburgica, per pagare le guerre risorgimentali. A tutto ciò bisogna aggiungere le persecuzioni contro gli enti religiosi e i conventi, considerati austriacanti e antirisorgimentali: molti sacerdoti furono costretti a rinunciare alle legittime funzioni del loro ministero. Infine si introdusse la coscrizione obbligatoria fino a tre anni. In conclusione, accadde quanto non era mai avvenuto in ventinove secoli di storia veneta: l'emigrazione di tre milioni di persone Cfr M. Grassi, pp. 127-130.

[533] M. Costa Cardol, pp. 224-231.

[534] Scrive Agnoli: «Questa politica fiscale, che comportò, fra il 1865 e il 1871, un ulteriore aumento pari al 107% delle imposte indirette (sui consumi), gravanti soprattutto sulle classi popolari, e al 63% di quelle dirette, toccò il suo culmine con la cosiddetta "imposta sul macinato", che per il suo carattere particolarmente odioso, dal momento che colpiva soprattutto le campagne e i beni primari e pretendeva, per facilitare l'incasso, di trasformare i mugnai in esattori, ne divenne il simbolo negativo». F.M. Agnoli, *L'Italia unitaria*, 2001c, p. 287.

[535] È interessante rilevare che nelle trattative segrete intercorse nel 1860 fra Cavour e il Pantaleoni per un Concordato con la Chiesa, lo statista sabaudo si dimostrò pronto ad accettare quasi tutte le condizioni poste da Pio IX, tranne una, e in

maniera categorica: i vescovi non dovevano più avere alcun controllo sull'istruzione pubblica, nemmeno sulle cattedre di teologia nelle università, ma solo sui seminari. Cfr V. Del Giudice, p. 70.

[536] In: A. Pellicciari, 1998, p. 134.

[537] F. Chabod, 1951, p. 275.

[538] Ivi, p. 276. Si veda altresì E. Gentile (1993, pp. 13ss.), che sottolinea la funzione anticattolica (in chiave positivistico-naturalistica) dell'introduzione dell'educazione fisica obbligatoria nelle scuole, al pari ovviamente della coscrizione militare di massa.

[539] Sulla ritualità della pedagogia patriottica, si consultino: B. Tobia e M. Venturoli.

[540] F. Cusin, pp. 105-6.

[541] Cfr su questo argomento in particolare I. Porciani, I, pp. 385-428. Cfr anche S. Soldani, pp. 140ss.

[542] E in tal senso la Massoneria appoggerà il nascente movimento fascista, i cui leader erano quasi tutti iscritti alla setta. Cfr G. Vannoni.

[543] S. Romano, 1994, pp. 9 e 15-20.

[544] Cfr E. Gentile, 1997, pp. 17-18. Come ebbe a dire il presidente del Consiglio Luigi Luzzatti alla Camera il 5 maggio 1910, «i quattro del Risorgimento» devono essere considerati eroi dell'umanità venerati da tutti i cittadini liberi del mondo, perché «nessuna rivoluzione più della nostra si contrassegna per la grandezza e la purità; nessuna rivoluzione più della nostra ha una schiera così luminosa di precursori, di pensatori, di apostoli, di martiri, di eroi e di statisti»; occorre quindi che gli italiani ne abbiano venerazione affinché «il culto di questi eroi ci presìdi e ci aiuti nelle ore grigie e difficili che mai non mancano ai popoli grandi; basteranno i nomi di questi nostri instauratori della patria per salvarci da ogni pericolo». Citato in ivi, p. 19.

[545] U. Levra, p. 57. Si vedano anche le pagine dedicate a Crispi e al suo culto del patriottismo (pp. 337ss.); in particolare, all'uso strumentale della leggenda garibaldina come mitologia acquisita per dare a credere che il Risorgimento avesse avuto ciò che in realtà mai ebbe: la partecipazione popolare. Levra studia inoltre anche l'opera di Nicola Nisco, noto per la sua *Storia civile del Regno d'Italia*, classico lavoro commissionato dal re e dal governo per fini educativi nazional-popolari (pp. 389ss.).

[546] Ernesto Galli della Loggia, *Non si fa la storia con gli anti.... Leggeteche cosa diceva Gramsci*, intervista a cura di M. Blondet, in *Avvenire*, 17 ottobre 2000.

[547] O. Sanguinetti, p. 402.

[548] F. Valsecchi, 1958, pp. 1063-1064.

[549] Abba testimonia che Garibaldi si lamentò sempre con dolore per l'assenza nelle sue file dell'elemento contadino. Cfr G.C. Abba. E lo stesso discorso vale per le altre città. I veronesi, per esempio, presero a fucilate le truppe di Carlo Alberto, mentre applaudirono gli austriaci che le respingevano. Cfr M. Grassi, p. 122. Scrive Martucci: «A Solferino, il 16° reggimento di fanteria austriaco, costituito da soldati veneti, si batté da leone contro i francesi, meritandosi una menzione onorifica sul bollettino di guerra». R. Martucci, p. 70.

[550] Scrive G. Vignelli: «Un primo tentativo per rilanciare lo spirito risorgimentale era già stato fatto con le guerre coloniali in Africa, considerate come un "battesimo del fuoco" dell'Italia unita, anzi come una sorta di cruento rito di passaggio del popolo italiano all'età adulta, consacrato da un espiatorio sacrificio di sangue». G. Vignelli, p.

306. Riguardo alla politica coloniale, si cfr F.M. Agnoli, 2001c, pp. 294-298.

[551] Giustamente Martucci li definisce «bellicosi in pace, inetti in guerra». R. Martucci, p. 59.

[552] Cfr M. Costa Cardol, pp. 119ss. e 188-190. Del resto, perfino il compassato e laicista Cattaneo cedette ai miraggi militaristi, proponendo ovunque la militarizzazione della scuola e dell'Università, nella prospettiva garibaldiana di una nazione sempre pronta alle armi. Cfr C. Cattaneo, 1965, IV, pp. 109-110.

[553] S. Romano, 1994, pp. 20-25.

[554] Dichiarò Crispi alla Camera il 7 maggio 1864: «Fino al 1860 guerre veramente italiane non ce ne sono state; abbiamo avuto delle potenti rivoluzioni, delle guerre civili; ma una guerra nella quale l'Italia, essa sola, siasi misurata collo straniero, ed abbia provato la sua potenza, cotesta guerra ancora non si è fatta. Ora è bene che ciò sia! L'Italia ha bisogno di un battesimo di sangue: lo deve a sé stessa, affinché le grandi nazioni d'Europa sappiano che anch'essa è una grande nazione, e che è abbastanza forte per farsi rispettare nel mondo». F. Crispi, 1890, pp. 525-526.

[555] G. De Ruggiero, 1963, pp. 487-491. Scriverà poi Giovanni Gentile: «In guerra bisognava entrare per cementare nel sangue questa Nazione, formatasi più per fortuna che per valore de' suoi figli [...]. Cementare la Nazione come può fare soltanto la guerra, creando in tutti un solo pensiero, un solo sentire, una stessa passione e una comune speranza [...]. Cementarla, questa Nazione, per entrare insomma nella Storia con una personalità, un carattere, senza più vivere d'accatto all'ombra dei grandi popoli fattori della Storia». G. Gentile, 1934, I, cap. I.

[556] Nota E. Gentile che in questi anni divennero un po' tutti nazionalisti, compresi molti esponenti della sinistra, tanto che si era soliti parlare di «"nazionalismo democratico", "nazionalismo liberale", "nazionalismo radicale", "nazionalismo cattolico", "nazionalismo umanitario"». E. Gentile, 1997, pp. 85 e 127.

[557] La letteratura a riguardo è vasta. Si veda per esempio E. Gentile, ivi, specie per quanto concerne il meccanismo storico che condusse dal nazionalismo degli anni prebellici all'affermazione del fascismo (l'autore definisce il decennio 1912-1922 «decisivo», in quanto «maturarono le condizioni per la scissione fra Stato nazionale e democrazia liberale». Cfr pp. 76ss.) e soprattutto id., 1993, pp. 27ss., specie per quanto concerne la funzione «demiurgica» attribuita alla Grande Guerra e l'interpretazione del fascismo come definitivo tentativo di realizzazione della «religione della patria». Osserva E. Gentile: «La guerra riprendeva e continuava la rivoluzione di Mazzini. La politica [...] doveva [...] perpetuare l'impeto eroico della guerra e il senso mistico della comunità nazionale, per realizzare la "rivoluzione italiana"» (ivi, p. 30). Ed ecco D'Annunzio, Fiume, il culto dei caduti, i sacrari militari, il Milite Ignoto ecc. e naturalmente l'Altare della Patria, nuova *ara* della nuova religione italiana. Per quanto concerne poi i legami ideologici e di «loggia» del primo fascismo con la Massoneria (che intendeva e appoggiava il movimento fascista come strumento ideale per la propagazione della nuova religione), fondamentale è lo studio di G. Vannoni.

[558] E. Gentile, 1997, pp. 85 e 86. Cfr in proposito anche G. Vignelli.

[559] Ivi, pp. 151-152ss.

[560] Cit. in: E. Gentile, 1993, p. 139.

[561] Per un approfondimento di tutto questo, si cfr la Parte terza del citato libro di E. Gentile, ivi. Interessante peraltro è notare che nelle pagine successive Gentile di-

mostra come poi in realtà il pensiero fascista evolverà verso posizioni antinazionali, sia per giustificare il passaggio all'imperialismo (è evidente che ogni forma di imperialismo è una negazione del nazionalismo altrui) sia in funzione europeistica. Anche per il fascismo, quindi, la deificazione della nazione doveva portare al superamento del principio di sovranità nazionale. Cfr a merito R. de Mattei, 2001a.

[562] E. Gentile, 1993, pp. 175 e 198.

[563] G. Vignelli, pp. 308-309.

[564] Cfr R. De Felice, 1975, p. 24.

[565] «Tutte le religioni educano gli spiriti ad aspettare dal di fuori quello che l'uomo soltanto da sé e con le sue forze può acquistare [...]. Lo spirito religioso è, da questo lato, anticivile perché antietico [...]. La ragione della vita è dentro e non fuori la vita. Nulla trascende il nostro mondo, nulla trascende il nostro spirito. I misteri, le sorgenti imperscrutabili dei valori umani sono la negazione dell'autonomia e quindi del valore di ogni uomo [...]. Quando la nostra laicità vera si farà la strada cui è destinata, anche le tonache spariranno da sé, senza che noi le scacciamo». G. Gentile, 1908, pp. 324, 339, 341.

[566] Cit. in: E. Gentile, 1993, p. 39.

[567] Ivi, pp. 40ss.

[568] Cfr in proposito G. Galasso, 1994, pp. 76-77, R. Romeo, 1987, pp. 135-136 e in particolare G. Aliberti. Cfr anche N. Valeri, pp. 22-25, G. Galasso, 1978 e R.H. Rainero, pp. 133ss.

[569] Cfr per una precisa spiegazione del concetto il già citato saggio di Vignelli. Scrive al riguardo Giulio Bollati: «Certo non è sostenibile che la storia italiana dell'Otto e del Novecento dovesse sfociare necessariamente nel fascismo: ma è un fatto che il fascismo coagulò, in virtù di una particolarissima e specifica combinazione di circostanze interne e internazionali, tutta una serie di elementi sparsamente reperibili nella tradizione italiana. Se si vuole, il fenomeno può essere condensato in una formula: nulla è nel fascismo *quod prius non fuerit* nella società, nella cultura, nella politica italiana, tranne il fascismo stesso. Col che ancora una volta si conferma quel rapporto di distinzione storica, e al tempo stesso di complice solidarietà, fra tradizione e innovazione che è la costante della moderna storia d'Italia». G. Bollati, p. 121.

[570] P. Mieli (1999, pp. 249-259) ha riassunto, prendendo spunto dal libro di A. Castelli, il dibattito in seno a «Giustizia e Libertà» negli anni Trenta nel solco di un articolo di Salvemini del 1898, *Le origini della reazione*, il quale affermava che il Risorgimento fu una rivoluzione «confiscata» da un'*élite* reazionaria, tesi poi ripresa da Gobetti con *L'eresia del Risorgimento* e Gramsci. Carlo Rosselli nel 1932 ripubblicò lo scritto e ne nacque un dibattito, dove in generale si tendeva a vedere il fascismo come conseguenza dei mali del Risorgimento.

[571] Cfr G. Aliberti, p. 155. Peraltro, dopo la guerra, Togliatti al contrario esaltava il Risorgimento e Mazzini. Ma ciò è facilmente spiegabile: le parti si erano rovesciate, e ora era la Resistenza che ambiva a presentarsi come l'esito del Risorgimento. Il «secondo Risorgimento», appunto, dimenticando che già si era definito il fascismo in tale maniera. Cfr G. Vignelli.

[572] G. Colamarino, pp. 11-12.

[573] Secondo Aliberti questa spiegazione sarebbe «insipiente». G. Aliberti, p. 111.

[574] G. Perticone, 1962, pp. 361-93.

[575] G. Carocci, p. 13

[576] G. Perticone, 1962, pp. 201-17, 360-86, 508-17. Perticone dimentica di menzionare evidentemente il primo e più grande dei «dittatori parlamentari», Camillo Benso, conte di Cavour.

[577] F.L. Ferrari, pp. 385ss.

[578] A. Del Noce, 1990.

[579] Scrisse Gentile a Mussolini il 31 maggio 1923 in una lettera inviatagli per ringraziarlo di avergli concesso la tessera onoraria fascista: «Liberale per profonda e salda convinzione [...] mi sono dovuto persuadere che il liberalismo, come lo intendevano gli uomini della gloriosa Destra che guidò l'Italia nel Risorgimento [...] non è oggi rappresentato in Italia dai liberali che sono più o meno apertamente contro di Lei, ma per l'appunto da Lei». In: ivi, p. 407.

[580] Sempre Del Noce sostiene che gli scritti di Gentile su Rosmini e Gioberti avevano come scopo «l'immanentizzazione della filosofia cattolica del Risorgimento» (ivi, p. 51), in quanto in Gentile «l'idea del Risorgimento ha il senso di una categoria filosofica [...], assume la stessa funzione che in Marx ha l'idea di Rivoluzione» (ivi, p. 123), ossia quella di costruire – sulle ceneri del vecchio mondo – l'«uomo nuovo» (ivi, pp. 187-188).

[581] R. Martucci, pp. 341-342.

[582] E. Gentile, 1997, pp. 85ss. Citazioni a pp. 87 e 89.

[583] A. Omodeo, 1963, p. 14.

[584] C. Pavone; G.E. Rusconi, pp. 45ss.; E. Galli della Loggia, 1998a. Si vedano anche: C. Sgorlon; *Foibe ed esodo*; A. Petacco; G. Valdevit; S. Courtois; G. Oliva.

[585] P. Mieli (1999, pp. 301-310) ricorda il libro di M. Battini-P. Pezzino. Mieli nota come gli autori tocchino punti molto scottanti, come le violenze popolari e le stragi compiute dai partigiani (già lo avevano fatto peraltro autori di sinistra come Storchi, Pavone); soprattutto, però, Mieli rileva come il libro denunci un'altra palese, ma occultata scomoda verità: il fatto cioè che neanche la Resistenza ebbe mai un vero consenso popolare; anzi (in ciò fu veramente «risorgimentale») le popolazioni erano contrarie ai partigiani, in quanto le loro azioni procuravano poi le rappresaglie naziste e le stragi, proprio come nel caso delle Fosse Ardeatine. Aurelio Lepre, nel 1966, aveva già dimostrato come la gente di Roma avesse condannato subito il gesto di via Rasella.

[586] G. Pansa, 2003; 2004; 2005; 2006; 2008.

[587] Il ruolo dei comunisti in quegli anni implica poi un discorso a parte, qui non affrontabile, anche perché necessita di approfonditi studi. Rinvio a quanto scrive E. Galli della Loggia in 1998a, pp. 52ss. L'autore, fra altre cose, sottolinea come la Repubblica abbia voluto occultare la guerra civile in quanto timorosa per la propria legittimità; in realtà, afferma Galli della Loggia, una guerra civile potrebbe anche fondare una nazione, qualora però essa si concludesse con un vero vincitore, ciò che appunto mancò in Italia, perché a vincere fu lo straniero; inoltre la stessa Resistenza era divisa in molte parti, e tali sono ancora oggi sotto i nostri occhi. E tra queste «parti» la più antinazionale era proprio il Partito comunista di Togliatti, pronto a menomare il territorio nazionale (oltre ad aver avallato le stragi titine delle foibe), mandando così a monte tutto il Risorgimento, in nome dei dettami internazionalistici marxisti-leninisti. Ed è proprio per questo, spiega Galli della Loggia, che dalla Resistenza non è mai potuta sgorgare alcuna idea di nazione né alcuna ve-

ra nazione; l'autore, inoltre, denuncia giustamente anche i silenzi della storiografia su tali inquietanti tematiche, compreso il lavoro di Claudio Pavone, che sorvola su tutto questo scomodissimo ruolo antinazionale svolto dal Pci di Togliatti, e scrive in proposito (p. 67): «Mi chiedo: come sono compatibili con una cittadinanza democratica, e in particolare con il suo "più alto senso", l'insieme di azioni e di abiti ideali di cui mezzo secolo fa fece mostra il Pci nella Venezia Giulia da un lato, e dall'altro il silenzio – forzatamente complice, si può concedere, ma alla fine pur sempre complice – che la Resistenza non riuscì a non mantenere sugli uni e sugli altri? Come si sarebbe potuto mai costruire una rinnovata identità nazionale, una rinnovata idea di patria su quelle azioni e quegli abiti mentali? Su quel silenzio? E infatti non si è costruita». Si veda anche l'interessante lavoro di R. Festorazzi.

[588] In: S. Romano, 1994, pp. 26-27. È interessante a tal riguardo leggere con attenzione le toccanti parole di un uomo – simbolo di un'intera epoca politica e culturale – che vedeva non solo la sua vita, ma tutto ciò in cui aveva creduto e per cui aveva vissuto finire nella umiliazione e nel sangue dei suoi connazionali: «Improvvisamente l'Italia, quella in cui si credeva, l'Italia degli Italiani con cui si viveva e si voleva vivere d'un solo sentire e pensare, sembrò fosse scomparsa. Per quale Italia ora vivere, pensare, poetare, insegnare, scrivere? [...]; la sciagura infinita d'oggi non è l'invasione straniera e la devastazione delle nostre città e la strage delle nostre famiglie e l'incertezza del domani [...]. È nell'animo nostro, nella discordia che ci dilania, nello struggimento che ci assale innanzi allo sfacelo di quello che era la nostra fede comune, per cui si guardava cogli stessi occhi al nostro passato e con la stessa passione al nostro avvenire: questo non riconoscerci, non comprenderci; e perciò non ritrovarci più» (G. Gentile, *Ripresa*, in *Nuova Antologia*, 1° gennaio 1944; citato in E. Gentile, 1997, p. 225). Si tratta della continuazione, ancora più drammatica, del fallimento del progetto dazegliano. Quello stesso uomo, la mente più alta che la Rivoluzione *italiana* abbia avuto, finirà vilmente trucidato a opera dell'altra famiglia di questa Rivoluzione.

[589] E. Gentile, ivi, p. 238. Sono gli stessi partigiani che lo confermano. Leo Valiani parla di avanguardie «molto, ma molto sottili [...] incapaci di collegarsi con le più larghe masse che idealmente pretendevano rappresentare e trascinare» (L. Valiani, p. 357); e Pietro Nenni scriveva nel giugno 1944: «La nostra parte è così piccola, che nessuno può sfuggire ad un sentimento di umiliazione nazionale [...]; la guerra che si è combattuta sui nostri monti è stata quasi esclusivamente la guerra di eserciti stranieri. La nazione è rimasta pressoché assente dai campi di battaglia o confinata in settori secondari». P. Nenni, pp. 38-39. Testi citati in E. Gentile, ivi.

[590] Riguardo a tale concetto, rileva G. Morra: «Le discussioni recenti fra alcuni storici circa la fine della nazione italiana, che viene ora fissata all'otto settembre 1943, da altri negata in nome di un suo recupero durante la Resistenza, non mancano di utili suggerimenti, ma solo quando si premetta che l'Italia non ha tanto cessato di essere una nazione, quanto piuttosto che si è accorta di non esserlo mai stata pienamente. Il processo con cui avrebbe dovuto diventarla, fu per più motivi deludente, non fu una unificazione, ma una occupazione; venne subito ignorato e anche rifiutato dalla maggioranza della popolazione; creò con lo statalismo piemontese una omogeneizzazione artificiosa, cui non corrispondeva alcuna reale solidarietà nazionale». Cfr G. Morra, p. 171. Si veda per tutto questo discorso anche V. Ilari.

[591] Per esempio, scrive E. Galli della Loggia (1998a, p. 14) che: «In totale, nel-

le ore successive alla proclamazione dell'armistizio le truppe tedesche, nella sola Penisola, disarmarono 82 generali, 13.000 ufficiali e 402.000 soldati. Includendo nel calcolo tutti i fronti di guerra il bottino della *Wehrmacht* fu enorme: un milione circa di uomini disarmati, di cui 810.000 catturati (e 615.000 dei quali internati). Cadde inoltre nelle mani della Germania una quantità enorme di materiali e di armamenti, tra cui 16.000 veicoli, 900 veicoli corazzati e 5.000 cannoni». Commenta Aurelio Lepre: «Lo sfacelo dell'esercito fu uno dei segni più evidenti della disgregazione del vecchio Stato e anche della fine dell'idea di nazione: non esisteva più niente per cui lottare, l'unica via di scampo era nella salvezza personale, nel ritorno alla famiglia». A. Lepre, p. 17.

[592] Cfr E. Galli della Loggia, ivi, pp. 7ss.; E. Lodolini, pp. 61ss.

[593] E. Gentile, 1997, pp. 229-230.

[594] Scriveva del resto un esponente del risorgimentalismo azionista come Ugo La Malfa: «L'Italia come grande Stato nazionale ereditato dal Risorgimento è stato distrutto [...]; sono stati scardinati anche gli elementi primordiali di organizzazione e di vita di uno Stato, quelli senza cui non esiste e non può esistere uno Stato, tutte le istituzioni civili, le istituzioni giudiziarie, le istituzioni militari e di polizia, i servizi tecnici, la burocrazia». U. La Malfa, p. 4.

[595] G. Ansaldo, p. 32.

[596] Cfr su questo scottante tema gli studi di F. Malnati, 1997 e 2002, pp. 131-149.

[597] Per l'ideologia risorgimentale cfr Parte terza, cap. I, par. 3.

[598] In un articolo su *il Giornale* del 9 dicembre 2009, Marcello Veneziani, dopo aver sostenuto le ragioni per cui il Risorgimento fu «un'opera gloriosa», così commenta: «Però il Risorgimento ha avuto anche ombre infami. Fu fatto senza e contro i cattolici, i contadini e i meridionali, che furono esclusi e si autoesclusero; fu fatto con soprusi e violenze, con la dittatura di Garibaldi in Sicilia, con eccidi e disprezzo delle popolazioni, portò alla fame e all'emigrazione molta povera gente. E fu concepito da alcuni suoi fautori non come l'Unità d'Italia, ma come la colonizzazione piemontese della Penisola. Il Sud uscì dall'Unità peggio di come vi era entrato, la Napoli borbonica distava dall'Europa meno di quanto disti la Napoli odierna; molti rimpiansero l'amministrazione asburgica a Nord, i granducati e lo Stato pontificio. E al Sud i briganti non furono né solo eroi popolari né solo selvatici criminali, ma l'uno e l'altro. Un Paese maturo dovrebbe avere la saggezza di ricordare queste pagine oscure e controverse della sua storia, ricordarsi i martiri di ambo i fronti, e ricordare anche la storia dei vinti [...]»; per poi aggiungere che lo stesso Risorgimento fu comunque un bene per tutti gli italiani (compresa la Chiesa, che si liberò dal fardello di uno staterello provinciale) perché si ritrovarono uniti in uno Stato organico, e una necessità insieme, in quanto l'unità stessa è stata il frutto storico della millenaria cultura degli italiani: «L'Italia fu unita da Dante, poeta e autore del *De monarchia*, e da Machiavelli, e non da Garibaldi. È bella ed eccezionale la nascita italiana dalla parola e dalla poesia, dai versi di un grande poeta ispirato dal divino, ma tutt'altro che clericale, piuttosto che dalle sciabolate di un generale. Garibaldi, anzi Cavour, la portò solo a compimento. Ma l'Italia, lo dico da una vita, precede lo Stato italiano; l'Unità non è una nascita, ma un coronamento». E infine conclude: «È importante riconoscersi in un'identità comunitaria e in una tradizione, o meglio in una rete di identità, comunità e tradizioni, da quella famigliare a quella culturale, a quella locale e poi nazionale, fino alla propria civiltà.

L'italianità esiste e il Risorgimento è un suo decisivo gradino, scivoloso, ma necessario». Ora, il problema però consiste, a mia opinione, proprio in quello che Veneziani vuole celebrare, ovvero il fatto che l'unificazione fosse il frutto necessario di secoli di cultura e identitarismo nazionali, sui cui fondare oggi il nostro essere «rete di identità e comunità». Dato tutto ciò che avvenne, e la maniera tramite cui avvenne, non è lecito porsi l'interrogativo se non siano stati proprio i protagonisti dell'unificazione a tradire quelle che – giustamente – Veneziani presenta come le «credenziali» spirituali, culturali e morali del nuovo Stato che si volle creare? Intendo dire, non furono proprio gli artefici unitaristi a pensare, progettare, compiere (per quanto fu loro possibile) il contrario di quella che era la secolare identità – spirituale, civile, culturale – degli italiani? E non risiede proprio in questo la motivazione essenziale del dramma italiano?

[599] Su Cavour cfr Parte seconda, cap. V e cap. VI, parr. 1, 2 e 5.

[600] Per l'elitarismo utopista cfr Parte prima, cap. I, parr. 1 e 2.

[601] Sui legami fra la Rivoluzione italiana e il totalitarismo novecentesco, nero e rosso, cfr Parte seconda, cap. VIII, par. 4 e Parte terza, cap. II.

[602] Su «Lo Stato che crea la nazione» cfr Parte prima, cap. I, parr. 2 e 3.

[603] Sulla identità italiana cfr Parte Prima, cap. I, par. 1.

[604] Sulla guerra alla Chiesa e alla identità cattolica da parte del Risorgimento, si veda in particolare Parte prima, cap. I, par. 3; cap. II, par. 1; Parte seconda, cap. I, parr. 1 e 2 e l'intero cap. VIII.

[605] Sulla assenza degli italiani nell'azione e nel pensiero del Risorgimento cfr Parte prima, cap. I, par. 2 e Parte seconda, cap. VI, par. 5.

[606] Sull'azione del mondo settario e massonico nel Risorgimento cfr Parte prima, cap. II.

[607] Sull'appoggio delle potenze straniere al Risorgimento cfr Parte seconda, capp. IV, V, VI.

[608] Sulle insorgenze antigiacobine controrivoluzionarie cfr Parte seconda, cap. I, parr. 1 e 3.

[609] Sulla rivolta meridionale antiunitaria, o Seconda guerra civile italiana, cfr Parte seconda, cap. VII.

[610] Su!l'utopismo politico mazziniano cfr Parte prima, cap. I, par. 3.

[611] Sulla Terza guerra civile italiana cfr Parte terza, cap. II.

[612] Sulla ferita alla identità nazionale cfr Parte prima, cap. I, parr. 2 e 3; Parte seconda, capp. I, II, VI, VII, VIII; Parte terza, cap I, parr. 1, 2, 3 e cap. II.

[613] R. Romeo, 1990b, pp. 163-164.

[614] Sul concetto di Risorgimento come Rivoluzione italiana cfr Parte prima, cap. II, par. 2.

[615] Leggiamo questo intelligente commento con cui l'agente segreto di Cavour, Filippo Curletti, chiude il suo breve, ma importantissimo memoriale, scritto, come già detto, a freschissima memoria di testimone diretto dei fatti nel 1861: «Io vedevo il Piemonte, accettato con ripugnanza e come una transizione dalla Lombardia, che imponevasi per sorpresa e cogli inganni a Parma, a Modena e nell'Italia centrale e che si manteneva a gran pena ed a forza di sangue nel Regno di Napoli, vendutogli da qualche spergiuro. Insomma, io non avevo scorto da nessuna parte quell'entusiasmo per l'unità italiana, che imbevuto dalle illusioni piemontesi io mi era atteso di vedere manifestarsi ovunque [...]. Da per tutto infine il Piemonte era ri-

sguardato come uno straniero e come un conquistatore. In faccia di tali sentimenti, sono stato obbligato di riconoscere che il vero stendardo del movimento italiano non aveva mai cessato di essere l'indipendenza e non era mai stato l'unità, di cui l'idea non era neanche matura! [...], L'unità di una nazione non si crea: bisogna aspettare che nasca alla sua ora. Allora solamente può essere forte e durevole». E. Bianchini Braglia, pp. 75-76.

[616] Sui concetti di «fare gli italiani» e la «Nuova Italia» cfr Parte prima, cap I e Parte terza, capp. I e II.

[617] E. Galli della Loggia, 1998b, p. 65.

[618] Sulla emigrazione postunitaria cfr Parte terza, cap. I, par. 2) c.

[619] Sulla validità del progetto confederativo neoguelfo cfr Parte seconda, cap. III, par. 1.

[620] Cfr Parte prima, cap. I.

[621] Sulla svolta rivoluzionaria del 1848 cfr Parte seconda, cap. III, par. 2.

[622] Sulla calunnia politica e storiografica nei confronti degli Stati preunitari e sul loro effettivo grado di progresso sociale e culturale cfr Parte seconda, cap. IV.

[623] Sulle reali motivazioni della caduta del Regno delle Due Sicilie e sul comportamento dei «liberatori» cfr Parte seconda, capp. VI e VII.

[624] Sulla rovinosa scelta centralista e sul piemontesismo cfr Parte terza, cap. I, par. 2) b.

[625] Sul mito di Garibaldi cfr Parte seconda, cap. VI, par. 3.

[626] Su Mazzini cfr Parte seconda, cap. II.

[627] Sul legame fra Risorgimento e fascismo cfr Parte terza, cap. II, par. 1.

[628] Sull'occultamento di tutto il fenomeno dell'Insorgenza controrivoluzionaria cfr Parte seconda, cap. I, par. 3) b.

INDICE DEI NOMI

INDICE GENERALE

Finito di stampare nel febbraio 2011
Tipografia Gamma srl - Città di Castello (Pg)